MESSE NOIRE

Dick Lehr &
Gerard O'Neill

MESSE NOIRE
Whitey Bulger et le FBI, un pacte avec le diable

Traduit de l'anglais (États-Unis)
par Christian Séruzier

Hugo÷Doc

Publication originale aux États-Unis par PublicAffairs™
Perseus Books Group, 2000
Seconde édition, 2012

© 2000 Dick Lehr et Gerard O'Neill

© Hugo et Cie, 2015 pour l'édition française

Ouvrage dirigé par Franck Spengler

© 2015, Hugo et Compagnie
38, rue La Condamine 75017-Paris
www.hugoetcie.fr

ISBN : 9782755622706

Dépôt légal : août 2015

Imprimé au Canada

À mes fils, Nick et Christian Lehr,
et à mes filles Holly et Dana Lehr

À mon épouse Janet, modèle d'équilibre,
et à mes enfants Brian et Shane O'Neill

SOMMAIRE

PRINCIPAUX PERSONNAGES

LE GANG DE BULGER

James « Whitey » Bulger

Stephen « Le Flingueur » Flemmi

Nick Femia, garde du corps

Kevin Weeks, garde du corps et « fils adoptif » de Bulger

Kevin O'Neil, associé

Patrick Nee, associé

Joseph Yerardi, associé

George Kaufman, associé

LE GANG DE WINTER HILL

James Bulger et :

Howard Winter, chef du gang

John Martorano, exécuteur

William Barnoski, associé

James Sims, associé

Joseph McDonald, associé

Anthony Ciulla, spécialiste des courses truquées

Brian Halloran, associé

MAFIA DE BOSTON

Gennaro J. « Jerry » Angiulo, sous-capo

Ilario « Larry » Zannino, *capo de regime* et *consigliere*

Donato « Danny » Angiulo, *capo de regime*

Francesco « Frankie » Angiulo, associé

Mikey Angiulo, associé

J. R. Russo, *capo de regime*

Vincent « La Bête » Ferrara, *capo de regime*

Bobby Carrozza, *capo de regime*

Frank « Cadillac Frank » Salemme, ami de jeunesse de Flemmi
et patron de la mafia dans les années 90

FBI, BUREAU FÉDÉRAL D'ENQUÊTE, BUREAU DE BOSTON

Paul Rico, Brigade contre le crime organisé
Dennis Condon, Brigade contre le crime organisé
John Connolly, agent traitant de Bulger et Flemmi
John Morris, superviseur, Brigade contre le crime organisé
Lawrence Sarhatt, agent spécial en charge (SAC) début des années 80
James Greenleaf, agent spécial en charge (SAC) milieu des années 80
James Ahearn, agent spécial en charge (SAC) fin des années 80
Robert Fitzpatrick, agent spécial adjoint en charge (ASAC)
James Ring, agent spécial adjoint en charge (ASAC)
Nicholas Gianturco, Brigade contre le crime organisé
Tom Daly, Brigade contre le crime organisé
Mike Buckley, Brigade contre le crime organisé
Edward Quinn, Brigade contre le crime organisé
Jack Cloherty, Brigade contre le crime organisé
John Newton, agent spécial
Roderick Kennedy, agent spécial

AUTORITÉS FÉDÉRALES, D'ÉTAT, ET LOCALES

Robert Long, Police d'État du Massachusetts
Rick Fraelick, Police d'État du Massachusetts
Jack O'Malley, Police d'État du Massachusetts
Colonel John O'Donovan, commandant, Police d'État du Massachusetts
Thomas Foley, Police d'État du Massachusetts
Joe Saccardo, Police d'État du Massachusetts
Thomas Duffy, Police d'État du Massachusetts
Richard Bergeron, inspecteur, police de Quincy
Al Reilly, Brigade fédérale de lutte contre les stupéfiants (DEA)
Stephen Boeri, Brigade fédérale de lutte contre les stupéfiants (DEA)
Daniel Doherty, Brigade fédérale de lutte contre les stupéfiants (DEA)
Jeremiah T. O'Sullivan, procureur fédéral, ministère de la Justice
Fred Wyshak, procureur fédéral, ministère de la Justice
Brian Kelly, procureur fédéral, ministère de la Justice
James Herbert, procureur fédéral, ministère de la Justice

PROLOGUE

Été 1948. Une belle journée ensoleillée à Boston, Massachusetts. Un gamin en short qui s'appelle John Connolly entre dans le drugstore du coin, flanqué de deux de ses copains. Ils viennent inspecter le rayon des bonbons de la petite boutique de la cité d'Old Harbour, dans le sud de la ville où ils sont nés.

– Regarde ! C'est Whitey Bulger, chuchote un des gamins.

Le légendaire Whitey Bulger : efflanqué, tendu, l'air mauvais, la tignasse blonde et fournie, si claire que les flics le surnomment «Whitey», le petit Blanc, même qu'il déteste ce surnom, lui préférant son vrai prénom de Jimmy. C'est lui, l'ado qui joue les méchants à la tête du gang des Shamrocks.

Bulger a repéré les gosses qui l'observent et, spontanément, commande des glaces pour tout le monde. Deux des gamins annoncent leur préférence, mais le petit John Connolly hésite ; il se souvient des avertissements de sa mère de ne rien accepter de la part d'un inconnu. Lorsque Bulger lui demande pourquoi il ne veut rien, les autres gamins pouffent de rire en évoquant les interdits décrétés par sa mère. Bulger intervient.

– Moi, un inconnu ? Mais, mon vieux, ton père et ta mère sont irlandais. Et mes vieux sont irlandais aussi. Je ne suis pas un inconnu !

Whitey insiste.

– Tu prends quel parfum ?

– Vanille, lâche Connolly d'une voix timide.

Whitey soulève le gamin par-dessus le comptoir et celui-ci s'empare du cône glacé.

C'est ainsi que s'est déroulée la première rencontre entre John et Whitey. Des années plus tard, il racontera l'excitation qu'il avait ressentie à cet événement imprévu. «C'était comme si j'avais rencontré Ted Williams, la plus grande star du base-ball de l'époque.»

INTRODUCTION

C'est au printemps 1988 que nous avons entrepris d'écrire pour le *Boston Globe* l'histoire de deux frères, Jim « Whitey » Bulger et son cadet Billy. Boston se targue d'un passé riche et glorieux, les personnages historiques hauts en couleur ne manquent pas, mais les Bulger s'inscrivent comme de véritables légendes vivantes. Tous deux ont atteint le sommet de leur art. À 58 ans, Whitey est devenu le gangster le plus puissant de la ville, sa réputation de tueur n'est plus à faire, tandis que Billy jouit, à 54 ans, du statut d'homme politique le plus influent de l'État du Massachusetts, occupant le poste de président du Sénat local depuis plus longtemps que n'importe lequel de ses prédécesseurs depuis deux cent huit ans. On reconnaît aux deux frères le côté rusé et peu scrupuleux de leur caractère, des traits qu'ils appliquent chacun dans leur univers respectif.

Leur saga est typiquement bostonienne ; c'est l'histoire de deux frères qui ont grandi dans une cité de la ville, un environnement clos où les habitants partagent leur origine irlandaise, South Boston, que l'on surnomme plus familièrement « Southie ». L'aîné, Whitey, est d'une nature rebelle ; il a connu des années tumultueuses dans sa jeunesse ; on le retrouve souvent devant le juge, rarement au collège ou au lycée, impliqué dans des bagarres de rue, des poursuites en voiture, dans la pure tradition des films de gangsters sortis d'Hollywood. Dans les années 40, il avait lancé son véhicule sur les rails du tramway et traversé à toute allure l'ancienne gare de Broadway, sous les yeux horrifiés d'une foule de voyageurs. Casquette en tweed vissée sur la tête, une blonde, cheveux au vent, à ses côtés, il avait salué les spectateurs en klaxonnant avant de disparaître. La vie a pris une tout autre tournure pour son frère Billy. Il suit des études d'histoire, de lettres classiques et, plus tard, de droit, avant de se lancer dans la politique.

Les deux frères ont eu chacun les honneurs de la presse, sans aucun rapport évidemment. Si bien qu'en ce printemps 1988, nous nous sommes lancés avec deux autres journalistes du *Boston Globe* dans cet immense défi : rétablir la vérité sur la relation des deux frères. Christine Chinlund, spécialiste politique, se lancera sur la piste de Billy Bulger, tandis que Kevin Cullen, le meilleur journaliste spécialiste de la criminalité à cette époque, prend en charge le dossier de Whitey. Nous établissons la liaison entre les deux, Lehr étant surtout attaché aux recherches de Kevin Cullen, O'Neil se chargeant de la synthèse des dossiers. Nous voulions garder notre âme de journalistes d'investigation, certes, mais ce projet se voulait surtout une biographie en profondeur de deux frères, deux personnalités parmi les plus hautes en couleur et les plus captivantes de la ville.

Nous avions décidé d'un commun accord que toute l'histoire de Whitey Bulger tournait autour de sa réussite sociale. Certes, il avait passé neuf années pénibles dans une prison fédérale, dont quelques-unes à Alcatraz, à la suite d'une série de hold-up armés dans les années 50. Mais depuis son retour à Boston en 1965, il s'était tenu à l'écart des autorités judiciaires et n'avait même pas encouru la moindre amende au volant. Son ascension au sein de la pègre de Boston avait cependant été fulgurante. De simple homme de main du gang de Winter Hill, il s'était élevé au rang de boss le plus célèbre de tous les truands locaux. En chemin, il s'était associé à un tueur, Stevie «Le Flingueur» Flemmi, et les citoyens ordinaires estimaient généralement que s'ils étaient parvenus à devenir riches et célèbres par le crime durant toutes ces années, c'était parce qu'ils se montraient plus malins que tous les flics qui tentaient de les prendre sur le fait.

Mais vers la fin des années 80, la police locale et de l'État du Massachusetts, ainsi que les agents fédéraux de la lutte anti-drogue, la DEA, commencent à élaborer une nouvelle théorie concernant la conduite irréprochable de Whitey.

Certes l'homme est malin et prend toutes les précautions qui s'imposent, mais il semble tout à fait impossible qu'il puisse passer aussi facilement à travers les mailles du filet. Pour les forces de l'ordre, il bénéficie d'une forme de protection. Bulger, selon eux, entretient des relations avec le FBI, et c'est celui-ci qui lui confère cette immunité durant toutes ces années. Comment expliquer autrement le fait qu'il ne se soit jamais fait prendre malgré toutes les tentatives légales ? Mais cette théorie présente un inconvénient de taille : personne n'est en mesure de prouver formellement et de manière irréfutable que cette protection existe.

Pour notre part, c'est une hypothèse que nous trouvions pour le moins farfelue et, au pire, intéressée.

Selon Cullen, qui habitait dans un quartier sud de Boston, elle s'opposait à tout ce que l'on connaissait sur la réputation de ce voyou, un chef de bande criminelle à la violence redoutable, exigeant une loyauté extrême de ses associés. C'était en contradiction flagrante avec le monde de Bulger, sa culture et son origine irlandaise. Les Irlandais avaient de tout temps entretenu une haine féroce des indicateurs. Nous avions tous vu, certains plusieurs fois, le célèbre film de John Ford, *Le mouchard*, de 1934, et la peinture inégalée, viscérale, de l'horreur et de la haine ressenties par les Irlandais à l'égard des indics. Plus encore, une écoute téléphonique locale effectuée à South Boston avait beaucoup circulé parmi les enquêteurs en charge du dossier Bulger. Cet enregistrement secret mettait en scène un des sous-fifres du chef s'adressant à sa petite amie.

« Je déteste ces putains de mouchards, clamait John "le Rouge" Shea. Ils sont aussi pourris que les violeurs ou ces putains de pédophiles. » Et que ferait-il s'il démasquait un de ces mouchards ? « Je le ligoterais sur une chaise, d'accord ? J'attraperais une batte de base-ball et je l'abattrais de toutes mes forces sur sa gueule. Et je regarderais sa tête tomber par terre. Et puis je prendrais une tronçonneuse et je lui couperais les orteils. À plus tard, chérie. »

Voilà quel est l'univers de Whitey, dans lequel cette opinion au sujet des indics est répandue à tous les niveaux de la hiérarchie. Même son frère Billy partage une version édulcorée des sentiments de John « le Rouge ». Dans un livre de souvenirs datant de 1996, il évoque sa jeunesse et le jour où il jouait au base-ball avec ses copains ; ils avaient brisé un lampadaire municipal. Les adultes avaient déclaré aux gamins qu'ils récupéreraient leur balle dès que le coupable se désignerait. Les garçons étaient restés muets. «On détestait les mouchards, écrit Billy Bulger. Notre histoire dégoulinait du sang des mouchards qui avaient vendu leurs frères aux bourreaux, et pire encore sur la terre de nos ancêtres.»

Comme ce souvenir était également partagé par Whitey, aucun de nous quatre en 1988 ne pouvions accorder le moindre crédit à ces histoires d'indics. Nous avons bien étudié la question, et notre réponse était sans appel: impossible. L'hypothèse avait dû être fabriquée par des enquêteurs frustrés et amers, confrontés à l'échec de leurs efforts pour coincer Whitey Bulger. Bulger ne pouvait trahir, point final.

Pourtant, cette idée ressurgissait parfois dans nos têtes avec insistance. Et s'il y avait un grain de vrai dans cette théorie improbable?

En 1988, les grands titres des journaux de Boston se concentraient sur l'annonce de la candidature à la présidence du gouverneur du Massachusetts Michael Dukakis, mais pendant ces mois voués aux batailles politiques, nous étions de plus en plus passionnés par nos recherches sur Whitey. Cullen avait repris ses investigations, suivi par Lehr. Ils accumulaient les interviews auprès des enquêteurs qui avaient participé aux filatures de Bulger et tenté de l'incriminer. Ceux-ci reprenaient en détail leurs rapports qui débouchaient tous sur la même conclusion: Bulger s'en tirait sans un accroc, le sourire aux lèvres. Ils évoquaient parfois un agent du FBI, John Connolly, issu du même quartier que Bulger, Southie. On l'avait repéré à plusieurs reprises en compagnie du gangster.

Nous avons réclamé auprès du FBI de Boston, sous couvert de la Loi sur la liberté de l'information, les dossiers de surveillance concernant Whitey Bulger. C'était une simple formalité apparemment, le fait que les informations fournies par l'administration étaient évasives ne nous surprenait pas outre mesure. Mais nous n'étions toujours pas en mesure d'affirmer que Bulger était un indicateur du FBI. Nous n'avions que des soupçons sérieux, mais aucun moyen de les étayer, sur d'autres membres de la police. Aucune confirmation provenant de la police elle-même. Au mieux pouvions-nous soutenir que Bulger avait réussi à diviser les membres de la police locale. Nous écririons donc un papier sur les pratiques policières, démontrant que ni les agents anti-drogue ni les forces de sécurité ne parvenaient à l'inculper, et finissaient par émettre des soupçons sur le FBI lui-même. Bulger, selon nous, avait gagné: il avait réussi à diviser pour régner.

Parmi les histoires qui tournaient autour de la pègre de Boston et des relations entre les divers enquêteurs, on évoquait des fantômes, de la fumée, des jeux de miroirs ; nous n'arrivions pas à croire à la thèse d'un Bulger mouchard. Néanmoins, nous avons décidé de procéder à une dernière enquête afin de vérifier les informations données par nos sources au sein du FBI. On trouvera l'essentiel de cette enquête dans le chapitre seize de ce livre. Finalement, nous sommes parvenus à confirmer l'impensable vérité grâce à nos sources sûres : Whitey Bulger était un mouchard au sein du FBI, et cela depuis de nombreuses années.

Lorsque nous avons publié le fruit de nos recherches en septembre 1988, les responsables du FBI local ont émis des démentis offusqués. Les agents du FBI de Boston avaient l'habitude de s'attirer les bonnes grâces de la presse ; fournissant toujours des informations aux journalistes à la recherche d'un bon scoop, ils jouissaient d'une bonne image. Il n'était donc pas étonnant que le Bureau du FBI de Boston ait poussé les hauts cris et se soit senti trahi. Beaucoup se sont rangés à leurs arguments. Après tout, qui était le plus crédible ? Le FBI, ces fiers défenseurs du peuple américain qui avaient démantelé la mafia italienne ? Ou bien une bande de journalistes déterminés, selon la police, à régler leurs comptes ? La thèse d'un Bulger indic était si peu plausible, les dénégations du FBI étaient tellement convaincantes que notre article passait pour de vulgaires spéculations, sans aucune réalité.

Il faudrait patienter près de dix ans avant qu'un tribunal ne contraigne le FBI à confirmer ce qu'il avait toujours nié avec véhémence, à savoir que Bulger et Flemmi étaient vraiment des indicateurs, Bulger depuis 1975, Flemmi depuis plus longtemps encore. Ces révélations remontent à 1997, à la suite d'une enquête inédite d'un tribunal fédéral sur les liens de corruption entre le FBI et le duo Bulger-Flemmi. En 1998, dix mois de témoignages sous serment et d'épais dossiers secrets du FBI rendus publics mettent en lumière un éventail stupéfiant de pratiques illégales : échanges d'argent entre indics et agents ; entraves à la justice et fuites d'informations par le FBI dans le but de protéger Bulger et Flemmi d'enquêtes initiées par d'autres départements de la police ; échange de cadeaux et dîners somptueux entre agents et indics. De nombreux témoignages d'agents font état d'une arrogance indéniable du Bureau de Boston du FBI, comme si la ville leur appartenait. On imagine facilement la satisfaction qu'éprouvaient le FBI, Bulger et Flemmi en célébrant leur secret, levant leurs verres et se réjouissant du bon tour joué aux services de police, aux agents fédéraux anti-drogue qui s'acharnaient autour d'eux sans se rendre compte que le ver était dans le fruit.

De toute évidence, le cas de Whitey Bulger n'est pas le premier scandale rendu public impliquant des policiers et leurs indics au sein du FBI. Vers le milieu des années 80, un agent retraité de Miami reconnaît avoir reçu un pot-de-vin de 850 000 $ de la part de son indic dans le cadre d'une affaire de trafic de drogue. On connaît un peu mieux l'affaire impliquant Jackie Presser, ancien président du syndicat des camionneurs, et mouchard pour le FBI durant une dizaine d'années avant son décès en juillet 1988. Les contacts de Presser au sein du FBI ont été accusés de l'avoir protégé contre une inculpation en 1986, et un des responsables importants du FBI sera contraint de démissionner.

Mais l'affaire Bulger dépasse de loin les autres scandales, elle nous ouvre les yeux sur ce qui est avant tout un abus de pouvoir sans aucune forme de contrôle. Le pacte secret conclu au départ aurait pu se justifier à un certain moment, à la lumière de la guerre lancée par le FBI contre la Cosa Nostra. En partie grâce à Bulger et surtout à Flemmi, les plus grands pontes de la mafia, les *capi*, avaient été mis hors circuit depuis longtemps dans les années 90, remplacés par une équipe de sous-fifres sans grande envergure aux surnoms non dénués d'originalité. À l'inverse, Bulger était un chef de gang qui ne cessait au fil des années de gagner en envergure au sein de la pègre. Whitey devient célèbre dans tous les cercles, Flemmi et lui jouent dans la cour des grands.

On appelle «indic de première grandeur» un mouchard qui fournit au FBI des secrets de première importance à propos des personnages les plus en vue du crime organisé. Le règlement interne du FBI stipule que les indics doivent être surveillés de près par leur agent traitant. Mais que se passe-t-il si c'est l'indic qui commence à manipuler son agent contacteur ? Si, au lieu du FBI, c'est l'indic qui contrôle la situation, et si le FBI appelle celui-ci son «mauvais bon garçon» ?

Que se passe-t-il si le FBI met hors circuit les ennemis de l'indic et permet à celui-ci de s'élever au sommet de la pyramide du crime ? Si le FBI protège l'indic en le renseignant sur les enquêtes menées par d'autres départements de la police ?

Que se passe-t-il si les meurtres s'accumulent sans que l'on cherche à les élucider ? Si ceux qui s'y attellent sont menacés, rançonnés, sans possibilité de recours ? Si un réseau étendu de trafic de cocaïne échappe à maintes reprises aux enquêteurs ? Si des opérations complexes d'écoutes gouvernementales, très coûteuses pour les contribuables, sont l'objet de fuites et donc réduites à néant ?

Une telle collusion entre le FBI et un indic si haut placé dans le milieu, ça ne pourrait jamais exister, n'est-ce pas ?

Eh bien, si. Les choses se sont vraiment passées ainsi.

Nous connaissons aujourd'hui les liens entre Bulger et le FBI : ils étaient plus étroits, plus néfastes et plus personnels qu'aucun d'entre nous n'aurait pu imaginer. Des relations scellées par une belle nuit de pleine lune, en 1975, entre deux jeunes gens du même quartier de Southie, Bulger et John Connolly, qui vient de rejoindre le Bureau de Boston du FBI.

Dick Lehr et Gerard O'Neill
Boston, avril 2000

INTRODUCTION
À LA SECONDE ÉDITION

Il y a douze ans paraissait l'édition originale de *Messe noire : Le gang des Irlandais et le FBI, Un pacte avec le diable*. Cette nouvelle édition a été revue et augmentée en fonction des événements déterminants intervenus depuis l'édition initiale. Un certain nombre de personnages de premier plan sont tombés depuis, au sein du FBI de Boston, mais aussi du gang de Bulger. Depuis 2000, de multiples ouvrages ont été publiés à propos de Bulger et du FBI, créant une sorte de fascination pour Bulger : des livres de confrères journalistes, des ouvrages écrits de la main d'anciens membres du gang de Bulger et, plus récemment, des livres d'enquêteurs qui ont poursuivi Whitey tout au long de leur carrière pour se heurter à des agents corrompus du FBI qui leur ont barré la route. L'agent au centre de ce scandale, John Connolly, a été reconnu coupable le 6 novembre 2008 de meurtre au second degré ; il était accusé d'avoir comploté avec Bulger en vue de tuer un homme qui se préparait à collaborer avec la police. Connolly, aujourd'hui âgé de 71 ans, est emprisonné dans un pénitencier de Floride. Beaucoup plus significatif, le personnage central du scandale, James «Whitey» Bulger, après une cavale entamée en 1995, fiché sur la liste des dix personnes les plus recherchées des

États-Unis, a été arrêté le 22 juin 2011 à Santa Monica en Californie, où il coulait une retraite paisible au vu et au su de tout le monde, avec sa compagne Catherine Greig. *Messe Noire* retrace les heures sombres du pacte entre le FBI de Boston et Whitey Bulger, révèle les origines du scandale, le règne de terreur que le gangster a réussi à établir dans les années 80 avec la protection du FBI, et des secrets stupéfiants des années 90 sur la corruption et les pratiques cachées du FBI. Grâce à ces nouvelles informations, nous avons pu compléter l'incroyable aventure de ce pacte avec le diable.

Dick Lehr et Gerard O'Neill
Janvier 2012

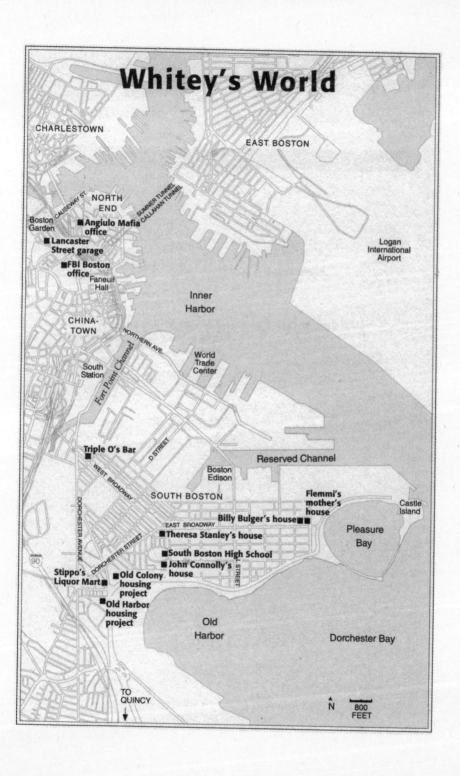

Whitey's World

CHARLESTOWN

EAST BOSTON

CAUSEWAY ST

NORTH END

SUMNER TUNNEL
CALLAHAN TUNNEL

Boston Garden

■ **Angiulo Mafia office**

■ **Lancaster Street garage**

■ **FBI Boston office**

Faneuil Hall

Logan International Airport

Inner Harbor

CHINA-TOWN

NORTHERN AVE.

Fort Point Channel

South Station

World Trade Center

■ **Triple O's Bar**

WEST BROADWAY

D STREET

Reserved Channel

Boston Edison

SOUTH BOSTON

Flemmi's mother's house ■■

Castle Island

DORCHESTER AVENUE

90

DORCHESTER STREET

EAST BROADWAY

Billy Bulger's house ■■

Pleasure Bay

■ **Theresa Stanley's house**

■ **South Boston High School**

■ **John Connolly's house**

Stippo's Liquor Mart ■

■ **Old Colony housing project**

■ **Old Harbor housing project**

L STREET

Old Harbor

Dorchester Bay

TO QUINCY
↓

N 800 FEET

PREMIÈRE PARTIE

« Le prince des Ténèbres est un gentilhomme. »
William Shakespeare, *Le roi Lear* (Acte 3, Scène 4)

Chapitre Un

1975

La lune est pleine. L'agent John Connolly, fraîchement recruté par le FBI de Boston, choisit de garer sa vieille Plymouth sur un emplacement du parking situé face à la plage de Wollaston. Il écoute le clapotis des vagues et admire dans le lointain les gratte-ciel illuminés de la ville de Boston. La petite ville de Quincy et ses chantiers navals, au sud de Boston, est l'endroit idéal pour le genre de rencontre que l'agent imagine. La route qui borde la plage, Quincy Shore Drive, débouche sur la voie expresse du Sud-Est. Si l'on prend la direction du Nord, l'une des prochaines sorties conduit directement dans le quartier Sud de Boston, Southie, celui où Connolly et son «contact» ont passé leurs années de jeunesse. En prenant cet itinéraire, le trajet aller et retour vers Southie ne prend que quelques minutes. Mais cet accès facile n'est pas la seule raison du choix de ce lieu de rendez-vous. Il s'agit surtout, pour Connolly et l'homme qu'il s'apprête à rencontrer, d'éviter d'être repérés ensemble dans le quartier qui les a vus naître et grandir.

Il gare la Plymouth en marche arrière sur la place de parking, le long de la plage, se cale sur son siège et s'arme de patience. Au fil des années, Connolly et l'homme qu'il attend garderaient un contact étroit. Ils habiteraient tous deux à Southie, vivant et travaillant à moins de deux kilomètres l'un de l'autre dans cet univers peuplé d'enquêteurs et de gangsters.

Mais cela viendra plus tard. Pour l'instant, Connolly attend au fond de son siège le long de la plage de Wollaston, le ronronnement du moteur résonne durement dans l'habitacle chargé d'électricité. John a obtenu d'être transféré dans sa ville natale il y a un an, il doit faire son trou dans les bureaux de Boston de cette agence d'élite de la police fédérale américaine. À 35 ans, il tient sa chance, son grand lancement dans la carrière au sein du FBI de Boston.

La chance de cet agent sûr de lui intervient au moment où le FBI vient de subir un revers inopiné sur le plan des relations publiques. Les enquêtes du Congrès américain viennent de confirmer que l'ancien directeur de l'agence, J. Edgar Hoover, avait accumulé pendant des années des informations sur la vie privée d'hommes politiques et de célébrités, classées dans des dossiers occultes. Cible privilégiée du FBI, la mafia s'étalait également à la une des journaux. Certaines révélations stupéfiantes faisaient état de liens étranges entre la CIA et la mafia, apparus également dans le cadre des enquêtes du Congrès. On évoquait un contrat passé avec des mafiosi pour assassiner le dirigeant cubain, Fidel Castro, ainsi que des complots de meurtres utilisant des stylos ou des cigares empoisonnés.

Subitement, on voyait des mafieux partout et tout le monde voulait sa part de cette image mystérieuse et somme toute glamour, surtout du côté des studios d'Hollywood. Le chef-d'œuvre de Francis Ford Coppola, *Le Parrain II*, avait attiré les foules l'année précédente, après avoir glané une profusion d'Oscars quelques mois plus tôt. Le FBI qu'avait rejoint Connolly abordait aujourd'hui sa guerre contre la Cosa Nostra, à grand renfort d'articles de presse. Cette lutte était devenue la priorité suprême dans tout le pays, elle visait à contrer la mauvaise presse, et Connolly avait son plan, mis en œuvre au service de la grande cause nationale.

Connolly balaie la plage du regard, désertée à cette heure. Il surveille les rares voitures qui passent devant la Plymouth le long de Quincy Shore Drive. L'Agence veut s'en prendre à la mafia, et pour remplir cet objectif, il faut des informations. Pour obtenir ces informations, il faut établir des liens avec des membres de l'organisation. Au sein de l'Agence, on juge un homme à sa capacité d'établir de tels liens. Voilà sept ans que Connolly appartient au FBI, il connaît cette règle, il est déterminé à devenir l'un des meilleurs agents de l'Agence, celui qui sait s'y prendre. Sa stratégie ? Annuler les tentatives de contact initiées par le bureau de Boston et restées lettre morte. John Connolly veut s'attacher Whitey Bulger, le gangster malin, très intelligent, qui file entre les doigts de tout le monde, et déjà une légende à Southie. En bon arriviste au sein du FBI de Boston, Connolly ne se contentera pas de grimper les marches. Il veut parvenir tout de suite au sommet. Ce sommet s'appelle Whitey Bulger.

Cela fait quelque temps que le Bureau a les yeux fixés sur Bulger. Il n'y a pas si longtemps, un agent chevronné, du nom de Dennis Condon, avait établi un lien. Whitey et lui se rencontraient pour bavarder, mais Whitey se méfiait. En mai 1971, Condon était parvenu à recueillir d'importants renseignements de la part du gangster sur une guerre des gangs irlandais qui faisait rage parmi la pègre : qui était allié à qui, qui était la cible d'untel, etc. Les informations étaient précises, le détail des événements et des personnages-clés était flagrant. Condon rédigera une fiche au nom de Whitey dans le dossier des mouchards. Mais subitement, Whitey s'était tu. Plusieurs rencontres seront organisées durant l'été, mais les entretiens se passaient mal. En août, rapporte Condon, Whitey « se montrait toujours réticent à parler ». En septembre, Condon avait jeté l'éponge. « Les contacts avec l'individu en question se sont avérés stériles, avouera-t-il dans son fichier du FBI le 10 septembre 1971. En conséquence, le dossier est clos. » Quant à savoir pourquoi Whitey avait commencé à parler avant de cesser de collaborer, le mystère restait entier. La nature des renseignements fournis, concernant uniquement les Irlandais, l'avait peut-être mis mal à l'aise. Ou bien y avait-il eu un problème de confiance : pourquoi Whitey Bulger aurait-il fait confiance à Dennis Condon du FBI ? Quoi qu'il en soit, le dossier était désormais refermé.

En 1975, Condon est hors du circuit, il a la retraite en point de mire. Mais il a mis Connolly sur l'affaire, et le jeune agent a hâte de rouvrir le dossier. Après tout, Connolly est le seul à posséder un atout dans son jeu : il connaît Whitey Bulger. Il a grandi dans un petit immeuble en briques rouges proche de celui de Bulger, dans la cité d'Old Harbour, le Vieux Port, de South Boston. Whitey a onze ans de plus que Connolly, mais celui-ci a une confiance illimitée en lui-même. L'environnement de sa jeunesse, les liens qu'il y a tissés, lui donnent un avantage que personne d'autre ne possède au sein du Bureau de Boston.

Subitement, la rêverie s'interrompt. Sans prévenir, la portière côté passager s'ouvre et Whitey se glisse dans la vieille Plymouth. Connolly sursaute, saisi par la soudaineté de l'intrusion et par le fait qu'il ne l'a pas vu venir. Comment un agent fédéral endurci a-t-il pu oublier de verrouiller les portières ?

— Comment tu as fait pour arriver jusqu'ici ? Tu as débarqué en parachute ? s'enquiert-il tandis que le gangster s'installe à ses côtés.

Bulger explique qu'il a garé son véhicule dans une rue adjacente avant de progresser à pied le long de la plage. Il a attendu que le coin soit calme et il s'est approché depuis la plage.

Connolly, un des plus jeunes agents de la prestigieuse Brigade contre le crime organisé, tente de se calmer. Whitey, qui vient d'avoir 46 ans le 3 septembre dernier, est assis sur le siège passager, plus grand que nature malgré son mètre soixante-douze et ses presque soixante-quinze kilos. Il semble musclé et en forme, il a des yeux bleus pénétrants et ses célèbres cheveux blonds coiffés en arrière. Dans l'obscurité de l'habitacle, les deux hommes se mettent à bavarder ; Connolly, avec un aplomb teinté d'insolence envers un ancien du quartier devenu une célébrité dans le milieu, lâche soudain son offre :

— Tu devrais penser à utiliser tes amis dans la police…

C'est l'argument-massue de Connolly pour convaincre Whitey : tu as besoin d'un ami. Mais pourquoi ?

À l'automne 1975, l'atmosphère de la ville est tumultueuse et change de manière imprévisible. À travers le pare-brise de la Plymouth, les deux hommes contemplent la silhouette illuminée de la ville de l'autre côté de la mer. À l'époque, les habitants de Boston s'enthousiasment des résultats spectaculaires de leur équipe de foot américain, les Red Sox. Yaz, Luis Tiant, Bill Lee, Carlton Fisk, Jim Rice et Fred Lynn qui, à la fin de la saison, serait récompensé à la fois comme meilleur jeune de l'année et meilleur joueur de la Ligue américaine. L'équipe est qualifiée pour le titre mondial contre les puissants Reds de Cincinnati.

Mais en dehors du stade, le monde est devenu sombre et instable.

Le cauchemar de la lutte pour les droits civiques entre dans sa seconde année. En 1974, un jugement du tribunal fédéral impose le ramassage scolaire des étudiants noirs du collège de Roxbury vers celui de South Boston, dans le but d'établir un équilibre dans les collèges appliquant la ségrégation raciale. Le quartier s'est transformé en une zone de guerre. Le pays tout entier se tourne vers Southie, qui devient le théâtre de reportages incessants et de unes sensationnelles dans la presse, où s'étalent des policiers anti-émeutes, des bataillons de policiers, des snipers sur les toits, face à des légions de Noirs et de Blancs hurlant des slogans racistes. Le prix Pulitzer de la meilleure photo de presse est attribué en 1976 à un cliché d'un Noir embroché par un drapeau américain au cours d'une émeute devant l'hôtel de ville de Boston. L'Amérique découvre Southie sous le plus mauvais angle, des rues ensanglantées et des affrontements qui glacent les os.

Au centre de toute cette agitation, un homme : Billy Bulger, le frère cadet de Whitey. C'est un des leaders politiques du quartier, Sénateur de l'État, et en tant que tel, c'est un critique impitoyable de la loi antiségrégationniste. Certes, il n'a jamais remis en cause les résultats de l'enquête établissant que les établissements scolaires de la ville sont soumis à une ségrégation sévère. Mais il s'oppose avec véhémence à toute solution forçant les étudiants à s'intégrer dans un collège loin de celui de leur quartier. Il s'est rendu à Washington pour protester et présenter leur dossier devant une délégation du Congrès national, et a même prononcé un discours devant une assemblée de parents opposés au ramassage scolaire, sous une pluie battante. Il déteste la manière dont sa ville est cataloguée par ceux qui n'y habitent pas et ne cesse de dénoncer «l'image récurrente, calculée, détestable qui est donnée de ses concitoyens dans la presse locale et nationale, à la radio et la télévision, une image de racistes invétérés». Le problème, selon lui, c'est l'inquiétude légitime ressentie vis-à-vis du bien-être et de l'éducation de leurs enfants. Dans son électorat, Billy Bulger se prononce avec régularité contre toute intervention violente des autorités fédérales.

Mais les mesures antiségrégationnistes ne sont pas abrogées, et l'été finissant s'est mal passé. En juillet, six étudiants noirs s'étaient rendus en voiture à la plage de Carson, à South Boston, et avaient été attaqués par une bande de jeunes Blancs ; un Noir avait dû être hospitalisé. Dans sa jeunesse, John Connolly avait été maître-nageur sur les plages de South Boston, tout comme l'avait été Billy Bulger avant lui ; les plages, aujourd'hui, étaient devenues de nouveaux champs de bataille. Un dimanche d'août, on a vu des hélicoptères survoler la plage de Carson et des vedettes des garde-côtes patrouiller au large, tandis qu'un millier de citoyens noirs se rendaient à la plage à bord de plusieurs centaines de voitures. Ils étaient encadrés pour cette «trempette» à la plage par plus de huit cents policiers en uniforme devant les flashs d'une nuée de journalistes.

Lorsque Connolly donne rendez-vous à Whitey sur le parking de la plage de Wollaston, les écoles et collèges ont rouvert. Boycott des étudiants et affrontements entre jeunes Noirs et Blancs se poursuivent. Avec pour objectif de faire baisser les tensions raciales, les responsables tentent pour la première fois d'intégrer Noirs et Blancs au sein de l'équipe de football américain du collège de South Boston. Mais les quatre joueurs noirs qui se présentent au premier entraînement le font sous protection policière.

Le quartier se déchire, et Connolly en est conscient, il en souffre, car c'est aussi son propre quartier ; il y a pensé en organisant son rendez-vous avec Bulger. Mais si ce lien d'appartenance peut faciliter la prise de contact avec Whitey, il faut maintenant établir une relation solide avec le héros de son enfance. Connolly aimerait exploiter le problème soulevé dans la pègre entre la mafia de Boston et un gang de la ville voisine de Somerville dont Whitey vient de se rapprocher. Bulger, qui gère toutes les opérations de racket de Southie, s'est associé avec le chef de la pègre de Somerville, Howie Winter. Le gang a pour siège un garage dans le quartier de Winter Hill de la petite ville, sur la rive opposée de la Charles River, à l'ouest. Au cours de l'année précédente, Whitey s'est lié avec un autre membre du gang, Stevie « Le Flingueur » Flemmi. Ils se sont bien entendus, se sont trouvé des intérêts communs, et on les voit souvent ensemble.

À l'époque de leur prise de contact, Connolly a bien fouillé le dossier. Il a appris que Bulger et le gang de Winter Hill doivent faire face à deux menaces précises de la mafia locale dirigée depuis des décennies par un sous-chef puissant, Gennaro Angiulo, et ses quatre frères. Un contentieux existe alors entre les deux organisations à propos de l'implantation de machines à sous dans toute la région. Des petits malins parlent de sortir l'artillerie pour régler l'affaire. Devant ces menaces, estime Connolly, un petit malin comme Whitey aurait peut-être besoin d'un ami.

Il apparaît en outre que cet Angiulo est un être retors, impénétrable. Il a le don de faire arrêter ceux dont il veut se débarrasser. Quelques années auparavant, par exemple, un de ses hommes de main ayant outrepassé ses ordres, Angiulo aurait prévenu un de ses contacts au sein de la police de Boston. Le mauvais sujet avait rapidement été inculpé sur une fausse accusation de port d'armes, des armes planquées dans sa voiture par des policiers corrompus. On ignore si Angiulo avait vraiment le pouvoir de fomenter de telles opérations. Mais l'histoire s'était répandue dans le milieu ; Whitey Bulger et les gangsters de Howie Winter y croyaient ferme. Connolly en est persuadé : c'est la manière dont on perçoit les choses qui compte.

Bulger craignait qu'Angiulo le fasse tomber. «Je fais quoi si trois flics arrêtent ma voiture un soir et affirment que j'ai planqué trois mitraillettes dans le coffre ? s'était plaint Whitey un jour. Qui est-ce que le juge va croire ? Moi ou les trois flics ? » Connolly voulait être celui qui éviterait de tels accès de paranoïa au sein du milieu.

Les deux hommes dans la Plymouth contemplent les reflets de la ville sur les vagues.

— Tu devrais te servir de tes amis, insiste Connolly, une phrase qui semble intéresser Whitey.

Il fixe l'homme du FBI, comprend l'allusion.

— Qui ça ? Toi ?

— C'est ça, réplique Connolly à celui dont la réputation est d'utiliser les gens avant de s'en débarrasser. Moi-même.

La proposition de Connolly est simple : tu nous renseignes sur la Cosa Nostra, et tu laisses le FBI faire le reste. Connolly se souvient : Bulger sait bien que «si on s'en prend à la mafia, il sera difficile à la mafia de s'en prendre à lui.» En fait, dès que Connolly avait indiqué qu'il souhaitait le rencontrer, Whitey s'était douté de ce que le FBI désirait savoir. Cela faisait des semaines que Bulger avait pesé les tenants et les aboutissants de la proposition, exploré les angles possibles et les bénéfices éventuels à en tirer. Il en avait même parlé à Stevie Flemmi. Bulger avait abordé le sujet un jour où les deux complices s'étaient retrouvés au garage *Marshall Motors* de Somerville, appartenant à Howie Winter, un bâtiment à un étage à la façade de parpaings anonymes. On aurait dit un bunker en béton, et c'était la base des multiples activités illicites du gang, qui depuis 1973 s'étaient étendues aux courses de chevaux truquées dans tous les hippodromes de la côte Est.

Bulger avait confié à Flemmi qu'un agent du FBI, John Connolly, lui avait fait des avances. «Qu'est-ce que tu en dis ? Tu crois que je dois le rencontrer ? » avait demandé Bulger dès qu'ils avaient été seuls.

Flemmi n'avait pas répondu. Il devait décider plus tard que si Bulger avait mentionné cette proposition du FBI, c'est qu'il connaissait son secret : le statut spécial dont Flemmi lui-même jouissait au sein du FBI. Le fait est que Flemmi était connu dans les couloirs du FBI de Boston, et pour de sérieuses raisons. Il était fiché comme indic au Bureau depuis le milieu des années 60. Connu sous le surnom de «Jack de South Boston», il avait affaire à un seul inspecteur, l'agent Paul Rico (le partenaire de Dennis Condon).

Rico était un ancien du Bureau, toujours fringant, tiré à quatre épingles dans son élégant pardessus Chesterfield et ses manchettes à la française ; Flemmi lui communiquait des informations sur la mafia de Nouvelle-Angleterre. Non que Flemmi fût membre à part entière de cette organisation criminelle mais il en connaissait tous les chefs et on le voyait beaucoup en leur compagnie. De son côté, la mafia appréciait Flemmi ; cet ancien parachutiste avait fait de la maison de correction à 17 ans avant d'effectuer deux missions militaires en Corée dans les rangs du bataillon de combat du 187ᵉ Régiment de paras. Il avait une réputation de tueur implacable, en dépit de son gabarit moyen : 1,72 m pour 63 kg. Flemmi menait ses activités de manière indépendante depuis son repaire, le *Marconi Club* à Roxbury : à la fois paris illégaux, studio de massage et maison close. C'est là qu'il recevait ses messages, passait ses coups de fil et organisait des réunions. Personnalité très respectée dans le milieu, aux cheveux châtain bouclés et aux yeux marron, il aimait les belles voitures et les sorties tardives en compagnie de superbes jeunes filles. Un véritable homme du monde.

Même le parrain de Nouvelle-Angleterre, Raymond Patriarca, avoue apprécier sa compagnie. L'hiver 1967, Flemmi est invité à Providence. Il déjeune avec Patriarca et le frère de celui-ci, Joe, le déjeuner se prolonge jusqu'au soir. Ils parlent de la famille. Patriarca demande à Flemmi de quelle ville d'Italie viennent ses parents. Ils évoquent les affaires. Patriarca promet d'envoyer des voitures dans le nouveau garage que Flemmi vient d'ouvrir, spécialisé dans la carrosserie. Ils évoquent le frère de Flemmi, Jimmy «L'Ours», qui purge une peine de prison pour tentative de meurtre. Dans un geste de bonne volonté, Patriarca fait un don de 5 000 $ à Flemmi pour son nouveau garage.

De retour à Boston, Flemmi fréquente d'habitude un copain de jeunesse, Frank Salemme, surnommé «Cadillac Frank». Ils ont grandi tous deux à Roxbury, où la famille de Flemmi habite dans une cité, Orchard Park. Son père, Giovanni, immigré italien, est maçon. Flemmi et Salemme arpentent les rues côte à côte, hommes de main, bookmakers et usuriers. Ils fréquentent North End, le quartier fermé des Italiens où le sous-chef de la mafia, Gennaro Angiulo, possède un bureau, et ils finissent souvent la journée en joyeux fêtards en compagnie de Larry Zannino, qui boit sec.

Zannino est le mafioso brutal, sans foi ni loi, sur lequel Angiulo se repose pour muscler les activités de la Cosa Nostra de Boston. À son tour, Zannino se repose sur Flemmi et Salemme pour écouler l'argent qu'ils prêtent à des taux exorbitants dans les rues du quartier. Mais si tout le monde aime Stevie, la réciproque n'est pas évidente. Flemmi se méfie de North End, il n'a pas confiance en Angiulo, encore moins en Zannino. Lorsqu'il boit avec Zannino, le soir, il se surveille et fait très attention de ne pas baisser la garde. Mais les autres ne s'en aperçoivent pas, et l'acceptent de plus en plus comme l'un des leurs. Un soir en particulier, pendant l'été 1967, au restaurant *Giro* de Hanover Street, il passe la soirée en compagnie de voyous du coin, Zannino, Peter Limone, Joe Lombardi. Salemme a accompagné Flemmi. Ils dînent, boivent beaucoup, et Zannino propose de finir la soirée dans un bar proche, le *Bat Cave*.

Ils partagent des tournées jusqu'à ce que d'une voix pâteuse Zannino et Limone laissent entendre qu'ils ont décidé de parrainer Flemmi et Salemme «afin qu'ils soient admis au sein de l'organisation».

Peter Limone titube, il donne l'accolade à Flemmi et Salemme.

«D'habitude, avant d'être membre, il faut que vous abattiez un type, confie le gangster. Je dois être à côté de toi en tant que parrain et vérifier que tu l'as bien descendu, et faire un rapport sur la manière dont tu t'es conduit. Mais compte tenu de votre réputation à tous les deux, on pourra s'en passer.»

Pourtant, Flemmi n'a aucune envie de rejoindre la mafia, il traîne les pieds. D'abord, il n'aime pas la brutalité de Zannino, un type capable de te serrer contre son cœur avant de te faire exploser la cervelle. Il pense la même chose d'Angiulo. Et puis, Flemmi a Rico, et Rico a Flemmi.

En raison de la guerre des gangs qui fait rage et des alliances mouvantes, la vie de Flemmi est semée d'embûches mortelles. Plus d'une fois, il a confié à Rico qu'il se sentait «la cible privilégiée d'une exécution»; dans d'autres rapports, Rico note que Flemmi ne possède pas d'adresse fixe, parce que s'il en avait une, «on ne manquerait pas de venir l'abattre». Flemmi en est venu à se reposer sur Rico pour toute alerte qui pourrait avoir été repérée par le FBI grâce à ses autres indics.

Plus encore, Flemmi s'attend désormais à ce que Rico ne l'inquiète plus à propos de ses activités criminelles, qu'elles concernent le jeu, les prêts usuraires ou même les meurtres. Au printemps 1967, à la suite de la disparition du gangster Walter Bennett, Flemmi confie à Rico:

— Le FBI ne devrait pas perdre son temps à rechercher Bennett en Floride, ni ailleurs, parce qu'on ne retrouvera jamais son corps.

Rico aimerait savoir ce qui s'est passé. Flemmi hausse les épaules :

— Ça ne sert à rien de chercher, il ne s'est jamais aussi bien porté !

Rico referme le dossier. Vers la fin des années 60, Flemmi devient le principal suspect à la suite d'une série d'exécutions au sein de la pègre, mais le FBI ne mettra jamais la pression sur lui.

Pourtant, aux premiers jours de septembre 1969, Flemmi est inculpé par des jurys d'accusation secrets dans deux comtés différents. Dans le comté de Suffolk, il doit répondre de meurtre sur la personne de William Bennett, le frère de Walter, abattu fin 67 ; son corps avait été jeté d'une voiture dans le quartier de Mattapan, à Boston. Puis dans le comté de Middlesex, Flemmi est inculpé en compagnie de Salemme d'avoir placé une bombe dans la voiture d'un avocat, qui a perdu une jambe dans l'explosion.

Peu avant la mise en examen, Flemmi reçoit un coup de fil.

Le jour vient de se lever, c'est Paul Rico.

— La conversation n'a pas duré longtemps, se rappellera Flemmi. Il m'a averti que les inculpations allaient arriver et il nous a conseillé à Salemme et à moi de quitter Boston sur-le-champ, ou quelque chose d'approchant.

Flemmi ne perd pas de temps. Il fuit Boston et passe les quatre années suivantes en cavale, d'abord à New York puis la majeure partie du temps à Montréal, où il trouve un boulot d'imprimeur dans un journal. Durant cette période, Flemmi contacte souvent Rico qui le tient au courant de la suite des deux affaires. Rico s'abstient de fournir des informations sur les différents lieux de séjour de Flemmi aux enquêteurs du Massachusetts qui s'efforcent en vain de retrouver sa trace.

Bien que Rico ait signifié à Flemmi qu'il ne devait pas se considérer comme employé par le FBI, et qu'il ait informé celui-ci de quelques-unes des autres règles de conduite appliquées par le Bureau de Boston à ses indics, l'agent traitant et Flemmi ne tiennent aucun compte de directives qu'ils jugent fastidieuses. Ce qui est crucial et primordial dans leur relation, c'est que Rico a promis de garder secret le fait que Flemmi lui fournit des informations. Une promesse que la plupart des agents traitants faisaient habituellement à leurs indics, une promesse considérée comme « sacrée ». Mais dans le cas de Rico, elle revêt un caractère encore plus inviolable, même si elle implique de couvrir le délit grave d'aider et de soutenir un criminel en fuite. Rico s'était engagé personnellement à ce que Flemmi n'ait jamais à répondre de ses activités mafieuses tant qu'il continuerait à lui fournir des informations.

Pour des raisons évidentes, un tel accord s'avère particulièrement rentable pour Flemmi. Il apprécie également le fait que Rico ne le traite pas en simple gangster de rue. Il ne faut pas s'imaginer Rico en gros flic pompeux prêt à désinfecter la pièce que Flemmi viendrait de quitter. C'est avant tout un ami.

– Comme un partenaire dans le boulot, je suppose, ajoutera Flemmi.

En fin de compte, les charges criminelles à l'encontre de Flemmi sont abandonnées, des témoins s'étant rétractés, et en mai 1974, Flemmi peut mettre un terme à sa cavale et revenir dans la ville qui l'a vu naître. Grâce à sa complicité au sein du FBI, il a survécu à la guerre des gangs et s'est débarrassé des chefs d'accusation de meurtre et d'attentat à la bombe. Ce n'est pas pour autant qu'il a l'intention de se ranger des voitures. Dès son retour à Boston, il noue une alliance avec Howie Winter et reprend les activités dans lesquelles il excelle. Il est l'associé de Whitey Bulger dans le garage *Marshall Motors*.

– Tu crois que je devrais le rencontrer ? demande Bulger.

Flemmi réfléchit. Il est rentré depuis moins d'un an et il s'est rendu compte que la situation a évolué. Il faut trouver un arrangement. Il a même rencontré de sa propre initiative Dennis Condon, un bref rendez-vous dans une cafétéria où il a fait la connaissance de John Connolly. Pour Flemmi, cette réunion en petit comité constitue une sorte de transition : Connolly prend la succession de Paul Rico qui doit être transféré à Miami avant de prendre sa retraite. Le passé a montré à Flemmi tous les avantages à retirer d'une collaboration avec le FBI. Mais il n'est que Stevie Flemmi, rien à voir avec la légende qu'est à cette époque Whitey Bulger.

Flemmi opte pour une réponse courte, agrémentée de sous-entendus, mais néanmoins concise.

– Ça me semble une bonne idée, glisse-t-il à Bulger. Tu devrais lui parler.

Connolly prend tout son temps avant d'entrer dans le vif du sujet.

– Je voudrais que tu m'écoutes attentivement, dit-il à Bulger, calé au fond du siège passager de la Plymouth.

Connolly détaille clairement la double menace à laquelle Bulger et son gang de Winter Hill s'exposent face à la mafia de Gennaro Angiulo.

– J'ai entendu que Jerry est en train de renseigner la police afin de vous coincer.

Ils évoquent Jerry Angiulo, l'ascendant dont celui-ci jouit parmi ses pairs, le simple coup de fil qu'il peut se permettre de donner à un flic corrompu pour qu'il lui rende un service.

— La mafia bénéficie de tous les contacts utiles, affirme Connolly.

Il aborde maintenant le sujet du conflit à propos des machines à sous. Si l'on en croit les rumeurs, observe Connolly, Zannino est prêt à sortir les flingues contre Bulger et ses acolytes du gang de Winter Hill.

— Je sais que tu es au courant de ce qui vous attend.

La remarque ne laisse pas Bulger indifférent. En fait, la Cosa Nostra et Winter Hill ont toujours trouvé le moyen de coexister. Certes, les motifs de friction existent, mais les deux groupes ont toujours été plus proches de l'entente tacite que de la guerre des gangs. Même Zannino, cette brute exécrable et imprévisible, le Dr Jekyll et Mr Hyde de la mafia, était capable à tout moment de dénoncer avec véhémence le gang de Winter Hill, de le menacer d'extermination, puis subitement de redevenir réaliste et d'annoncer avec chaleur que «Winter Hill, c'est nous!» À vrai dire, Gennaro Angiulo s'inquiète plus à cette époque des menaces proférées par un gangster italien dissident connu sous le nom de «Bobby le Mécano» que d'une guerre imminente contre ceux de Winter Hill. Mais Connolly a plutôt intérêt à insister sur cette affaire du conflit entre la Cosa Nostra et Winter Hill à propos des machines à sous; et il s'aperçoit qu'il a fait mouche avec l'intrépide Bulger en mentionnant un éventuel affrontement. Bulger est ulcéré.

— Tu penses qu'on va se faire massacrer? lâche-t-il.

Connolly estime que Bulger a la capacité de faire face. Il est convaincu que Whitey et Flemmi sont plus coriaces qu'Angiulo et ses sbires. Il considère que Bulger et Flemmi sont des exécuteurs, mais le problème n'est pas là.

— J'ai une proposition à te faire: pourquoi est-ce que tu ne nous laisses pas faire ce qu'ils te font à toi? Il faut combattre le feu par le feu.

Le marché est simple: Bulger doit utiliser le FBI pour éliminer ses rivaux de la mafia. Et si cette raison n'est pas suffisante, il doit comprendre que le FBI ne touchera jamais à sa personne tant qu'il coopérera. Le fait est qu'à cette époque d'autres agents du Bureau sont en chasse pour inculper Bulger dans l'affaire des prêts illicites.

— Rejoins-nous, insiste Connolly. Je te protègerai, promet-il, comme Rico protège Flemmi.

Bulger semble réfléchir. «Sans des amis dans la police, tu ne survis pas» admettra-t-il plus tard. Pourtant, il ne s'engage pas ce soir-là.

Deux semaines plus tard, nouveau rendez-vous entre les deux hommes à Quincy. Cette fois-ci pour sceller la collaboration.

– D'accord, lance Bulger. Je marche. S'ils veulent jouer aux dames, nous on jouera aux échecs. On va les baiser.

Connolly cache difficilement sa joie. Ce qui semblait incroyable, il l'a fait : recruter Whitey Bulger parmi les indics du FBI. Si le fait d'enrôler des indics constitue le Graal du travail des enquêteurs, Connolly vient de toucher le jackpot. D'un seul coup d'audace, il vient d'abandonner les tâches subalternes pour rejoindre le gratin exclusif des inspecteurs du FBI, là où évoluait parmi d'autres Paul Rico, proche de la retraite. Si comme l'estime Connolly une poignée de jeunes Turcs rêvent d'émuler Rico, Bulger est une légende en lui-même à Southie. Connolly se retrouve désormais à la croisée des chemins, où deux mondes s'affrontent.

Mais cette collaboration revêt une signification particulière : Whitey Bulger est le seul gangster de Boston que l'on n'osera jamais soupçonner de collaborer avec le FBI. Évidemment, Connolly est sensible à cet argument de l'incongruité d'une telle relation contre nature. Parmi ses collègues du FBI, Connolly n'emploie jamais des termes comme indic, balance, délateur ou mouchard. Cela le fera toujours tiquer lorsque ces termes seront employés devant lui. À ses yeux, Bulger sera toujours une « source », ou bien, reprenant les propres qualificatifs exigés par Bulger, un « stratège » ou une « liaison ». Comme si même celui qui avait convaincu Bulger de collaborer n'arrivait pas à croire à sa bonne fortune. Ou bien peut-être ce rapprochement n'est-il pas dès le départ un pacte officiel avec le FBI mais plutôt une amitié retrouvée entre Johnny et Whitey, née dans les rues d'Old Harbour ? Certes, Connolly songe à sa carrière, mais il ne songe pas à ce qu'il pourrait retirer de ce nouveau lien, il se souvient d'où il vient. Un retour sur lui-même, une boucle bouclée qui rappelle, mais de si loin, une corde de pendu. Tous les chemins ramènent à Southie.

Connolly respecte l'aîné des Bulger, préférant l'appeler par son prénom de naissance, Jim, plutôt que par le surnom, Whitey, qui s'étale dans les journaux. C'est peut-être un détail, mais qui confère à leur relation un caractère intime et personnel. Bulger insiste pour sa part sur le fait qu'il ne passera des informations que sur la mafia italienne, jamais sur les Irlandais. Il exige de plus que Connolly n'informe jamais son frère Billy, alors Sénateur, de leur nouvelle collaboration.

Celle-ci n'échappe pas à une certaine ironie, intervenant durant une seconde année tendue de déségrégation à Boston South. La situation est en fait étrange. Les habitants de Southie, parmi eux le Sénateur Billy Bulger, n'ont pas réussi à repousser les décrets du gouvernement fédéral qui bouleversent le quartier en imposant l'enrôlement forcé d'étudiants noirs. L'administration fédérale reste puissante, même si elle est honnie, et ne reculera pas. Les habitants ne parviennent pas à s'adapter au changement. Pourtant, dans un autre district de Southie, Whitey Bulger a établi un lien qui coupe l'herbe sous le pied des fédéraux. Le FBI a désormais besoin de Whitey et ne cherche plus à le coincer. Le reste du monde peut bien revenir aux fédéraux, mais au moins, le milieu leur échappera. Whitey a trouvé le moyen de débarrasser Southie de leur présence. Curieusement, lui a réussi là où son frère a échoué.

Le flux d'informations se met en place immédiatement. De nouveaux rendez-vous s'organisent. Bulger inclut Flemmi dans un accord plus général. Pour sa part, Bulger reconnaît pleinement l'intérêt de son association avec Flemmi : celui-ci jouit d'un libre accès à la mafia, et au genre d'informations dont il a cruellement besoin. Flemmi, de son côté, ne peut qu'apprécier l'importance de ses liens avec Bulger, pas seulement en raison de son intelligence mais aussi de son obscur prestige, surtout auprès de Connolly. Il a constaté combien leur relation est privilégiée, dès le départ. « Ils s'entendaient comme larrons en foire... »

Du point de vue de Connolly, Flemmi est un collaborateur de moindre importance, Bulger est son homme à lui, un véritable coup d'éclat au sein du FBI de Boston. Une collaboration exceptionnelle, une réussite inégalée. Connolly traite désormais avec deux gangsters reconnus, prêts à assister le FBI dans sa lutte avérée contre les activités criminelles de la mafia. Néanmoins, cet accord n'impose en aucune façon à Bulger de renoncer à ses habitudes néfastes. Cinq semaines ne se sont pas écoulées depuis l'ouverture du dossier de collaboration, le 30 septembre 1975, que Bulger signe son premier meurtre aux frais du FBI. Flemmi et lui descendent un docker de Southie, Tommy King. Ce meurtre est en partie lutte pour le pouvoir, en partie vengeance et surtout réaction d'orgueil de la part de Bulger. Bulger ne s'est jamais entendu avec King ; une bagarre entre les deux hommes a éclaté un soir dans un bar du quartier, et les poings ont parlé. King a réussi à clouer Bulger au sol et le martèle de coups, au point que plusieurs gros bras doivent intervenir pour les séparer. Whitey se venge le 5 novembre 1975. Sans doute confiant dans l'idée qu'il n'a plus rien à craindre du FBI, Bulger, flanqué de Flemmi et d'un autre acolyte, passe à l'action. Le docker disparaît de Southie et de la surface de la planète. Évidemment, Bulger évite le sujet lorsqu'il rencontre Connolly ; un des premiers rapports de Bulger mentionne que les troubles au sein des Irlandais se sont apaisés et que le bain de sang attendu entre Winter Hill et la mafia n'a pas eu lieu. Beaucoup de bruit pour rien, en somme. Les rues sont calmes, note Bulger.

C'est ainsi que tout a commencé.

Chapitre Deux

South Boston

Avant de pouvoir donner rendez-vous à Whitey le long de Wollaston Beach, John Connolly avait dû quitter son poste à New York pour rejoindre Boston. Pour cela, il avait misé sur un copain de jeunesse de Flemmi, «Cadillac Frank» Salemme.

Salemme avait été appréhendé par Connolly un après-midi glacial à New York en décembre 1972, sur les trottoirs de la 3ᵉ Avenue où l'inspecteur avait croisé le mauvais garçon. Connolly avait immédiatement reconnu le gangster dans la foule et ordonné à ses collègues d'ouvrir leur manteau pour sortir leurs armes. Une course-poursuite périlleuse dans la neige s'était achevée lorsque le soi-disant bijoutier Jules Sellick avait protesté avec véhémence et démenti être Frank Salemme, originaire de Boston, recherché pour tentative de meurtre sur la personne de l'avocat d'un membre de la pègre. Mais Connolly ne s'était pas trompé, il s'agissait bien de Salemme.

Le jeune inspecteur n'était pas équipé de menottes et avait dû enfourner le gangster dans un taxi en le menaçant de son revolver avant de hurler au chauffeur médusé de les conduire au siège du FBI, au coin de la 69ᵉ Rue Est et de la 3ᵉ Avenue. Son supérieur l'avait charrié sur les menottes qu'il avait oubliées, mais l'atmosphère était plutôt admirative et les sourires épanouis autour de Connolly : il venait d'arrêter un des gangsters de Boston les plus recherchés. Certains s'étaient étonnés que Connolly ait reconnu Salemme, mais il y avait bien une explication à cela. Un ancien inspecteur du Bureau de Boston appréciait Connolly et lui avait envoyé quelques clichés de Salemme, accompagnés d'une liste de lieux que celui-ci fréquentait, des informations obtenues par des mouchards. Exemple parfait de leur éminente utilité. L'arrestation de Cadillac Frank avait entraîné pour Connolly un transfert rapide vers sa ville d'origine, promotion rare pour un inspecteur qui ne comptait que quatre ans de carrière.

En 1974, Salemme est condamné à 14 ans derrière les barreaux, et Connolly reprend ses rondes dans les rues de son enfance. À cette époque, Bulger est devenu le gangster irlandais le plus célèbre dans le quartier le plus ouvertement irlandais de South Boston. Lorsque Connolly arrive, il vient de renforcer son contrôle sur les réseaux de paris et de prêts illicites, couronnement d'une ascension progressive débutée en 1965, date de sa remise en liberté à l'issue de ses condamnations au sein des prisons et pénitenciers les plus durs du pays.

Les deux hommes parlent le même langage et partagent des souvenirs à tous les coins de rue de ce quartier spécial. Ils se trouvent chacun à une extrémité du spectre étroit des carrières offertes aux catholiques irlandais, qui vivent en autarcie sur cette bande de terre isolée battue par l'Atlantique. Leur quartier est séparé de la ville de Boston par le chenal de Fort Point, et par un état d'esprit bien spécifique. Pendant des décennies, Southie est un bastion d'immigrés irlandais en butte à la terre entière, luttant d'abord sans succès contre la discrimination éhontée des marchands yankees qui dirigeaient la ville depuis des siècles, avant de se heurter aujourd'hui aux stupides bureaucrates et à un juge fédéral qui s'obstine à imposer l'intrusion d'étudiants noirs dans ce fortin où tout le monde considère les étrangers comme suspects. Ces luttes successives jugées glorieuses renforçaient l'image que les habitants avaient d'eux-mêmes : ils avaient le sang chaud et ne baissaient jamais la tête. Les affrontements affirmaient leur philosophie de vie : ne jamais faire confiance à un étranger et ne jamais oublier d'où l'on vient.

Un ancien agent rappellera le manque cruel de choix que devait affronter un adolescent à South Boston dans les années 40 et 50. L'armée. L'administration locale. Les entreprises de service. L'usine. La criminalité. « Salarié du gaz, de l'électricité, smicard chez Gillette, employé de la ville, flic, délinquant », ainsi résumait-il la situation. Des décennies de problèmes avaient fait que les résidents de Southie étaient prêts à se battre pour le moindre boulot.

Connolly et Bulger, le flic et le voyou, avaient grandi dans le premier lotissement social de Boston, une cité spartiate de trente-quatre petits bâtiments en briques trop proches les uns des autres. C'était l'œuvre d'un promoteur immobilier ami du maire James Michael Curley, autre personnage légendaire, grâce aux fonds issus de l'administration des Travaux Publics mis à leur disposition par Franklin Delano Roosevelt. Les deux hommes faisaient l'objet d'un culte chez les Bulger, rue Logan, Curley pour ses répliques mordantes et Roosevelt pour avoir aidé les ouvriers à lutter contre les ravages du capitalisme.

Les parents de Connolly, John Connolly employé chez Gillette pendant cinquante ans et sa mère plutôt effacée, Bridget Kelly, ont résidé dans ce lotissement jusqu'à ce que le petit John atteigne sa douzième année. En 1952, la famille emménageait dans un logement un peu plus cossu situé à City Point, un des lieux privilégiés de Southie, car il domine l'océan tout au bout du promontoire. Le père de Connolly avait pour surnom «Galway John», rappelant son comté d'origine en Irlande. Sa vie se résumait à sa famille, à l'église et à South Boston. Ce père de trois enfants était parvenu à économiser suffisamment pour envoyer son fils étudier dans un établissement secondaire catholique dans le quartier italien de North End, au collège de Columbus. C'était comme s'il était allé étudier à l'étranger. John Junior évoquait souvent en plaisantant son trajet qui nécessitait d'utiliser une voiture, un bus puis un train. L'instinct patriotique de Southie et l'exigence d'un salaire dans la fonction publique avaient également conduit le frère cadet de John à grossir les rangs de la police. Il devait faire une carrière remarquée d'inspecteur au sein de la brigade anti-drogue fédérale, imitant avec plus de modestie celle de son frère aîné.

Les enfants Connolly et Bulger parviennent à l'adolescence dans un environnement soigné, bien éclairé en bordure de mer, agrémenté d'immenses parcs, de stades de football américain et de base-ball, de terrains de basket. Les sports sont rois. Old Harbour se targue de familles intactes, de glaces gratuites le 4 juillet, de cages d'escaliers accueillantes, avec une trentaine d'enfants par immeuble. Ce projet de développement immobilier d'une dizaine d'hectares offre un standing intermédiaire entre City Point, avec sa brise océane et ses rideaux de dentelle, et le Lower End, un quartier plus divers sur le plan ethnique, avec ses rangées de petites maisons toutes semblables le long des routes empruntées par les semi-remorques qui rejoignent les usines, les garages et les tavernes le long du promontoire de Fort Point. Jusqu'à aujourd'hui, c'est le quartier qui possède le plus de résidents anciens de la ville ; les gens y ont toujours préféré la sédentarité à l'ambition. Pendant que South Boston cédait peu à peu à la gentrification le long de ses rivages peu peuplés vers la fin des années 90, les élus municipaux préféraient insister sur les valeurs traditionnelles, interdisant les portes-fenêtres à la devanture des cafés ou les solariums sur le toit des petits immeubles en copropriété sur le front de mer.

Ce réflexe mental d'un affrontement entre « eux et nous » qui sous-tend la vie à Southie trouve son origine au-delà de ses racines irlandaises. Précédant la première vague d'immigrants en provenance d'Irlande qui s'étaient ancrés sur la péninsule avant la première guerre civile américaine, une pétition auprès du gouvernement « central » avait été remise en 1847 à l'hôtel de ville pour protester contre l'absence de services municipaux. Quelques décennies plus tard débarquent sur le rivage de Boston les premiers immigrants affamés, victimes des ravages du mildiou de la pomme de terre qui dévastera l'Irlande de 1845 à 1850. Ils se réfugient alors sur les vertes collines connues à l'époque sous le nom des Dorchester Heights. La famine avait réduit d'un tiers la population irlandaise, un million étant mort de faim et deux millions choisissant de s'expatrier pour survivre. Un grand nombre s'était échoué sur les rives de Boston, la côte la plus proche de l'Irlande, et installé tant bien que mal dans les logements insalubres du front de mer de North End. Dans les années 1870, ils pouvaient enfin quitter leurs taudis où trois enfants sur dix mouraient au cours de leurs premiers mois de vie.

Les nouveaux arrivants, en bons catholiques irlandais, avaient pris immédiatement fait et cause pour les doléances des résidents contre les autorités. C'était une sorte d'obligation tacite, la communauté se fondant autour de l'église et de la famille, formant une colonie solide face à ceux qui ne comprenaient pas leur manière de vivre. Au fil des décennies, rien ne renforcerait plus le sentiment d'appartenance de ceux de Southie que la certitude qu'un étranger pourrait venir bouleverser leur art de vie. Selon les règles de cette hégémonie catholique irlandaise qui s'instituera bientôt en dogme, un mariage mixte ne signifiait pas seulement l'union d'un catholique et d'une protestante, mais aussi celle d'un Italien et d'une Irlandaise.

La fondation de Boston remontait à plus de deux siècles lorsque les immigrants fuyant la famine en Irlande s'étaient installés, mais South Boston ne deviendra une communauté presqu'exclusivement irlandaise qu'après la guerre civile. De nouvelles entreprises créent des emplois dans le quartier. Au lendemain de la guerre, la population de la péninsule s'accroît d'un tiers pour atteindre trente mille habitants, ce qu'elle compte encore aujourd'hui. Des ouvriers irlandais s'installent à Lower End pour occuper des emplois dans la construction navale ou le chemin de fer qui connaît un formidable essor à l'époque. Des banques s'installent localement, de nouvelles églises ouvrent leurs portes, dont Sainte-Monica, où se rendait le jeune frère de Whitey Bulger, Billy, toujours flanqué de son copain John Connolly.

Dans la seconde moitié du XIXᵉ siècle, la plupart des hommes étaient employés sur Atlantic Avenue pour décharger des cargos. Les femmes traversaient à pied Broadway Bridge le soir pour se rendre dans le centre financier de la ville, où elles faisaient le ménage, frottant les parquets, vidant les poubelles, avant de retraverser le pont vers minuit pour rejoindre leur foyer. Au début du XXᵉ siècle, l'emprise des catholiques irlandais était telle que les habitants se rassemblaient selon leur comté irlandais d'origine : ceux de Galway occupaient A et B Streets, ceux de Cork D Street, et ainsi de suite. Les clans faisaient partie de l'ambiance et vibraient jusqu'au bord de l'océan. Ceci explique que John Connolly, inspecteur au FBI, pouvait renouer sans problème une relation de jeunesse avec un gangster notoire de l'acabit de Whitey Bulger. Il y a des choses que l'on n'oublie jamais.

Plus encore que les racines ethniques, il y a l'Église catholique, qui agit comme un aimant sur la vie de tous les habitants. Elle règle le quotidien des gens. Baptême. Première communion. Confirmation. Mariage. Dernier sacrement. Veillée mortuaire. Le dimanche est un jour particulier, les parents vont à la première messe, les enfants à celle qui leur est réservée, à 9h30. On y fait ses premiers pas dans la société, parfois à travers le service de la communauté lorsque, par exemple, on passe la sébile parmi les fidèles.

À l'instar de l'Irlande, Southie est un endroit superbe, à condition que vous possédiez un emploi, évidemment. La grande crise de 1929 fait des ravages parmi la belle ordonnance famille-église de South Boston. Les réseaux qui fonctionnaient parfaitement jusqu'ici s'effondrent dès que le chef de famille se retrouve au chômage. Le taux de chômeurs frôle les 30% et ébranle douloureusement la vision d'avenir d'une population qui avait toujours misé sur un salaire et une conduite irréprochable. L'atmosphère enjouée du quartier en pâtit, la sérénité cède la place au désespoir. Pas seulement à Southie, car c'est toute l'économie de Boston qui stagne. Vers le milieu des années 40, les années d'adolescence des frères Bulger et de John Connolly, la ville est en plein marasme. Les immeubles du centre se vident, les projets de carrière s'effondrent. Les salaires baissent, les impôts augmentent, les affaires sont au point mort. La ville souffre de longues années d'administration par des cols blancs apathiques, à bout de souffle et d'enthousiasme. Les yankees dynamiques du XIXᵉ siècle ont cédé la place à des banquiers de banlieue indifférents aux quartiers défavorisés, une génération avide de rendement sur leurs actions, de fonds d'investissement, au lieu de créer de nouvelles entreprises. Dans le même temps, les immigrants pleins d'espoir deviennent des bureaucrates moutonniers. Rien ne changera avant la reprise de la croissance urbaine dans les années 60.

C'est dans ce climat difficile et dans ce lieu à la dérive que James et Jean Bulger débarquent en 1938 dans le premier projet de logement social de Boston, à la recherche d'un appartement possédant au moins trois chambres car leur famille continue de s'agrandir. Whitey a 9 ans, Billy 4. Les Bulger envisagent d'élever leurs trois garçons dans une chambre et les trois filles dans une autre. Si la cité d'Old Harbour est un environnement privilégié pour les enfants, les parents doivent être sous le seuil de pauvreté pour pouvoir postuler. Pour les Bulger, aucun problème. Quand il était jeune, James Joseph Bulger avait perdu une bonne partie de son bras, écrasé entre deux wagons de chemin de fer. Il avait par la suite trouvé un boulot épisodique comme secrétaire aux chantiers navals de Charlestown, en remplacement de nuit pendant les vacances, mais n'avait jamais retrouvé un emploi à plein temps.

Plutôt petit, avec des lunettes et les cheveux blancs ramenés vers l'arrière, on le voyait souvent arpenter les plages et les jardins publics de South Boston, cigare à la bouche, un manteau sur les épaules cachant son bras estropié. Il avait connu une enfance difficile dans les petites maisons du North End, à l'époque où les premiers immigrants irlandais de la Grande Famine cédaient la place à une nouvelle vague d'immigrants en provenance du sud de l'Italie dans les années 1880. James Bulger s'intéressait de près à l'actualité ; un des copains d'enfance de Billy se souvenait de l'avoir un jour bousculé dans la rue et d'avoir écopé d'une interminable leçon de « politique, de philosophie et d'autres trucs ». Pourtant, le « pater familias » s'avérait un solitaire et passait le plus clair de son temps à la maison, surtout lors de la retransmission à la radio des matchs des Red Sox. À l'inverse, on croisait souvent Jean sur le perron de la maison sur Logan Way, bavardant avec les voisines, même à l'issue d'une journée de travail interminable. Si l'on en croit les voisins, Jean était une petite femme souriante et avenante, aimée de tous et plutôt futée. Ils estiment que Billy lui ressemblait ; il était affable et prévenant, on le voyait courir vers la bibliothèque avec un sac rempli de livres, ou bien vers l'église pour un mariage ou un enterrement, son aube d'enfant de cœur relevée jusqu'aux genoux et flottant dans le vent.

Mais Billy partageait aussi avec son père son goût pour la solitude et le respect de sa vie privée. Dans une des rares interviews qu'il ait accordées à propos de sa famille, Billy Bulger évoque avec nostalgie son père, son stoïcisme face à l'adversité ; il regrette de n'avoir pas su communiquer avec lui et partager plus de moments ensemble. Il se souvient du jour où il s'est engagé dans l'armée, à la fin de la guerre de Corée, des lèvres pincées de ses parents, inquiets au souvenir de leur gendre tué au front deux années auparavant. James et Jean avaient accompagné Billy jusqu'à la gare de South Station où l'attendait le train à destination de Fort Dix, dans le New Jersey. Son père, alors âgé de près de 70 ans, était monté dans le couloir avec lui et l'avait suivi jusqu'au siège qu'il allait occuper.

– Je me suis dit : « Mais qu'est-ce qui se passe ? » Vous savez comment sont les jeunes. Mon père, c'était tout à fait inhabituel, a pris ma main, l'a serrée fort avant de bredouiller : « Eh bien, Dieu te bénisse, Bill. » Je m'en souviens parce que mon père ne faisait pas souvent des phrases aussi longues.

Billy Bulger s'engage dans le combat politique en 1960 : il a besoin d'un salaire pour terminer ses diplômes de la fac de droit du Boston College, et épouser celle qui faisait battre son cœur depuis l'enfance, Mary Foley. John Connolly travaille dans son équipe en vue de son élection. Au départ, Bulger a l'intention de siéger à la Chambre des représentants durant quelques mandats avant d'établir son propre cabinet juridique en qualité d'avocat de défense en droit criminel. Mais il ne cesse pas de siéger, menant de front son cabinet, sa mandature et une famille de plus en plus nombreuse. Les Bulger auront neuf enfants, à peu près un par an durant les années 60. Billy Bulger rejoint le Sénat en 1970 et devient président pendant de longues années, marquant ainsi l'histoire du Massachusetts.

Tout au long de ses mandats législatifs, Billy sera une figure marquante de South Boston, le menton en avant, le propos toujours fermement conservateur. Souvent provocant, il aime se colleter avec les libéraux de son quartier qui trouvent la déségrégation intéressante pour son quartier mais pas pour le leur. Il se passionne à rappeler de vieilles querelles perdues, la plus emblématique étant le référendum qu'il avait lancé dans l'État auprès d'un électorat indifférent dans les années 80 dans le but de réparer un tort qu'il avait détecté dans la constitution locale : un article visant les catholiques et remontant à 1855 interdisait les aides financières à l'enseignement privé. Certes, reconnaissait Bulger, cet article n'avait pas causé de grands dégâts, mais il voulait l'amender à cause de l'intention maligne de ceux qui l'avaient rédigé. L'amendement Bulger sera rejeté deux fois à une large majorité, mais cela ne change rien pour le Sénateur : l'important est de se battre.

C'est une des raisons qui feront de lui une des personnalités politiques de son temps, figure paradoxale qui trahit à la fois une solide culture et un parfum de bagarres de rue. Tout à la fois despote et conciliateur madré, homme réservé adorant la foule, brillant dans ses discours, Bulger possède un côté sombre et prend tous les affronts personnellement. Jusqu'à aujourd'hui, le côté obscur de sa personnalité n'est pas aisé à démêler.

Bien que Billy Bulger ait présenté un visage conventionnel, cultivé, au style empreint d'une certaine noblesse, on peut toujours déceler une autre facette de sa personnalité. Ainsi en 1974, des manifestants opposés à la loi de déségrégation ayant été arrêtés devant une école, Bulger se rend sur place et accuse la police d'avoir fait preuve de zèle. Il empoigne le commissaire divisionnaire de la ville, Robert Di Grazia, l'admoneste, doigt tendu, à propos de ses troupes qualifiées de « Gestapo ». Di Grazia élève la voix en retour contre ces hommes politiques qui n'ont pas « eu les couilles » de traiter le problème de la déségrégation plus tôt, ce qui aurait évité les problèmes. Bulger fait volte-face, écarte la foule pour tancer la silhouette imposante de Di Grazia.

– « Va te faire foutre », lui lance-t-il en plein visage.

Le problème de l'arrivée des étudiants noirs avait mis Southie sens dessus dessous, à tel point que même Whitey Bulger s'était lancé dans la bataille ; curieusement, cette fois-ci, il jouait l'apaisement. On l'a vu dans les coulisses tenter de ramener le calme parmi ses troupes. Certes, ses motivations n'avaient que peu à voir avec l'altruisme et le civisme. En soulevant le problème d'une présence accrue de la police dans les rues de South Boston, il insistait sur le fait que cette loi était une catastrophe pour les affaires. Whitey s'efforçait donc de passer le message à ses associés : n'envenimez pas les tensions exacerbées autour des écoles et collèges.

Malgré les heurts qui agitent les années 70, Billy poursuit son ascension rapide au sein du Sénat qu'il préside d'une main de fer jusqu'au début des années 80. Mais il doit sans cesse lutter avec une image qui lui colle à la peau, celle de la réputation de Southie, qui mêle trop souvent le meilleur et le pire. C'est un héros dans les rues de son quartier, et un anathème au sein d'un État libéral démocrate. Ce dilemme apparaît au grand jour vers la fin des années 80, lorsqu'il lutte de tout son pouvoir contre le mouvement de réforme qui promet de favoriser le débat et la démocratie au sein même du Sénat américain. Un de ses collègues tente bien de le convaincre qu'il a tout à gagner en relâchant un tant soit peu son emprise sur la Chambre. Mais Bulger le balaie de la main.

– Non, pas de ça pour moi, lâche-t-il. Je ne serai jamais qu'un foutu péquenaud irlandais de South Boston !

Gosse de la cité comme les frères Bulger, Connolly devait beaucoup les fréquenter. Il devient l'ami de Billy, attiré par son humour et sa maturité notoire en comparaison de Whitey. C'est Billy à côté de qui Connolly trottine en rejoignant les immeubles au retour de la messe à Sainte-Monica, avec Billy qu'il partage sa passion de la lecture, bien qu'il ait ressenti comme ses copains l'idée que c'était une occupation plutôt idiote dans un environnement dévoué aux activités sportives.

Connolly n'ignore pas les écarts du tristement célèbre Whitey, le trublion d'Old Harbour, qui fait jaser toute la cité à propos de ses bagarres et autres provocations audacieuses. De fait, tout le monde, même les gamins de 8 ans comme Connolly, connaissent bien Whitey. Le petit John se retrouve un jour au centre d'une querelle pendant une partie de foot américain. Un grand accuse Connolly de tarder à extirper un ballon et frappe un autre ballon en plein dans le dos du petit Connolly. Plié en deux par la douleur, le gamin se saisit du ballon et shoote un pointu dans le nez du plus grand. Celui-ci se jette sur Connolly, poings en avant, et lui file une raclée. C'est alors que Whitey, jusque-là debout aux limites du terrain, intervient pour arrêter la bagarre inégale. Le visage en sang, Connolly se relève en titubant, à jamais reconnaissant envers son sauveur. D'un certain côté, Connolly restera toute sa vie un gosse pauvre de la cité, avide de reconnaissance dans un univers impitoyable, toujours sensible à la mystique machiste de Whitey Bulger.

John Connolly apprend à peine à marcher dans Callahan Way que Whitey Bulger guette déjà le bon moment pour voler des marchandises dans les camions qui viennent livrer dans les quartiers pauvres de Boston. Sa première inculpation pour vol, il l'a connue à 13 ans. Il enchaînera par des agressions, des voies de fait et des cambriolages, évitant de peu la maison de redressement. Mais la police de Boston l'a désormais à l'œil et le renvoie souvent chez lui avec de nouveaux bleus sur sa jolie frimousse. Ses parents craignent que de tels traitements n'enveniment les choses; de fait, l'adolescent entêté exulte à chaque nouvelle confrontation au commissariat, se vantant auprès de ses potes, les incitant en riant à s'échiner du poing sur ses tablettes de chocolat impeccables. En quelques années, il bascule dans la délinquance dangereuse, avec un flair à la James Cagney, notoire pour ses bagarres sanglantes et ses courses-poursuites en voiture. Sur sa fiche de mise en liberté surveillée, on apprend qu'il s'est montré piètre écolier, plutôt paresseux, à l'opposé de son frère Billy. Whitey ne terminera jamais ses études au collège, mais il a toujours possédé une voiture quand tous ses collègues prenaient le bus.

Selon un de ces collègues justement, qui a grandi à Southie avant de rejoindre les Marines et de s'engager dans la police, il a participé à ces parties déchaînées de foot américain de rue le dimanche. Il se souvient de la carrure somme toute ordinaire de Bulger, mais surtout de son agressivité.

– Ce n'était pas une brute aveugle, mais il cherchait la bagarre. On sentait bien qu'il n'attendait qu'un incident pour exploser. On admirait le fait qu'il réussisse à se contrôler. Au moins si ça dégénérait, on s'attendait à ce qu'il se montre loyal envers ses copains. C'était comme ça à l'époque: totalement tribal, l'appartenance à un gang était primordiale pour un gamin de la cité.

Bulger fréquente surtout les Shamrocks[1], un des gangs qui a pris la succession des puissants Gustins. Les Gustins avaient régné sur la criminalité à Boston pendant la Prohibition. Mais les dirigeants de l'organisation avaient franchi la limite en 1931 en cherchant à mettre la main sur l'ensemble de la contrebande d'alcool le long des rives de Boston. Deux gangsters de South Boston avaient été abattus après s'être rendus à North End, régi par les

---

1. Shamrock: Trèfle, emblème national de l'Irlande (NdT).

Italiens, en vue d'imposer leur loi à la mafia. Une fusillade les avait fauchés devant les portes de la société *C&F Imports*. Aux yeux de la police, le sort des deux gangsters des Gustins marque une ligne de démarcation dans l'histoire de la criminalité de la ville. La mafia affaiblie parviendra à survivre dans les quartiers à dominante italienne tandis que les gangs irlandais se retrancheront désormais à South Boston ; la pègre établira des zones clandestines séparées à partir de leurs bases ethniques. Ce qui n'empêchera nullement les deux groupes de collaborer lorsque de jolis bénéfices seront à partager. Mais Boston, à l'instar de Philadelphie et de New York, restera une des rares villes où les divers gangs irlandais pourront coexister en distribuant l'argent des prêts illicites de la mafia dans les rues de leurs quartiers.

L'échec du gang des Gustins face à la mafia accorde également à Whitey Bulger la liberté d'établir son propre circuit du crime dans tout South Boston. Du braquage de camions de livraison à Boston aux hold-up de banques, Whitey a fait son chemin. À 27 ans, il a aussi passé un certain temps dans les prisons fédérales les plus sévères. Dans son dossier carcéral, on note que c'est un prisonnier difficile, bagarreur, familier des cellules d'isolement. On le considère comme un risque, et il passe une fois trois mois au trou à Atlanta avant d'être transféré dans un établissement pénitentiaire de haute sécurité, Alcatraz, car on le soupçonne de tentative d'évasion. Il se retrouve de nouveau en cellule d'isolement après avoir lancé un mot d'ordre de désobéissance, mais se calme suffisamment pour terminer sa peine ; il sera transféré d'abord au pénitencier de Leavenworth, au Kansas, et finalement à Lewisburg, en Pennsylvanie, avant de rejoindre Boston. Eisenhower est président des États-Unis lorsqu'il est incarcéré, et c'est sous la présidence de Lyndon Johnson qu'il recouvrera la liberté, en 1965. La guerre du Vietnam bat son plein. Son père, qui a pu assister à l'élection de son fils Billy, est mort lorsque Whitey sort de prison.

En retrouvant sa banlieue, Bulger est désormais un ex-taulard endurci, mais cela ne l'empêche pas d'emménager avec sa mère dans la cité. Grâce à son frère Billy, il décroche un emploi temporaire de gardien du tribunal du comté de Suffolk à Boston. Cet emploi reflète la politique en vigueur à South Boston dans une version améliorée de l'ancien système de sections électorales de la ville par lequel les responsables s'assurent une assise imprenable en contrôlant les emplois de fonctionnaires. Dans le passé, ce système particulier à Boston avait permis à de nombreux immigrants pauvres et sans qualification de survivre, mais dans les années 60, il pouvait consister en l'attribution d'un poste de gardiennage à un ancien détenu. Après une période tranquille, encore en liberté sur parole, Whitey remet sa vie en question et décide de replonger dans la criminalité, bientôt transformé en un exécuteur des basses œuvres particulièrement craint. Les clients des bars où il se rend pour collecter les dettes de jeu et autres pots de vin se souviennent longtemps de son passage.

Taciturne, discipliné, Bulger est d'une envergure impressionnante dans l'univers brutal qu'il a décidé de réintégrer. Avant tout, il a acquis des connaissances par la lecture, utilisant ses longues journées derrière les barreaux pour étudier en détail l'histoire militaire de la Seconde Guerre mondiale, recherchant les défauts qui avaient causé la perte de certains généraux. Inconsciemment, il ne veut pas se rater une seconde fois : cette fois-ci, il sera un survivant avisé, méfiant, usant à la fois de patience et de brutalité sélective. Il s'abstiendra de provoquer la police par des répliques insolentes, mais projettera l'image d'un repenti ayant retenu sa leçon en prison ; il assurera les inspecteurs qu'ils sont des bons flics, et que lui n'est qu'un « bon mauvais garçon ».

Deux ou trois ans après sa sortie de prison en 1965, Whitey Bulger est avant tout l'associé de Donald Killeen, alors le principal bookmaker de South Boston. Mais au bout d'un certain temps, Bulger émet des doutes sur les erreurs de jugement de Killen ; ils doivent affronter des problèmes incessants de domination sur les gangs concurrents. Whitey craint surtout que Killeen et lui ne se fassent éliminer par leurs principaux rivaux de South Boston, le gang des Mullins de Paul McGonagle et Patrick Nee. Un des bras droits de Bulger avait été abattu alors qu'il se ruait vers la porte de sa maison dans le quartier de Savin Hill de Boston. Ce n'était plus qu'une question de temps pour Killeen et Bulger.

En mai 1972, le dilemme de Whitey à propos de son association avec Killeen est résolu : il choisit la survie plutôt que la loyauté. Certes, il est le garde du corps de Killen, mais cela ne l'empêche pas de nouer une alliance secrète avec ses ennemis. Pour survivre, pour assurer la pérennité de ses affaires, Bulger doit opérer un choix pénible parmi ses pairs au sein de la pègre bicéphale de Boston : faire allégeance à la mafia italienne qu'il déteste ou bien établir un accord avec le gang de Winter Hill dont il se méfie. Aucune chance de réparer les torts avec les Mullins tant qu'il reste un allié de Killeen, il y a eu le meurtre du frère de Paul McGonagle et le nez de Mickey McGuire arraché avec les dents. Howard «Howie» Winter, qui dirige le principal gang irlandais depuis son garage près de Somerville, est allié avec des membres du gang des Mullins et prend en charge les négociations du différend qui les oppose à Bulger. Dès que Bulger, le loup fier et férocement indépendant, demande humblement à rencontrer Howie, le destin de Donald Killeen est scellé.

Quelques jours plus tard, Killeen, qui assiste à la fête organisée pour les 4 ans de son fils, reçoit un coup de fil. C'est un appel urgent. En s'engouffrant dans sa voiture, il aperçoit un homme armé qui émerge des fourrés et avance vers lui. Killeen s'empare de son revolver, planqué sous le siège, mais l'homme a ouvert sa portière et pointe le museau de sa mitraillette sur sa tempe. Une rafale de quinze coups éclate. Le tueur s'enfuit vers la rue où l'attend une voiture prête à foncer vers la ville. Personne ne sera jamais inculpé pour ce meurtre, mais à Southie, la rumeur va bon train : il ne peut s'agir que de Whitey. La touche finale de ce tableau morbide est mise quelques semaines plus tard. Kenneth, le frère cadet de la famille Killeen, fait son jogging et croise une voiture garée près de City Point. À l'intérieur, quatre hommes. Une voix l'appelle :

– Kenny !

Kenny se retourne, le visage de Bulger s'encadre dans la vitre baissée, un revolver pointe sous son menton.

– C'est fini pour vous, lance-t-il au dernier survivant des bookmakers de la famille Killeen. Laissez tomber les affaires. Dernier avertissement.

La méthode rapide et sanglante du nouveau «Patron» est passée dans la légende. Le genre d'action décisive, dramatique, qui fait le tour de Southie en une nuit, un signal lancé à la pègre que Bulger s'apprête à manipuler, à contrôler dans ses moindres velléités. Et nous ne sommes qu'au commencement. Quelques mois après le décès de Donald Killeen, Bulger s'associe avec les tueurs de Winter Hill ; le pouvoir de Bulger s'affirme et ses rivaux dans le milieu de South Boston se font flinguer à un rythme effréné. En deux journées de mars 1973, six voyous sont abattus. Fin 1975, le bilan des victimes de Bulger s'élève à seize morts, parmi eux deux des grands pontes du gang des Mullins : Paul McGonagle et Tommy King. Ils reposent à Quincy, sous les sables de la plage proche de la voie expresse du Sud-Est, une artère toujours très fréquentée.

Une nouvelle ère éclaboussée de sang vient de s'ouvrir pour Whitey Bulger. Les Killeen sont éliminés, et il vient prendre ses ordres au garage *Marshall Motors* de Somerville, siège des opérations d'Howie Winter. En attendant de trouver mieux, Bulger est en charge de tous les rackets de South Boston. Whitey tient Southie et, pendant quelque temps encore, Howie tient Whitey.

Sa fortune croît de manière exponentielle, mais son standing n'évolue pas. C'est l'antithèse du mafieux au luxe tapageur de North End. Pas de Cadillac. Pas de yacht. Ni de vaste villa sur le front de mer. Bulger ne boit que rarement, ne fume pas et se rend au boulot tous les jours. Il n'a qu'un seul point faible, la Jaguar qu'il remise dans un garage à City Point la majeure partie du temps. Une existence banale, somme toute, paisible, auprès de sa mère dans la cité d'Old Harbour, du moins jusqu'au décès de celle-ci en 1980.

Il a adopté un nouveau style, fait de discipline, de résistance à sa rage d'adolescent qui l'avait conduit à plusieurs inculpations de viol à Boston et dans le Montana lorsqu'il était engagé dans l'aviation. Il ne voulait plus succomber à ce genre de coup de folie qui l'avait vu claquer la porte de chez lui et s'engager à 14 ans dans le cirque *Barnum et Bailey* comme manœuvre, ni à l'imprudence folle qui l'avait poussé, voyou néophyte flanqué de quelques copains, à pousser la porte d'une banque de l'Indiana armé d'un petit pistolet en argent, et à dérober 42 112 $ en espèces. Terminés les mois de cavale où il se teignait les cheveux en brun pour échapper au FBI, et où il avait fini par se faire arrêter dans une boîte de nuit par une horde d'inspecteurs. Il avait fait une croix sur tout ça. Désormais, il contrôlerait tout et ne jouerait plus les fanfarons. Les années de prison qu'il a passées entouré de livres ont affûté son instinct ; son cerveau est devenu une encyclopédie des tactiques de la police et des erreurs des anciens caïds du milieu. Comme un crack des échecs, Bulger est convaincu de connaître toutes les attaques, toutes les défenses ; rien qu'en vous regardant engager la partie, il sait comment vous mener rapidement à la seule constatation qui lui donnera satisfaction : échec et mat. À ses acolytes il confie que jamais, jamais, il ne retournera derrière les barreaux.

Comme tous les malfrats du milieu, Bulger vit la nuit ; sa journée commence dans l'après-midi et se termine le lendemain très tôt. Il arbore une attitude posée de détachement vis-à-vis des gens de son univers, mais un sourire affable pour les amies âgées de sa maman dans la cité : il leur tient la porte quand elles entrent ou sortent, il soulève son chapeau devant elles. Durant quelque temps, il va livrer de la dinde traditionnelle, le quatrième jeudi de novembre, aux familles nécessiteuses d'Old Harbour. Dans un certain sens, on peut affirmer qu'il est resté entièrement dévoué à sa famille et qu'il a obstinément protégé son frère Billy. Au décès de sa mère en 1980, Whitey est resté en retrait afin de protéger Billy, craignant qu'un reporter ne le fasse figurer à la une de son journal aux côtés du nouveau président du Sénat du Massachusetts. Sa réputation de hors-la-loi le pousse même à s'asseoir dans la tribune réservée à l'organiste, pendant le service funèbre, tandis que ses cinq frères et sœurs portent le cercueil en quittant le chœur, plusieurs mètres plus bas. Un des prêtres résumera la situation en affirmant que «le sang reste le sang».

Bulger cultive en outre une mystique inquiétante qui terrifie les habitants de Southie. Chaque fois qu'un quidam le bouscule accidentellement à l'intérieur de son magasin de boissons alcoolisées, il écope d'un regard tellement glacé et impitoyable que souvent il a du mal à contrôler ses sphincters. Connolly reconnaît d'ailleurs «qu'il était suicidaire de se mettre en travers de son chemin.»

Ellen Brogna, l'épouse d'Howie Winter très souvent incarcéré et qui a fréquenté des gangsters toute sa vie, avouera qu'elle était paralysée en face de Whitey Bulger. Peu après l'arrivée de celui-ci au garage de Somerville, ils dînent ensemble un soir. Pour une raison quelconque, Bulger doit déplacer la Ford Mustang d'Ellen. Elle lui lance les clés, mais il surgit quelques minutes plus tard, écumant de rage et sans avoir déplacé la voiture ; il ignore l'existence d'un bouton sur lequel il faut appuyer pour débloquer le démarreur. Elle tente de plaisanter avec lui : il se doit d'être un expert maintenant qu'il traîne à *Marshall Motors*. Bulger la fixe méchamment avant de quitter la maison comme une furie. Ellen confiera plus tard à Howie qu'elle avait eu l'impression de se retrouver devant Dracula. Howie lui, avait trouvé l'incident plutôt amusant.

L'homme qui avait connu Alcatraz était toujours caractériel, mais il avait appris les vertus du contrôle sur soi. Bulger était un parfait exemple de la faune qui hantait Southie, la mine sévère, imperturbable, la dégaine macho non dénuée de charisme. Et puis ce côté glacial qui, comme un coup de hache, allait droit au cœur du problème. C'est ce trait de caractère qui faisait de lui un excellent indic et qui expliquait que Dennis Condon, cet inspecteur rusé du FBI qui avait géré les dossiers du crime organisé durant plusieurs décennies, s'était toujours intéressé de près à Bulger au début des années 70. Mais bien qu'il fût originaire d'un environnement similaire, Charlestown, de l'autre côté du port, Condon ne pouvait se revendiquer du seul endroit qui comptait vraiment : South Boston. Condon s'était résigné à contrecœur à refermer le dossier Whitey Bulger, conscient du fait que ça pourrait bien marcher, pour le plus grand profit du Bureau, si on pouvait trouver un agent traitant originaire comme Bulger de ce fameux quartier. Le jeune inspecteur John Connolly avait le profil idéal : rompu aux coutumes de la rue, beau parleur et surtout né et élevé au cœur de la cité d'Old Harbour.

Condon rencontre Connolly pour la première fois grâce à un ami commun, inspecteur au FBI. Arrivé en fin de contrat comme professeur dans un collège, Connolly suit alors des cours de droit le soir et rêve d'entrer au FBI.

Il rejoint le Bureau en 1968, et Condon garde le contact durant les divers stages qu'il effectue à Baltimore, San Francisco et New York. Ils renouent leur relation lorsque Connolly rentre à Boston pour épouser une jeune fille du coin, Marianne Lockary, en 1970. Tandis que Bulger se bat pour sa survie, Condon s'active pour que Connolly soit transféré à Boston. On suppose que les détails précis sur les allées et venues de Frank Salemme, fournis à Connolly par Condon, provenaient de Stevie Flemmi, en froid avec son copain d'enfance.

Connolly retrouve donc Boston, une ville moins étendue et plus intime que la Grosse Pomme, échangeant Brooklyn en faveur de Southie, le Yankee Stadium pour Fenway Park. Il quitte un Bureau de 950 inspecteurs penchés sur les dossiers des cinq grandes familles mafieuses de New York et intègre une équipe de 250 agents qui peinent à suivre les affaires de Gennaro Angiulo. Il apprécie le changement d'échelle, il connaît tout le monde par son surnom. C'est le gamin de Boston qui revient au pays, impatient de faire honneur à son costume bien coupé d'inspecteur à l'avenir que certains prédisent radieux. Mais Connolly doit d'abord s'imprégner de l'expérience de ceux qui l'entourent. Adolescent, c'était une sorte de frimeur, qui faisait illusion avec sa casquette de base-ball sur la tête, mais beaucoup moins convaincant sur le terrain. Dans la peau de l'inspecteur, il avait plus le look que l'attitude, bon vendeur mais piètre flic. À son retour de New York, le jeune inspecteur impressionnable est subitement plongé dans le scénario de sa vie. La mission de ses rêves : nouer des liens avec le dangereux voyou qu'il avait toujours admiré. John Connolly tombe en pâmoison devant son héros.

Une attraction fatale devant la personnalité de séducteur de Whitey Bulger. Il faut dire que Bulger possède le magnétisme pervers de certains gangsters qui violent toutes les règles et qui s'en délectent. Du point de vue de Connolly, la promesse est trop belle, l'avenir est assuré. Collaborer avec Whitey ! Qui pourrait rêver mieux ? Aucun, certainement, des 250 agents désintéressés qui roulent toute la journée dans des voitures du gouvernement. Whitey est à coup sûr la cerise sur le gâteau de Connolly.

Au cours des premières années de cette nouvelle relation avec Whitey Bulger, on trouve dans les 209 rapports de conversations de Connolly d'innombrables mentions de la désillusion qui affecte les rangs de la mafia de Gennaro Angiulo, une famille apparemment en perte de vitesse, ainsi que des informations plus concrètes à propos des rivaux de Bulger à South Boston. Connolly s'abstient de rappeler à Whitey qu'il s'était initialement engagé à ne fournir des renseignements que sur les Italiens. Et tandis que les informations concernant la mafia restent vagues et concentrées sur les ennuis de la famille Angiulo, les fuites sur South Boston incluent des noms, des adresses, des numéros de plaques d'immatriculation, des numéros de téléphone. Tommy Nee, par exemple, un maniaque de la gâchette parmi d'autres, responsable de véritables tueries dans des bars de South Boston dans les années 70, est inculpé et arrêté pour meurtre par la police de la ville, assistée par le FBI, dans le New Hampshire, exactement là où Whitey avait dit qu'il se trouvait.

La cible prioritaire du FBI, néanmoins, reste la mafia, pas les inadaptés sociaux du genre de Tommy Nee. Par l'intermédiaire de Flemmi, Bulger a découvert qu'Angiulo a coupé le téléphone de son bureau, craignant qu'il ne soit mis sur écoutes. Bulger confie à Connolly qu'Angiulo communique avec ses frères par talkie-walkie. Gennaro, c'est « Silver Fox », Renard Argenté, et Donato Angiulo « Smiling Fox », Renard Souriant. Bulger va jusqu'à suggérer d'utiliser un scanner Bearcat 210 automatique pour intercepter les conversations.

Dans les bureaux feutrés et conformistes du FBI de Boston, ces rapports impressionnent le gratin des inspecteurs, même si le style de plus en plus impertinent de Connolly irrite bon nombre de ses collègues. Certains n'hésitent pas à le chambrer en le surnommant « Canolli » à cause de ses tenues voyantes et de sa dégaine de mafioso affirmé. Il y a les bijoux, les chaînes en or, les chaussures pointues, les costumes croisés sombres. Mais

Connolly se montre imperturbable. Il connaît la valeur de sa relation avec Bulger, ce qu'elle signifie pour sa carrière. Ces 209 rapports représentent un formidable coup de poker pour lui et pour le Bureau, une synergie qui n'a pu être mise en place que pour une seule raison : sa personnalité et ses origines. Irlandais de South Boston.

– Whitey s'est engagé à collaborer avec moi, affirme Connolly, uniquement parce qu'il me connaissait depuis que j'étais gamin. Il savait que je ne lui ferais jamais de mal. Il savait que je ne l'aiderais jamais mais aussi que je ne lui causerais jamais de tort.

Mais il arrivait que dans l'univers de Whitey, ne pas causer de tort pouvait s'avérer extrêmement utile.

Chapitre Trois

La manière forte

À l'instant même où le procureur William Delahunt monte dans sa voiture pour rejoindre un restaurant proche de son bureau, Whitey Bulger et deux hommes de main sont déjà en train de dévaler à toute allure le Southeast Expressway en direction de ce même restaurant situé à la limite de la ville. Delahunt a rendez-vous avec un autre procureur pour dîner. Les trois gangsters se sont donné pour mission de terroriser le propriétaire de l'établissement, qui refuse de s'acquitter d'une dette de 175 000 $. Comme sur deux écrans séparés, deux actions de cet étrange scénario vont se dérouler simultanément dans deux coins éloignés de la même salle du *Back Side Restaurant*.

Nous sommes en 1976 ; William Delahunt, 35 ans, est procureur du comté de Norfolk depuis un an seulement, un peu plus longtemps que ne dure la collaboration entre Whitey Bulger, John Connolly et le bureau du FBI de Boston. Mais cette collision des rendez-vous ce soir-là n'est pas la seule chose que le procureur et les gangsters ont en commun. L'un des gangsters dans la voiture de Bulger, Johnny Martorano, est un ancien camarade de collège et rival en dehors des cours, de Delahunt. Ils ont été enfants de chœur ensemble.

Dès que Delahunt lève les yeux de la table où il est installé près du bar, il reconnaît instantanément le tueur. Martorano s'approche de la table et s'assied, observé de loin par les deux autres gangsters. Les anciens copains de classe trinquent ensemble et se chambrent à propos de leurs carrières respectives. Johnny Martorano charrie Billy Delahunt : il y a plus d'honneur dans son monde que dans celui des banquiers ou des hommes de loi. Delahunt s'esclaffe, il ne veut pas aborder le sujet. Mais quand c'est au tour de Delahunt, il touche un point sensible. Il exhorte son ancien camarade tourné mauvais garçon à éviter de s'approcher du comté de Norfolk.

— Ne sors pas de Boston, pour ton bien et pour le mien, avertit Delahunt.

La réplique de Martorano est sans appel :

— Va te faire voir !

La discussion s'envenime, et l'acolyte de Martorano rejoint la table pour voir ce qui se passe. Bulger reste en retrait, il est debout près de la porte, hors de vue, mais Delahunt reconnaît sans aucun doute possible le collègue de Martorano : Steve Flemmi. L'étrange réunion prend fin abruptement et sans heurt, lorsque survient le compagnon de table de Delahunt, le procureur fédéral Martin Boudreau. Dès qu'ils sont assis seuls autour de la table, Delahunt glisse :

— Vous ne devinerez jamais avec qui je viens de bavarder.

Pendant ce temps, Bulger rejoint Martorano et Flemmi et s'installe avec eux autour d'une table de cocktail contre le mur. Les bras croisés, ils guettent l'arrivée du propriétaire du lieu. Ils sont venus voir Francis Green parce que Francis Green a des comptes à leur rendre.

L'an dernier, Green a emprunté 175 000 $ auprès d'une société financière à intérêt élevé de Boston en vue d'un investissement immobilier. Le problème, c'est que Green n'a toujours pas remboursé un centime sur ce prêt, et sans qu'il en soit conscient, lèse gravement un ami du gang de Winter Hill. Whitey sait comment résoudre ce genre de problème. D'une main ferme.

Lorsque Green pénètre dans la grande salle de son restaurant, il repère immédiatement les trois gangsters et se laisse tomber sur une chaise vide. Comme à son habitude, Whitey va droit au but :

— Où est le fric ?

Green, qui a la langue bien pendue en raison de son passé de représentant de commerce, tente de biaiser.

— C'est la catastrophe en ce moment. Les affaires sont calamiteuses, rien ne va plus. Il faut prendre ça en compte.

Mais Bulger fait la sourde oreille. « Pas de fric » n'est pas une réponse à la hauteur de la situation. Aucune importance que si deux procureurs soient en train de dîner à quelques tables. Bulger se penche vers le visage de Green, le fixe d'un regard glaçant.

– Comprends-moi bien… Si tu ne paies pas, je t'explose la tête. Je te coupe les oreilles et les enfonce dans ta gorge. Je t'arrache les yeux.

Bulger se relève. Il recommande à Green de prendre rendez-vous avec la société de prêt pour mettre au point un calendrier de remboursement. Flemmi, qui joue le bon flic aux côtés de Bulger, le méchant flic, insiste auprès de Green :

– Il faut un premier versement très rapidement, comme ça personne n'aura à en souffrir.

C'est Bulger qui lâche le dernier mot :

– 25 000 $ d'ici quelques jours.

Gris de peur, Green bredouille qu'il va faire son possible. Le rendez-vous d'affaires est terminé. Selon un rapport ultérieur du FBI, utilisant la terminologie obscure de l'administration, la conversation avait « fortement ébranlé » Francis Green. C'était une litote. Green craignait pour sa vie, il éprouvait une peur qui se mêlait de l'ahurissement le plus complet. Il savait que Martorano et Delahunt s'étaient parlé au bar, et l'évocation de cette scène le plongeait dans la confusion : il ne savait plus à qui il avait réellement affaire.

L'incident paraît toujours étrange aujourd'hui, même si c'est le genre de hasard que réserve la vie dans une ville de taille moyenne comme Boston. Pour leur part, les deux procureurs ne s'aperçoivent même pas du racket dramatique qui se déroule à quelques mètres d'eux. Autour d'un bon dîner, Delahunt et Boudreau plaisantent de l'événement : ils se sont retrouvés face à face avec Martorano et Flemmi du gang de Winter Hill ! Ce qu'ils ne réalisent pas, c'est que le troisième homme, resté dans l'ombre, n'est autre que Whitey Bulger. Delahunt ne se rend pas compte non plus que cette soirée sera à l'origine de la dégradation des relations entre le reste des forces de police et le Bureau du FBI de Boston. Plus tard, le monde se divisera entre le FBI et Bulger d'un côté et toutes les autres agences de police de l'autre. Sur le moment, néanmoins, cette rencontre impromptue ne revêt aucun caractère de gravité.

L'ultimatum lancé par Bulger, le fric ou la mort, pousse Green à chercher de l'aide auprès de ses contacts au sein de la police de Boston. Il est aux abois. Il contacte d'abord Edward Harrington, l'ancien procureur principal de la Brigade d'intervention anti-criminalité de Nouvelle-Angleterre.

Green n'a pas seulement eu affaire à cette organisation au fil des années, mais il a collecté des fonds lorsque Harrington a tenté sans succès d'obtenir le poste de procureur général de l'État en 1974. Harrington, qui dirige désormais un cabinet privé, s'apprête à rejoindre les rangs de la haute administration en tant que nouveau procureur fédéral du Massachusetts lorsque Francis Green demande à le voir, totalement paniqué.

Green a besoin de conseils de la part d'Harrington. Quelles sont ses options ? Si l'on en croit un rapport du FBI, Harrington n'y va pas par quatre chemins. Green n'a que trois choix possibles : rembourser, fuir la ville ou bien témoigner contre Bulger.

Green évalue la situation. Il est hors de question pour lui de pouvoir rembourser, il a dépensé la totalité du prêt. Fuir semble plus qu'improbable. Et témoigner contre un assassin notoire est encore moins envisageable. C'est pourtant cette dernière option, celle qui comporte le plus de risques, au moins pour sa peau, que Green commence à entrevoir.

Dans les semaines qui suivent, Green demande des précisions à Harrington à propos d'une collaboration éventuelle. Harrington décrète que l'extorsion de fonds ayant eu lieu dans le comté de Norfolk, l'affaire peut faire l'objet d'une enquête d'État. Le dossier, ajoute-t-il, doit être confié au bureau du procureur du district, qui n'est autre que Delahunt. Mais que penser de Delahunt ? Green s'inquiète de ses liens éventuels avec Martorano. Il a vu les deux hommes assis à la même table au *Back Side Restaurant*, trinquant et plaisantant ensemble.

Harrington joint Delahunt au téléphone et lui expose le cas de Green et les menaces proférées par Bulger. Il mentionne ensuite les craintes nourries par Green à propos des relations entre le procureur du comté et Martorano. Delahunt le rassure, il s'agit d'une rencontre fortuite, les deux hommes ne partagent que de vieux souvenirs de gamins. Finalement, les détails sont définis pour organiser la comparution de Green en tant que témoin devant les procureurs du comté de Norfolk.

Peu après, Green a rendez-vous avec Delahunt et ses principaux collaborateurs. Il raconte avec un luxe de détails la soirée traumatisante dans la salle de son restaurant. Delahunt est atterré. Il ne s'était pas douté un instant que cette conversation s'était déroulée à si peu de distance de l'endroit où il était attablé avec Boudreau.

Plus tard, Delahunt réunit ses collaborateurs. Le récit de Green est une bombe, car Delahunt est impliqué personnellement. Après tout, il était bien dans le restaurant ce fameux soir, et peut témoigner que Martorano et Flemmi étaient bien présents. Mais pouvait-il être à la fois procureur et témoin ? Impossible. De plus, le procureur du comté s'interroge : Harrington se serait-il trompé en affirmant que ce genre d'affaire pouvait faire l'objet de poursuites au niveau de l'État ? Les lois fédérales appliquées à l'extorsion de fonds entraînaient des peines beaucoup plus sévères que celles qu'ils pourraient espérer dans le cadre de la loi du Massachusetts. Delahunt contacte donc Boudreau, le procureur fédéral en matière de criminalité organisée et ancien collègue de la fac de droit, avec lequel il a dîné au *Back Side Restaurant*. Celui-ci partage l'analyse de Delahunt. Il offre même de transmettre personnellement le dossier au Bureau du FBI pour démarrer les poursuites. Delahunt approuve la démarche, et l'affaire est confiée au FBI.

John Connolly est inquiet. Green représente la première anicroche sur le parcours sans faille de Whitey Bulger. Mais les priorités étant ce qu'elles sont, il prend rapidement les mesures qui s'imposent pour que le dossier reste dans les tiroirs de la Brigade contre le crime organisé où il travaille.

Deux agents de la Brigade se livrent bien à quelques investigations. Ce sont les bras droits de Connolly dans la petite organisation anti-criminalité ; ils interrogent Francis Green et se rendent même dans le bureau de Delahunt avant de rédiger un rapport.

Ce rapport est ensuite intégré dans les dossiers du FBI. L'enquête s'arrêtera là. Un peu plus d'un an plus tard, les agents demandent à leur supérieur de classer l'affaire contre Bulger, ajoutant que Green se montre peu enthousiaste à l'idée de témoigner contre lui. Les procureurs locaux, sachant que Connolly avait procédé à un interrogatoire dans le cadre de cette affaire, demandent une copie de son rapport, mais le FBI dément qu'un tel interrogatoire a eu lieu, ajoutant qu'il n'en existe aucune trace écrite.

Dans les années qui suivront, on devait retrouver les mêmes arguments concernant «le peu d'enthousiasme» de certains témoins. Affaire après affaire, John Connolly retournera à son bureau l'air abattu et désespéré : ce témoin sur lequel on comptait se montrait maintenant réticent à coopérer. Ou réticent à témoigner. Ou réticent à porter un micro caché. Comment un inspecteur devait-il réagir face à la réticence d'un témoin ? À chaque fois, les pistes ne mènent nulle part, une tendance récurrente depuis «le peu d'enthousiasme» manifesté par Francis Green. Finalement, Francis Green produira un témoignage devant les procureurs fédéraux, mais dans une affaire de corruption sans lien avec Bulger. Personne ne fait le rapport entre sa volonté de témoigner dans cette affaire et sa «réticence» dans l'affaire Bulger. Le dossier d'extorsion de fonds a fini sa vie au fond d'un tiroir du FBI. Le premier d'une longue liste.

Si l'on prend en compte la vie agitée des inspecteurs et la mémoire courte de la police américaine en général, il n'est pas étonnant que le dossier Francis Green ait fini par disparaître purement et simplement. Bulger cesse de menacer Green en raison de l'envergure qu'avait prise l'affaire, tandis que Delahunt assurre que le FBI poursuit son enquête. Des mois passeront avant que le procureur ne s'aperçoive que l'affaire, pourtant facile à résoudre, n'avait pas évolué.

Un an à peu près après son premier contact, Delahunt tombe sur le principal procureur fédéral, Jeremiah T. O'Sullivan, lors d'une réception. Où en est-on dans le dossier Green ? s'enquiert-il.

— On a vérifié, mais il n'y avait rien, réplique O'Sullivan.

Delahunt hausse les épaules et réfléchit un moment. Bon, se dit-il, ça arrive parfois.

— Et c'est véridique, devait-il affirmer plus tard. Il y a des dossiers qui n'aboutissent jamais.

Mais celui-ci ne cesse de le hanter; chaque fois qu'il y repense, il trouve quelque chose qui ne colle pas. Un procureur comme témoin qui a croisé des gangsters notoires. Le témoignage poignant du propriétaire du restaurant. Pourquoi le FBI n'a-t-il pas creusé ces pistes et tout fait pour coincer ces dangereux assassins, Bulger et Flemmi ?

Il faudra cinq ans à Delahunt pour trouver quelques éléments de réponse. Durant ces années, les relations de son bureau avec le FBI de Boston tourneront au vinaigre. Certes, les tensions entre les différentes administrations de la police et certains bureaux de procureur ne sont pas rares. Cela fait partie de la routine, à Boston comme partout ailleurs. Mais dans ce cas précis, il s'agit d'autre chose.

Il y a d'abord un meurtre retentissant dont est saisi le cabinet de Delahunt peu de temps après que le dossier Green a été transmis au FBI, au début de l'année 1977. Afin de résoudre les meurtres et retrouver les corps de deux jeunes femmes de 18 ans originaires de Quincy, Delahunt et ses enquêteurs de la police locale font appel à un indic du nom de Myles Connor. Connor est un dangereux voyou, doté d'un QI élevé et d'un casier judiciaire fourni. Musicien dans un groupe de rock, c'est aussi un voleur d'œuvres d'art avéré doublé d'un trafiquant de drogue. Il a participé en 1966 à une fusillade dans laquelle un policier anti-émeute a été grièvement blessé. Dans le monde plutôt glauque des indics, Connor est un élément risqué. Mais lui sait où les corps ont été enterrés.

Il n'en est pas moins vrai que la conclusion d'un accord avec Connor est un sujet de controverse, au sein du bureau de Delahunt et dans d'autres cercles. Le FBI est fou de rage car avant de s'attacher l'aide de Connor, Delahunt a négocié sa libération de prison. Même si grâce aux informations de Connor, Delahunt retrouvera les corps des jeunes femmes et inculpera le meurtrier qui sera condamné par le tribunal en 1978, le FBI n'a jamais digéré l'alliance contre nature passée par le procureur. C'est le FBI qui avait placé Connor derrière les barreaux pour une histoire de tableaux volés. L'inspecteur John Connolly du FBI en personne exhorte le procureur fédéral à enquêter sur le rôle éventuel de Connor dans ce double meurtre effroyable. En fin de compte, Connor sera inculpé d'avoir planifié les assassinats. Il sera jugé, reconnu coupable, avant que ce jugement ne soit cassé en appel. Connor sera finalement acquitté à l'issue du second procès.

Delahunt s'attendait à ce que l'accord établi avec Connor déclenche une controverse. Ses principaux collaborateurs dont il apprécie les conseils l'ont mis en garde. Mais de là à tomber dans une guerre ouverte ! Au tribunal, les remarques acerbes fusent, les journaux et la télévision s'emparent de l'affaire, exploitant ses côtés les plus sinistres.

La guerre devient personnelle. Un jour, John Connolly contacte un des bras droits de Delahunt, John Kivlan. C'est l'un des jeunes procureurs qui a exprimé des réserves quant au recours à Connor. Connolly l'invite à déjeuner, et Kivlan s'y rend, pensant que l'inspecteur du FBI va évoquer une autre affaire de meurtre. Mais rapidement, Connolly aborde le cœur du problème : il pose des questions embarrassantes sur Delahunt et l'accord établi avec Connor. Delahunt et la police locale jugeaient-ils Connor coupable des assassinats ? N'avaient-ils pas collaboré avec lui pour s'attribuer la gloire et la publicité autour de la découverte des corps ?

– Je me suis vite rendu compte, avouera Kivlan plus tard, que ce déjeuner n'avait qu'un seul objectif : obtenir des éléments accablants sur Bill Delahunt.

Kivlan est sur ses gardes.

– Je me suis dit : il doit penser que tout le monde est un indic. Il devait croire que j'étais venu pour échanger des informations compromettantes. Le déjeuner ne s'est pas prolongé longtemps.

En y repensant, bien après avoir raconté à Delahunt son étrange aventure avec John Connolly, Kivlan s'est posé une question : cet affrontement féroce entre le bureau de Delahunt et celui du FBI de Connolly n'était-il pas plutôt à propos de Bulger que de Connor ? Dans tous les cas, alors que Connolly aurait pu vouer son énergie à la lutte contre la criminalité, il passait le plus clair de son temps dans une bataille sordide de relations publiques contre un procureur. En fait, force est de constater que la lutte contre la criminalité était de moins en moins prioritaire dans les activités du jeune inspecteur de South Boston.

Delahunt n'était pas sorti indemne de cet affrontement avec le FBI à propos de l'utilisation de Myles Connor, il avait été laminé par la campagne du FBI. Les responsables fédéraux lui reprochaient amèrement son choix d'un informateur impliqué dans toutes sortes d'activités criminelles, celles précisément sur lesquelles il donnait des informations. Dans sa majorité, la presse se rangeait du côté du FBI, encouragée en cela par les liens personnels qu'entretenait John Connolly avec des journalistes du *Boston Globe* et du *Boston Herald* ainsi que de la télévision. Connolly passait très bien avec la presse, il était charismatique et savait improviser avec talent même en s'éloignant de la vérité. Volubile, avenant, il détonnait avec l'image habituelle des inspecteurs sanglés dans leurs complets sombres, distants, au visage toujours fermé. Connolly non seulement ne fuit pas les reporters mais il les courtise.

Mais cela, c'était avant. Seule une poignée de membres des forces de l'ordre soupçonnaient le FBI de faire preuve d'indulgence à l'égard de Bulger. Parmi eux, William Delahunt, qui a appris à ses dépens qu'on ne sortait pas indemne d'une confrontation avec le FBI. Il fallait se montrer impitoyable. Et comme nous sommes à Boston, le procureur en fait une affaire personnelle.

En 1980, une rumeur circule : Delahunt a entretenu une liaison avec une serveuse de Quincy qui s'est mal terminée. Une porte enfoncée, celle de l'appartement de la jeune femme, et des éclats de voix entendus par les voisins. Des reporters s'en emparent, un journaliste de la télévision se met à appeler la jeune femme, et ces appels se poursuivront pendant les deux années qui suivent. Chaque fois, on l'exhorte à traîner Delahunt en justice et à s'expliquer devant les caméras de télévision. Chaque fois, la jeune femme assure qu'il n'y a pas eu d'incident, que la rumeur ne tient pas, qu'elle ne contient «pas un gramme de vérité».

— S'il y avait du vrai là-dedans, Delahunt ne serait pas procureur aujourd'hui, croyez-moi!

Mais les médias ne sont pas les seuls à s'intéresser à la rumeur. Deux inspecteurs du FBI se présentent au restaurant de Quincy vers la fin 1982 et demandent à voir la serveuse. Le chef leur avoue qu'elle ne fait plus partie du personnel. Les inspecteurs notent l'information, remercient le chef et s'en vont. Ils ne reviendront jamais.

Et puis il y a cet appel que la jeune femme reçoit en janvier 1983. C'est un homme qu'elle a connu dans le passé. Elle déclarera plus tard à la police locale qu'il s'agissait d'une ancienne connaissance «passée de l'autre côté».

Ils se rencontrent dans un bar de Quincy pour boire un verre. L'ancienne connaissance, c'est Stevie Flemmi; il stupéfie la jeune femme lorsqu'il lui parle de la rumeur sur Delahunt. Flemmi ne désire qu'une seule chose: savoir ce qu'il y a de vrai dans cette histoire.

Il n'y a rien de vrai, tout est bidon, répète la jeune femme. Stevie non plus n'est jamais revenu.

Chapitre Quatre

L'esquive

Le Bureau de Boston du FBI est convaincu qu'il a un besoin vital de Bulger et de Flemmi ; Paul Rico, Dennis Condon et John Connolly sont déterminés à s'y employer, même si cela implique de se passer de tous les Francis Green du monde. Et même s'il faut jongler avec trois règlements gênants : le Manuel d'opérations du FBI, les directives du procureur fédéral sur l'utilisation des informateurs issus du milieu, et celles s'appliquant à la criminalité dans tous les États. Par chance, Rico a mis au point une technique particulière en ce qui concerne le sujet épineux de la gestion des indics, une technique adoptée par tous les autres inspecteurs de Boston. Elle se résume en une phrase : les règles sont faites pour être transgressées.

En ce qui les concerne, le jeu en vaut la chandelle, tout est bon pour s'en prendre à la mafia. Pour mener cette guerre, et dans tous les États des États-Unis, les Bureaux du FBI sont soumis à des pressions pour mettre en place un certain profil d'indics, à l'échelon le plus élevé de l'organisation. Ces pressions font suite à l'incroyable retard qu'avait mis le FBI pour reconnaître l'existence de la mafia. Un retard imputable à l'intransigeance de J. Edgar Hoover. Il avait préféré empiler les statistiques sur les hold-up et chasser les communistes plutôt que de se pencher sur les preuves de l'existence de l'organisation criminelle.

Par exemple, en novembre 1957, la presse fait ses gros titres sur une réunion secrète de dirigeants de la mafia dans la ville d'Apalachin, dans l'État de New York, lorsqu'un obscur sergent de la police de l'État les avait surpris par hasard. Les forces de l'ordre avaient immédiatement établi un barrage routier, et les participants à la réunion venus des quatre coins du pays s'étaient échappés en catastrophe, sautant de leur voiture et fuyant dans les forêts alentour. D'autres avaient trouvé refuge dans la villa de leur hôte, Joseph Barbara, gérant d'un réseau de distribution de bière. La police avait arrêté plus de soixante mafieux ce jour-là, établissant une fiche pour chacun d'eux ; beaucoup transportaient de grosses sommes d'argent sur eux. Parmi ces personnes figuraient des gros bonnets de la mafia, comme Joseph Bonanno, Joseph Profaci et Vito Genovese. Le FBI ne réagit pas.

Deux ans plus tard, le 8 décembre 1959, une réunion plus importante encore a lieu près de Boston, à Worcester, dans le Massachusetts. Près de 150 membres éminents de la mafia investissent secrètement la petite ville, se réunissent dans un hôtel, assistent à des réunions la nuit et reprennent chacun la route le lendemain matin à l'aube avant qu'on ne puisse les repérer.

Selon les médias et un grand nombre d'experts, ces rassemblements constituaient la preuve de l'existence d'une véritable organisation criminelle, une sorte de «gouvernement occulte», qui se réunissait pour définir ses orientations et résoudre les conflits internes. Pour Hoover, on avait affaire à un battage médiatique hystérique.

Ce n'est qu'après la prise de fonction de Robert Kennedy au poste de ministre de la Justice des États-Unis en 1960 que le FBI commence lentement mais sûrement à prendre au sérieux l'ennemi intérieur. Il faudra attendre le témoignage public historique d'un informateur infiltré au sein de la mafia, Joseph Valachi, en 1963 devant une commission du Congrès américain, pour que le FBI se réveille. Dans de nombreuses villes du pays, l'agence fédérale met en place des unités spéciales pour contrer la Cosa Nostra. À Boston, Dennis Condon et Paul Rico figurent parmi une poignée d'inspecteurs choisis pour animer la première Brigade contre le crime organisé de la ville.

Ces agents ont pour mission d'enquêter sur les objectifs et le véritable pouvoir d'un gros bonnet de la mafia de Nouvelle-Angleterre, Gennaro Angiulo. Pendant ce temps à Washington, le ministère de la Justice, sous la direction de Robert Kennedy, travaille d'arrache-pied pour rédiger les outils légaux pour cette nouvelle guerre sur le territoire national.

En 1961, le Congrès fait passer les lois, à l'initiative de Robert Kennedy, qui élèvent la plupart des activités criminelles de la mafia au statut fédéral. Les déplacements inter-États pour assister le racket deviennent un délit punissable par une juridiction fédérale, ce qui signifie que les délits relevant auparavant de juridictions locales comme l'extorsion de fonds, la corruption de fonctionnaires, les paris illicites et autres tombent désormais sous le coup de la justice fédérale.

Un peu plus tard, en 1968, le Congrès vote la loi sur le contrôle de la criminalité et de la sécurité civile. L'article III de cette loi définit la procédure en vue d'obtenir le feu vert des tribunaux à l'établissement d'une surveillance électronique des mafieux. Cette loi impose certaines restrictions aux droits des individus, mais pour le gouvernement, il s'agit de mesures nécessaires. Perdre une partie infime de ses droits de citoyen au profit du pouvoir de l'État est essentiel si l'on désire que les diverses forces de l'ordre aient une chance de déjouer des complots tels que ceux fomentés par la mafia. En fin de compte, les fameuses écoutes téléphoniques évoquées dans l'Article III permettront au FBI de réussir un grand nombre de coups de filet majeurs et de faire tomber des dirigeants de la mafia dans la plupart des villes des États-Unis, dont Boston.

C'est en 1970 que le Congrès américain se dote d'une loi qui s'avérera l'arme la plus efficace du gouvernement contre la criminalité organisée. Elle vise les organisations qui utilisent la corruption et le racket et sera le recours obligé dans la plupart des grands procès intentés contre la mafia dans les années 80. Désormais, et pour la première fois, le racket devient un délit criminel fédéral encourant de lourdes peines d'emprisonnement. Si le gouvernement parvient à fournir les preuves d'un racket organisé, si un individu a commis ce délit dans le cadre d'un réseau inter-États, les sanctions s'appliquent avec toute la rigueur de la loi. La lourdeur des peines fait réfléchir les gangsters. Il n'est plus question des sanctions légères qui frappaient généralement les délits de jeux d'argent ou de prêts illicites, les procureurs infligent maintenant des peines de vingt ans minimum dans les meilleurs des cas.

Finalement, les Brigades contre le crime organisé créées dans les années 70 se voient désormais confier la croisade anti-mafia. L'idée directrice derrière ces unités régionales est de mettre en commun les ressources des diverses agences gouvernementales, telles que le FBI, l'administration chargée de la collecte des impôts, le fisc américain et la DEA, chargée de la lutte anti-drogue, auxquelles s'ajoutent les autorités de police locale. Les représentants de ces diverses agences se joignent aux procureurs fédéraux pour former l'équipe qui ciblera la mafia sous tous les angles.

Mais en dépit de ce déploiement administratif tous azimuts, c'est dans la rue que la croisade contre la mafia doit être gagnée, et l'arme la plus efficace entre les mains des inspecteurs du FBI reste l'informateur.

— Lorsqu'on résout un crime, 99 fois sur 100, c'est parce que quelqu'un vous en a parlé, explique John Connolly au micro d'une radio de Boston. Tous les directeurs du FBI vous le diront : notre ressource principale, ce sont les indics.

Et c'est si vrai !

— Sans les informateurs, nous ne pouvons rien faire, confie M. Kelley qui succède à J. Edgar Hoover au poste de directeur du FBI à sa mort en 1972.

La raison en est simple : la police ne peut être partout à la fois, et lorsque des inspecteurs cherchent à résoudre un crime, ils ne possèdent qu'un pouvoir limité lorsqu'il s'agit de fouiller et d'interroger suspects et citoyens. En vue de pallier ce manque de sources, les mouchards deviennent des outils essentiels. Ce sont les yeux et les oreilles de la police. C'est en partie à cause des restrictions imposées au pouvoir des policiers aux États-Unis que ceux-ci sont obligés de recourir à des informateurs.

Comme tous les inspecteurs du FBI dans les années 70, John Connolly se rend compte qu'il lui faut miser énormément sur ses liens parmi les voyous. On martèle l'importance des indics dans la tête des jeunes aspirants au centre de formation du FBI à Quantico, en Virginie : établissez des liens avec le milieu et vous en tirerez du prestige. Les bleus du Bureau s'aperçoivent très vite que ceux qui réussissent à nouer de tels liens sont révérés comme des seigneurs. Le Manuel du bon inspecteur renforce le message : le travail avec des informateurs « est une source de grande satisfaction en raison des résultats obtenus lorsque la relation est établie en profondeur. » Comparée à la prose souvent insipide du reste de cet épais manuel, la langue fleurie qui sert à encourager les contacts avec les indics vire au dithyrambique. Entretenir une relation avec un indic « exige de la part d'un inspecteur plus que tout autre travail d'investigation. Ses facultés d'analyse, son talent, son ingéniosité et sa patience sont sans cesse requises. » Il faut consacrer à cette opération « tout son dévouement et son ingéniosité. Le succès qui récompensera chaque inspecteur dépendra de la force de sa personnalité et de son ingéniosité. »

Tous les inspecteurs ne sont pas aptes à cette tâche, mais celui qui réussit à collaborer avec succès doit s'attendre à de nombreux bienfaits : son enquête progressera, ses supérieurs seront impressionnés et sa carrière s'en trouvera accélérée. Dans la formation des futurs agents, la culture du FBI place la collaboration avec des informateurs au centre des préoccupations.

Une seule mise en garde dénote dans ce Manuel du parfait inspecteur ; elle reflète l'obsession bien ancrée du directeur J. Edgar Hoover concernant l'image du FBI. Un agent du FBI ne doit jamais, sous aucun prétexte, causer du tort à l'agence, une règle qui s'applique à la manière dont il gère ses contacts parmi les voyous. Il doit veiller à ne jamais entretenir une relation tant qu'il n'est pas certain que l'informateur potentiel peut être utilisé sans attirer les foudres des citoyens.

Au début de 1976, Bulger informe Connolly d'une rencontre entre le gang de Winter Hill et deux membres de la mafia, Larry Zannino et Joe Russo. En mars de la même année, il révèle qu'Angiulo a dépêché un émissaire à Winter Hill, à Somerville, «pour tenter d'établir un contact avec Stevie Flemmi». Cet intérêt de la mafia envers Flemmi est un événement positif pour les deux organisations criminelles, mais aussi pour le FBI. Bulger ajoute qu'une rumeur fait état d'une rencontre éventuelle entre le chef du gang Howie Winter et Angiulo, rencontre à laquelle assisterait également le parrain, Patriarca, «afin d'améliorer les relations». Quelques mois plus tard, Bulger informe Connolly que les infrastructures chargées des paris dans le gang et dans la mafia avaient fusionné : les bookmakers des deux organisations travaillaient désormais de concert.

Il ne faut pas négliger le rôle essentiel de Flemmi dans les contacts entre Bulger et Connolly. Flemmi est en très bons termes avec Angiulo, Zannino et le reste des mafiosi. Il transmet à Bulger les informations qu'il a glanées auprès d'eux, informations qui parviennent en bout de ligne à Connolly. Les rapports de Bulger contiennent toujours les derniers potins qui circulent dans le milieu : qui a rendez-vous avec qui, qui ne peut plus supporter tel autre, qui a envie de flinguer qui. Par exemple, il confie à Connolly qu'un gros bonnet de la mafia avait simulé une crise cardiaque pour éviter une assignation à comparaître. En avril 76, Bulger transmet une information sur un meurtre pour tenter de détourner l'attention sur un homme de main qui travaillait pour lui, Nick Femia :

– Nick Femia n'a rien à voir avec l'assassinat de Patsy Fabiano !

Il avait toujours insisté depuis le début de leur collaboration sur le fait qu'il ne donnerait jamais d'information à propos des Irlandais, mais il évoquait toujours les luttes intestines entre gangsters de son propre quartier, South Boston.

Certes, tous ces renseignements sont utiles mais on est loin d'apprendre par exemple si Bulger a véritablement l'intention de renverser le clan Angiulo. On a affaire plutôt à des ragots sur le milieu, dans lesquels bien sûr Bulger se réserve le meilleur rôle. Quant à la véracité des informations, elle n'était pas assurée, quoique Connolly ne l'ait jamais mise en doute. Au contraire, tout comme Rico l'avait fait avant lui, il remplit des rapports qui servent principalement à éloigner les soupçons de Bulger et de son gang.

Paul Rico et Dennis Condon appartenaient à la première génération des agents du FBI qui tentaient de combattre la mafia, à l'instar de leurs collègues dans toutes les grandes villes des États-Unis. Tous avaient travaillé d'arrache-pied vers la fin des années 60 afin de remplir les dossiers du FBI sur les activités de mafia, des dossiers jusque-là désespérément vides. Leur mission était de récolter des informations, un maximum d'informations et le plus rapidement possible. Une de leurs armes les plus efficaces, c'était la mise sur écoutes électroniques, même si ces écoutes clandestines nécessitaient de faire des entorses au règlement, ou carrément de tomber dans l'illégalité.

Dans certaines villes, des agents avaient installé des micros dans les bureaux des hommes de la Cosa Nostra, souvent des dispositifs rudimentaires cachés sous un bureau ou derrière un radiateur avec les fils, plus ou moins bien cachés, serpentant jusqu'à un lieu proche où les inspecteurs enregistraient les conversations des gangsters. Ainsi à Chicago, le micro caché dans la boutique d'un tailleur fréquentée par Sam Giancana a été utilisé pendant quatre ans, de 1959 à 1964. À Providence, dans l'État de Rhode Island, des agents enregistraient secrètement les conversations du *capo* de Nouvelle-Angleterre, Raymond Patriarca. Tandis qu'à Boston, Condon et Rico avaient fait partie de l'équipe qui avait caché des micros dans le bureau situé au sous-sol de *Jay's Lounge*, une boîte de nuit de Tremont Street où le gros bonnet de la mafia locale, Gennaro Angiulo, organisait des réunions.

Le FBI ne dédaignait pas de tomber carrément dans l'illégalité, avec plus ou moins de gloire ou de succès, durant ces années de rattrapage. À New York, des agents suivaient un soir un mafieux qui venait de solliciter deux jeunes femmes et d'entrer dans un motel avec elles. Fatigués de l'attendre et désirant rentrer chez eux, ils dégonfleront les pneus de sa voiture, pensant qu'il serait obligé de rester dans la place. Certains inspecteurs n'hésitaient pas à interroger les amis et la famille d'une personne qu'ils soupçonnaient d'appartenir à l'organisation criminelle ; ces pressions directes avaient certes pour but d'obtenir des informations mais aussi de harceler la cible.

Un incident plus grave se produisit à Youngstown, dans l'Ohio : des agents du FBI qui écoutaient des conversations provenant d'un micro caché surprirent des propos d'un mafieux menaçant d'abattre l'inspecteur du FBI qu'il détestait particulièrement. Immédiatement, avec l'accord de Hoover, une vingtaine d'agents choisis parmi les plus costauds de différents bureaux furent dépêchés à Youngstown pour une conversation privée avec le parrain local. Les agents se sont rués dans la superbe villa du boss, détruisant tout sur leur passage avant de lancer un avertissement : s'en prendre physiquement à un agent du FBI est totalement déconseillé.

Telles étaient certaines des méthodes de l'époque, avant le vote de la loi de 1968 autorisant une surveillance électronique approuvée par la justice. De toute façon, le FBI ne pouvait utiliser aucune information obtenue par des moyens illégaux comme les écoutes contre les membres de la mafia ; celles-ci permettaient néanmoins de lancer des pistes nouvelles sur lesquelles enquêter officiellement. Finalement, le Bureau dressera une liste de 26 villes américaines identifiées comme «fiefs de la Cosa Nostra». Parmi elles figure Boston.

La base du programme de collaboration au sommet repose sur la conviction, l'approbation même, que les informateurs sont des criminels en activité. C'est ce qui en fait des informateurs au plus haut niveau : ce sont des criminels en relation avec la Cosa Nostra. Les activités de Bulger en matière de paris clandestins et de prêts usuraires constituent des crimes reconnus du FBI, qui suffisent pour le qualifier en toute connaissance de cause. Le problème, le défi, c'est les autres crimes. Comment le FBI réagirait-il ?

Vers la fin des années 50, le Bureau fédéral avait défini certaines règles concernant l'établissement et la gestion des relations avec les mouchards. Au fil des années, ces règles avaient été modifiées, précisées, surtout dans les années 70. Le procureur général fédéral, Edward Levi, rédigera pour le ministère de la Justice un ensemble de directives sur les informateurs que le FBI reprendra dans son Manuel d'opérations. Au début des années 80, le FBI révélait qu'il comptait 2847 informateurs en activité disséminés ses

59 bureaux sur le terrain, un nombre non précisé d'entre eux agissant dans les plus hautes sphères de la mafia.

Pour un inspecteur, les directives promulguées sur les informateurs figurent en tête du menu. Par exemple, avant d'établir une collaboration, il doit s'assurer d'avoir évalué la nécessité du contact et pesé le sérieux et la motivation de l'indic. Celle-ci peut varier : de l'argent, une vengeance ou bien un conflit avec ses pairs. Si le FBI réussit à réduire la compétition au sein de la mafia, l'informateur aura tout à gagner.

Un chapitre est consacré aux réprimandes à adresser régulièrement aux indics ; ce sont des avertissements destinés à éviter qu'une collaboration ne dérive vers une protection confortable. L'informateur ne doit jamais se considérer comme un employé du FBI ni s'imaginer que le Bureau le protégera d'une arrestation ou d'un procès pour des crimes commis au quotidien. Celui-ci est de plus averti qu'il ne doit pas commettre d'acte de violence ni être l'initiateur ou l'exécuteur d'un acte criminel.

Parmi les directives, il faut citer le chapitre Contrôle, qui vise à empêcher un agent d'être mis en cause ou, pire, corrompu. Il lui suffit apparemment d'être conscient de ce danger et des tentations inhérentes à la situation de collaboration. Il y est fait mention également du soin qu'il faudra toujours prendre « pour évaluer et surveiller étroitement » le recours à des indics : le gouvernement ne doit à aucun prix « violer lui-même la loi ». Afin de rester dans le droit chemin, un second agent du FBI, le « superviseur », sera nommé aux côtés de l'agent traitant lors de toute collaboration. Le FBI doit toujours rester maître de la situation : le patron du Bureau et de l'équipe en charge d'un indic doit rencontrer celui-ci régulièrement de manière à évaluer les problèmes éventuels avec son agent traitant. Il faut vérifier la véracité et la qualité de chaque rapport d'un indic. Il est interdit à tout agent de fraterniser avec un indic ou d'entretenir des relations d'affaires avec lui. L'échange de cadeaux est absolument interdit entre agent et informateur.

Sur le papier, et si elles sont suivies à la lettre, ces règles paraissent totalement hermétiques, mais dans la pratique, elles laissent la place à une certaine liberté d'interprétation. Quand les directives stipulent que l'informateur d'un agent ne doit pas se rendre coupable d'un délit grave, une autre section du document permet à celui-ci de bénéficier d'une « autorisation » de violer la loi si « le FBI détermine qu'une telle participation est nécessaire pour obtenir des renseignements utiles à une mise en examen du procureur fédéral. »

Si les directives mettent en garde contre le recours à cette clause d'excuse, c'est aux agents du FBI eux-mêmes qu'échoit la responsabilité d'autoriser ou non cette violation, des agents qui peuvent s'appeler John Connolly, Paul Rico ou Dennis Condon. La hiérarchie du FBI à Washington fermait les yeux, et les inspecteurs pouvaient se passer d'un avis extérieur au Bureau, comme celui des avocats du ministère de la Justice par exemple, pour évaluer la justesse de leur décision. Celle-ci appartenait à la sphère du FBI et n'était connue que des intéressés eux-mêmes. En parlant du FBI, Levi et d'autres haut fonctionnaires du ministère de la Justice étaient bien d'accord pour reconnaître que c'était essentiel si le FBI voulait tenir sa «promesse sacrée» de protéger l'anonymat de l'informateur. Chercher un avis extérieur risquait de révéler son identité alors que celui-ci savait dès le début de la collaboration «que le FBI prendrait toutes les mesures pour garantir l'anonymat de l'informateur» tout au long de sa collaboration avec le Bureau.

Cet engagement convient parfaitement à Connolly; c'est une version institutionnelle du serment de loyauté que l'on prend dans les rues de Southie: tu ne tourneras jamais le dos à un ami et tu tiendras toujours parole. Mais Southie n'est pas le FBI. Même si des agents sur le terrain détiennent le pouvoir de lâcher quelque peu la bride à leur indic dans son environnement, ils sont requis de consulter le ministère de la Justice s'ils apprennent que celui-ci était en train de commettre des délits graves illicites qui n'ont rien à voir avec leur contrat avec le FBI, notamment des crimes violents. «En aucun cas le FBI ne doit intervenir pour dissimuler un crime commis par un de ses informateurs.» C'est la pierre angulaire des directives du ministère. S'il apprend qu'un tel crime a été commis, le FBI a pourtant le choix. Il peut en faire part à une autre administration chargée de la police qui ouvrira une enquête. Ou bien il peut contacter un procureur fédéral pour juger avec lui si cette activité criminelle peut être tolérée, compte tenu de l'importance de l'informateur. Dans tous les cas, il faut agir; il faut évaluer la valeur de l'indic pour le Bureau, ce qui implique alors le partage d'informations appartenant exclusivement au FBI.

Mais toutes ces règles ne dépendent finalement que des agents censés les appliquer. À Boston, Paul Rico avait déjà amplement démontré comment on pouvait faire des entorses au règlement, et même l'ignorer superbement. Comme si les agents du Bureau de Boston préféraient s'attacher à une autre directive qui leur convenait parfaitement: «Le succès du Programme sur la criminalité au plus haut niveau repose sur une approche dynamique et imaginative. » S'il le faut, concluent les agents de Boston, on se passera des autres règles.

Boston n'est pas la seule ville à le penser. Les hommes du FBI sur le terrain partout ailleurs apprennent aussi à s'accommoder d'un règlement trop contraignant, et tentent à la fois de respecter leurs indics tout en les relançant le plus possible, afin de maintenir le flux des renseignements. La vie des policiers étant ce qu'elle est, la pratique s'éloigne souvent de la théorie. Au cours des années 70, un ratage d'envergure se produit entre le FBI et un de ses mouchards au sein du Ku Klux Klan. Le membre de cette organisation, un certain Gary Thomas Rowe, était soupçonné d'avoir commis plusieurs délits graves, dont un meurtre, du temps de sa collaboration avec le FBI, des délits connus du FBI mais qui avaient été dissimulés par égard pour Rowe. Le danger est toujours présent quelque part.

Un bon exemple de ce genre de problème inhérent au système s'appelle Stevie Flemmi. En 1966, Flemmi avait fait au FBI un récit détaillé de la sévère correction qu'il avait infligée à une petite frappe du milieu à propos d'une dette illicite qui n'avait pas été remboursée. La victime avait dû subir une centaine de points de suture sur le visage et le crâne si l'on se fie au rapport rédigé pour le FBI par Rico concernant ce règlement de comptes. En 1967, Flemmi confie à de nombreuses reprises à Rico qu'il organise des loteries clandestines sur les matchs de football américain, décrivant les hauts et les bas de ce business. En 1968, il détaille ses affaires concernant les prêts usuraires, et comment il s'est procuré de l'argent pour ses prêts en empruntant à Larry Zannino. Flemmi a obtenu de celui-ci un taux de 1% par semaine ; il prête ensuite cet argent à 5% par semaine, faisant grimper le taux usuraire à 260% par an ! Il laisse entendre en outre qu'il a abattu les frères Bennett, mais à chaque fois, Rico fait la sourde oreille. Après tout, Rico, de sa propre initiative, a non seulement promis à Flemmi que le FBI n'utiliserait jamais d'informations sur ses activités clandestines mais il s'était également engagé à protéger Flemmi de toute investigation de la part d'autres branches de la police, même si cela signifiait violer quelques lois. Flemmi ne pouvait que se sentir parfaitement couvert.

C'était aujourd'hui à John Connolly de prendre la suite de Rico.

Il vient juste de parvenir à occulter l'affaire Green, afin de blanchir Bulger et Flemmi, lorsqu'une nouvelle alerte retentit. Il s'agit cette fois de deux hommes d'affaires d'une entreprise locale de distributeurs automatiques, *National Melotone*; ils sont venus se plaindre auprès du FBI des méthodes douteuses de Bulger et de Flemmi en matière de concurrence. Les deux compères se livrent sans vergogne à une intimidation frisant la brutalité auprès de propriétaires de bars et de magasins de l'agglomération de Boston, exigeant qu'ils remplacent leurs distributeurs *Melotone* par ceux d'une société gérée par les deux gangsters. *Melotone* a donc décidé de faire appel au FBI pour enquêter sur ces pratiques.

Melotone avait raison de réclamer une enquête. Au cours des années 76 et 77, Flemmi et Bulger, flanqués de deux associés du gang de Winter Hill, avaient écumé les divers bars et restaurants susceptibles d'accueillir leurs distributeurs automatiques.

— Jim s'occupait de South Boston, précisera Flemmi, tandis que je prospectais sur Roxbury et Dorchester.

Bulger et Flemmi avaient transmis à leurs «représentants» les adresses des clients potentiels, et ces hommes s'étaient rendus dans les bars et restaurants choisis afin de vanter les mérites de leurs machines. Ils ne manquaient pas d'insister lourdement sur certains signes de reconnaissance dans le milieu.

— Ils n'hésitaient pas à citer nos noms, avouera Flemmi.

L'affaire *Melotone* parvient aux oreilles de l'agent traitant de Bulger, John Connolly. Après un entretien avec celui-ci, Bulger organise un rendez-vous avec les dirigeants de *Melotone*; l'objectif est de leur exposer les tenants et les aboutissants d'éventuelles poursuites. Certes, ils ont parfaitement le droit d'intenter une action contre Bulger et Flemmi. Mais Connolly les met en garde: avez-vous envisagé les conséquences probables? Savez-vous ce que signifie de témoigner contre des gangsters? Les inconvénients, les risques pour eux-mêmes et pour leurs familles?

— Il leur a brossé un tableau plutôt sinistre de la situation, avouera Flemmi.

Connolly laisse entendre aux patrons de *Melotone* que leur vie sera peut-être en danger.

— Si vous désirez intenter un procès, il ne s'oppose pas à entamer les poursuites contre nous, se souvient Flemmi. Mais alors, il faudra qu'ils deviennent des témoins protégés, étant donné ce que nous sommes.

Le discours de Connolly atteint son objectif. Peu de temps après, affirme Flemmi, «ils abandonnent le projet». Connolly va jusqu'à proposer un compromis : il promet aux patrons qu'il obligera Bulger et Flemmi à faire des concessions.

– Il y avait un endroit en particulier, déclare Flemmi. On a retiré notre machine, et ils ont laissé la leur… Après ça, le problème a été réglé.

Un moindre mal, et sans entorse au règlement.

Certes, cela sortait du cadre légal, mais pourquoi pas ? Connolly avait donné son aval. Il avait négocié quelque chose que l'on pouvait assimiler à un règlement à l'amiable. Personne n'a été blessé. Et comme la plainte ne s'est pas matérialisée, le FBI n'a pas eu besoin d'enquêter. Surtout, pas besoin de se livrer à une enquête interne au sein du Bureau de Boston à propos de Bulger ou de Flemmi. Nul besoin non plus de prévenir la hiérarchie. Les directives impliquent que les délits graves d'un informateur fassent l'objet d'un rapport ? On s'en passera. Connolly a trouvé un moyen parfait pour protéger ses indics.

– Il ne voulait surtout pas que l'on soit poursuivi, précisera Flemmi plus tard.

Et la culture du FBI lui fournissait l'espace nécessaire à l'improvisation ; dorénavant, il récitera les directives, mais il y ajoutera ses propres paragraphes.

Cinq mois après le premier rendez-vous avec Whitey Bulger, Connolly réussit, le 2 février 1976, à le faire inscrire en bonne place sur la liste des VIP de la collaboration, le top échelon de la criminalité. Connolly en compte maintenant deux à son actif, Bulger et Flemmi. Flemmi, dont le nom de code était auparavant « Jack de South Boston » est aujourd'hui « Shogun ». Bulger, c'est « Charlie ».

Néanmoins, des fissures, infimes mais bien réelles, commencent à apparaître sous le vernis de la collaboration.

– Connolly se prenait pour un personnage d'envergure, se souvient Robert Fitzpatrick, un agent de longue date devenu aspirant agent spécial en charge du Bureau de Boston au début des années 80.

Il parcourt la ville, discute beaucoup avec les journalistes, les hommes politiques, les collègues du Bureau. C'est lui qu'on va voir pour obtenir des billets pour les matchs des Red Sox. De temps en temps, Connolly oublie de signer le registre de présence le matin, une procédure pourtant obligatoire. Il commence à changer de style, on le sent plus tendu. Il se conduit en fait comme un représentant de commerce, adepte d'une fausse sincérité mais peu intéressé par ce qu'il vend. Il a un talent de simulateur, un talent qui devient son image de marque.

Sans compter qu'il vient de faire une croix sur son mariage. John et Marianne Connolly se sont séparés au début de 1978. Rapidement, il emménage dans un appartement à Quincy, proche de la plage et de l'avenue où il a rencontré Bulger par cette belle nuit de pleine lune. L'appartement est idéalement situé, juste en face de l'immeuble en copropriété de Louisburg Square dans lequel Bulger partage un appartement avec la plus jeune de ses maîtresses, Catherine Greig. Pourtant, dans l'esprit de Connolly, Quincy n'est qu'une étape, pas une destination finale. Il songe déjà à son retour à Southie.

Fitzpatrick, qui dirige le Bureau de Boston, est un de ceux qui émettent les premières réserves. Il organise une réunion secrète avec Bulger et Connolly, une entrevue de routine, planifiée et périodique, celle d'un supérieur qui vérifie l'état de la collaboration entre un indic et son agent de liaison.

– Je l'ai laissé nous enfumer, se souvient Fitzpatrick.

Bulger en fait des tonnes, il parle de ses sessions d'haltérophilie, de sa forme physique parfaite.

– C'est lui qui parle, qui se vante, du moins c'est comme ça que je le vois. Il évoque sa force, ce qu'il a fait en prison. Il me parle de sa jeunesse, on évoque Southie. Plus généralement, je me rends compte qu'il essaie de m'impressionner.

À l'issue de cette rencontre, Connolly confie à son patron :

– Tu ne trouves pas que ce type est fantastique ?

Fitzpatrick n'a jamais oublié les termes employés par son inspecteur ce jour-là. Bulger, le gangster à la réputation d'assassin, d'usurier et de trafiquant de drogue, « un type fantastique » ? Fitzpatrick ne s'en est toujours pas remis.

Au sein du Bureau, un certain nombre d'inspecteurs commencent à douter. Les responsables se rassurent en décembre 1977 lors de la promotion d'un nouvel agent chargé de superviser les activités de Connolly. Le nouveau patron de la Brigade de lutte contre le crime organisé est un ancien, John Morris ; il semble l'agent idéal pour prendre en charge le rusé inspecteur. Franc du collier, il devrait calmer les ardeurs de Connolly.

Dès le départ, le couple semble dépareillé. Connolly est sociable au possible, sa haute stature lui donne fière allure. Morris, originaire du Midwest,

est plutôt taiseux et effacé. Connolly ne passe jamais inaperçu en ville. Morris est un mari attentif, un vrai père de famille. Il habite en banlieue, voyage souvent avec Dennis Condon ; on le juge intelligent, compétent dans son travail d'investigation, ses dossiers sont parfaitement tenus.

Pourtant, au fil des mois, Morris va se révéler l'antithèse d'un parfait collaborateur. La hiérarchie du FBI a commis une terrible erreur. Morris le silencieux, le nerveux, n'est pas à la hauteur des pressions qui agitent le Bureau de Boston du FBI. Les relations entre Connolly, Bulger et Flemmi s'avèrent trop compliquées pour le fonctionnaire scrupuleux qu'est resté Morris. Trop brûlantes pour qu'aucun autre superviseur, ou le FBI lui-même, puisse s'en accommoder.

Chapitre Cinq

Gagnant ou placé

La troisième course sur l'hippodrome de Suffolk Downs aurait dû se dérouler selon le scénario prévu. Les gangsters de Winter Hill s'étaient tous donné rendez-vous à Somerville dans l'attente de l'arrivée. Tout comme Howie Winter, et comme ses associés Whitey Bulger et Stevie Flemmi, ils avaient parié des milliers de dollars à la fois sur le champ de courses d'East Boston et auprès des bookmakers.

On se régalait à l'avance, il n'y avait plus qu'à attendre l'arrivée.

Mais la machine déraille. Un des jockeys, qui a reçu 800 $ pour jouer son rôle, a décidé d'improviser. Au lieu de retenir son cheval, il a mis les bouchées doubles et remporté la course. Des paris importants étaient en jeu, beaucoup d'argent a été perdu. Grosse colère d'Howard Winter.

Dans l'arrière-salle d'un restaurant de Somerville, le jockey vient rendre des comptes au cours d'une réunion secrète à l'issue de la course. Winter est là, accompagné d'un de ses sbires et de celui qui a passé le marché, Anthony «Fat Tony» Ciulla. Howie Winter s'est associé avec Ciulla dans l'objectif de gagner beaucoup d'argent sur les champs de courses de toute la côte Est. Connu pour être le «big boss» des courses truquées, Fat Tony a tout d'une barrique : 1m95 pour près de 110 kg.

Winter va droit au but et menace.

– Tu es conscient que tu as piqué mon fric et que tu n'as pas retenu ton cheval ?

Le jockey sourit bêtement. Il essaie de répliquer sur le ton de la plaisanterie, mais se heurte à des visages fermés, menaçants. Avant même qu'il se soit tu, l'homme de main de Winter, Billy Barnoski, sort une matraque de sa poche et l'abat sur la tête du jockey. Winter se lève et gifle l'homme à toute volée.

Le jockey est redevenu sérieux. Il s'excuse profusément, propose de retenir son cheval dans les prochaines courses, gratuitement. Winter hésite. Ils ont parlé de buter le jockey et de se débarrasser de son corps au-delà des collines de Suffolk Downs. Rien ne vaut un cadavre pour faire passer le message.

Mais Winter se montre magnanime : il décide qu'un bon passage à tabac suffit. Le résultat décevant d'une course truquée en octobre 1975 passera aux pertes et profits. Les procureurs fédéraux estimaient à l'époque que l'association entre les gangsters et Ciulla pour truquer les courses hippiques dans huit États avait amassé plus de 8 millions de dollars de bénéfices nets. On pouvait se permettre de perdre une course.

John Connolly devait toujours soutenir que le Bureau de Boston du FBI ne connaissait qu'une infime partie des activités criminelles de Bulger et Flemmi. Il ne recensait que les jeux d'argent et les prêts usuraires, des activités qu'ils n'exerçaient que pour maintenir leur crédibilité dans le milieu. Mais la vérité était tout autre : Bulger et Flemmi pratiquaient le racket sur une grande échelle et faisaient partie du réseau qui truquait les courses hippiques.

La technique était simple. Utilisant pots-de-vin et menaces, Ciulla s'assurait que certains chevaux, en général les favoris, ne gagnaient pas. Selon le jockey et le cheval, les bakchichs variaient de 800 à plusieurs milliers de dollars. Pendant ce temps, les associés de Winter pariaient de grosses sommes sur les toquards, soit des paris gagnants, placés ou dans l'ordre, soit dans diverses combinaisons plus rémunératrices, comme le tiercé où l'on doit désigner les trois premiers chevaux de la course. Les gangsters plaçaient leurs paris à la fois dans l'enceinte de l'hippodrome, auprès de bookmakers dans l'agglomération de Boston et parfois même jusqu'à Las Vegas. Truquer une arrivée dans une course hippique semblait parfois un jeu d'enfant. Par exemple sur l'hippodrome de Pocono Downs, dans le New Jersey, le nombre de chevaux était parfois très réduit. Ciulla versait des pots-de-vin à trois des cinq jockeys et passait ensuite à la caisse.

Pour sa part, Ciulla n'avait pas vraiment le choix : il fallait s'associer avec le gang de Winter Hill. Fils de pêcheur, Ciulla avait grandi près de Boston et suivi son père sur tous les champs de courses. Il commence à truquer les courses hippiques à l'âge de 20 ans, sur les hippodromes du Massachusett et de Rhode Island, arrosant les jockeys ou bien dopant les chevaux. Vers la fin de l'année 1973, « Fat Tony » qui atteignait alors la trentaine commet une grave erreur, celle de duper des bookmakers contrôlés par Howie Winter. Le boss constate qu'il se fait arnaquer par le jeune Ciulla et décide de lui rendre une petite visite.

Ciulla n'a pas oublié son rendez-vous avec Winter au restaurant *Chandler* du quartier de South End à Boston, géré par Winter en personne.

– Il m'a affirmé qu'il était au courant d'un pari que j'avais placé avec son bookmaker Mario sur une course truquée.

Un pari de 6 000 $.

– Il m'a accusé d'être responsable de lui avoir piqué une grosse somme et m'a conseillé de rembourser ce fric rapidement, sinon il allait m'arriver des ennuis.

Mais les deux hommes s'entendent. Au dessert, les reproches se transforment en business. Les deux hommes se rencontrent à nouveau à Somerville, quelque temps plus tard, pour un long palabre. Puis, fin 1973, ils se retrouvent au siège de Winter, le garage *Marshall Motors*. Cette fois-ci, Winter est entouré de ses proches associés, dont Bulger. On négocie les termes d'un accord, on parle technique. Chacun y trouve son avantage. Ciulla est un expert en matière de courses hippiques, il connaît les hippodromes comme sa poche, les jockeys, les chevaux. Winter a son réseau de bookmakers. Son gang possède également les réserves financières pour le flux important de paris dont ils rêvent. Tout aussi important, Winter Hill met à disposition sa force de frappe afin de garantir que leurs bookmakers ne songent même pas à regimber au cas où ils se rendraient compte qu'ils ont été arnaqués.

Dès juillet 74, Ciulla et le gang de Winter Hill commencent à truquer les courses hippiques tout le long de la côte Est, sur l'hippodrome de Suffolk Downs à East Boston, à Salem, Rockingham dans l'État de New Hampshire, Lincoln Downs dans l'état de Rhode Island, Plains, Pocono en Pennsylvanie, Hamilton, Atlantic City dans le New Jersey, Cherry Hill, Garden State entre autres.

Les ennuis commencent dans le New Jersey. Un jockey accepte de coopérer avec la police locale. Ciulla est arrêté, condamné à l'issue d'un procès à une peine de quatre à six ans de prison dans un établissement pénitentiaire du New Jersey. Mais Fat Tony n'apprécie pas la vie derrière les barreaux. Fin 1976, il se met à table. La police d'État du New Jersey prévient le FBI, et subitement, début 1977, Ciulla se retrouve libre et bénéficiaire du programme de protection réservé aux témoins fédéraux. En échange de ces mesures de clémence, Ciulla décide de jouer les témoins vedettes : il déballe devant les inspecteurs son aventure avec le gang de Winter Hill, ses rendez-vous au garage de *Marshall Motors* avec Howie et ses hommes de main. Il dénonce Bulger et Flemmi, rentré à Boston en 1974 en provenance de Montréal.

Au début de 1977 à Boston, l'histoire du changement de statut de Ciulla n'est pas encore parvenue à l'oreille de tout le monde. Certains agents du Bureau sont chargés de l'enquête, mais pas Connolly. John Morris n'a pas encore pris ses fonctions de superviseur de la Brigade contre le crime organisé. Les contrôles qui seront mis en place pour étouffer les investigations à l'encontre des informateurs de prix ne sont pas encore en place. D'autre part, l'enquête sur le trucage des courses hippiques a démarré dans d'autres États avant d'atteindre Boston. Connolly est impuissant. Impossible de refaire le coup de *Melotone*.

C'est l'inspecteur Tom Daly du FBI qui se charge des investigations à partir du Bureau de Lowell dans le Massachusetts. Daly se rapprochera plus tard de John Connolly, mais pour l'instant il prépare discrètement Ciulla à témoigner devant un grand jury afin de faire tomber Howie Winter et son gang. Le tableau s'assombrit peu après la nomination de John Morris au poste de superviseur de John Connolly. Le FBI ne peut tolérer que des indics fassent l'objet au même moment de graves soupçons dans le cadre d'une enquête. Morris ordonne de couper les ponts avec l'informateur. Dans un rapport, Morris précise : « Bulger est suspendu pour le moment ; l'individu en question pourrait être confronté à des problèmes judiciaires dans un avenir proche. » Connolly n'a d'autre choix que de signer ce rapport le 27 janvier 1978, rapport inclus dans le dossier de Bulger et transmis au siège fédéral du FBI à Washington, District of Columbia. En accord parfait avec les directives et le règlement du Bureau.

Serait-ce la fin brutale de l'aventure ?

Certainement pas. Morris et Connolly ont une meilleure idée.

Le rapport de janvier marque en fait le début d'une nouvelle ère en ce qui concerne la tenue des futurs rapports que les deux agents ajouteront aux dossiers du FBI sur Bulger et Flemmi. Une technique de rédaction qui peut s'assimiler à un véritable maquillage. Morris a jusqu'ici renvoyé l'image d'un agent intègre ; sa retenue, ses lèvres pincées et sa petite taille caractérisent un fonctionnaire scrupuleux. Mais l'homme cache une double personnalité. En débarquant dans le bureau de Boston, il a découvert le remuant Connolly et son prédécesseur, le brillant Paul Rico ; il ne tarde pas à les jalouser, comme un entraîneur envie le statut de star de ses meilleurs joueurs. Peu après son transfert à Boston en 1972, il tente déjà de montrer qu'il peut être à la hauteur.

À l'époque, il s'évertue à enquêter sur une opération de prêts illicites particulièrement coriace et tente de convaincre un petit malin nommé Eddie Miani de coopérer avec lui. Sans succès, apparemment. Devant cet échec, Morris et deux inspecteurs se rendent un soir au domicile de Miani et se glissent sous sa voiture.

— On a placé un fil métallique et une amorce, avouera Morris plus tard, comme si on s'apprêtait à fixer une bombe dessus.

Ils quittent l'endroit précipitamment et passent un coup de fil anonyme à la police locale pour signaler qu'ils ont repéré des inconnus qui trafiquaient un véhicule devant le domicile de Miani. La police se rue sur les lieux, réveille Miani et lui montre la tentative d'attentat. Pas plus tard que le lendemain, Morris revient à la charge devant Miani :

— Tu vois, je te l'avais dit. Tes « amis » ont essayé de t'assassiner. Ne fais pas l'idiot, rejoins-nous. Ton seul espoir de t'en tirer, c'est le FBI.

Miani l'envoie promener, et le pseudo-attentat reste secret entre les trois inspecteurs. Mais cette entorse au règlement a donné à Morris un avant-goût de la transgression, si bien que lorsqu'il prend le commandement de la Brigade, il a perdu de sa rigidité mentale, et il peut s'accommoder facilement de Connolly. À côté d'une telle fabrication, le maquillage des rapports ne pèse pas lourd. Dès l'affaire des courses truquées, les mensonges et dissimulations sont devenus pratique courante.

Par exemple, Morris aurait pu évoquer dans son rapport de 1978 que Bulger avait été retiré de la liste des informateurs, mais Bulger n'a jamais été informé de ce changement de statut, et Connolly continue de le rencontrer comme si de rien n'était. Qui plus est dans un document ultérieur, Morris ment carrément : au cours de l'enquête sur les courses hippiques truquées, Connolly avait coupé les ponts. Ce qui était faux, évidemment. Il y a eu ensuite, durant les années 80, une période de trois ans d'interruption de toute collaboration avec Flemmi. En vérité, personne n'a jamais prévenu Flemmi et, durant ces trois années, Connolly rédigera 46 rapports du FBI sur les rencontres que lui et d'autres agents ont eues avec Flemmi alors que toute collaboration était soi-disant suspendue. Jamais aucune enquête n'a été initiée par la hiérarchie sur les nombreux contacts de Connolly et d'autres avec des informateurs clairement persona non grata. Tant que la paperasserie semble en ordre, pas de problèmes.

Morris, pour sa part, a des préoccupations plus pressantes que l'affaire des courses truquées, qui ne lui appartient pas par ailleurs. L'ambitieux patron de la Brigade contre le crime organisé est obsédé par un objectif qui n'a jamais été atteint par aucune agence de la police : placer des écoutes au cœur même du dispositif de Gennaro Angiulo, son bureau de North End. Mais pour l'instant, Morris est envahi par la paperasse générée par une autre enquête en cours.

Celle-ci concerne un vaste réseau de détournement de poids-lourds en Nouvelle-Angleterre. L'enquête a été ouverte conjointement par le Bureau de Boston du FBI et la police d'État du Massachusetts et porte le nom de code d'Opération Homard. Plusieurs dizaines d'inspecteurs et de gardes mobiles participent à l'opération, qui repose sur un agent du FBI infiltré, Nick Gianturco, devenu Nick Giarro pour l'occasion. Il a été transféré du bureau de New York du FBI afin de limiter les chances d'être reconnu par les auteurs locaux des détournements. C'est John Connolly en personne qui avait choisi Gianturco ; les deux inspecteurs avaient fait partie de la même brigade lors du séjour de Connolly dans la Grosse Pomme, et ils étaient restés amis.

Gianturco avait investi un entrepôt de près de 1000 m² dans le quartier de Hyde Park de Boston truffé de micros et de caméras de télévision en circuit fermé. À quelques centaines de mètres, le FBI et la police d'État avaient loué un autre hangar transformé en centre de contrôle des communications. Et à quelques blocs de là, d'autres enquêteurs constituaient le poste de commandement dans un appartement loué pour l'opération.

Gianturco lance son affaire durant l'été 1977, faisant office de receleur au service d'un nombre toujours croissant d'auteurs de détournements dont beaucoup opèrent dans le quartier de Charlestown de Boston. Les marchandises volées qui se retrouvent dans l'entrepôt de Gianturco couvrent un large éventail : farine, alcool, produits de rasage, meubles, outillages variés, bière, vêtements de ski, vestes de sport et autres vêtements, matériel de construction, cigarettes, café, fours à micro-ondes, etc. Une quinzaine de mois plus tard, à l'automne 1978, les supérieurs de Gianturco sur le terrain avisent le siège du FBI que « Boston a choisi la date éventuelle du 31 octobre pour mettre un terme à la phase opérationnelle ». Plus de deux millions six cent mille dollars de marchandises volées ont été récupérés à cette date.

Tandis que Morris est accaparé par l'Opération Homard, Connolly rencontre Flemmi régulièrement. Lors d'un rendez-vous, les deux enquêtes semblent subitement se croiser.

– Un de mes amis m'a fait une confidence sans le vouloir, explique Flemmi. Il m'a dit qu'il connaissait un receleur, que ce type faisait ça ouvertement, qu'il achetait des wagons entiers de marchandises volées. En fait, ils l'avaient repéré en vue de lui piquer son fric, parce qu'il en avait beaucoup apparemment. Mais ils n'étaient pas encore passés à l'action parce qu'ils ignoraient s'il était en cheville avec quelqu'un. Mon ami m'a posé la question. « Peux-tu te renseigner pour savoir avec qui il est maqué ? » En fait, ils avaient envie de lui piquer le fric, mais ils ne voulaient pas que ça leur retombe dessus.

Flemmi devait insister plus tard sur le fait qu'il ignorait totalement que le copain de Connolly au FBI avait pris la couverture de ce receleur. Mais Connolly s'inquiète immédiatement pour la sécurité de Gianturco ; il lui téléphone pour l'avertir de ce qui se trame.

– J'étais à la maison quand j'ai reçu l'appel de M. Connolly, précise Gianturco. Il m'a demandé si je devais sortir, si j'avais un rendez-vous prévu avec les types de Charlestown.

Il reconnaît qu'il a un rendez-vous plus tard ce soir-là à l'entrepôt.

– M. Connolly m'a mis en garde, se souvient Gianturco. N'y va pas, parce que tu vas te faire descendre.

Gianturco, qui vit depuis de longs mois dans l'angoisse d'être découvert, est dévasté. Il en a assez de se retourner à la moindre alerte, de faire la navette entre Hyde Park, son rôle de Nick Giarro, et chez lui, sa vraie vie d'époux et de père de famille. Aussitôt après avoir raccroché, il décommande le rendez-vous. Au fil des années, il répétera combien il avait été reconnaissant à Connolly d'avoir protégé sa vie.

Durant les jours qui suivent cet incident, Connolly évite de le mentionner dans les rapports qu'il rédige pour le FBI. Il n'en parle pas aux deux responsables de l'Opération Homard sur le terrain, celui du FBI et de la police d'État, les vrais responsables de la sécurité de Nick « Giarro ». John Connolly aborde le sujet avec Morris, et la confidence initiale de Flemmi est peu à peu déformée au fur et à mesure qu'elle est répétée, comme dans le jeu du téléphone arabe, d'une possible agression à une véritable tentative de meurtre. Plus ils dramatisent le tableau, imaginant une action brutale au milieu de la nuit et dans la balance la vie épargnée d'un agent, plus ils sont convaincus de l'importance du marché qu'ils avaient établi avec Bulger et Flemmi. Cette confidence imprévue lâchée par Flemmi semble une illustration parfaite de la nature essentielle de ce que peuvent réussir Connolly et Morris pour le FBI en masquant leur véritable relation avec Bulger et Flemmi.

Fin 1978, l'agent de liaison du FBI et son superviseur savent qu'ils auront très bientôt du souci à se faire. Le problème est de taille, il s'agit du scandale que devrait provoquer l'affaire du truquage des courses hippiques. Car au lieu d'être enterrée, l'affaire autour de Fat Tony Ciulla prend de l'ampleur. Pour Howie Winter, Ciulla représente un affront, et le plus gros revers d'une série que le gang a subie depuis quelque temps. À l'issue d'un procès d'État, Winter a été reconnu coupable d'extorsion de fonds et purge une peine de prison dans un pénitencier du Massachusetts au moment même où Ciulla se met à table devant un grand jury fédéral à Boston. Affaibli par une série de lourdes pertes subies par ses opérations de paris clandestins en Nouvelle-Angleterre, Winter avait rencontré le boss de la mafia locale, Gennaro Angiulo avant son incarcération pour lui emprunter plus de 200 000 $.

Le 6 novembre 1978, on découvre sur la couverture du magazine *Sports Illustrated* un portrait de Ciulla et une évocation de sa vie de malfrat. Il y est qualifié de « génie des courses truquées ». Le témoin du gouvernement nouvellement élu a touché 10 000 $ du magazine pour un long article qui fait mention de l'enquête en cours à Boston. En fait, Ciulla se prépare à Mount Holy, dans le New Jersey, pour son prochain procès dans cette ville où il témoignera en compagnie de neuf jockeys et entraîneurs. Une sorte de répétition générale, en quelque sorte, avant les audiences de Boston.

John Connolly est inquiet. Pas à propos d'Howie Winter, mais de Bulger et Flemmi. Certes, le procès du New Jersey ne représente pas une menace immédiate, il n'implique que des jockeys. Mais le rôle que va y jouer Ciulla soulève des craintes à Boston. En témoignant contre des jockeys, Ciulla prendra la parole pour la première fois publiquement ; il expliquera comment était organisé le trucage des courses. C'est au cours des semaines pendant lesquelles Connolly tentait de gérer les informations obtenues de Bulger et Flemmi sur les menaces concernant la sécurité de Nick Gianturco que Fat Tony va tout déballer. Il détaille les systèmes, les pratiques, qui ont permis à la pègre de Boston d'encaisser des millions de dollars. Comme on lui demande de citer le nom de ses associés à Boston, Ciulla hésite un moment, comme un acteur qui prépare ses effets.

— Votre Honneur, j'ai déjà parlé de ces types devant des grands jurys fédéraux. Je ne sais pas si j'ai le droit de les mentionner devant un simple tribunal.

Le juge reste impassible devant le dilemme de Ciulla.

— Vous êtes ici devant la Cour.

Il ordonne à Ciulla de nommer ses associés à Boston.

Impossible maintenant de reculer.

— Les types qui étaient dans la combine avec moi, attaque-t-il, eh bien, il y en a un qui s'appelle Howie Winter… Il y a John Martorano (il épèle) M.A.R.T.O.R.A.N.O. Il y a Whitey Bulger, Stephen Flemmi…

Nous sommes fin 1978 et l'accusation travaille d'arrache-pied à Boston dans le cadre de l'enquête sur le trucage des courses. John Connolly et John Morris décident tous deux qu'il faut passer à l'action, même si le témoignage sous serment de Ciulla dans un autre État complique sérieusement les manœuvres pour protéger Bulger et Flemmi.

Première mesure : un rendez-vous clandestin entre Connolly, Morris et Bulger. La rencontre ne figure dans aucun rapport. Elle a lieu en janvier 1979 dans l'appartement de South Boston, et les trois hommes discutent de l'affaire qui implique Ciulla.

— On croyait qu'on allait être mis en examen, précisera Flemmi plus tard à propos de ces journées stressantes du début 1979.

En ce qui concerne Bulger, sa position est claire. Il affirme tout net que Flemmi et lui n'ont jamais appartenu au réseau des courses truquées. Le gouvernement est face à un menteur.

Les deux inspecteurs ne sont pas surpris par les dénégations de Bulger : les protestations d'innocence de la part d'un criminel endurci sont monnaie courante dans le métier. Pour se couvrir administrativement, Morris aurait pu insister afin que Bulger et Flemmi signent une déclaration sous serment clamant leur innocence. De cette manière, le FBI aurait paru plus responsable. Si la preuve était faite plus tard que Bulger avait menti, les informateurs auraient pu être traduits devant un tribunal, un moindre mal, pour faux témoignage envers le FBI.

Mais Morris n'a aucune intention de soumettre Bulger et Flemmi à de telles extrémités.

– Cela ne m'est même pas venu à l'esprit, expliquera-t-il.

Au lieu de cela, Morris et Connolly adoptent sans réserve la position de Bulger. C'est la parole de celui-ci contre celle de Ciulla. Les deux agents promettent de plaider leur cause en tentant de rencontrer le procureur en charge de l'affaire, Jeremiah T. O'Sullivan.

Bulger reprend confiance devant la décision des deux agents. Il affirme à Flemmi qu'ils n'ont plus rien à redouter. Il explique que «John Connolly lui a confié que leurs noms ne figureraient pas sur la liste des suspects et qu'ils ne seraient plus inquiétés». Flemmi est aux anges.

Quelques jours plus tard, Morris et Connolly franchissent les quelques pâtés de maisons, dans le centre de la ville, qui séparent le Bureau de Boston du FBI de l'immeuble fédéral John Kennedy qui abrite le bureau de Jeremiah O'Sullivan, au-dessus du tribunal John McCormack, dans Post Office Square. O'Sullivan n'apprécie pas d'aborder un sujet aussi délicat si près de la date de la première audience. Ce procureur sérieux, célibataire d'un peu plus de 30 ans, passe le plus clair de son temps à éplucher des dossiers. Selon de nombreux avocats qui ont eu affaire à lui, c'est un intégriste fanatique. Aux yeux de ses associés, cependant, c'est un infatigable combattant de la lutte anti-criminalité, exigeant et dépourvu d'humour. Il a grandi dans un petit immeuble de trois étages dans la banlieue proche de Cambridge, a obtenu son diplôme de l'université de Boston et de la faculté de droit de Georgetown. Sa seule ambition est de démêler les fils des gangs locaux pour atteindre son objectif final : abattre la mafia.

Lorsque Morris et Connolly pénètrent dans son bureau, il est en train de mettre la dernière main à la liste d'inculpations en rapport avec l'affaire des courses truquées. Bulger et Flemmi figurent sur cette liste en compagnie d'une vingtaine d'autres individus que l'on s'apprête à appréhender. Le moment est particulièrement mal choisi pour venir quémander une faveur : l'enquête sur cette affaire a duré plus de deux ans.

Morris et Connolly n'avaient aucun moyen d'évaluer l'étendue des révélations de Ciulla concernant Bulger et Flemmi. O'Sullivan, lui, n'en ignore rien. Lors de plusieurs séances de débriefing à Sacramento, en Californie, avec l'agent Tom Daly, avant le grand jury et à l'issue du procès fédéral, Ciulla avait maintenu ses accusations de manière très convaincante. Il avait décrit avec précision et exactitude la manière dont Winter et ses six associés, John et James Martorano, James Bulger, Stephen Flemmi, Joseph McDonald et James Sims, se partageaient les bénéfices.

– On partageait le fric de ces opérations clandestines comme suit : 50% pour Howard Winter et ses six associés, 25% pour Ciulla et 25% pour son partenaire, William Barnoski.

Il s'étend sur le rôle de chacun :

– M. Winter se charge avec ses associés de financer les opérations, ils sont responsables du placement des paris hors des circuits des bookmakers clandestins, ils fournissent les chevaux aux hippodromes et dans les autres régions du pays. Winter est chargé de récupérer l'argent auprès des bookmakers.

Plus ennuyeux, il place Bulger et Flemmi au centre de tout le réseau.

– Je les ai vraiment coincés, se souvient Ciulla. Bulger et Flemmi quittaient le gang avant qu'il ne débouche le champagne et sorte la cocaïne, mais ils étaient toujours là quand il le fallait.

Et à propos de Bulger :

– Si je sortais avec lui ? Si on était copains après le boulot ? Si je suis allé avec lui à Southie ? Jamais de la vie. Mais il avait sa part de pognon, et Stevie aussi !

La visite à Jeremiah O'Sullivan était confidentielle, c'est-à-dire sans l'aval du FBI. Les deux agents n'avaient aucune raison de contacter le procureur ni de lui faire des révélations. De plus, divulguer l'identité d'un informateur était absolument tabou, même à un procureur. C'était une violation du règlement du FBI. Mais cela n'empêche pourtant pas les deux inspecteurs de révéler leur collaboration avec les deux malfrats à O'Sullivan.

– Quand on s'est entretenus avec le procureur, précise Morris, on lui a répété ce qu'ils nous avaient affirmé, à savoir qu'ils n'étaient pas dans le coup, qu'ils n'avaient rien à voir avec le réseau.

Dans le même temps, les deux agents soulèvent un problème qui préoccupe le procureur, ils le savent parfaitement : Gennaro Angiulo. Selon Morris, ils ont insisté sur le fait que « ces deux types sont bien placés pour nous aider dans le cadre de notre priorité absolue, la mafia. On a demandé à O'Sullivan de prendre ça en compte et de ne pas les inculper pour cette raison. »

Le procureur aurait pu ordonner aux inspecteurs d'expliquer la raison d'une telle confiance envers les malfrats en question, pourquoi ils les croyaient, pourquoi ils n'avaient pas cherché à vérifier leurs déclarations. Mais il ne le fait pas. Morris en est conscient, si le procureur choisit de les suivre, il va devoir s'en prendre au principal témoin. Toute l'accusation repose sur Ciulla. Pour remporter le procès, la crédibilité de Fat Tony est cruciale, et voilà que Bulger et Flemmi mettaient en jeu leur parole contre la sienne.

S'il n'apprécie pas que les agents aient attendu la dernière minute, nous sommes en effet à quelques jours des mises en examen, O'Sullivan écoute leurs déclarations avec une attention extrême. À la fin de l'entretien, il leur fait savoir qu'il donnera bientôt sa réponse.

— Il allait y réfléchir, se souvient Morris. Il était plutôt favorable à notre requête, mais il voulait en parler avec Tom Daly, l'agent chargé du dossier.

Morris et Connolly quittent le bureau d'O'Sullivan ragaillardis. Ce ne serait pas la première fois que des informateurs n'apparaîtraient pas dans un procès criminel, et à juste titre, afin qu'une collaboration fructueuse puisse perdurer sur le long terme. À vrai dire, au point où ils en étaient de la relation du FBI avec Bulger et Flemmi, les deux inspecteurs estimaient qu'ils pouvaient faciliter un peu les choses à leurs indics. Comme ils l'avaient fait valoir devant O'Sullivan, il fallait prendre en compte leur contribution potentielle dans l'élaboration de l'épais dossier Gennaro Angiulo. Autre argument, Bulger et Flemmi ne constituaient pas les cibles principales dans l'affaire des courses truquées. L'objectif, c'était Howie Winter. Bulger et Flemmi étaient des comparses, loin des projecteurs, une position idéale pour aider le FBI. Pour le Bureau de Boston, O'Sullivan devrait avant tout s'attaquer au gang de Winter Hill, tout en évitant d'impliquer Bulger et Flemmi.

Quelques jours plus tard, Morris reçoit une note au Bureau du FBI, de la part d'O'Sullivan : Whitey Bulger et Stevie Flemmi ne feront pas partie de la liste des inculpés. Il fait valoir que dans le cas de Bulger et Flemmi, il ne dispose pas de preuves convaincantes en l'absence de relevés téléphoniques ou de notes d'hôtel, susceptibles de corroborer le témoignage de Ciulla comme pour les autres inculpés. Ces remarques n'ayant pour seul objectif que de couvrir le Bureau. Morris s'empresse de transmettre la bonne nouvelle à Connolly, qui ne cache pas sa satisfaction. Connolly évoquera plus tard sa propre conversation avec O'Sullivan.

– Il souhaitait que Bulger et Flemmi se montrent reconnaissants, ainsi que le Bureau, parce que nous avions attendu trop longtemps pour lui révéler l'identité de nos indics.

Le fait est qu'à cette époque, le gouvernement commence à en savoir long sur Bulger et Flemmi.

– Apparemment, Ciulla en avait raconté des tonnes sur eux dans son témoignage devant le grand jury.

Les conséquences ne se font pas attendre. Fat Tony est fou de rage.

– « Ils ont essayé de me baiser, éructe-t-il. O'Sullivan a tenté de justifier l'absence de Stevie sur la liste des inculpés en invoquant le fait qu'il était un peu alcoolo. Puis il a dit qu'ils n'arrivaient pas à vérifier certaines dates. Je leur ai dit : « Arrêtez vos conneries ! C'est archi-faux ! »

Bulger et Flemmi avaient donné des tuyaux à des bookmakers qui prenaient des paris sur des courses truquées. Quand ils ont vu qu'ils perdaient des sommes énormes, ils sont devenus redevables à Winter Hill, qui désormais les tenait.

– Et Whitey était là à chaque fois !

Ciulla s'en prend à O'Sullivan.

– Ça ne tient pas debout, faut pas me prendre pour un con ! Pourquoi ces types ne sont pas inculpés ? C'étaient nos associés. Pourquoi ils ne sont pas là alors que c'est moi qui traitais directement avec eux ?

O'Sullivan continue de biaiser, jusqu'à ce que les agents traitants de Ciulla lui avouent la vérité.

– Il fallait qu'ils crachent le morceau parce que je devenais vraiment dingue.

Pour Ciulla, c'est plus une question de vie ou de mort que de justice.

– Plus on les laisse libres dans la nature, réalise Ciulla, plus j'ai des chances de me faire buter.

Après avoir prévenu le FBI de sa décision, et toujours selon Connolly, O'Sullivan exige que Bulger et Flemmi promettent de ne jamais envisager de s'en prendre physiquement à Ciulla.

– La condition pour qu'ils ne soient pas inquiétés dans l'affaire des courses truquées, c'est qu'ils donnent leur parole qu'ils ne s'en prendront jamais à Anthony «Fat Tony'» Ciulla.

Mais Ciulla ne sent pas totalement rassuré.

– Je n'étais pas d'accord en ce qui concerne Stevie et Whitey, mais j'ai encaissé le coup. C'était dur à avaler.

Plusieurs semaines plus tard, la liste des inculpés dans cette affaire très attendue est publiée. Nous sommes le vendredi 2 février 1979, et l'annonce fait la une des deux plus grands journaux de la ville.

En tout, ce sont 21 personnes qui sont citées : en tête figure Howard T. Winter, 49 ans, et presque tous ses associés du gang de Winter Hill, ainsi que trois gérants de casinos de Las Vegas, trois jockeys et deux propriétaires d'écuries de course. La police ne parvient pas à appréhender tous les suspects. Bulger et Flemmi, prévenus par Connolly de la date des arrestations, ont pris des mesures préventives. Ils avertissent John Martorano à temps pour qu'il puisse fuir la ville, et préviennent également Joe McDonald, déjà en cavale, qu'il est impliqué dans l'affaire.

– C'est parce que M. Bulger et moi-même avions été avertis que les arrestations étaient imminentes qu'on a pu leur passer le tuyau, expliquera Flemmi. Martorano a pris la tangente et McDonald était déjà loin.

Nulle trace dans cette fameuse liste de Bulger ou de Flemmi. Parmi les quelque cinquante pages du dossier de la cour fédérale, on ne trouve leur nom que dans un document annexe de deux pages, dans la liste de 64 «prévenus non inculpés» : James Bulger, South Boston et Stephen Flemmi, domicile inconnu.

– Les gains, précise O'Sullivan, étaient partagés par les accusés Howard T. Winter, John Martorano, James Martorano, Joseph McDonald, James L. Sims, et d'autres.

Bulger et Flemmi se sont transformés en fantômes évanescents.

L'été venu, John Morris organise une petite fête chez lui. Il habite dans la banlieue de Boston, une rue calme, bordée d'arbres, à Lexington, Massachusetts. Une banlieue-dortoir qui avait laissé son nom dans l'histoire des États-Unis. Sa petite maison de style colonial était proche de l'endroit où, en 1775, avaient éclaté les premières fusillades de la révolution américaine ;

les rues adjacentes portaient le nom de grandes figures de l'histoire du pays, comme Hancock ou Adams.

Morris n'avait prévu qu'un nombre limité d'invités. Il y avait John Connolly; en fait, c'est lui qui avait poussé Morris à organiser la soirée. On attendait aussi Nick Gianturco, qui en avait terminé avec sa double vie et qui avait rejoint son foyer sain et sauf. Et enfin, deux invités de marque: Whitey et Stevie.

Morris vivait une période difficile, son mariage était chancelant, pourtant sa vie professionnelle lui donnait quelques raisons de faire la fête. Les agents du FBI rayonnaient. Ils venaient de bloquer l'inculpation de Bulger et Flemmi; le procès des courses truquées battait son plein, Fat Tony Ciulla accablait Winter depuis le prétoire; enfin, l'affaire du détournement des camions, l'Opération Homard, entrait dans la phase des inculpations depuis le 15 mars et faisait la une des journaux. C'est comme si le Bureau venait de toucher le tiercé dans l'ordre.

Morris et Connolly s'étaient entendus pour rédiger les rapports. Morris avait envoyé un télex au siège du FBI le 4 mai pour l'avertir que «le contact avait été repris avec Bulger à condition que celui-ci soit en mesure de fournir des informations utiles». L'orage était passé. Une semaine plus tard, nouveau télex de Morris et Connolly afin de préciser les raisons de cette reprise de la collaboration. Les relations avec Bulger, affirme Morris, avaient été interrompues non pas parce qu'elles étaient improductives mais parce que l'informateur faisait l'objet d'une enquête du Bureau. Au vu des faits, la décision avait été prise d'interrompre la collaboration jusqu'à ce que le litige soit résolu. Depuis, l'affaire s'était conclue par un certain nombre d'inculpations.

Ce qu'il fallait retenir, selon les deux agents de Boston, c'est que Bulger n'avait pas été inculpé. «Aucune mise en examen n'a été lancée contre l'informateur par le procureur en charge de l'affaire. En conséquence, le contact a été rétabli et l'informateur accepte de poursuivre la collaboration.» Les agents s'inquiétaient peu du fait que ces informations puissent être fausses, et Morris «oubliait» de mentionner le fait qu'ils avaient plaidé leur cause auprès du magistrat.

— Boston, concluait Morris, estime que cette source est une des plus proches du sommet de la pyramide, une des meilleures du Bureau.

Morris avouera plus tard qu'il avait gonflé l'image de Bugler sur l'insistance de Connolly, et recommandé qu'il retrouve son statut de «top échelon». Morris n'attachait aucune importance à la dénomination de son informateur tant qu'il fournissait au FBI des informations utiles à celui-ci. Mais pour Connolly, c'était crucial.

– Le statut d'informateur du top échelon renforçait son statut personnel, notera Morris plus tard. En d'autres termes, cela reflétait son travail et le calibre des informateurs qu'il gérait.

C'était une question d'ego et ça n'avait pas de répercussion sur la manière dont le Bureau travaillait avec Bulger. Pour Morris, le classement des indics n'entraînait aucune différence dans leur traitement. Le fait est, cependant, que Bulger était réinstallé dans son statut privilégié.

C'est ce genre de réussite que le groupe s'apprête à célébrer. Bulger, en plus, va bientôt fêter ses 50 ans le 3 septembre. Morris s'applique à choisir ce que ses invités vont déguster, et sélectionne ses vins avec soin. C'est un fin connaisseur en la matière, Bulger et Flemmi n'ont d'ailleurs pas manqué de le remarquer. Au fil des soirées ils apporteront à chaque fois de bonnes bouteilles à John, et ils finiront par donner au superviseur du FBI le sobriquet de «Vino».

Le petit groupe qui se réunit chez Morris a vraiment de quoi se réjouir. Prenez Nickie Gianturco. Il serait mort si Connolly n'avait pas entretenu des liens étroits avec Bulger et Flemmi. En poussant un peu le raisonnement, on avait même élargi la famille en y incluant le procureur O'Sullivan depuis le verdict de l'affaire des courses truquées. Connolly soutiendra même plus tard que l'intervention d'O'Sullivan avait fourni une nouvelle couche de vernis protecteur au pacte secret passé par le FBI. Comme si le procureur avait accordé sa bénédiction à la notion que Bulger et Flemmi seraient toujours à l'abri de poursuites judiciaires.

– Au cours des premières années de ma collaboration avec Bulger et Flemmi, il n'existait aucun arrangement entre nous. L'accord n'est intervenu qu'après l'affaire des courses truquées et les conversations que j'ai eues avec Jerry O'Sullivan, devait reconnaître Connolly plus tard.

Même si aucun document officiel ne mentionnera jamais une quelconque immunité, une quelconque clause d'absence de poursuites dans le pacte passé entre le FBI et les deux indics, Connolly s'en moque. Pour lui, tout est exprimé dans les conversations clandestines, les clins d'œil, les attitudes et, surtout, lorsque comme lui on est originaire de South Boston, la parole donnée. Afin de rendre l'alliance plus acceptable, le FBI ne tarde pas à présenter Bulger et Flemmi sous l'aspect de deux laissés-pour-compte du défunt gang de Winter Hill. Comme aime à le dire Connolly, on a affaire ici à un «gang de deux individus sans envergure».

On peut toujours rêver... Car on ne peut pas dire que Bulger et Flemmi se soient montrés passifs ou au chômage. Hors de vue du radar du FBI, les deux malfrats passent la majeure partie de l'année 1979 à faire fructifier leur business et à poursuivre leurs brillantes carrières. Bulger, en particulier, se révèle un expert en manipulation, tirant les ficelles à la fois du FBI et de la Cosa Nostra.

Au début de l'année, il a eu un sérieux entretien avec Gennaro Angiulo dans une chambre du *Holiday Inn* de Somerville. Le patron local de la mafia a abordé la dette dont Bulger et Flemmi ont hérité de leur ex-boss, Howie Winter, une dette qui dépasse les 200 000 $. Angiulo souhaite évoquer les taux et le calendrier des remboursements. Bulger repousse en bloc ses exigences ; il plaide la situation complexe créée par l'enquête sur les courses truquées. Flemmi et lui parviennent à quitter la réunion avec en poche 50 000 $ en espèces, cadeau de bonne volonté de la part d'Angiulo. Nul doute que Bulger et Flemmi ont dû ricaner quelque temps après ; ils n'ignoraient pas que le FBI cherchait à espionner discrètement du côté de North End. En fait, quelques mois plus tard, ils apprennent qu'Angiulo a piqué une colère mémorable après avoir découvert deux caméras de surveillance braquées sur son bureau, situé au 98 Princes Street. Bulger n'ignorait pas que ces caméras avaient été posées par le FBI. Il savait également que si le Bureau tenait sa promesse de faire tomber Angiulo, Flemmi et lui pouvaient dormir tranquilles : ils n'auraient jamais à repayer cette fameuse dette de 200 000 $. Bulger se délecte en racontant à Connolly l'énorme colère d'Angiulo.

Dans plus d'un domaine, la pègre bostonienne est alors en pleine évolution. Le soir de la petite sauterie de Morris, Howard Winter a disparu du paysage, et Bulger et Flemmi volent maintenant de leurs propres ailes. Bulger en particulier est en passe de devenir un *capo* de son plein droit. Flemmi et lui sont en plein déménagement, quittant Winter Hill pour prendre leurs nouveaux quartiers dans Boston, proches du Boston Garden, ancien fief des

Celtics et des Bruins. Mais le plus grand changement concerne une nouvelle approche radicale dans la manière dont les deux malfrats abordent désormais leurs affaires. Gennaro Angiulo se contentait de gérer au jour le jour son business de jeux clandestins. Howie Winter avait fait de même. Mais Bulger et Flemmi ont peaufiné une idée censée éliminer la routine du quotidien tout en assurant encore mieux leur protection des diverses agences chargées du maintien de l'ordre. Ils ont décidé d'employer la manière forte auprès des joueurs et des usuriers afin qu'ils les paient pour le droit d'opérer dans la région. Ils leur extorquent un pourcentage sur chaque client, à la manière d'une banque pour tout achat par carte bancaire. Chaque transaction est prélevée, ce qui fait d'eux des collecteurs d'impôt clandestins. Stratégie brillante sans conteste, et très rémunératrice. Gennaro Angiulo les surnomme bientôt, non sans un soupçon d'admiration, les « nouveaux millionnaires ».

En 1979, Bulger et Flemmi entament leur tournée des bookmakers indépendants afin d'expliquer la nouvelle donne. Bulger, par exemple, coince un des meilleurs bookmakers de la région, Burton « Chico » Krantz. Les deux hommes se sont déjà croisés : Bulger avait un jour menacé d'abattre Krantz pour un impayé de 86 000 $, une dette contractée auprès d'un des bookmakers d'Howie Winter. Krantz n'offre que peu de résistance, et commence à verser 750 $ chaque mois à Bulger et Flemmi. Krantz, à l'instar d'un nombre croissant de bookmakers, poursuivra ses versements jusque vers le milieu des années 90. Des versements qui s'élèveront alors à 3000 $ par mois.

Ces activités ne passent pas totalement inaperçues auprès du Bureau de Boston du FBI. D'autres informateurs ont laissé entendre que Bulger et Flemmi avaient mis en place de nouvelles pratiques. En juin, à peu près à l'époque de la petite fête chez Morris, un autre indic avait signalé au FBI que « Whitey et Bulger avaient été dans le quartier de Chelsea et imposé des paiements par la force à des bookmakers indépendants. » Morris avait reçu personnellement une autre information : Bulger et Flemmi avaient étendu leurs prélèvements aux trafiquants de drogue.

Mais Morris, Connolly et le Bureau de Boston avaient fait comme s'ils n'avaient rien entendu. Leur dépendance vis-à-vis des deux malfrats ressemblait de plus en plus à une addiction, c'était comme une drogue dure. La soirée chez Morris à Lexington tombait au meilleur moment pour chacun des invités. Nous étions à la fin d'une décennie, les deux agents avaient atteint un sommet inégalé grâce à leurs deux indics de poids, un sommet depuis lequel ils pouvaient contempler toute la ville ainsi que la perspective d'un avenir radieux au sein du FBI.

Ils ne voyaient en fait que ce qu'ils voulaient voir. Tout reposait sur un présupposé qu'ils partageaient : l'avenir leur appartenait. Ils livreraient la mafia entre les mains implacables des agents du siège du FBI, de la presse et du grand public. Peu importaient les méthodes qu'ils devraient employer, ils iraient jusqu'au bout. Jusqu'au triomphe final.

Morris accueille ses invités avec un sourire pour chacun. Ce sera la première rencontre de ce type, suivie par beaucoup d'autres.

– C'était une sorte de soirée entre amis, précisera Morris.

L'ambiance est décontractée ; ils ont tous le sentiment d'appartenir à une sorte de club privé. Ils savent que Boston leur appartient. Morris sera un des premiers responsables gouvernementaux à reconnaître que, dans ces circonstances particulières, le règlement strict du Bureau était remisé au placard. À Boston s'installait une relation FBI-indics très éloignée des normes et des mises en garde du FBI. Mais sur le moment, Morris joue les hôtes, ouvre les bouteilles de bons vins avant d'emplir les verres. Bulger a apporté un cadeau, une marque d'appréciation si ce n'est d'affection, qui prouve son sens de l'humour. Il offre à l'inspecteur Nick Gianturco du FBI un petit camion en bois, rappelant les mois qu'il a passé sous couverture dans un entrepôt dans le cadre de l'Opération Homard.

– C'était une relation plutôt sympathique, confiera Gianturco plus tard.

En fait, tout va pour le mieux dans le meilleur des mondes.

SECONDE PARTIE

« Je fais mon possible pour te protéger, il se peut que je viole un peu la loi,
mais c'est pour toi que je le fais. »
Raymond Chandler, *Le grand sommeil*

Chapitre Six

Un gang à deux

Le rideau se lève. Les portes du garage du *Lancaster Foreign Car Service* s'ouvrent au public au printemps 1980, marquant une nouvelle ère dans l'histoire du milieu de Boston. Howie Winter est tombé, les cartes ont été redistribuées. Au milieu de tous ces bouleversements, Whitey Bulger et Stevie Flemmi gardent leur calme, ils se postent, bras croisés, devant les espaces réservés aux véhicules en réparation, prêts à entrer en scène pour de bon et à exploiter toutes les opportunités, quelles qu'elles soient.

L'ancien repaire de *Marshall Motors* à Somerville a été abandonné au profit de ce nouveau lieu proche du centre-ville. Si certains malfrats de l'ancien gang de Winter Hill sont aujourd'hui en cavale, d'autres se sont adaptés au changement. George Kaufman, qui gérait le garage de *Marshall Motors* et servait de couverture à Howie Winter, gère désormais le garage de Lancaster Street pour le compte de Bulger et Flemmi. Chaque matin, dans l'atelier où résonnent les coups de marteau, des mécaniciens s'affairent autour des voitures, mais dans l'après-midi, l'atmosphère change radicalement. La plupart du temps, Bulger et Flemmi font leur apparition vers 13h30 pour signaler le changement de décor. Whitey remise sa superbe Chevrolet Caprice noire dernier cri dans un espace réservé de l'atelier et descend le sourire aux lèvres. Le ton des conversations se fait plus feutré, les visiteurs défilent, il n'y en a plus que pour Bulger et Flemmi. Un grand costaud veille sur eux, Nick Femia, l'exécuteur des basses œuvres à la réputation de tueur, accro aux armes fatales et à la cocaïne. Femia, Kaufman et quelques autres gros bras montent la garde tandis que Bulger et Flemmi rejoignent le bureau, au fond du garage.

Lancaster Street représente un bond dans l'échelle sociale ; pour la pègre, cela correspondrait, pour un cabinet d'avocat ou une banque, à un transfert de la grande banlieue vers le cœur de la cité. Le lieu lui-même bénéficie d'une aura à laquelle tout Bostonien est sensible : à deux blocs vers l'ouest, de l'autre côté de la rue, on tombe sur Boston Gardens, la célèbre salle omnisports. L'équipe des Celtics, animée par un jeunot du nom de Larry Bird, vient d'échouer à l'issue d'un superbe parcours dans la course au titre contre Philadelphie.

Moins anecdotique, le garage de Lancaster Street est situé tout près du cœur de la mafia de la ville, à North End. En quelques minutes, on peut rejoindre à pied le portail du 98 Prince Street où Gennaro Angiulo et ses quatre frères orchestrent les activités de racket de la Cosa Nostra sur toute la région de la côte Est. Bulger compte également quelques voisins à quelques blocs vers le sud. Le garage de Lancaster Street est à deux pas du bâtiment administratif fédéral, qui abrite le Bureau de Boston du FBI, siège de John Connolly et de John Morris.

À n'en pas douter, Bulger a le vent en poupe. Certes, l'ancien gang de Winter Hill a souffert un revers irréparable au lendemain du procès fédéral retentissant des courses truquées, mais Bulger et Flemmi en ont conçu un optimisme sans bornes : dans la vie, il n'y a pas d'échecs, seulement des opportunités nouvelles. Ils ont entendu parler d'un petit malin indépendant d'East Boston, un certain Vito, qui opère un business de prêts usuriers et de jeux clandestins sans l'aval de Bulger ou de la mafia. Femia rend visite à Vito et lui place son flingue contre la tempe. Peu après, Bulger et Flemmi coincent Vito dans l'arrière-salle d'un bureau de tabac du centre-ville ; ils lui expliquent les choses de la vie. Vito décide de jeter l'éponge, Bulger, Flemmi et Femia s'assurent le contrôle de la franchise sur East Boston.

Aucun doute possible, quand le besoin se fait sentir, Bulger et Flemmi ont le sens pratique. Si un « client » se révèle en retard sur ses remboursements, ils offrent au mauvais payeur un petit tour dans la Chevrolet noire. Flemmi est au volant, le « client » sur le siège passager. Depuis le siège arrière, Bulger prend sa voix la plus convaincante pour glisser dans l'oreille du passager quelques phrases bien senties du genre : « Tu vas trouver le fric que tu nous dois, sinon je crains qu'il ne t'arrive un gros pépin.» Si une seconde promenade s'avère nécessaire, Bulger et Flemmi font appel à un ami, Femia par exemple, pour mettre à sac l'appartement du «client», tandis que les deux malfrats tentent de convaincre celui-ci de rembourser pendant le trajet.

Généralement, une troisième promenade n'est pas nécessaire.

Pendant ce temps, dans le Bureau du FBI, Connolly et Morris font de leur mieux pour transmettre dans leurs rapports le sentiment que Bulger et Flemmi sont sortis abattus de la chute d'Howie Winter. Dans la rue, cependant, tout semble sourire aux deux malfrats. Non seulement, ils ont réussi à coordonner leurs activités avec celles de la mafia, mais leur nouvelle méthode d'extorsion de fonds auprès des réseaux établis de racketteurs les occupe beaucoup. Chico Krantz, le bookmaker, apparaît régulièrement pour régler ses mensualités, et abandonne même une fois un bonus de 5000 $, que Bulger avait exigé pour régler un différend entre Krantz et un autre bookmaker. Krantz n'est qu'un exemple parmi la longue liste des bookmakers versant désormais leur obole à leurs nouveaux «patrons».

Une ombre, néanmoins, parmi cette débauche d'optimisme, elle touche Bulger personnellement. Le 1er janvier 1980, sa mère s'éteint dans une chambre de l'Hôpital général du Massachusetts des suites d'une longue maladie. Elle avait 73 ans. Whitey Bulger n'avait jamais quitté l'appartement de la famille sur O'Callaghan Way, South Boston, qui les avait vus grandir, lui, son frère Billy et John Connolly. C'est là que Flemmi vient souvent le chercher en fin de matinée, à bord de la Chevrolet noire, pour attaquer la journée de travail.

Il reste autour de Bulger deux femmes pour le consoler. Theresa Stanley d'abord, son amie de cœur depuis des années, qui habite South Boston. Ils se sont rencontrés vers la fin des années 60, elle avait 25 ans, un avenir bouché, mère célibataire de quatre enfants. Il lui a appris à organiser sa vie et à lui préparer son dîner tous les soirs à la même heure. Elle lui sera reconnaissante d'être présent à ses côtés. Il se montre sévère avec les enfants de Theresa, exige qu'ils s'asseyent tous autour de la table pour le repas. Depuis quelque temps, néanmoins, même s'il joue les papas avec les enfants de Theresa, il finit souvent ses soirées dans les bras d'une femme beaucoup plus jeune, Catherine Greig, une hygiéniste dentaire qui habite North Quincy.

Malgré la disparition de leur mère au début de l'année, 1980 marque pour les frères Bulger la consolidation de leur pouvoir et, dans leurs domaines respectifs, l'accession imminente à un sommet. Billy Bulger est président du Sénat de l'État depuis 1978 ; c'est un orateur convaincant et chaleureux, un politicien hors pair, une éminence grise. Conservateur sur les questions de société, il s'oppose au droit à l'avortement et à l'abolition de la peine de mort, Bulger est néanmoins un défenseur rigoureux de la classe ouvrière. Il a du mal à tolérer les dissidents et peut se montrer intolérant. Quand ils évoquent sa personnalité, ses collègues pourraient aussi bien parler de son frère, ils ont l'impression d'avoir affaire à «deux Billy Bulger».

– Si vous êtes simplement son ami, c'est un homme poli, comme il faut, agréable, un hôte merveilleux, se souvient George Keverian, le président de la Chambre des représentants, à propos de ses rencontres avec son homologue du Sénat.

Il ajoute cependant que si vous adoptiez un point de vue opposé, Bulger était capable de dévoiler un visage bien différent, plus sombre.

– Ses yeux deviennent froids, il se raidit.

Il faudra quelques affrontements devenus célèbres sur la scène politique pour transformer l'image de Billy Bulger en celle d'un autocrate vindicatif. Le premier met en lumière la fureur dont il a été saisi lorsqu'un juge d'un tribunal de Boston a refusé de confier le poste de secrétaire à une personne qu'il a présentée. Le juge n'a pas mâché ses mots en attaquant l'intervention brutale de Bulger, traitant au passage celui-ci de «nain corrompu». En représailles, une loi réduira le salaire du juge ainsi que le nombre de ses collaborateurs ; elle mettra un terme au statut d'indépendance du tribunal qui sera désormais intégré dans une autre branche de la justice. Chez les Bulger, on aime bien avoir le dernier mot.

Il est évident que les deux frères, chacun dans sa spécialité, sont déterminés à s'approprier une ville en difficulté. La période est à la crise économique, au retour de l'inflation ; un ancien acteur sur le retour, Ronald Reagan, s'apprête à remplacer un président qui a fortement déçu, Jimmy Carter. Nous sommes à l'aube de ce que certains appelleront plus tard la décennie extravagante, le triomphe de l'individu, l'avènement des yuppies, des cravates minces, de la nouvelle cuisine, des jambières, de la voracité de Wall Street et du rachat d'entreprises par des requins financiers comme Carl Icahn ou Michael Milken.

Dans le grand bureau à l'arrière du garage de Lancaster Street, Bulger et Flemmi s'attellent chaque jour à raffiner leur propre fusion et leurs acquisitions.

Jane Fonda n'est pas la seule Américaine à s'entraîner intensivement. Whitey et Stevie font de la gym, soulèvent de la fonte et entretiennent leur forme. Bulger, à 50 ans, soigne son apparence ; il aime se montrer dans l'atelier bandant ses muscles, arborant des chemises collantes à la mode à l'époque. Il adore en fait les miroirs, les rétroviseurs. Il s'observe à longueur de journée, certain que personne, au moins personne du Bureau du FBI de Boston, ne surveille ses véritables intentions.

Il y a pourtant une personne qui le surveille.

Un homme, caché derrière les rideaux fatigués d'un asile de nuit situé juste en face du garage de Lancaster Street. Un membre des redoutables policiers en civil de la police d'État du Massachusetts. Six jours par semaine depuis la fin avril et jusqu'en juin, les policiers se relaient derrière le rideau dans une chambre infestée de cafards, notant chaque mouvement des malfrats qui entrent et sortent du garage.

Ils rapportent tout ce qu'ils voient, les détails insignifiants, Bulger et Flemmi ajustant leur mise entre deux rendez-vous, rentrant le ventre dès qu'ils repèrent une jolie femme à proximité, vérifiant que la boucle de leur ceinturon est bien alignée aux boutons de leur chemise. Ils assistent au changement de comportement de Bulger quand il aborde le vrai business, la mine sévère, fonçant sur un visiteur, pointant l'index sur sa poitrine, tout en l'insultant. Quand Bulger s'arrête, c'est Flemmi qui intervient, menaçant. Plus grave, les policiers en civil assistent à des scènes significatives : des individus débarquant avec des serviettes de cuir et des talons de paris. Ils surprennent de l'argent qui change de mains. Ils notent et prennent des photos au téléobjectif. Durant les onze semaines que dure leur surveillance, ils vont reconnaître plus de soixante malfrats connus du milieu en visite au garage ; c'est la presque totalité du crime organisé de Nouvelle-Angleterre qui se présente à un moment ou à un autre à Lancaster Street pour rencontrer Whitey Bulger et Stevie Flemmi.

Comme dans un film muet, sans paroles ni action, le garage fournit un plan panoramique parfait de toute la pègre bostonienne. Et ce que l'on découvre en couleurs contraste violemment avec le cliché sans relief de Boston et Flemmi qu'affiche le Bureau du FBI dans ses dossiers et dans l'esprit de tous ceux qui s'enquièrent des deux hommes.

La surveillance de la part de la police d'État avait commencé presque par accident. Un policier en civil, Rick Fraelick, était tombé sur le garage un jour qu'il faisait la maraude dans le quartier sur la piste d'un réseau de voitures volées. En descendant Lancaster Street, il avait repéré George Kaufman parmi un groupe de malfrats sur le trottoir. Il avait garé son véhicule un peu plus loin avant de revenir sur ses pas par simple curiosité.

Un moment de stupéfaction qui se transforme en un moment de grâce. Il avait identifié sans peine d'autres gangsters qui entraient et sortaient du garage. Parmi eux, Bulger et Flemmi. Fraelick était retourné au siège de la police et avait tout raconté au sergent Bob Long, le chef de la Brigade criminelle. Long et Fraelick avaient refait quelques passages en voiture pour vérifier les faits par eux-mêmes. Tous deux sentaient monter l'adrénaline, le signe qu'ils venaient de soulever un très gros lièvre, une affaire potentiellement explosive. Mais comment organiser la surveillance ? Juste en face du garage, il y avait un vieil immeuble décrépit, au 119 Merrimac Street. On trouvait au premier étage un bar gay, mais on pouvait aussi louer des chambres au-dessus. C'était un taudis où les ivrognes du coin venaient passer la nuit. Peu d'intimité : les cloisons n'étaient pas insonorisées, c'étaient de simples panneaux de contreplaqué. Fraelick, se faisant passer pour un homosexuel, avait loué la chambre dont la fenêtre donnait sur le garage de Lancaster Street. À partir de fin avril, Long, un autre policier, Jack O'Malley et lui-même s'étaient relayés pour épier les activités de Bulger.

D'autres agents se joindront à l'équipe, mais ces trois-là mènent l'enquête, arrivant tôt le matin et prenant leur tour de veille devant la fenêtre par équipes de deux. Ils connaissent bien le terrain, ils sont originaires de Boston. Long, qui a dans les 35 ans, a grandi dans la banlieue, à Newton, quatrième d'une famille de dix enfants. Son père est avocat et, depuis sa plus tendre enfance, il rêve d'entrer dans la police. Sportif dans l'âme au collège, il avait obtenu une bourse partielle en basket pour poursuivre ses études, mais à la suite d'une blessure au genou, il doit mettre un terme à sa carrière sportive. Moins de neuf mois après avoir obtenu son diplôme universitaire de justice criminelle de City Collège à San Francisco en 1967, il retrouve le Massachusetts et entre à l'école de police d'État.

Aujourd'hui, Long dirige une brigade spéciale d'investigation ; il a choisi personnellement Fraelick et O'Malley, au profil athlétique comme lui, solides, des hommes d'action, le brun Fraelick, qui vient de North Shore, et le rouquin O'Malley, originaire d'une autre banlieue de Boston, Dorchester, descendant d'une lignée de policiers. Son père, un flic local, patrouille toujours dans les rues de Roxbury. Les deux agents, qui n'ont pas encore 30 ans, ont été choisis personnellement par Long parmi les policiers de base. Les heures de surveillance sont longues, mais O'Malley est célibataire et Fraelick, bien que jeune marié, n'est pas encore père de famille. Bob Long a deux fils dont le cadet, Brian, dix ans, vient d'être choisi pour figurer sur l'affiche de la Fondation pour la mucoviscidose du Massachusetts. Sur la photo, il est au côté de Bobby Orr, de l'équipe des Bruins.

La chambre que partagent les agents est minuscule et mal aérée, au fil des semaines d'avril à juin, elle devient étouffante. Ils arrivent en short et tee-shirt, sac de sport à la main où ils ont dissimulé appareils photo et carnets de notes. Il faut parler à voix basse pour éviter que les autres locataires ne les entendent. On entend des éclats de voix, des rixes dans les autres chambres le long du couloir. Mais pour eux, c'est une sorte de paradis sur Terre.

La routine du garage est notée scrupuleusement. Tous les matins, Kaufman ouvre les portes, Bulger et Flemmi le remplacent en début d'après-midi. En plus de Bulger, Flemmi, Kaufman et Femia, on remarque un certain nombre d'habitués, des gangsters notoires comme Phil Waggenheim et un associé de la mafia, Nicky Giso.

Puis viennent les vrais méchants. Bulger rencontre Donato Angiulo, un *capo de regime*, capitaine dans la hiérarchie de la famille criminelle de son frère. Larry Zannino, une vieille connaissance de Flemmi, numéro deux du sous-chef Gennaro Angiulo de la mafia de Boston. Zannino soigne ses entrées comme un acteur de cinéma. Il arrive à bord de sa Lincoln Continental bleue toute neuve, ou bien d'une Cadillac marron rutilante conduite par un sous-fifre. Les mécanos du garage s'éparpillent comme des mouches tandis que Zannino gagne le bureau pour son rendez-vous avec Bulger et Flemmi. Parfois, le mafioso flamboyant étreint Bulger avant de l'embrasser sur la joue. Mais toutes ces visites ne se déroulent pas dans cette ambiance d'amour universel. Un jour, Zannino émerge du bureau pour se trouver face à face avec deux hommes qui l'attendent sur le trottoir. Zannino étreint le premier mais quand le second s'approche pour le saluer, Zannino le gifle violemment. L'homme tombe à genoux et Zannino se met à hurler. Bulger et Flemmi sortent pour assister au spectacle. Zannino admoneste l'homme qui s'enfuit puis marque une pause, reprend son calme et remonte dans sa Continental bleue.

Pour les agents en planque, le nez dans leur carnet de notes, Bulger, Flemmi et la mafia formaient une seule et même famille. Les trois policiers commençaient à bien connaître les habitudes du garage. Ils sentaient quand un associé avait cessé d'être dans les petits papiers de Bulger. Bulger le faisait attendre, les policiers le voyaient faire les cent pas devant le garage, regardant sa montre, observant la rue, le visage crispé. Lorsque Bulger faisait enfin son apparition, il pointait immédiatement l'index vers le pauvre bougre. Un geste suffisait à exprimer ce qui se passait. Le patron, c'était Bulger, impossible d'en douter. Les autres habitués du garage s'inclinaient devant lui, Flemmi comme les autres.

Avec le temps, les policiers avaient appris comment déceler que Bulger avait la trouille. Il prenait un air buté, refusait de parler à quiconque ou d'entrer dans une querelle ; il faisait la tête dans un coin de l'atelier. Sans perdre son intérêt fanatique pour la forme physique, il attrapait un hamburger, jetait le pain et n'avalait que la viande. Long, O'Malley et Fraelick notaient que Bulger était toujours tiré à quatre épingles, il portait des costumes décontractés mais toujours impeccables, pas un cheveu ne dépassait de sa tête. Il aimait que tout soit propre et bien rangé. Une fois, Femia s'était rendu au *McDonald* du coin, près de Boston Garden.

À son retour, le malfrat affamé avait étalé son Big Mac et ses frites sur le capot d'une voiture noire. Bulger s'est rué hors du bureau, a considéré le désastre, les papiers gras, la bouffe détestable, et est entré dans une fureur noire. Il s'est emparé du sachet de frites, en a giflé le visage de Femia, l'a écrasé sur sa chemise. Le colosse de 120 kg a fait marche arrière en titubant, la terreur des quartiers se dégonflait devant la rage de Bulger. Comme si au lieu d'un sachet de frites, Bulger avait brandi un pied-de-biche. Les policiers se souviennent encore de l'esclandre et de son message : on ne plaisante pas avec Bulger.

Parfois Long Fraelick et O'Malley suivaient la voiture de Bulger et Flemmi afin de mieux cerner leurs habitudes. Ils ont ainsi appris que Flemmi se voyait souvent confier la Chevrolet la nuit. Ils se sont aperçus que Whitey n'était pas le seul à avoir une vie sentimentale compliquée ; Flemmi était un véritable Don Juan dans le milieu. En fait, son casier judiciaire de mineur annonçait la couleur : une inculpation à 15 ans pour un chef d'accusation pour le moins ambigu, « agression à caractère sexuel », sans autre précision. Flemmi entretenait de nombreuses relations avec des femmes. Plus il prenait de l'âge, plus ses copines rajeunissaient.

Depuis les années 60, il avait entretenu une relation plus ou moins suivie avec Marion Hussey dans un pavillon situé sur une colline de Boston à Milton, qui avait appartenu à ses parents. Marion était sa compagne officielle ; en effet, il n'avait jamais divorcé de Jeannette McLaughlin, qu'il avait épousée dans les années 50, il était alors parachutiste. Puis, dans les années 70, il était tombé amoureux d'une adolescente, vendeuse dans une bijouterie de Brookline. Il faut dire que Debra Davis était superbe. Une belle blonde, sourire dévastateur et jambes interminables. Flemmi la couvrait de vêtements de prix, de bijoux, il lui avait offert une voiture, si bien qu'ils avaient fini par emménager dans un appartement luxueux à Brookline, et plus tard dans un appartement plus modeste de Randolph, un quartier de South Shore. Vers la fin des années 70, Flemmi avait ajouté une autre ado blonde et ravissante à son cheptel : il flirtait en fait avec Debbie Hussey, la propre fille de Marion. On pouvait parfois apercevoir Stevie et Debbie faire les fous dans la Jaguar de Flemmi lancée à pleine vitesse.

D'autres femmes comptaient aussi dans sa vie, mais celles-ci faisaient partie des régulières. Les policiers ne savaient pas si la Chevrolet se garerait pour la nuit à Brookline, Randolph, Milton ou ailleurs, mais réglé comme une horloge, Flemmi passait toujours chercher Bulger devant chez lui vers midi. Flemmi se glissait sur le siège passager et Bulger prenait le volant. Ils s'étaient aperçus que Bulger semblait toujours plus décontracté à South Boston, loin des tracas de Lancaster Street. Il saluait les gamins, leurs mamans et s'arrêtait toujours pour laisser traverser les personnes âgées.

Pourtant, même à Southie, Bulger pouvait perdre son calme. Un jour d'été où O'Malley suit la voiture de Bulger et Flemmi, il voit que Bulger emprunte Silver Street. On pensait qu'il avait acheté une maison dans cette rue, et c'est là qu'habitait sa petite amie, Theresa Stanley. Bulger aperçoit soudain un groupe d'hommes âgés assis sur la véranda d'une des maisons. Ils sont en train de boire. Bulger stoppe brutalement et jaillit de la voiture. Les hommes s'égaillent tous sauf un qui a du mal à marcher. Bulger le gifle violemment, et l'homme s'écroule à ses pieds sur le ciment. Whitey s'empare du chapeau du vieil homme et le balance dans la rue. Flemmi pendant ce temps fait le guet, mais Bulger en a terminé. Ils éclatent de rire et la voiture redémarre en trombe. O'Malley arrête sa voiture, se rue sur le vieil homme au visage en sang. Mais celui-ci a gardé toute sa lucidité : agitant les bras, il crie au policier de ne pas s'approcher.

— Il ne s'est rien passé, abruti, fichez le camp !

Même un vieil alcoolo pouvait avoir de la jugeote.

Tout en rassemblant les éléments de leur dossier à charge sur Bulger, les policiers n'oublient pas de questionner leurs propres indics. L'un d'entre eux, nom de code « It 1 », leur confie que le garage de Lancaster Street « s'est transformé depuis quelques mois en une véritable banque, dans laquelle les "Big Boys" vont livrer l'argent collecté par les réseaux de jeux clandestins dirigés par les types de North End. C'est dans ce garage qu'on règle tous ses comptes. » Selon un autre informateur, nom de code « It 3 », « Bulger est un ancien lieutenant du réseau d'Howie Winter, et on pense que c'est lui qui gère ses affaires en son absence. » Un autre indic, « It 4 », précise que « Whitey Bulger et Stevie Flemmi contrôlent désormais la majeure partie des paris sportifs illégaux, des loteries clandestines et des prêts usuraires de l'agglomération de Boston, en particulier à Somerville. »

Les témoignages d'autres indics s'accordent tous pour reconnaître que Bulger et Flemmi ont établi avec la mafia une « joint-venture » fructueuse. En juillet, Fraelick, Long et O'Malley sont persuadés qu'ils détiennent suffisamment de preuves pour passer à l'action. Depuis leur planque en face du garage, ils ont assisté à des événements qui suffiraient à couronner la carrière des meilleurs policiers : ils sont prêts à coffrer toute la pègre de Boston, la mafia et le gang de Bulger. Ils ont cuit dans la puanteur sordide de l'asile de nuit, rédigé des centaines de pages de rapports, mais ne sont pas arrivés à perdre leur humour : sur les murs de leur chambre, ils ont épinglé les plus gros cafards qu'ils ont tués durant leur séjour forcé, la transformant en une « chambre d'exécution », signe extérieur de leur victoire sur l'adversité.

Certes, leurs yeux ont vu beaucoup de choses intéressantes, mais début juillet ils rêvent d'autre chose : leurs oreilles brûlent d'entendre ce que tous ces malfrats se disent. Certes, ils ont accumulé des montagnes d'informations mais il leur reste un pas décisif pour clore le dossier : placer un micro à l'intérieur du garage.

Plusieurs fois au cours du printemps, Long, accompagné de son supérieur, rencontre Jeremiah T. O'Sullivan qui occupe toujours le poste de procureur général fédéral de l'unité de lutte contre le crime organisé en Nouvelle-Angleterre. Long le met au courant des résultats de leur surveillance du garage de Lancaster Street. Ils esquissent un plan qui autorise, avec un financement fédéral, la mise en place d'écoutes par la police d'État. Les policiers font alors appel à un procureur local, Tim Burke, procureur adjoint du district de Suffolk County, afin qu'il rédige le dossier judiciaire nécessaire pour obtenir l'approbation d'un juge.

En dépit du financement de l'administration fédérale, cependant, l'opération repose entièrement sur la police de l'État. Sans aucun soutien. Les policiers auraient pu compter sur l'aide du FBI. Après tout, Long commandait la police d'État dans le cadre de l'Opération Homard, l'investigation menée conjointement par les deux administrations autour de Nick Gianturco. Mais depuis, les rumeurs avaient circulé, surtout après les inculpations sur les courses truquées auxquelles Bulger avait échappé. Les autres agences de la police avaient commencé à se poser des questions sur les relations entre Bulger et le FBI. Pourtant, en dépit de ce qu'il connaissait de l'affaire, O'Sullivan n'avait rien dit à Long. C'était son affaire, après tout.

Le 23 juillet 1980, le juge Robert Barton, de la cour supérieure, approuve la requête soumise par Burke pour la mise sur écoutes du garage de Lancaster Street. Long, Fraelick et O'Malley se lancent dans l'aventure avec enthousiasme. Aucun des trois n'est expert en matière de surveillance électronique, mais ils ne manquent pas d'énergie pour pallier leur manque de connaissances techniques. Ils se rendent dans un magasin spécialisé, *Radio Shack*, pour acheter les micros. Puis, afin de se faire une idée des lieux et de la configuration du bureau, O'Malley joue le touriste perdu à la recherche des toilettes. Il pénètre dans l'atelier, l'air ahuri et pressé, et tombe sur Bulger qui lui explique sévèrement que le garage ne possède pas de toilettes avant de le jeter dehors.

Ils procèdent par tâtonnements.

Les policiers ont surnommé leur première tentative «Cheval de Troie». Ils se procurent une superbe fourgonnette au moteur gonflé, retirent le plancher afin de créer un espace dans lequel O'Malley pourra se glisser, replacent le plancher et le recouvrent d'une couverture. Puis ils bourrent l'arrière de la fourgonnette de meubles. Flanqué d'une assistante, Fraelick se rend au garage un jour en fin d'après-midi. Il affirme à George Kaufman que lui et sa femme viennent d'arriver à Boston et que leur véhicule a des problèmes. Comme il ne veut pas le laisser dans la rue avec toutes leurs biens à l'intérieur, il aimerait laisser la fourgonnette dans un coin de l'atelier afin qu'un mécanicien puisse l'examiner le lendemain matin.

Kaufman accepte et aide le véhicule à se garer dans un coin. Le «jeune couple» le remercie et promet de revenir le lendemain à la première heure avant de quitter les lieux. Kaufman ne tarde pas à verrouiller les portes du garage avant de s'en aller. Selon le plan que les policiers avaient mis au point, O'Malley devait émerger de la fourgonnette durant la nuit et faire entrer une équipe de techniciens pour installer les micros. Ce qu'ils n'avaient pas prévu, c'est qu'un clochard, qui logeait dans une chambre de l'asile de nuit, juste en face, faisait la fête sur le trottoir devant le garage. O'Malley, suant et sale en sortant de sa cachette, ne comprend pas ce qui se passe. Il n'a aucun contact radio avec ses collègues mais il entend le clochard qui fait du raffut dehors. Les policiers improvisent. Long envoie un de ses coéquipiers acheter une caisse de bière puis celui-ci s'installe à côté du clochard et lui offre tournée sur tournée. Dès qu'il s'écroule de fatigue, les policiers s'apprêtent à pénétrer dans le garage. Mais les heures ont tourné, à peine le clochard s'est-il endormi que Kaufman réapparaît subitement. Il insulte les deux clochards et les chasse sans ménagement. Il est trop tard pour commencer à installer les micros. O'Malley, sorti de sa planque au fond de la fourgonnette, doit se rendre à l'évidence : Long a annulé l'opération.

Une seconde tentative s'avère plus payante. Les policiers garent un soir un camion de déménagement de location tout près du garage. Non seulement le camion transporte une équipe de techniciens et de policiers mais il constitue un écran parfait : on ne peut voir les portes du garage depuis les fenêtres de l'asile de nuit. L'été, clochards et sans-abri picolent et font la fête toute la nuit, fenêtres grandes ouvertes à cause de la chaleur. Une fois George Kaufman parti, deux policiers descendent du camion à l'abri des regards et enfoncent un panneau de la porte du garage. Ils aident le technicien recruté pour l'occasion à se glisser à l'intérieur, puis ils installent trois micros, un sous le canapé, un à l'intérieur d'un poste de radio et un dans le plafond du bureau. Ils quittent les lieux et remettent le panneau en place sur la porte du garage.

Pour Long et ses coéquipiers, c'est l'euphorie. Malheureusement, l'opération se révèle rapidement un échec. En faisant des tests de réception, ils rencontrent des problèmes techniques. Au lieu des conversations des gangsters, ils interceptent les communications des médecins du Massachusetts General Hospital, tout proche. Le micro dans le poste de radio ne fonctionne pas. Celui placé sous le canapé ne transmet que des bruits sans intérêt, avec des interférences rappelant le souffle d'un cyclone dès qu'un gangster, surtout s'il est particulièrement costaud comme Nicky Femia, se laisse tomber dessus. Pourtant, le micro dans le bureau fonctionne, c'est le plus précieux. Quand les bonnes fréquences sont en place, tous les micros sont à peu près opérationnels.

Et très vite, c'est la catastrophe.

Bulger, Flemmi et Kaufman commencent à lancer des regards suspicieux vers les fenêtres de l'asile de nuit. Ils changent subitement leurs habitudes. Au lieu de converser librement dans le bureau ou dans l'atelier, Bulger et Flemmi s'enferment à l'intérieur de la Chevrolet noire. Plus personne n'entre dans le bureau. Les policiers sont stupéfaits. Ils continuent de surveiller les enregistrements, mais s'aperçoivent bientôt que peu après avoir décidé de ne plus converser que dans la Chevrolet, ils décident tout simplement de cesser de paraître au garage de Lancaster Street. Au début du mois d'août, l'autorisation du juge d'utiliser les écoutes dans le garage arrive à expiration. Les policiers se retrouvent avec leurs piles de notes, quelques photos réussies, mais rien de plus. Bulger s'est évaporé.

Au moment où intervient cet échec cuisant des écoutes pour Long, Fraelick et O'Malley, les problèmes commencent à s'amonceler pour le FBI. Tout commence par une rencontre impromptue lors d'une réception, un vendredi soir. John Morris, cocktail à la main, s'approche d'un inspecteur de la police de Boston, une énorme baraque bardée de muscles. Le petit superviseur du FBI n'hésite pourtant pas à adopter un ton supérieur devant le géant de la police locale.

– Il paraît que vous êtes sur un truc du côté de Lancaster Street ?

Sourire de conspirateur invitant aux confidences.

L'inspecteur tombe des nues, il masque sa surprise derrière un visage impassible. Il ne s'attendait pas à une question aussi directe de la part d'une autre agence sur une opération ultrasecrète, surtout au cours d'une réception officielle. Il ne sait quoi répondre sur le moment.

Morris insiste :

– Si vous avez placé des micros à l'intérieur, ils sont forcément au courant...

Nouveau silence.

Le policier finit par réagir :

— Je ne sais pas de quoi vous voulez parler.

Il s'éloigne de Morris, mais il a le cœur qui lui remonte dans la gorge. Le lendemain matin, il appelle Bob Long, que la nouvelle ne prend pas complètement par surprise. Il sent bien depuis quelque temps que quelque chose ne tourne pas rond. Le micro placé dans le bureau du garage de Lancaster Street n'enregistrait plus que des commentaires enjoués de Bulger sur le bon boulot qu'effectuent les policiers locaux, notamment en patrouillant le Massachusetts Turnpike, l'autoroute la plus fréquentée de l'État. Intox ou coïncidence ?

Long a du mal à décider. Mais plus il y songe, plus une certitude se dessine. Des mois durant, il a planqué avec ses collègues dans une chambre de l'asile de nuit et observé comment Bulger malmenait ses mauvais payeurs ou se vantait devant des gros bonnets de la mafia en visite. Et puis subitement, le lendemain même du jour où ils avaient installé leurs micros dans le garage, Bulger s'était mis à encenser les patrouilles de police sur l'autoroute. Il y avait eu également ce changement brutal de ses habitudes. Il s'était réfugié dans la Chevrolet noire remisée dans l'atelier pour les conversations importantes, délaissant son bureau.

Long s'est d'abord imaginé que Bulger et Flemmi avaient repéré les policiers en planque de l'autre côté de la rue. Mais les allusions de Morris laissent entendre que le problème est beaucoup plus grave que la découverte éventuelle d'une surveillance. Pour Bob Long, le changement d'attitude des voyous ne peut être le fait du hasard : on a affaire à une trahison. L'appel de son inspecteur confirme cette vérité que Long sentait poindre en lui en même temps qu'une rage indicible. Deux questions brûlantes commencent à l'obséder :

Comment John Morris avait-il appris l'existence de la surveillance policière sur le garage ?

Comment Bulger et Flemmi l'avaient-ils apprise eux-mêmes ?

Dès le lundi matin 4 août 1980, la guerre est déclarée. Le plus haut responsable de la police d'État, le lieutenant-colonel John O'Donovan, décroche son téléphone pour exiger des explications de la part de son homologue du Bureau du FBI de Boston à propos de la fuite. Les deux entités ont l'habitude de ce genre de heurts ; la police d'État et le FBI cherchent souvent à tirer chacun la couverture à soi lorsqu'il s'agit de récolter les lauriers dans la lutte contre la criminalité. Mais, cette fois-ci, l'accusation est grave ; c'est la pire dans l'histoire d'une relation déjà compliquée.

Confrontées à une situation explosive, les autorités organisent, comme ils le font toujours dans ces cas-là, une réunion des deux parties. Ce sommet a lieu au *Ramada Inn* de Boston quatre jours seulement après la gaffe de Morris. La crème de la crème des forces de l'ordre y participe : O'Donovan et Long pour la police d'État, des procureurs du comté, des responsables de la police locale, une huile du FBI et Jeremiah O'Sullivan.

O'Donovan intervient au nom de la police d'État. Son regard fait le tour de la salle, et pour surmonter son indignation, il se paie un petit coup de bluff en affirmant que ses micros se sont révélés «particulièrement fructueux» jusqu'à leur découverte. Il révèle qu'il a désormais la certitude que Bulger et Flemmi sont des indics du FBI. Bien sûr, la police d'État n'en possède pas de preuve tangible, mais O'Donovan en a l'intuition depuis une confrontation avec Bulger deux ans auparavant. O'Donovan se souvient d'avoir rendu visite à Bulger au garage de *Marshall Motors*. Un des associés de Bulger du gang de Winter Hill avait menacé un policier de la brigade d'État. L'arme à la ceinture, O'Donovan était passé au garage pour convaincre Bulger qu'il serait idiot de s'en prendre à un flic. Très vite, Bulger rassure le lieutenant-colonel. Pas la peine de s'énerver. Les deux hommes échangent alors des propos plus amicaux, évoquent les problèmes des uns et des autres, et une chose en menant à une autre, ils en viennent à parler du FBI. O'Donovan confie qu'il préfère les anciens inspecteurs du Bureau de Boston, jugeant que les jeunes, à l'image de John Morris, ne connaissent rien à la culture spécifique de la ville. Il avoue ne pas être impressionné par Morris ni par les autres jeunes Turcs.

Deux semaines plus tard, le téléphone sonne dans le bureau de John O'Donovan : c'est John Morris, passablement énervé, qui lui demande pourquoi il a dit du mal du FBI devant Bulger. Pour O'Donovan, les choses sont limpides : soit le FBI a planté un micro dans le garage *Marshall Motors*, soit Bulger est un indic du FBI.

Le coup de téléphone de Morris renforce la méfiance de John O'Donovan envers le responsable du FBI. Pour O'Donovan, le chef du Bureau de Boston est un intrigant, qui se cache derrière une image affable. Autre exemple : il a transmis à Morris une information obtenue par la police d'État à propos d'un fugitif qui figure sur la liste des dix personnes les plus recherchées. Quelques heures plus tard, Morris, entouré de ses agents, se rue à la poursuite du dangereux terroriste et ils le font prisonnier. L'arrestation se fait sans l'aide de la police d'État ; il n'y a qu'une conférence de presse, celle du FBI. O'Donovan et ses policiers sont purement et simplement ignorés.

Ces incidents ne peuvent néanmoins pas justifier le terme de magouilles. Ce ne sont que des exemples troublants, certes, mais qu'un policier chevronné n'oublie jamais. O'Donovan ne les évoque donc pas lors de la réunion au sommet au *Ramada Inn*. Mais il ne mentionne pas non plus le fait que la police d'État, le sergent Long et lui-même ont l'intention de lancer une nouvelle opération contre Bulger et Flemmi durant le mois d'août, malgré leur cuisant échec récent. O'Donovan se contente de revenir sur les détails de la débâcle du garage, et conclut sa tirade en exprimant sa conviction profonde : c'est à cause du FBI que le pot aux roses a été découvert par les deux voyous. Si on lit entre les lignes, tous les participants à la table ronde comprennent le message : la police d'État n'est pas loin d'accuser le FBI du délit grave d'entrave à la justice.

Le FBI ne s'émeut pas. C'est un jeu qu'ils connaissent bien. Le représentant du Bureau, un agent du nom de Weldon Kennedy, l'un des adjoints au chef du Bureau de Boston, écoute avec attention l'intervention de John O'Donovan. Une fois que celui-ci a terminé, Kennedy est peu loquace.

– Nous vous recontacterons, lâche-t-il.

Point final.

À l'issue de la réunion, cependant, le FBI de Boston est en pleine effervescence. Le Bureau soutient d'abord que Morris en est venu à la théorie des écoutes par déduction : ses indics de la mafia de North End avaient détecté de « nouveaux visages » dans le coin, ensuite Morris avait entendu qu'on avait demandé à la police locale de ne pas s'approcher de Lancaster Street. Pour un professionnel comme Morris, il ne faisait aucun doute qu'une enquête était en cours. Il soutient que sa remarque au policier de Boston était bien intentionnée : une simple mise en garde contre des clients aguerris.

Mais O'Donovan et son équipe n'en croient pas un mot. Morris leur cache quelque chose. Au cours des semaines qui suivent la réunion du *Ramada Inn*, ils font clairement comprendre qu'ils rejettent l'explication du FBI.

À son tour, le FBI ajoute de l'huile sur le feu. Il affirme qu'ils ont appris par leurs informateurs que la fuite était à rechercher du côté de la police d'État. La responsabilité de l'échec de l'opération de surveillance du garage en revient donc à O'Donovan et à ses hommes. L'agent qui a sorti cette nouvelle information dérangeante s'appelle John Connolly.

Au siège de la police d'État, les policiers passent en revue les détails de l'opération, à la recherche d'un indice : pourquoi ont-ils échoué ? Pas question d'en rester là, de toute façon, il est trop tôt. Ils connaissent trop bien Bulger et Flemmi.

Ils font profil bas pendant quelques semaines afin de lâcher la bride aux deux voyous. Puis ils repassent à l'action, reprennent les patrouilles sur la piste des gangsters. Le travail s'avère difficile à cause de la débâcle du garage. Bulger est malin, difficile à cerner. Au volant de sa Chevrolet, il déjoue tous les pièges pour le suivre. Devant un feu tricolore qui passe à l'orange, il accélère subitement et franchit le carrefour. Parfois, il passe tout simplement au rouge. Il descend une avenue et effectue sans prévenir un demi-tour, reprenant la circulation dans l'autre sens. Parfois, il emprunte un sens interdit, Southie en compte des dizaines et il les connaît tous. C'est un vieux routier de South Boston, il zigzague dans son labyrinthe familier plutôt que de se rendre directement là où il veut aller.

Mais il en faudrait plus aux policiers. Ils finissent par le repérer régulièrement. Un peu avant la Fête du travail, début septembre, Long, Fraelick et O'Malley parviennent à établir la nouvelle routine quotidienne de Bulger et Flemmi. Celle-ci comprend une rangée de téléphones publics située près d'un restaurant de la chaîne *Howard Johnson*, surnommée *HoJo*, à une sortie du Southeast Expressway.

C'est Nicky Femia qui se pointe le premier ; il fait le tour du parking du restaurant avant de garer sa voiture. D'une démarche nonchalante, il se dirige vers les téléphones, jette un coup d'œil autour de lui, glisse une pièce dans un appareil, décroche et passe un coup de fil. Quelques minutes plus tard, la Chevrolet noire déboule, Bulger et Flemmi en descendent. Ils inspectent les alentours avant de passer quelques coups de téléphone, chacun devant un appareil. Ils conversent avec force gestes, gardant les yeux sans cesse en mouvement pour surveiller le parking et les rares voitures qui stationnent. Une fois qu'ils ont raccroché, ils reprennent la route. Les policiers, s'ils y parviennent, les suivent en direction de Southie ou de North End, où ils ont rendez-vous avec les membres de la pègre qu'ils avaient l'habitude de rencontrer dans l'atelier et le bureau du garage de Lancaster Street.

Jusque-là, l'enquête s'est cantonnée aux prêts usuraires et aux jeux d'argent, mais les policiers ont commencé à soupçonner une implication dans l'univers de la drogue. Ils ignorent encore le rôle que pourrait jouer un personnage nouveau dans le paysage, un certain Frank Lepere. Il existe parmi leurs fiches un certain nombre de suspects qu'ils ont repérés sous l'appellation vague de «homme, type européen, inconnu». Lorsqu'ils montrent une de ces photos à des témoins, les policiers apprennent qu'il s'agit de Lepere, un ancien habitué du gang de Winter Hill, qui s'est recyclé dans le trafic de marijuana avec Kevin Dailey, de South Boston. Lepere avait été remarqué à Lancaster Street portant une mallette; en y réfléchissant, Long et ses co-équipiers se rendent compte «qu'elle ne contenait sûrement pas que des barres chocolatées.» Le lendemain de la Fête du Travail, les policiers suivent Bulger et Flemmi dès qu'ils quittent les cabines téléphoniques vers South Boston où les deux malfrats rencontrent Kevin Daley. Cette fois, c'est Flemmi qui porte une mallette. Le rendez-vous se prolonge près d'une heure sur le parking d'une station-service fermée, en face de l'usine *Gillette,* le long du Fort Point Channel. Le vendredi 5 septembre au restaurant *Howard Johnson,* Femia attire l'attention des policiers: il a glissé un petit calibre automatique dans sa poche avant de se plonger dans la contemplation du bleu de son Malibu. Bulger et Flemmi le rejoignent à la table, et bientôt une Mercedes 450SL entre dans le parking. Au volant, on reconnaît Mickey Caruana; à quarante et un ans, c'est probablement le trafiquant de drogue le plus important de Nouvelle-Angleterre. Caruana est le pivot central de la mafia dans le monde de la drogue, un flambeur extravagant qui ne dépend que de Raymond Patriarca, le parrain de la mafia de Nouvelle-Angleterre basé à Providence. En 1983, il sera contraint de fuir pour échapper à un mandat d'arrêt fédéral pour trafic de drogue, un trafic qui lui aurait rapporté 7,7 millions de dollars entre 1978 et 1981. Bulger et Flemmi accueillent Caruana. Femia monte la garde tandis que les trois hommes pénètrent dans la salle de restaurant. Le rendez-vous dure une heure et demie; en sortant, Bulger et Caruana se donnent une poignée de mains chaleureuse avant de se séparer.

Les policiers flairent un gros coup. Un nouveau rendez-vous a lieu avec Kevin Dailey à Southie, puis une nouvelle rencontre avec Larry Zannino de la mafia, qui débarque sur le parking du restaurant *HoJo* à bord de sa belle Continentale bleue. Comparée à l'asile de nuit, la nouvelle planque des policiers est luxueuse. Ils se sont installés dans une chambre du 14e étage de *HoJo* qui domine les cabines téléphoniques, parfaitement située pour photographier et filmer les allées et venues de Bulger.

Ayant rassemblé toutes leurs informations, ils se rendent une nouvelle fois chez le juge. Le 15 septembre, le juge Barton approuve leur requête pour la pose d'écoutes électroniques afin d'enregistrer les conversations de Bulger. Les policiers placent des micros dans les cinq cabines téléphoniques. La pose s'effectue deux jours plus tard, le mercredi, en pleine nuit.

Mais le piège ne fonctionne pas comme prévu. Les policiers ont repris position dans leur chambre d'hôtel dès le jour suivant ; impatients, excités, optimistes, ils attendent que leurs cibles se manifestent à l'heure habituelle, en début d'après-midi. Mais rien ne se passe à 13h. 14h, rien. 15h, toujours personne en vue. Les heures passent, pas de Bulger ni de Flemmi. Ils ne se montrent pas non plus le jour suivant ni le surlendemain. Une fois de plus, Bulger a disparu de la surface de la planète.

En planque près de la fenêtre, les policiers sont maussades et ne savent plus quoi faire pour passer le temps. L'autorisation d'écoutes du juge doit prendre fin le 11 octobre, mais Bulger ne reviendra jamais. Ils auraient pu hurler, s'arracher les cheveux, se taper la tête contre les murs, mais ils ne le font pas. Ils ne cèdent pas à la fureur. Mais ils ne cessent de ruminer, de se poser des questions, sans oser encore formuler de réponses. Qu'est-ce qui ne fonctionne pas ?

Peut-être étaient-ils trop optimistes, ou trop entêtés, trop fous pour réussir un coup pareil ? En tout cas, Long et son équipe passent en revue la masse d'informations qu'ils ont collectée contre Bulger et Flemmi ; en dépit de ce revers cuisant, ils décident de tenter une troisième et dernière opération. Tous ressentent la nécessité d'aboutir à un résultat dans cette affaire, quelque chose de tangible qui puisse déboucher sur un procès ; voilà plus de six mois qu'ils consacrent toute leur énergie et leurs ressources à cette enquête. Ils ne font pas preuve non plus de naïveté : ils savent qu'après chacun des échecs, les chances de réussir s'amenuisent. Bulger et Flemmi sont en alerte maximum. Mais Long et son équipe sont motivés, déterminés à miser leur dernier dollar sur une ultime tentative pour coincer les deux voyous.

– On ne donnait pas cher de notre chance de succès, se souviendra Long, mais on se disait : et puis merde allons-y, bon sang ! Si ça ne marche pas, on remballe et on passe à autre chose.

Leur nouvelle cible, c'est la Chevrolet noire ; installer un micro dans la voiture s'avère un défi impossible, mais si ça marche… Les policiers ont fait fuir Bulger du garage de Lancaster Street puis des cabines téléphoniques devant *HoJo*. Ils s'aperçoivent par le biais des surveillances que Bulger gère désormais ses affaires à partir de sa voiture. Ils laissent passer quelques semaines afin que Bulger et Flemmi relâchent leur vigilance, puis reprennent leur surveillance fin 1980 pour constater que les deux voyous continuent de faire de la Chevrolet leur quartier général.

Bulger a adopté de nouvelles habitudes ; il se rend à North End en début d'après-midi et gare sa voiture devant le restaurant *Giro*. Celui-ci est situé sur une des artères les plus passantes du quartier, Commercial Street, à quelques blocs seulement du siège d'Angiulo, 98 Prince Street. *Giro*, tout comme le garage, est un centre névralgique de la pègre. En début d'après-midi, des flopées de gangsters se croisent devant la porte du restaurant. Parfois, Bulger et Flemmi y font leur entrée, s'asseyent à une table pour bavarder avec diverses personnalités connues de la police, mais ils passent la majeure partie de leur temps à l'intérieur de leur voiture, où ils tiennent salon avec des voyous notoires de tout crin. Ils parlent business, puis les portières s'ouvrent pour laisser descendre les invités.

Que les policiers attachés aux basques de Bulger et Flemmi n'aient jamais croisé le FBI relève d'un petit miracle. La police d'État l'ignore à l'époque, évidemment, mais le FBI est en train de mettre la dernière main à un plan complexe visant à placer des écoutes à l'intérieur du 98 Prince Street. C'est John Morris, qui dirige toujours la Brigade contre le crime organisé, qui est en charge de l'opération contre les Angiulo, baptisée « Bostar », assisté de l'inspecteur Edward Quinn. John Connolly ainsi que plus d'une dizaine d'agents font également partie de ce team ultra-secret.

L'avocate de la Brigade, Wendy Collins, a déjà rédigé vers l'automne 1980 plusieurs projets de requête à soumettre à l'approbation du juge fédéral, conformément à la loi, et autorisant le FBI à pénétrer au 98 Prince Street pour y placer des écoutes. Même si Bulger et Flemmi sont les indics les plus choyés de Connolly, ils n'ont pas été cités dans les arguments nécessaires à la rédaction de la requête de Wendy Collins. Le FBI a utilisé à la place les informations d'autres indics, tous joueurs et prêteurs usuraires qui, à la différence de Bulger et Flemmi, rencontrent régulièrement Angiulo dans son repaire de Prince Street.

Bien sûr, Bulger a déjà évoqué la mafia dans ses rendez-vous clandestins avec Connolly. Mais il avait plutôt mentionné dans ses rapports des ragots sans véritable importance sur l'organisation criminelle. Au début de 1980, par exemple, il avait parlé d'une bagarre lors d'une réception de mariage de la mafia ; un jeune excité avait apparemment commis l'erreur impardonnable de s'être foutu de Larry Zanninoé. Immédiatement, quelques porte-flingues de Zannino s'étaient rués sur le jeune, qui s'en était tiré de justesse, avec «de multiples lacérations et deux ou trois os brisés». Bulger avait aussi parlé à Connolly de Nick Giso, le contact quotidien de Bulger du temps du garage de Lancaster Street puis du restaurant *Giro*. D'après Bulger, la mafia était «très remontée contre Giso, parce qu'il sniffe trop de coke». Il faut mentionner à sa décharge que Bulger fournissait également des tuyaux sur les activités des trafiquants de drogue, Caruana, Lepere et Dailey.

– Mickey Caruana et Frank Lepere sont derrière la grosse livraison qui vient d'être saisie dans le Maine, avait avoué Bulger à Connolly en avril.

Le gangster avait même donné le numéro de téléphone de Caruana à son agent traitant. Mais il s'était bien gardé de révéler à Connolly l'étendue de son implication de plus en plus étroite dans le réseau des trafiquants de marijuana et de cocaïne.

Le restaurant *Giro* permettait à Bulger et Flemmi de côtoyer la crème de la crème des associés mafieux de Gennaro Angiulo : Zannino, Danny Angiulo, Nicky Giso, Domenic Isabella, Ralph «Ralphie Chong» Lamattina, Vincent «Fat Vinnie» Roberto, sans parler d'un défilé constant de bookmakers et de prêteurs usuraires. Au mois de mars, armés d'une déclaration écrite sous serment de 102 pages rédigée par Rick Fraelick, accompagnée de photos issues de la surveillance de Bulger et de ses contacts avec la mafia, les policiers se rendent de nouveau devant le juge.

Le juge John T. Ronan de la cour supérieure donne son feu vert à cette troisième tentative de surveillance électronique le 19 mars 1981 ; ils ont désormais cinq jours pour placer un micro à bord de la Chevrolet. Mais cinq jours plus tard, les policiers entrent de nouveau dans le bureau du juge :

ils demandent un délai de cinq jours supplémentaires car ils n'ont pas réussi à s'approcher de la voiture assez longtemps pour installer leur microémetteur d'un watt et sa balise de localisation. C'est Flemmi qui garde la voiture la nuit, soit à Milton soit à Brookline, dans le petit immeuble de Longwood Towers. Impossible d'agir dans les deux cas. À Milton, chaque fois que les policiers s'approchaient de la voiture dans le noir, le chien de Flemmi se déchaînait. À Longwood Towers, le technicien de la police d'État avait réussi à s'introduire dans la voiture, mais l'alarme à retardement du véhicule s'était déclenchée. Fraelick avait eu juste le temps de jeter une couverture sur la caméra de sécurité, d'attraper le technicien et de prendre la fuite avant l'irruption du gardien puis de Flemmi lui-même.

Le juge donne son approbation pour un nouveau délai ; les policiers, qui commencent à perdre espoir, mettent au point un nouveau plan d'attaque : ils vont stopper Flemmi pour une prétendue infraction de circulation, vérifier son numéro d'immatriculation et annoncer à Flemmi qu'il s'agit d'un véhicule volé. Ils vont ensuite remorquer la Chevrolet jusqu'à la fourrière. C'est là qu'ils pourront installer le micro avant que Flemmi ne récupère sa voiture.

Un après-midi, un policier, Billy Gorman, fait donc signe à Flemmi de se ranger le long du trottoir alors que la Chevrolet aborde un carrefour à Roxbury. Long et ses coéquipiers se sont dissimulés à proximité, ils observent et écoutent la radio de la voiture de patrouille. Gorman a été choisi soigneusement pour l'opération : c'est un flegmatique, il ne risque pas de se laisser démonter si le ton monte avec le gangster, dont on connaît les réactions violentes.

Flemmi se range derrière la voiture de patrouille dont toutes les lumières bleues clignotent. Le policier sort et Flemmi fait de même. Ils se dirigent l'un vers l'autre sur le trottoir. C'est le policier qui dégaine le premier :

— Vous n'avez pas vu la personne âgée qui traversait ? Vous avez failli la renverser.

À aucun moment durant les longs mois de planque les policiers n'avaient pu entendre la voix d'une de leurs cibles principales. Les premiers mots de Flemmi ne les étonnent pourtant pas :

— Putain ! C'est quoi ce bordel ?

Flemmi n'est pas un citoyen lambda, il ne se laisse pas impressionner par un uniforme de police ni même un badge. En moins d'une seconde, il passe du calme à l'hystérie.

— Vous savez à qui vous avez affaire, pauvre connard ? C'est du harcèlement !

Sans se démonter, Gorman demande à voir son permis de conduire et les papiers de la voiture.

— Je les ai pas, ces putain de papiers, hurle Flemmi. C'est des plaques de concessionnaire, t'es aveugle ou quoi ?

Le policier lui fait remarquer calmement qu'il devrait pourtant avoir une carte grise.

— Je vais devoir vérifier dans le fichier central, veuillez patienter.

Gorman retourne à la voiture de patrouille tandis que Flemmi s'engouffre dans une épicerie à proximité pour une série de coups de téléphone.

Gorman communique avec Long par radio. On fait appel au fourgon de la fourrière. L'équipe attendait dans le parking abandonné de l'ancien hôpital Mattapan. Flemmi sort de l'épicerie et Gorman lui explique que sa voiture est un véhicule volé. Gorman et Long communiquent sur la radio devant Flemmi et Long annonce : « Je vous informe que ce véhicule a été volé dans le comté de Nassau, dans l'État de New York, en juillet 1979. »

— Votre véhicule va être remorqué jusqu'à la fourrière, déclare Gorman à Flemmi.

Flemmi est au bord de l'apoplexie ; la phrase qu'il prononce alors retourne l'estomac de chacun des policiers qui l'entendent.

— Tu vas dire à cet enfoiré d'O'Donovan que s'il a l'intention de foutre un putain de micro dans ma tire, tant pis pour lui, je m'en servirai pour enfoncer les portes de votre putain de 1010.

« O'Donovan », c'est sans aucun doute le lieutenant-colonel John O'Donovan, le supérieur de John Long, et « 1010 » fait référence au siège de la police d'État. Flemmi ne se trompe pas.

Rideau !

Flemmi retourne dans l'épicerie. On remorque la Chevrolet noire, mais avant même qu'elle ne parvienne sur le parking derrière l'hôpital, l'avocat de Flemmi appelle O'Donovan, hors de lui, à propos de la saisie de la voiture de son client.

— Un geste totalement aberrant !

Le commandant de la police d'État reste de marbre et ne cède pas, affirmant qu'il s'agit d'un véhicule volé. Mais les policiers ont compris qu'il était inutile de s'entêter. Long interdit à ses équipiers de poser le micro.

– Ne donnons pas à Bulger et Flemmi la satisfaction de désosser leur propre voiture et de tomber sur ce truc. Laissons-les se poser des questions, ils deviendront peut-être paranos.

Maigre consolation pour les policiers. Ils avaient sorti la cavalerie et récoltaient une déroute monumentale. Malgré les mois de surveillance acharnée, malgré la masse d'informations, ils n'avaient réussi à coincer ni Bulger ni Flemmi. Certes, ils ont bien repéré les liens étroits entre les deux malfrats et la mafia de Boston, mais ils n'ont rien de tangible à présenter devant un tribunal. À chaque étape du parcours, ils ont été distancés. Néanmoins, malgré l'échec cruel, la police d'État a déclenché, sans qu'ils s'en soient aperçus, une crise interne monumentale au sein du FBI, une crise qui, plus que toutes les autres au fil de la longue histoire du Bureau avec Bulger et Flemmi, posait désormais une menace inédite au pacte secret dont jouissaient Connolly et Morris avec les deux gangsters.

Chapitre Sept

Trahison

Qui était responsable de l'incroyable entorse au règlement de la mise sur écoutes potentiellement désastreuse de Bulger et Flemmi par la police d'État ? Sans aucun doute le FBI, et un de ses inspecteurs en particulier.

– C'est la faute de John Connolly, admettra Flemmi plus tard.

Connolly n'était pas le seul à veiller sur Whitey Bulger comme un aigle parmi les loups.

– Morris, ajoute Flemmi, nous a également passé le tuyau.

Le superviseur avait confié à Bulger qu'un autre inspecteur était venu lui demander des informations sur le parcours des deux gangsters. En réfléchissant, Morris en avait conclu que la demande entrait dans le cadre d'une opération d'une autre agence qui s'apprêtait à planter des micros.

En vérité, avant même le tuyau de Connolly et Morris, Flemmi avait reçu les confidences d'un bookmaker avec qui Bulger et lui travaillaient, les mettant en garde contre d'éventuelles écoutes. Ce bookmaker affirmait tenir cette information d'un agent de la police d'État. Flemmi était le premier à reconnaître que l'information n'était pas fiable, puisque issue du milieu, surtout si on la comparait à la confirmation indubitable fournie bientôt par Connolly.

– Son boulot, c'était de nous protéger, soutiendra toujours Flemmi en parlant de Connolly.

Il faudra attendre des années avant que John Connolly ne reconnaisse avoir averti Bulger et Flemmi, mais sa version l'exempte en partie : il affirmera qu'O'Sullivan lui avait demandé d'alerter ses indics. Devant la cour, Flemmi témoignera en faveur de Connolly :

– C'est Jeremiah O'Sullivan qui a prévenu Connolly… On était écoutés à Lancaster Street, il voulait qu'on le sache.

Dans le camp d'O'Sullivan, on rejette en bloc la version de Connolly ; tout à fait improbable compte tenu de la passion que met le procureur à enfermer les gangsters derrière les barreaux, ou de son enthousiasme pour les opérations de la police d'État lorsqu'il rencontre leurs inspecteurs. Le témoignage de Flemmi tente seulement de protéger l'inspecteur qui l'a protégé pendant toutes ces années. Si l'on en croit la police d'État, le scénario le plus vraisemblable, c'est qu'O'Sullivan a pu mettre Connolly dans la confidence par simple courtoisie professionnelle, n'ignorant pas que Bulger et Flemmi étaient les indics de Connolly au sein du Bureau de Boston, et que Connolly avait ensuite trahi la confiance du procureur. Il faut dire que les soupçons de duplicité qu'entretient depuis longtemps la police d'État à l'égard du FBI se renforcent lorsqu'un des agents chargé de sa surveillance repère Bulger en grande conversation avec Connolly dans une voiture à South Boston. Peu importent d'ailleurs les détails, le fait est que Morris et Connolly avaient averti Bulger et Flemmi ; les fuites du FBI avaient fait capoter les tentatives d'une autre agence de police pour coincer le gang des Irlandais de Boston.

Parmi ces tentatives pour étouffer l'affaire Morris-Connolly, il existe pourtant une lueur d'espoir. O'Donovan a trouvé un allié non négligeable en la personne du nouveau patron du FBI de Boston, un agent secret en charge du dossier, Lawrence Sarhatt, qui refuse les protestations d'innocence de Morris. Il n'arrive pas à y croire ; plus il réfléchit au problème, plus une question, beaucoup plus menaçante, s'impose à lui. Sarhatt se demande si Bulger ne pose pas un problème plus grave que ce qu'il rapporte en informations. Le gangster de South Boston n'est-il pas trop proche de ses agents traitants du FBI ? Il y a la question de la fuite mais, selon lui, il faut percer l'abcès. Il commence donc à poser à Morris et Connolly la question de la « pertinence » du statut de Bulger. Ce nouveau coup de projecteur inquisiteur augmente la pression sur Connolly et sur le pacte déjà menacé établi cinq ans plus tôt.

Le dossier brûlant atterrit sur le bureau de Morris au mauvais moment. Son mariage vient de s'effondrer. Il y a eu l'impair commis avec l'agent lors de cette réception mémorable et le coup de fil malheureux à O'Donovan qui a failli lui coûter très cher. Au bureau, il est débordé : il coordonne la stratégie visant à obtenir l'approbation du juge fédéral pour la surveillance électronique du bureau de Gennaro Angiulo, 98 Prince Street. Il supervise également un programme de sanctions pour la brigade de Boston, qui ne cesse de recruter. Et voilà Sarhatt qui remet en question la pierre angulaire de la Brigade contre le crime organisé, le flux d'informations en provenance de Bulger et Flemmi. Pour couronner le tout, Morris s'aperçoit qu'il est en train de perdre son ascendant sur le franc-tireur de son équipe, John Connolly, dont la ruse et les relations troubles sont bien connues.

Connolly avait été ulcéré lorsqu'il avait eu vent de la bévue de Morris lors de la réception. Morris avait bien tenté de s'en expliquer avec Connolly. Durant l'enquête sur la fuite, Morris avait évité de mentionner dans ses rapports que Connolly connaissait l'existence des écoutes bien avant l'esclandre de cette fameuse réception. Morris n'avait pas non plus fait figurer le nom de Connolly sur la liste des agents au sein du FBI soupçonnés d'être à l'origine de la fuite. Mais Connolly continuait pourtant à exercer son influence sur Morris, usant de son imposante personnalité pour faire de plus en plus pression sur un supérieur pour le moins introverti.

– J'aurais dû dire non à Connolly, avouera Morris. Mais je ne voulais pas me le mettre à dos.

Il vient juste d'éviter une tempête dont il assume la responsabilité, et il craint un retour de bâton à cause des relations politiques qu'entretient Connolly avec le remuant Billy Bulger, sans parler de la fraternité de South Boston qui lie Connolly à l'imprévisible Whitey.

Vers la fin de 1980, tandis que l'enquête interne du FBI sur la fuite glisse de plus en plus vers une réévaluation de la véritable dangerosité de Bulger, Morris se rallie peu à peu à l'attitude de Connolly, qui estime que le défi auquel ils font face se résume désormais en un classique de la pensée de South Boston : une lutte à mort entre eux et les autres. Afin de calmer les inquiétudes de Sarhatt, il faut que Morris et Connolly parviennent à le convaincre que c'est par pure jalousie que la police d'État cherche à torpiller la très précieuse collaboration du FBI avec Bulger et Flemmi. Il faut reconnaître le potentiel inestimable de Bulger, en persuader tous les échelons de la hiérarchie du

FBI et fermer les yeux sur ses activités criminelles. Ils définissent ainsi leur stratégie face à Sarhatt.

Le nouveau patron du Bureau de Boston se rend compte rapidement que l'atmosphère turbulente de la ville contraste terriblement avec la torpeur reposante de Knoxville, dans le Tennessee, son dernier poste. En vingt-cinq ans de carrière, il ne s'est jamais trouvé devant un tel panier de crabes. Il est néanmoins déterminé à aller au fond des choses. Pour commencer, il est pratiquement le seul au sein du Bureau à considérer que le chef de la police d'État, O'Donovan, joue franc-jeu et qu'il est confronté à un réel problème. Poussé par O'Donovan, Sarhatt exige des réponses plus rationnelles de la part de Morris et n'obtient que des banalités évasives. Les réunions internes, les notes de service tronquées se succèdent, mais rien ne bouge ; Sarhatt élève le ton : il faut rompre avec Bulger.

Si la police d'État connaissait les liens du FBI avec Bulger, s'inquiète-t-il, alors les autres participants autour de la table du *Ramada Inn* les connaissaient tout autant. Et si tous les responsables des diverses agences chargées de la police sont désormais au courant, cela signifie que cette information ultra-secrète va se répandre dans toute la communauté du crime organisé. La véritable inquiétude de Sarhatt, c'est que, si le milieu est au courant, un contrat soit placé sur la tête de Bulger : s'il est abattu, son sang rejaillira sur tout le monde. Mais Sarhatt se demande également si les informations fournies par Bulger sont vraiment utiles. Il nourrit donc une pensée qui semble absurde : faire taire Bulger.

Morris et Connolly croient tenir la parade : faire participer Bulger et Flemmi à l'affaire la plus retentissante que connaîtrait le Bureau de Boston du FBI, planter des micros au cœur du siège d'Angiulo. Un plan génial dans lequel Morris est en position de force, distribuant les rôles des deux côtés de la barrière pour son propre compte, sans perturber les opérations de la Brigade contre le crime organisé.

Obtenir l'approbation d'un juge pour placer des écoutes nécessite de contourner certaines règles légales, qui visent toutes à fournir à la cour des informations détaillées sur le lieu précis ciblé par le FBI pour cette grave entorse à la vie privée. Le FBI, en conjonction avec des procureurs du bureau de Jeremiah O'Sullivan, doit prouver à la cour qu'il possède un motif probable pour la mise sur écoutes du mafioso, qui bénéficie comme tous les citoyens de la protection de la Constitution. En d'autres termes, le FBI doit prouver que les Angiulo utilisent le bureau comme base de leurs activités et qu'ils y commettent de graves délits.

Pour prouver que Gennaro Angiulo gère ses multiples rackets depuis le 98 Prince Street, Morris s'appuie sur les informations de ses divers indics qui se rendent souvent à cette adresse. Le témoignage de ces cinq ou six indics, des joueurs et des bookmakers qui fréquentent Prince Street pour leur business illégal, fournissent à la Brigade une masse impressionnante d'informations. La plupart se confient à Connolly mais l'un d'entre eux, le meilleur, est traité régulièrement par Morris. Il s'agit d'un bookmaker bien établi à Chelsea, une ville au nord de Boston ; son sens des affaires est très apprécié d'Angiulo.

Pour sa part, Whitey a très rarement, sinon jamais, pénétré dans l'enceinte du 98 Prince Street. La mafia se méfie du rusé gangster. C'est un Irlandais, et il se réserve les bénéfices de South Boston sans partage. Quant à Flemmi, c'est un chouchou de la mafia, depuis toujours.

D'origine italienne, il a toujours eu une réputation de brutalité lorsqu'il s'agit de corriger les mauvais payeurs du North End. Pourtant, Flemmi lui-même n'a eu accès au bureau d'Angiulo que trois ou quatre fois dans sa vie.

À l'automne 1980, un procureur fédéral nommé pour assister le FBI met la dernière main à la requête du gouvernement pour une surveillance électronique, connue sous le nom de « Requête T3 ». Avec un luxe de détails, cette requête inclut les rapports rédigés par Morris à partir des informations des agents et de leurs indics. Ils ne font aucune mention de Bulger ni de Flemmi.

Morris et Connolly doivent impérativement tourner Prince Street à leur avantage et le T3, maintenant dans la dernière phase de rédaction, n'est pas encore complet. Il est encore temps pour Morris et Connolly de s'activer durant les derniers jours frénétiques qui précèdent sa présentation devant le juge. Leur plan consiste à accorder à Bulger et Flemmi le crédit du 98 Prince Street.

Pour Morris, il s'agit avant tout de s'occuper de la paperasse. Depuis l'enquête sur les courses truquées, Flemmi est rayé de la liste des informateurs. Morris avait remis Bulger sur la liste en 1979, mais Flemmi avait été oublié. Flemmi ignore qu'il a disparu de la liste et continue de fournir des informations à Connolly comme si de rien n'était ; il s'agit donc de le réintégrer sur la liste afin qu'il figure dans le T3 de Prince Street. Morris rédige un télex au siège du FBI à Washington : Flemmi se voit attribuer un nouveau nom de code, « Shogun », qui désignait dans l'ancien Japon les puissants gouverneurs militaires qui outrepassaient les pouvoirs de l'empereur régnant.

Un tête-à-tête est ensuite organisé entre Morris et Sarhatt, le 10 octobre. Le patron du Bureau de Boston annonce tout de go à Morris qu'il songe à se passer des services de Bulger. Face à ce projet alarmant, Morris et Connolly redoublent d'initiative. Ils convoquent une réunion secrète extraordinaire le soir même au domicile de Bulger à Quincy. Ils expliquent la crise qui s'annonce devant leurs informateurs. Les deux agents affirment ensuite qu'ils ont l'intention d'ajouter Bulger et Flemmi au dossier T3 en qualité d'informateurs secrets, ceux-ci étant à l'origine des informations concernant le 98 Prince Street.

Pour enfoncer le clou et convaincre Sarhatt de la valeur inestimable de Bulger, Morris et Connolly ont concocté un argument irréfutable : les deux malfrats doivent être vus à l'intérieur du 98 Prince Street. Flemmi lui, n'a aucun problème pour s'introduire dans la place. Désormais Bulger l'accompagnera, ainsi les agents du FBI pourront lui donner le beau rôle. Un plan de rêve : on fait revivre Bulger pour couler Angiulo. Une fois le plan réalisé, Sarhatt ne pourrait plus s'opposer aux deux agents, à moins de mettre sur la touche les collaborateurs qui avaient aidé le FBI à atteindre le Graal : coincer à jamais le *capo* de la mafia de Boston.

Il reste un obstacle à surmonter dans ce plan machiavélique : le trac qui paralyse Bulger et Flemmi. Le simple bon sens des deux voyous leur dicte que le moindre micro placé dans le bureau d'Angiulo fournira toutes les preuves de leur propre implication dans les jeux clandestins et les prêts usuraires aux côtés d'Angiulo, peut-être même dans certains meurtres commis dans le passé par Flemmi. Celui-ci affirmera plus tard qu'ils avaient fait pression sur Morris et Connolly pour qu'ils soient exemptés des crimes qui pourraient être révélés par les écoutes au 98 Prince Street. Selon Stevie Flemmi, les deux agents « les avaient assurés qu'ils n'auraient aucun problème et qu'ils ne devaient pas s'en faire. » À de nombreuses reprises, le FBI leur avait spécifié que le Bureau fermerait les yeux sur tous les délits, sauf pour les meurtres.

Rassuré, Bulger écarte aussi les assertions de la police d'État selon lesquelles un contrat a été mis sur sa tête. Non, il n'est pas en danger :

les seuls gangsters capables de l'abattre sont ceux qui ne croiraient jamais qu'il renseignait le FBI, c'est-à-dire la mafia de Boston elle-même. Il affirme que sa seule crainte, c'est que l'apparente faiblesse de Winter Hill – l'incarcération de certains de ses chefs – ne pousse Angiulo à «passer à l'action» contre lui pour regagner son territoire et son autorité perdue. La police? Elle n'entre même pas en ligne de compte.

Au sein du FBI, Connolly et Bulger forment un duo exemplaire; ils collaborent sur une note interne extraordinaire qui réduit Connolly au rôle de porte-voix d'un Bulger déchaîné. Cette note de service se transforme en une véritable attaque politique: Bulger estime que la police d'État fait partie d'un complot qui vise à déstabiliser son frère Billy. C'est une version modérée du FBI si on la compare à un éditorial du *South Boston Tribune* qui s'en prend violemment à des «étrangers» venus de l'autre côté du Fort Point Channel. Une fois de plus, c'est «South Boston-contre-le reste du monde».

Argument supplémentaire, la note de service spécifie que selon Whitey les policiers veulent rendre Connolly responsable de leur échec retentissant au garage de Lancaster Street. Il n'y a qu'à considérer qui est impliqué, exhortent Bulger et Connolly: quelques-uns des policiers qui avaient travaillé pour le procureur du comté de Norfolk, William Delahunt. Ils n'ont qu'une idée en tête, se venger des succès obtenus récemment par Connolly en enquêtant sur leur indic meurtrier, Myles Connor, celui qui avait dénoncé d'autres personnes pour les meurtres qu'il avait lui-même commis.

Le tandem Bulger-Connolly n'hésite pas à affirmer qu'il faut chercher le complot à l'intérieur même, au siège de la législature de l'État. La note de service soutient en effet que Delahunt, flanqué d'un allié politique, le ministre de la Justice de l'État Francis Bellotti, voulaient prendre leur revanche sur Billy Bulger. Celui-ci a contribué à repousser une loi qui aurait permis à Bellotti d'utiliser pour son compte personnel 800 000 $ de fonds de campagne. Whitey en profite pour protester: la police d'État répand la rumeur que Connolly lui a passé des informations par l'intermédiaire de Billy.

Le mémorandum de Connolly cite une maxime célèbre qui a cours à South Boston: il faut toujours répliquer quand on est attaqué par des étrangers. Mais le stratagème se retourne contre Connolly. Sarhatt voit débarquer sur son bureau une polémique en grande partie fabriquée, une note de service étrange rédigée par un inspecteur arrogant au nom d'un informateur patenté, un ramassis de divagations sans fondement sur de soi-disant ennemis politiques cherchant à se venger. Du point de vue de Sarhatt, ça ne peut que renforcer et même décupler ses craintes.

Une fois que Bulger a déchargé sa bile, il s'attelle à fournir des informations au FBI sur Prince Street. Certes, ce ne sont pas des tuyaux de premier ordre, mais peu importe. C'est de la matière que l'on peut monter en épingle et inclure dans des rapports. Ça fera illusion.

Fin novembre, une journée froide d'automne, Bulger et Flemmi se présentent au 98, une visite arrangée par ce dernier. Ils bavardent avec Danny Angiulo, Jerry n'est pas présent. Danny évoque la mauvaise saison des paris sur le foot américain, et ils parlent aussi de Vincent «La Bête» Ferrara, un petit jeune qui monte dans la mafia, et du fait qu'il a accepté de récupérer une dette de blackjack de 65 000 $ que Billy Settipane devait rembourser à Larry Zannino.

Dans des notes ultérieures, la mission est qualifiée de vitale dans l'opération contre Angiulo, mais rien de tel dans le premier mémorandum de Connolly. Celui-ci va jusqu'à affirmer que c'est Flemmi et non Bulger qui a transmis l'information sur la mission de Ferrara pour Zannino. Quelques mois plus tard, cependant, lorsque Connolly évoque la visite totalement fabriquée au 98 Prince Street dans des rapports plus conséquents sur les contributions de Bulger, il soutient que Bulger avait fourni des détails sur cette affaire, sans aller jusqu'à préciser la nature de ces informations. Morris, entre autres, témoignera plus tard que Bulger et Flemmi avaient effectué une visite de reconnaissance du système de sécurité d'Angiulo, Flemmi ayant même fait un croquis du bureau pour les inspecteurs.

À vrai dire, les deux indics n'avaient déclaré aux inspecteurs que ce que ceux-ci savaient déjà, l'emplacement des fenêtres, des portes, l'absence de toute alarme visible. Morris admettra d'ailleurs que la visite avait été utile mais pas nécessaire pour obtenir l'approbation du juge en vue de placer l'endroit sur écoutes. Mais sur le moment, c'était suffisant pour que Bulger et Flemmi figurent dans l'épais dossier de requête T3.

Morris et Connolly ont beau pousser l'argument du 98 Prince Street, du point de vue de Sarhatt ce n'est pas suffisant : il exige une réunion au sommet, un face-à-face avec Bulger pour s'assurer qu'il a raison de vouloir s'en passer.

Connolly a recours à un de ses contacts pour réserver immédiatement une chambre au *Logan Airport Hotel*.

Si une telle rencontre présente des risques, le patron des gangsters de South Boston arrive seul, la tête haute, en toute décontraction. Flanqué de chaque côté par ses agents traitants du FBI, Bulger est sans doute le plus à l'aise des quatre. Il s'assied en face de Sarhatt dans un des fauteuils minables de la chambre, croise les mains derrière la tête et pose ses bottes de cow-boy sur la petite table qui les sépare. Durant quatre heures, il va parler de sa relation avec le FBI, de sa vie mouvementée de voyou.

Bulger s'affirme un vrai pilier du FBI, à l'ancienne. En fait, sa famille a toujours admiré le Bureau, et cela remonte à 1956, à la gentillesse dont un certain agent, Paul Rico, avait fait preuve à leur égard. Rico, c'est l'ancien agent traitant de Flemmi. À l'époque, il s'était rendu chez les Bulger, à Southie ; Whitey venait d'être arrêté pour un hold-up, et Rico avait calmé et rassuré la famille. Une expérience qui avait transformé Bulger, il l'admet devant Sarhatt avec les accents de sincérité les plus convaincants. Depuis, il ne ressent plus «la haine pour tous les flics». Il lance quelques fleurs au passage à Connolly, affirme que son affinité avec le FBI avait été scellée par les «sentiments» qu'il éprouve à l'égard de son agent traitant.

Il envoie quelques coups de griffe en direction de la police d'État, mais il assure Sarhatt que même s'ils sont au courant de son rôle d'informateur, il ne craint pas pour sa vie. Il répète que pas un petit malin n'irait croire qu'il moucharde. «Trop farfelu,» confie-t-il au patron du FBI, tout en affirmant son désir de rester un indic utile et dévoué. Il n'hésite pas à dénigrer O'Donovan, affirmant que leur rencontre à la fin des années 70 avait été assombrie par ses commentaires désobligeants envers le FBI. Se faisant l'écho de Connolly, il assure «avoir été froissé» par cette critique, il tient en fait le FBI en haute estime, et félicite Morris et Connolly «qui se montrent toujours extrêmement professionnels en tous points.»

Enfin, pour en revenir au sujet même de l'entretien, Bulger rejette en bloc le fait que ce soit le FBI qui lui ait transmis le tuyau à propos des écoutes de la police d'État. Il assure Sarhatt qu'il avait appris leur existence par l'intermédiaire d'un policer d'État. Mais il refuse, violant ainsi le protocole des informateurs, d'identifier ce policier, précisant seulement qu'il avait reçu l'information comme un cadeau et non par un «acte de corruption». Pour la police d'État, le refus de Bulger d'identifier une taupe au sein de la police est une entrave à la justice à haut risque. Pour Sarhatt, il suffisait de faire le ménage : on ferme la source, on bouche un trou. Mais maintenant, Bulger bénéficie d'une taupe supposée au sein de la police d'État, pendant que les simples flics tels que Bob Long, Jack O'Malley ou Rick Fraelick continuaient de risquer leur vie à traquer un voyou qui savait toujours à l'avance ce qui se tramait.

Néanmoins, Sarhatt fait comme s'il n'avait pas entendu.

Sarhatt est tout de même ébranlé par cette réunion dans la chambre du *Logan Airport Hotel*. En reprenant la route vers son bureau, il émet de sérieux doutes sur la crédibilité de Bulger. Mais il vient d'arriver à Boston, il n'a pas d'allié dans la place. Quant à ses meilleurs agents contre le crime organisé, ils tiennent à conserver Bulger et à l'utiliser dans plusieurs affaires impliquant la mafia. Déstabilisé, il s'en ouvre auprès d'O'Sullivan.

– Que se passerait-il si j'interrompais la collaboration avec Bulger ?

O'Sullivan saute au plafond. Ce serait une catastrophe dans la lutte contre la mafia ! La voix sèche et cassante d'O'Sullivan résonne dans les oreilles de Sarhatt : Bulger est crucial dans la plus vaste affaire entreprise contre la mafia, la mise sous écoutes imminente du 98 Prince Street. « Crucial » va devenir le mot de référence pour tous ceux qui montent la garde autour du pacte secret entre Bulger et le FBI. En quelques semaines, Bulger cesse d'être un risque majeur pour la stabilité des agences chargées du maintien de l'ordre, c'est désormais une des clés de l'avenir. Connolly et Morris avaient bien travaillé.

Évidemment, l'infatigable O'Sullivan considérait le problème sous l'angle du procureur. Il ne pouvait qu'approuver tout ce qui pouvait le rapprocher du moment où il pourrait coincer Angiulo ; il avait besoin de la Brigade contre le crime organisé dirigée par Connolly et Morris pour y arriver. Pour ce bouillant procureur, Bulger représentait un des moyens pour parvenir à ses fins, et il conseille à Sarhatt de le maintenir « quelles que soient ses activités du moment », un euphémisme qui recouvrait pas mal de terribles secrets. La décision de Sarhatt est prise ; il préfère s'accommoder d'agents remuants plutôt que de s'exposer à de graves ennuis si le principal procureur de sa nouvelle juridiction est un ennemi.

Connolly en remet une couche : il pose rapidement sur le bureau de Sarhatt une note de service très fournie justifiant le maintien de Bulger sur la liste des informateurs, récapitulant toutes ses contributions depuis cinq années.

Et même si la visite récente de Whitey dans le bureau d'Angiulo n'a pas produit de nouvelles informations, Connolly affirme que Prince Street constitue le sommet de la réussite de Bulger et justifie son statut d'informateur de «haut calibre» dans l'histoire récente du Bureau du FBI.

Le document de Connolly est un chef-d'œuvre de manipulation. Il dépeint Whitey sous les traits d'un homme du peuple voué à la lutte contre la criminalité. Connolly grossit le trait, affirme qu'en certaines occasions il a résolu des meurtres, sauvé la vie de deux agents du FBI, révélé par ses informations les auteurs d'un hold-up sensationnel. Morris en rajoute, affirmant que la perte de Bulger serait un «coup dévastateur» porté à la Brigade contre le crime organisé.

Lorsque ce dossier parvient sur le bureau de Sarhatt, le 8 décembre 1980, le patron est à la croisée des chemins. Il doit se montrer ferme. Il a rencontré l'individu face à face, pesé le pour et le contre avec ses agents traitants et s'est frotté au meilleur procureur de la ville. Pour sauver la face, toutes les réserves de Sarhatt vont se résumer à un seul commentaire qu'il griffonne au bas de la note de service dithyrambique de Connolly. Il exige d'insérer dans le dossier de Bulger un avertissement afin de réexaminer la situation dans trois mois. On en restait à la paperasse. Connolly procéderait lui-même au réexamen sous la supervision de Morris. Whitey était bel et bien libre.

Connolly sortait même du litige avec la police d'État avec une recommandation favorable pour son travail sur l'opération secrète de Bulger au 98 Prince Street. Un genre de reconnaissance officielle qui allait faire des vagues au sein du Bureau. Elle s'accompagnait de bonus financiers pour les agents traitants qui avaient fourni des informations figurant dans la requête officielle T3.

Une fois le rideau tombé sur le fiasco de Lancaster Street, toute l'opération laisse un goût amer dans les bureaux de la police d'État de Boston. Un peu comme à la fin du film *The French Connection*, dans lequel les trafiquants s'en tirent et les policiers sont mutés.

La police d'État n'a rien pu sauver de ce naufrage, «un sacré sac d'embrouilles» selon un des protagonistes. Les efforts colossaux pour cibler les chefs des gangs de Winter Hill et de la mafia réduits à néant. Un tas de cendres.

Le sergent Bob Long a été muté à la brigade anti-drogue.

Quelques mois plus tard, le Parlement de l'État prend une initiative en vue d'éliminer les responsables de la police d'État qui géraient les enquêtes sur le crime organisé, parmi eux O'Donovan et quatre de ses assistants.

Au cours d'une session interminable qui devait devenir la marque du long règne de Billy Bulger dans le fauteuil de président du Sénat du Massachusetts, la chambre vote un amendement anonyme au budget de l'État qui frappe O'Donovan par une manœuvre étonnamment simple, mais qui le touche au cœur d'une manière perverse. Les officiers de 50 ans ou plus, selon la nouvelle loi, doivent choisir entre le maintien dans leurs fonctions avec un salaire réduit ou bien prendre leur retraite. C'est le cas d'O'Donovan, d'un adjudant et de trois capitaines, mais aussi de l'inspecteur principal au sein du bureau du procureur de la République Delahunt, l'adjudant John Regan.

À l'issue de plusieurs jours tendus et de protestations de plusieurs responsables de la sécurité de l'administration, qui dénoncent une manœuvre de la criminalité organisée, le gouverneur oppose son veto à cet amendement. Mais le message est passé.

Chapitre Huit

Le tueur de Prince Street

Vers minuit, bien après que des inspecteurs se sont assurés que Gennaro Angiulo ait rejoint ses pénates, et qu'ils ont signalé au retour que le repaire de la mafia était désormais plongé dans l'obscurité, au fond d'une rue paisible de North End, la petite équipe du FBI se décide à quitter sa base, à moins de deux kilomètres, dans le centre de Boston.

Une dizaine d'agents ont attendu patiemment dans la grande salle réservée à la Brigade, assis derrière leur bureau, sirotant des cafés, échangeant des plaisanteries. Certains évoquent la courte victoire des Celtics sur Los Angeles dans l'après-midi, un beau match même si Larry Bird n'était pas en forme. D'autres se demandent pourquoi le patron, Larry Sarhatt, a décidé de participer à l'opération cette nuit-là. Est-ce qu'il manquait de confiance dans ses hommes ? Ou bien était-ce parce qu'un vétéran du FBI comme Sarhatt, avec plus de vingt ans de métier, se devait de participer à une mission d'une telle importance ? Difficile de se prononcer.

Lorsque tout le monde est en place dans le quartier de North End, John Morris, assumant son statut de chef de la Brigade contre le crime organisé, lance quelques ordres à partir de l'émetteur-récepteur de son véhicule, garé sur le versant d'une petite colline qui domine le bureau d'Angiulo. Il passe désormais 98% de son temps sur l'affaire et 2% à s'interroger sur la collaboration de Bulger avec le Bureau et sur sa propre relation avec John Connolly, qui le traite avec un dédain insupportable.

Morris est agité, il frissonne en cette nuit glaciale de janvier. Assis sur la banquette avant, il reçoit les messages des agents qui rôdent en voiture autour de Prince Street. 2h du matin. Le message en provenance de la colline est clair : « rien à signaler ». Morris passe sur le siège arrière et donne le feu vert aux agents Ed Quinn et Deborah Richards, accompagnés d'un serrurier du FBI ; ils descendent la colline et se dirigent par cette nuit claire vers le 98 Prince Street. Ils ont pour mission de pénétrer à l'intérieur du petit immeuble d'Angiulo. La surveillance a montré que la nuit du dimanche au lundi est la plus calme de la semaine ; le quartier est animé dans la soirée, voitures en double file, restaurants, boulangeries, pizzerias et petits immeubles de cinq étages. Les voyous du coin font la bringue tard le dimanche soir, mais ils finissent par aller se coucher et la rue étroite est désormais calme.

Quinn remonte le col de son blouson et entame la descente de Snow Hill Street vers Prince Street, il donne le bras à Richards qui trébuche un peu ; elle tient une bouteille de scotch que Quinn a apportée de chez lui, si bien que le trio passe pour de joyeux noctambules en quête d'une petite fête où ils pourraient s'incruster. Ils reprennent une démarche assurée lorsqu'ils entrent dans Prince Street et rejoignent rapidement le n°98. Quinn et Richards croisent les bras sur leur gilet pare-balles tandis que le troisième homme s'agenouille pour forcer la serrure de la porte d'entrée. À l'intérieur du fourgon garé le long du trottoir d'en face, deux agents grelottent dans le froid et observent leurs collègues qui viennent de pousser la porte. Plus qu'une, celle du bureau. La tension monte.

Brandissant le micro de son émetteur-récepteur, Morris ordonne à des véhicules du FBI de bloquer une section de Prince Street. Cagoule sur la tête, des agents veillent sur les voitures immobilisées, empêchant toute circulation dans la rue pendant la durée de l'intervention des agents au siège de la mafia. Larry Sarhatt est debout près de sa Buick bleue jusqu'à ce qu'il apprenne que Quinn vient de pénétrer dans le fief de Jerry Angiulo, son bureau plongé dans le noir. L'endroit empeste l'ail, peu à peu les agents devinent contre le mur les grandes cuisinières réservées au restaurant et quelques chaises bon marché en vinyle devant un poste de télévision, près de la vitrine.

Morris lance l'ordre à la seconde équipe d'agents de pénétrer dans les lieux. Pas de descente hésitante de la colline bouteille de scotch à la main cette fois-ci. Ce sont les «technos» qui doivent agir en soldats. Les trois hommes courent vers l'objectif, de lourdes sacoches à l'épaule, comme des parachutistes lancés à l'assaut d'une plage de Normandie. Toutes les voies d'accès au 98 Prince Street sont désormais bloquées par des agents à bord de fourgons ou de véhicules divers. Quinn ouvre la porte aux renforts. Il y a maintenant six agents dans la forteresse imprenable de Jerry Angiulo. Ils se figent quelques minutes pour vérifier qu'aucune alarme n'a retenti et pour s'habituer à l'obscurité.

Les «technos» sortent leurs torches électriques voilées par du tissu noir et se mettent au travail. Il leur faudra trois heures pour placer deux micros en haut des murs, et les relier à de grosses batteries en forme de bûches qu'ils dissimulent au-dessus du plafond. Les balises enverront un signal pour brouiller les scanners et transmettront les conversations d'Angiulo au-delà de Boston Harbour jusqu'à un appartement bourré d'agents situé à Charlestown. À l'issue de plusieurs tests négatifs, un agent à Charlestown, Joe Kelly, reçoit clairement les messages d'Ed Quinn, debout dans la cuisine de Jerry Angiulo. Les bandes magnétiques qui devaient s'avérer si dévastatrices pour Angiulo sont placées sur les magnétophones, prêtes à tourner.

Aux premières lueurs de l'aube, Ed Quinn, épuisé, quitte le bureau de Prince Street. Juste avant de partir, il a évacué la poussière de plâtre tombée des trous percés dans les murs. Il est 5h lorsqu'il remonte Snow Hill Street et se glisse sur le siège arrière de la voiture de Morris. Ils se serrent la main, mais pas de célébration bruyante. Des sourires éclatants, mais pas de cris de joie. Ils sont du FBI après tout.

Quatre heures plus tard, Frankie Angiulo, le gérant des affaires de la mafia pendant la journée, en charge du business des bookmakers locaux, arrive devant le n°98. Pendant que les agents s'activaient dans le bureau du patron, Frankie dormait à une trentaine de mètres seulement, dans un appartement de fortune abrité par un immeuble abandonné. L'immeuble recèle plusieurs coffres imposants emplis de gros billets. Comme tous les matins à 9h, Frankie commence la journée en crachant dans l'évier avant de préparer le café.

Il tiendra la boutique jusqu'aux environs de 4h de l'après-midi. C'est l'heure à laquelle apparaît habituellement Jerry Angiulo pour prendre son service comme tous les jours depuis une trentaine d'années. Ce jour-là, lorsqu'il s'annonce au 98, il a surtout une préoccupation à l'esprit, un petit voyage en Floride pour échapper à la vague de froid qui se prolonge à Boston. Mais bientôt, les aléas de la météo vont passer au second plan et même devenir le cadet des soucis du chef de la mafia de Boston.

Voilà plus d'un an que le FBI récolte des informations sur les Angiulo et accumule des preuves contre la famille des mafieux de Boston dans des conditions pour le moins difficiles. Mais depuis que les micros sont en place, les cinq agents chargés des écoutes à Charlestown, à sept ou huit kilomètres de Prince Street, ont bien du mal à déchiffrer le brouhaha qui règne dans le repaire du n°98. Il y a la syntaxe approximative des cinq frères Angiulo et de leurs hommes de main, le fait qu'ils parlent tous à la fois sur un fond de radio déversant à plein volume les tubes du moment toute la journée.

Certains, dont John Morris, ne s'y feront jamais. John Connolly refuse d'écouter cette soupe inintelligible, il passe son tour et préfère battre la semelle dans les rues de Boston. Heureusement, une poignée d'agents résignés finissent par démêler la logorrhée infernale du bureau de Prince Street ; au bout de plusieurs semaines, ils maîtrisent plus ou moins les soudains accès gutturaux d'injures et de grossièretés, de bribes d'italien où se mêlent des vulgarités bien américaines, les changements de sujets impromptus. Une voix s'impose souvent, celle de Gennaro, le « patron ». D'abord, il parle plus fort que les autres et parvient à dominer la sempiternelle radio. Il apparaît égocentrique, il a des opinions bien arrêtées sur tous les sujets, et on arrive plus ou moins à suivre sa pensée. Pas moyen de se tromper, par exemple lorsqu'il évoque des sous-fifres qui ont été arrêtés dans un raid sur un tripot clandestin.

– Quand on découvre qu'un de ces types qui bosse pour nous devient intolérable, on le descend, ce putain de fils de pute, et on n'en parle plus. On en trouvera d'autres.

D'habitude, les conversations à Prince Street ne révèlent pas grand-chose jusqu'à l'arrivée de Jerry vers 4h de l'après-midi, en provenance de sa grande villa sur le bord de mer à Nahant, au nord de Boston. Il sort de sa Pacer AMC rouge et argent, ou bien de sa Cadillac bleue, pénètre dans le local, et immédiatement le ton change. Les bavardages cessent. Il entre en aboyant les questions, à propos de la nourriture, des jeux clandestins, de l'argent, de meurtres ; sa cour s'empresse autour de lui tandis qu'il joue les empereurs impatients. Vers 19h30, il fait une pause-dîner, un repas préparé généralement par le plus jeune frère Angiulo, Mikey. Une seule autre pause dans la soirée : l'émission de télévision *Le Monde sauvage des animaux*. Jamais le capo ne manquerait un épisode de cette série, il ne cesse de commenter les passages où l'on détaille la beauté et la puissance des reptiles.

Angiulo, qui a dû se battre face à plusieurs inculpations d'association de malfaiteurs lors de procès interminables dans les années 60, se méfie terriblement des pouvoirs et des moyens que peuvent déployer les agences chargées du maintien de l'ordre. Des craintes prémonitoires ; les micros du FBI l'entendent un jour exprimer haut et fort sa frustration.

– Ils peuvent sortir leur putain de RICO !

Personne dans le bureau ne sait vraiment à quoi il fait allusion. Angiulo se plaint en fait de la facilité avec laquelle les autorités peuvent faire appel à la législation RICO promulguée spécifiquement contre le racket mais qui peut atteindre toute personne soupçonnée d'être à la tête d'une organisation criminelle. Lui seul est conscient de ce risque mortel.

Au fil des années, Angiulo en est venu à se considérer plus malin que la plupart des gens qu'il a croisés. Mais il ne se trompe pas quant au pouvoir et au danger de la loi RICO. Devant un parterre de gros bras blasés, il lit à haute voix des articles de presse relatant l'appel interjeté par un prévenu du Massachusetts contre une condamnation à vingt ans de prison pour racket, une procédure d'appel aujourd'hui devant la Cour suprême du pays. Il explique à ses frères combien il est désormais facile pour un procureur fédéral de prouver que les Angiulo ont commis deux des trente-deux délits ou crimes d'État ou fédéraux sur une période de dix ans pour les inculper de racket ou de manœuvres criminelles.

– Vous vous rendez compte que si vous commettez un de ces crimes cette année et que si vous commettez l'autre avant dix ans, ils vous font rôtir sur leur putain de chaise électrique !

Mais Angiulo a toujours ambitionné dans sa jeunesse de devenir avocat criminel, il se réfugie donc à tort dans la conviction que la loi RICO ne s'applique qu'à ceux qui infiltrent le monde des affaires légitimes et établies, comme le faisait régulièrement la mafia new-yorkaise. Ignorant les détails les plus fins de la loi RICO, Angiulo se répand en injures contre cette menace. Les micros ne ratent pas une parole du « patron ».

Bientôt, le destin de Gennaro Angiulo va être scellé une fois pour toutes. Une erreur grossière, commise au cours d'une conversation d'homme à homme avec Zannino : Angiulo détaille inconsciemment les actes criminels que lui-même a commis et qui pourraient le conduire à une inculpation pour racket. La litanie des manœuvres criminelles qu'il déroule devant Zannino servira d'ailleurs de base à sa mise en examen par la justice deux ans plus tard.

– Il faut soutenir que nous gérons un business *illégitime*, martèle Angiulo.

– On est des usuriers, en fait, réplique Zannino, le *consigliere* de la famille.

– Voilà ! Des usuriers, répète Angiulo, qui s'échauffe quelque peu.

– Ouais, c'est ça.

– On est des putains de bookmakers, ajoute Angiulo.

– Ouais, des bookmakers, confirme Zannino.

– On vend de la marijuana…

– Ouais, nous on n'infiltre rien du tout, rétorque Zannino.

– On est que dans l'illégalité, mon vieux, l'illégalité à droite, à gauche, au milieu… On provoque des incendies. On fait des tas de trucs, putain, s'agite Angiulo.

– On s'occupe des putes, des macs, ajoute Zannino.

– Donc cette putain de loi ne s'applique pas, conclut Angiulo. Puis, interrogateur : J'ai raison, non ?

Zannino, calmé :

– C'est ça qu'il faut soutenir.

Mais en vérité, c'est un argument qui ne tient pas, qui ne tiendra jamais devant un juge. Quelques heures ont passé, au milieu de la nuit, Angiulo confronte la réalité, elle est cruelle :

– Finalement, cette putain de loi est écrite pour des types comme nous…

Un coup de blues, tout à coup.

Angiulo surveille son domaine d'un œil d'aigle. Un détail le frappe tout à coup. Stevie et Whitey n'ont pas remis les pieds à Prince Street depuis leur dernière visite où l'on avait discuté de leurs dettes envers la mafia. Angiulo râle contre les deux voyous qui ne lui ont pas rendu visite depuis «deux putains de mois», c'est-à-dire depuis leur reconnaissance secrète des lieux pour le FBI, en novembre 1980. Comme chaque fois qu'il y a un problème dans le milieu, Angiulo attribue cette absence à une histoire de fric. Mais c'est plus compliqué que cela. Bulger et Flemmi se fichent complètement de devoir de l'argent à un type foutu dont les murs sont truffés de micros. Ils se tiennent à distance parce que leurs agents traitants les ont mis au courant. Les deux gangsters n'ignorent pas que les agents risquent d'entendre mentionner leur nom en écoutant les conversations d'Angiulo du 98 Prince Street. Mais si aucune mention directe d'éventuels crimes ne transparaît sur les bandes magnétiques, aucune poursuite contre eux ne pourra être entreprise.

Dès le départ des écoutes, les agents font de leur mieux pour couvrir Bulger et Flemmi chaque fois qu'une de leurs activités criminelles apparaît sur les bandes en 1981, puis plus tard lorsque celle-ci sont transcrites lors du procès d'Angiulo pour racket. Morris est en charge du dossier, et les agents déforment le sens des informations pourtant évidentes qui sont transmises au siège du FBI à propos de jeux clandestins de Bulger, de prêts usuraires et même d'éventuels meurtres commis sur ordre de la mafia. Connolly travaille sur les bandes, remplace par des parasites les passages les plus controversés. Par exemple, lorsque Zannino exhorte Angiulo à recourir à Whitey et Stevie pour abattre un petit truand. Ou bien lorsque Zannino rend hommage à Winter Hill, un partenaire redoutable dans plusieurs affaires de prêts usuraires ou de casinos clandestins. En fait, les écoutes révèlent que les Angiulo discutaient presque quotidiennement de ce que cherchait à faire la police d'État sans vraiment y parvenir : établir un chef d'accusation de racket basé sur une « coentreprise » entre la mafia et le gang de Winter Hill. Les chefs de la mafia évoquaient également régulièrement le partage des territoires entre eux et Winter Hill à propos des paris clandestins et des prêts usuraires. Jerry Angiulo résume cela très bien lorsqu'il fait allusion aux millions de dollars d'extorsion de fonds empochés par les deux informateurs vedettes du FBI :

– Whitey écume tout South Boston quand Stevie se réserve South End.

Non seulement le FBI ne s'approchait jamais de ces fiefs réservés mais il les protégeait. Cette protection ne s'appliquait pas seulement aux casinos clandestins, des lieux par essence non violents. L'essentiel du business consistait à extorquer des fonds des trafiquants de drogue et des bookmakers qui avaient le choix à la fin de chaque mois entre le fric ou la mort.

Si une personne connaissait parfaitement les talents de Stevie pour le meurtre, c'était bien Zannino, et ce depuis la guerre des gangs dans les années 60. Il se souvenait avec enthousiasme de la manière dont Stevie avait abattu un requin du prêt usuraire de Dorchester, William Bennett, coupable d'avoir trahi la mafia. William était en fait l'un des trois frères Bennett assassiné sur l'ordre de Zannino pour des questions de litiges financiers ou territoriaux. Ce *consigliere* sanguinaire connaissait par ailleurs de réputation le travail de Bulger, et appréciait depuis longtemps l'usage sélectif que celui-ci faisait de la violence.

Zannino avait trouvé un boulot parfait pour les deux malfrats et les avait retenus comme solution du problème d'Angelo Patrizzi. Patrizzi, c'est un gangster à l'intelligence limitée et sans véritable envergure ; en sortant de prison, il a juré de venger son frère, abattu par deux hommes de main de la mafia pour non-remboursement d'un prêt. Personne n'ignore les intentions de Patrizzi, les dirigeants locaux de la mafia se doivent d'agir. Ils décident d'en finir avec lui. À 38 ans, Patrizzi est évadé d'un pénitencier, sans éducation, alcoolique, avec un fragment de balle dans le cerveau. Mais il est parfaitement conscient de ce qui se passe lorsqu'il voit arriver Freddie Simone, envoyé par Zannino, tout sourires, au garage dans lequel il travaille. Patrizzi part immédiatement en planque à Southie. Zannino glisse à Angiulo que pour effacer une menace en plein territoire de Bulger, « Whitey et Stevie pourraient lui régler son putain de compte. »

Mais Angiulo ne souhaite pas devoir quoi que ce soit à Bulger, surtout que celui-ci reste devoir quelque 245 000 $ à la mafia. Le *capo* estime qu'il s'agit d'un problème interne et préfère utiliser plusieurs hommes de main de la mafia pour exterminer ce crétin qui profère de stupides menaces. Angiulo ne perd jamais de vue que quelqu'un pourrait un jour témoigner contre lui si les choses tournaient mal : Bulger n'est pas « de la famille », il ne se rangerait pas immédiatement à ses côtés s'il le fallait. Angiulo rejette même l'idée de faire appel à un homme de main du clan, Connie Frizzi, afin qu'il accompagne Bulger, reconnaisse Patrizzi avant de laisser Frizzi agir seul.

Connolly sort intelligemment cet incident hors de son contexte pour affirmer que le débat au sein de la mafia discrédite la rumeur lancée par la police selon laquelle on avait parfois recours à Bulger comme tueur. Il explique à son supérieur que les écoutes de Prince Street ont établi deux « faits indiscutables » : que Bulger n'est pas un tueur dont on peut louer les services, et ensuite que la police d'État a grossièrement surévalué le fait que tout le monde connaît le statut d'indic de Bulger.

Connolly rédige deux rapports sur Prince Street à son chef, qui rentre tout juste de Knoxville.

« A : Cette source [Bulger] n'est pas un exécuteur des basses œuvres pour Angiulo comme il a été suggéré.

« B : La hiérarchie de la Cosa Nostra ne considère pas cette source comme étant un informateur du FBI, comme le colonel O'Donovan de la police d'État du Massachusetts l'a affirmé. »

Morris, en tant que superviseur de la Brigade contre le crime organisé, ajoute un commentaire qui déforme également les preuves collectées dans le petit appartement de Charlestown, ainsi que les nombreux témoignages d'autres informateurs. Il affirme que le gang de Winter Hill n'existe plus. C'est désormais un coquillage vide et oublié depuis que Howie Winter a été incarcéré, « il ne mérite pas, conclut Morris, qu'on s'y intéresse aujourd'hui ni dans un avenir plus ou moins proche. »

La préférence d'Angiulo pour utiliser des tueurs appartenant à « la famille » contre Patrizzi ne figurait pas dans les rapports de Connolly pour son patron au FBI, Sarhatt, pourtant quiconque aurait écouté avec attention les bandes magnétiques des conversations aurait pu en tirer des conclusions édifiantes. Les vrais sentiments d'Angiulo sur la question transparaissent dans des conversations déjà enregistrées lorsqu'il évoque tous les gens qui seraient prêts à tuer pour lui. S'adressant à un de ses hommes de main, Angiulo déclare à propos de Bulger et Flemmi :

– Bien sûr qu'on pourrait les utiliser. Si je les appelais tout de suite, ils iraient tuer n'importe quel connard qu'on pointerait du doigt.

Connolly n'avait pas d'autre choix que d'éviter qu'on se penche de trop près sur de telles affirmations.

Finalement, neuf hommes vont aller chercher Patrizzi, alias « Trou dans la Tête », et que tout le monde à l'instar de Freddie Simone prend pour un crétin, au fond d'une boîte de nuit, et le traîner dans la rue. Ils vont ensuite lui lier les jambes, faire passer la corde autour de son cou, le jeter dans le coffre d'une voiture volée et le laisser s'étrangler lentement. On retrouvera son corps plusieurs mois plus tard au fond d'un parking derrière un petit motel peu fréquenté, au nord de Boston. Les écouteurs sur les oreilles, les agents du FBI entendent les préparatifs pour liquider Patrizzi et les craintes de Zannino que la police d'État ne mette la main sur l'évadé avant la mafia, mais elle ne bouge pas. Les procureurs fédéraux condamneront Angiulo pour ce meurtre sept ans plus tard, mais personne à l'époque ne sera intervenu pour l'empêcher.

Le FBI fait aussi la sourde oreille devant cette manie d'Angiulo de ramener sans cesse dans la conversation la fameuse dette de 245 000 $ due par Bulger lorsqu'il a pris la tête du gang de Winter Hill en 1978. Cet argent était alors utilisé pour les prêts usuraires ; Winter Hill prélève 5% par semaine mais «oublie» de verser ses 1% à Angiulo. Si l'on en croit Bulger, la dette ne dépasse pas 195 000 $, et Angiulo se convainc peu à peu qu'il ne recouvrera jamais son argent. Comme il ne déteste rien de plus que les mauvais payeurs dans son univers qu'il contrôle au dollar près, cette dette pourrait dégénérer en guerre ouverte. Une guerre qui risquerait de faire couler beaucoup plus de sang qu'Angiulo serait prêt à sacrifier.

Autre sujet de contentieux entre Angiulo et Bulger : Richie Brown, un bookmaker de Watertown. Une fois Howie Winter derrière les barreaux, Bulger entreprend de punir les bookmakers qui s'aventurent sur son territoire. Le fric ou la mort. Whitey avertit Brown qu'il lui faut s'acquitter de 1000 $ par semaine s'il veut continuer à travailler, et qu'il désire rencontrer son patron, Charles Tashjian, qui appartient à la mafia. Tashjian s'en tient aux ordres, il déclare à Bulger qu'il «appartient à Prince Street, et qu'il devrait parler à Danny Angiulo».

Les deux parties ont eu recours jusqu'ici à cette sorte d'avertissement que la police utilise lors de l'arrestation d'un suspect : «Vous avez le droit de garder le silence et de faire appel à un avocat.» Mais c'est la version gangster de cet avertissement : la confrontation est désormais inévitable. Whitey et Flemmi ne peuvent se dérober, il faut aller négocier avec Danny Angiulo, le vrai dur de la famille, un tueur qui a grandi dans la rue, la rue où Jerry le bavard n'aime pas s'aventurer. Les deux frères, d'ailleurs, s'entendent plutôt mal. De temps en temps, Danny et Jerry se disputent violemment, ce qui explique sans doute que Danny évite de paraître au 98 Prince Street. Il travaillait alors depuis son bureau situé au coin de la rue, dans l'arrière-salle du *Café Pompeii*.

Renversant un jour le protocole, au grand dam de Jerry, Bulger et Flemmi débarquent sans prévenir dans le bureau de Danny pour parler de Richie Brown. La conversation sera relayée plus tard par Jerry devant de nombreux témoins à Prince Street ; Danny aurait défié Bulger quand celui l'assurait que Winter Hill, à court de fonds, avait besoin de l'argent de Brown.

– Ne viens pas me dire que tu es fauché, Je connais au moins cinquante types qui affirment te remettre 1 000 $ par mois… ça fait quand même 50 000 en tout !

Un accord intervient finalement : Brown reste lié à la mafia. Pourtant, l'analyse financière du portefeuille d'extorsion de fonds de Bulger à laquelle s'est livré Danny Angiulo est loin de cadrer avec la version d'un gang de Winter Hill aux abois, version défendue par John Morris auprès de son patron : le gang est moribond et ne mérite même pas qu'on s'y intéresse.

Malgré les frictions qui surviennent parfois aux limites des territoires du milieu, les deux parties sont conscientes du fait que la collaboration difficile entre Bulger et la mafia constitue la pierre angulaire du crime organisé à Boston. Un soir où il est passablement éméché, Zannino fait une entrée remarquée dans son bureau. Il s'en prend à un sous-fifre lorsqu'il apprend que celui-ci a escroqué Bulger et Flemmi de 51 000 $. On avait demandé à Jerry Matricia de s'occuper des affaires de Winter Hill à Las Vegas. Il avait pour tâche de placer de l'argent sur un cheval que l'on allait faire gagner dans une des courses truquées par Winter Hill, mais il avait joué la totalité aux dés à la table d'un casino. Plusieurs années plus tard, Zannino reprochera toujours à Matricia d'avoir commis cette faute grave, qui risquait de mettre en danger la paix précaire avec Winter Hill. Une faute qui aurait pu entraîner un bain de sang.

– Si tu baises un proche de la famille, tu auras affaire à moi ! Tu ne sais pas que le gang de Winter Hill c'est nous ?

Zannino fait sortir Matricia du bureau et discute un moment avec ses deux principaux associés ; ils sont d'accord avec lui : Bulger « va le descendre ». Ils rappellent Matricia et lui remontent les bretelles sérieusement. Apporte vite du fric à Stevie, ordonnent-ils. Quelques centaines de dollars tout de suite pour commencer à rembourser la dette. Zannino termine par un petit sermon sur les vertus souvent mal comprises de la collaboration.

– Ces types sont des types bien, martèle-t-il devant un Matricia penaud et tremblant. C'est des putains de types du genre qui arrangent toujours les choses… Quoi que je leur demande personnellement. Alors qu'est-ce qui t'a pris ? Ils sont avec nous. On est ensemble. Et de savoir que tu les as baisés, je ne peux pas le supporter. Compris ?

Mais cette abondance de preuves de la collaboration entre la Cosa Nostra et Winter Hill restera toujours ignorée ou démentie par le FBI.

Les enregistrements ne servent qu'à charger les mafiosi ; le FBI finira par en mettre une bonne dizaine derrière les barreaux, dont les frères Angiulo et le fils de Jerry, Jason. La seule décision que prendra Connolly dès la fin des écoutes au 98 Prince Street sera d'avertir Burger qu'il n'avait plus rien à craindre de ce côté-là. Circulez, il n'y a rien à voir.

Malgré le succès retentissant de son opération Prince Street, le superviseur John Morris navigue toujours à vue. Même après l'extraordinaire coup de projecteur de l'affaire Angiulo, la boussole de Morris semble déréglée. Quelques jours après l'arrêt des enregistrements, il organise une petite soirée de célébration avec Bulger et Flemmi dans une chambre du *Colonnade Hotel* de Boston. Bulger apporte deux crus classés pour « Vino » pour cette soirée mémorable dans un grand établissement de la ville. Au cours des deux heures qui suivent, Bulger et Flemmi ne s'accorderont qu'un verre chacun, c'est Morris qui finira les bouteilles.

Euphorique, Morris fait écouter un enregistrement de Prince Street aux deux indics. Ils entendent Angiulo et Zannino évoquer la nécessité de s'occuper de la petite amie trop bavarde de Nicky Giso : elle n'a pas assez réfléchi en parlant ouvertement du meurtre d'un type de North End par un homme de main d'Angiulo.

Bien sûr, John Morris venait de coordonner une opération d'écoutes électroniques 7 jours sur 7, 24 heures sur 24, mobilisant une quarantaine d'agents. Il gérait une crise par jour depuis quatre mois. Finalement, l'Opération Bostar avait éliminé la famille Angiulo, ce qui constituait un triomphe pour les forces de l'ordre, qui pourrait entraîner pour Morris une promotion, un boulot d'agent secret en charge d'une grande ville, peut-être.

Mais au moment même où il touche à la réussite, John Morris va connaître l'amertume de l'échec. En quittant la chambre du *Colonnade Hotel* cette nuit-là, les premiers signes du lent processus de destruction qui le guette viennent d'apparaître. Il y a les cadavres des deux bouteilles de vin sur la moquette, mais surtout, Morris qui chancelle en sortant de l'hôtel a oublié dans la chambre la bande magnétique secrète du gouvernement qu'il était si fier de faire écouter à Bulger et Flemmi. Heureusement pour lui, Flemmi va s'en apercevoir et c'est lui qui viendra la récupérer au milieu de la nuit.

Certes, l'évolution s'est opérée graduellement, mais cette fin de nuit au *Colonnade Hotel* est le symbole de l'extraordinaire maîtrise avec laquelle

Bulger avait renversé la situation ; elle souligne également à quel point le FBI peut se laisser corrompre. C'est Whitey Bulger qui a pris le volant de la voiture de Morris pour ramener celui-ci, ivre mort, chez lui. Flemmi suit au volant de la Chevrolet noire. Morris et Connolly ont peut-être cru un jour que c'étaient eux qui contrôlaient la relation, mais les deux agents et tout le FBI gisent désormais, groggys, au fond de la voiture des deux gangsters. Il est minuit, le calme règne dans les rues désertes de Boston.

Chapitre Neuf

Bonne chère, bon vin et argent sale

Ce sont désormais John Connolly et John Morris qui vont porter haut l'étendard de Bulger au sein du FBI. Les quatre hommes se sentent invincibles, une ère positive s'est ouverte tandis que la frontière entre flics et voyous devient de plus en plus floue.

Peut-être l'a-t-elle toujours été d'ailleurs. Car Flemmi s'aperçoit bien qu'il existe un lien spécial entre Connolly et Whitey Bulger. Il y a South Boston, bien sûr, et puis il y a une sorte de relation paternelle. Mais pour Flemmi, pas de problème, il en est venu à accepter et à apprécier Connolly pour ce qu'il est. Il confiera plus tard que cet inspecteur un peu arrogant « possédait une vraie personnalité ». Bulger et Flemmi s'étaient également pris d'amitié avec Morris, ce que Connolly ne manquait jamais de transmettre à son supérieur.

— Ces types t'apprécient, ils feraient n'importe quoi pour toi, selon les propos de Connolly rapportés par Morris. Si tu as besoin de quoi que ce soit, tu n'as qu'à leur demander, ils le feront.

Entre amis, il y a toujours une part d'admiration mutuelle.

Morris, pour sa part, ne cesse d'envier l'assurance, la démarche arrogante, l'influence dont fait montre Connolly partout où il passe. L'agent semble avoir des amis partout. Au Bureau, ce n'est peut-être pas un proche de Sarhatt, ou même du successeur de celui-ci, James Greenleaf à partir de 1982, mais il compte de solides amitiés avec de nombreux inspecteurs de la Brigade contre le crime organisé, ainsi qu'avec d'autres responsables du FBI. Nick Gianturco ne cache pas qu'il est sous le charme de Connolly :

– C'est sûrement le meilleur agent traitant pour un informateur que j'ai connu, et de loin.

Il ne faut pas oublier non plus que Connolly a maintenu des liens étroits avec des agents importants qu'il a côtoyés lorsqu'il était en poste à New York, des agents qui ont depuis été promus à des postes de responsabilité, notamment au sein de la division criminelle. John Morris était parfaitement conscient du fait que les amis de Connolly au siège du FBI à Washington « avaient le pouvoir d'influer sur moi et sur ma carrière ».

Et puis, il fallait compter sur Billy Bulger, l'homme politique le plus puissant, le plus craint aussi, de l'État depuis son élection au Sénat du Massachusetts en 1978. Connolly n'avait pas manqué d'aller présenter Morris à Bill Bulger, et le superviseur avait été impressionné par la facilité avec laquelle son collègue était reçu :

– Il semblait avoir d'excellentes relations parmi les politiques.

Connolly, se souviendra John Morris, n'hésitait pas à évoquer son influence en haut lieu. En plein milieu d'une conversation sur l'avenir après le FBI, Connolly évoquait ses nombreux contacts :

– Il y aura toujours un tas de belles occasions, sans parler du reste, quand on quittera le Bureau.

Pour lui, les amitiés qu'il cultivait au sein du FBI et à Boston représentaient plus que son capital en banque.

Morris suivait de près le déroulement des événements. Il ne manquait pas non plus d'ambition et souhaitait se faire un nom, à l'instar de son collègue. Morris, l'agent sérieux par excellence, enviait la facilité de Connolly dans la vie, sa capacité à transformer chaque problème qui se présentait en un souci pour quelqu'un d'autre. Un combinard de première, jugeait John Morris, il était donc « très important qu'il m'apprécie », reconnaissait-il.

L'heure était venue pour les deux inspecteurs de faire le bilan professionnel de leur collaboration. Connolly avait ourdi le plan, Morris couvert l'opération, ensemble ils avaient repoussé les doutes sur l'utilité de Bulger et Flemmi, soulevés fin 1980 jusqu'à fin 1981. Ils ont tenu Sarhatt à distance et fait montre d'une habileté diabolique pour détourner le règlement du FBI les indics.

Pour sa part, Connolly baigne dans l'euphorie.

D'ordinaire, l'agent traitant d'un informateur travaille la plupart du temps en solitaire, dans une sorte de bulle, afin de protéger l'anonymat dudit informateur. Généralement, Connolly était seul lorsqu'il donnait rendez-vous à Bulger et Flemmi, soit dans un de leurs appartements soit, quand le temps le permettait, dans un coin de la cité d'Old Harbour, où Bulger et lui avaient grandi, à Castle Island, un vieux fort datant de la révolution américaine, au bord de la mer sur la pointe la plus orientale de South Boston, ou bien encore le long de la plage de Savin Beach.

Mais personne ne semblait ignorer au sein de la Brigade qu'il avait pour indic le légendaire Whitey Bulger, et Connolly s'en était accommodé. À part Morris et Gianturco, les agents Ed Quinn, Mike Buckley et Jack Cloherty étaient au courant. La rumeur avait même dépassé les frontières de la Brigade. Comme si Connolly avait voulu que l'on sache la valeur de sa prise. Pour s'en vanter.

– Il y a deux types que tu aimerais certainement rencontrer, avait confié un jour Connolly au Bureau à un tout jeune agent débutant, John Newton.

Newton avait commencé au bas de l'échelle du Bureau de Boston en 1980. Sa tâche consistait à rédiger des fiches sur les antécédents des nouveaux fonctionnaires; on était bien loin des responsabilités des inspecteurs de la Brigade contre le crime organisé comme Connolly. Comme il cherchait un appartement, on l'avait orienté vers Connolly, et celui-ci l'avait aidé à trouver quelque chose en plein milieu de South Boston. Ils avaient sympathisé. John Connolly avait ainsi appris qu'avant d'entrer au FBI, Newton avait servi dans une unité des Forces armées spéciales.

– John avait l'air très intéressé, avouera Newton plus tard en parlant de son nouvel ami. Il m'a dit qu'il avait, comment dirais-je, deux indics, Jimmy Bulger et Stevie Flemmi, et que c'était des gars très intéressants.

Comme Flemmi avait lui aussi servi dans l'armée, Connolly avait suggéré à Newton «qu'il pourrait avoir des trucs en commun avec eux».

– Tu veux qu'on essaie de les voir? avait demandé Connolly.

Newton s'était dit que ce n'était peut-être pas une mauvaise idée.

Le rendez-vous est prévu vers minuit chez Whitey. Newton a laissé conduire Connolly car il connaît parfaitement Southie. Peut-être l'inspecteur avait-il insisté sur la chance qu'avait le FBI de collaborer avec Bulger, peut-être même avait-il raconté au jeune agent l'excitation qu'il avait ressentie lors de leur premier rendez-vous le long de la plage de Wollaston. Enrôler Bulger, cela relevait de la légende au sein du FBI, et Connolly aimait se faire mousser.

Connolly arrête sa voiture à quelques pâtés de maisons de l'appartement qu'a investi Bulger après avoir quitté celui de sa mère à Old Harbour après le décès de celle-ci. Les deux hommes sont accueillis chaleureusement, et Newton passe la première heure sans dire un mot, captivé par la conversation des trois hommes, qui roule autour du business du moment, Angiulo et la mafia. Puis, selon Newton, «on parle de tout et de rien.» Ils évoquent «des souvenirs de l'armée, des trucs comme ça». Ils débouchent une bonne bouteille et trinquent tous ensemble. Whitey semble très à l'aise.

L'épisode se reproduira à plusieurs reprises, et Newton deviendra un habitué des rencontres avec les deux informateurs. En un rien de temps, Connolly a élargi le cercle des initiés.

À l'époque, Connolly est revenu dans son ancien quartier ; il a acheté une maison au 48 Thomas Park en 1980, une rue qui grimpe allègrement le long d'une des collines et domine Southie, symbole d'une belle avancée sociale par rapport à la cité d'Old Harbour. Il y a deux siècles, ces collines étaient de vertes prairies, balayées par les vents et jouissant de la plus belle vue sur la baie. Comme dans toutes les rues avoisinantes, les maisons adossées les unes aux autres et les petits immeubles d'un ou deux étages s'étaient incrustés dans le paysage. Elles formaient le bastion d'une communauté très fermée d'Américains d'origine irlandaise. La nouvelle demeure donnait aussi sur le collège de South Boston, terrain d'affrontements lors de la campagne contre la ségrégation quelques années auparavant.

Dans la vie de Connolly, on travaillait la nuit plutôt que le jour ; Bulger venait faire un tour pour un rendez-vous secret au milieu de la nuit, lorsque la ville était endormie. Parfois, Connolly s'endormait même sur le canapé, la télé encore allumée. Comme il ne fermait pas sa porte, Bulger et Flemmi entraient et s'installaient comme chez eux.

Connolly aimait la compagnie. Il venait, à plus de 40 ans, de redevenir officiellement célibataire. Évoquant «une rupture irréversible» à l'issue de quatre ans de séparation, son épouse avait demandé le divorce en janvier 1982. Marianne, une infirmière diplômée, vivait désormais seule. Ils s'étaient partagé les quelques biens qu'ils possédaient et, sans enfants, le divorce n'était qu'une simple formalité. Il sera prononcé à l'amiable quelques mois plus tard. Connolly arpentait maintenant les rues fièrement, en séducteur impénitent, tel que ses collègues du Bureau l'avaient toujours connu. À l'instar de Bulger et Flemmi, il préférait les femmes plus jeunes. Elizabeth Moore, une dactylo du Bureau de 23 ans, avait attiré son œil, ils sortaient ensemble. On les verra bientôt partir pour une escapade amoureuse à Cape Cod où Connolly avait réalisé le rêve de beaucoup de natifs de Boston : acheter un petit appartement de 80 000 $ à Brewster.

Morris éprouvait de la jalousie devant le couple nouvellement formé. Son propre mariage était irrévocablement brisé, et il avait du mal à voir Connolly parader librement au bras de sa nouvelle conquête dans les rues de la ville tandis qu'il devait se cacher pour retrouver la sienne, Debbie Noseworthy, une secrétaire du FBI rattachée directement à la Brigade contre le crime organisé et à Morris en particulier. Cette relation illégitime était connue de tous au Bureau, mais Morris commençait à culpabiliser. Ce n'est d'ailleurs pas la seule difficulté à laquelle il devra bientôt faire face ni la pire d'entre elles.

Morris et Connolly avaient évité un gros pépin lorsque Sarhatt s'était mêlé du statut de Bulger ; les deux agents décident donc de ne plus tenter le diable. Ils veulent s'assurer que personne ne pourra remettre en cause les liens qui les attachent à Bulger et Flemmi. Pour cela, il va leur falloir jouer un jeu subtil avec les procédures établies par l'agence concernant les informateurs. Il existe une tension fondamentale dans les directives sur laquelle on peut se risquer à improviser. Afin de se procurer des informations, on encourageait d'un côté les inspecteurs comme Connolly et Morris à fréquenter des gangsters comme Bulger et Flemmi. Pour que la collaboration fonctionne, il fallait de l'autre côté accorder aux gangsters une certaine liberté d'action.

La question, c'était tout simplement quelle marge de manœuvre ? Quelle part d'activités criminelles le FBI était-il capable de tolérer ? En théorie, aucune collaboration n'était sans limites. Les responsables au sein des Bureaux et les agents traitants étaient toujours censés évaluer leurs indics. Le cœur du problème résidait dans deux appréciations : la valeur de l'information d'un indic contre la gravité de ses crimes et délits. Le Bureau de Boston avait trouvé la solution du problème en manipulant les deux variables de l'équation.

En fait au FBI, personne n'est mieux placé au sein de la hiérarchie pour effectuer ce travail qu'un agent traitant et son superviseur.

Connolly et Morris avaient les coudées franches pour contourner les écueils à la base. Ils établissent donc une procédure de rédaction des rapports qui réduise l'impact des activités illégales de Bulger et Flemmi tout en valorisant leur contribution. Connolly rédige les rapports, Morris les signe. Tous deux sont très bien vus tout au long de la chaîne de commandement du FBI, le système est sans failles. Les Irlandais de South Boston ont toujours eu la réputation d'être d'excellents narrateurs d'histoires. Dans le dossier de Bulger, Connolly s'avère un merveilleux conteur, et Morris ne sera pas en reste non plus.

La technique la moins raffinée, c'est le mensonge pur et simple.

Au cours des années 70, comme le FBI s'appuie de plus en plus sur Bulger et Flemmi, Morris avait déjà démontré sa propension à l'affabulation dans ses rapports concernant l'affaire des courses truquées. Il avait soutenu que la collaboration avec Bulger avait été interrompue, alors que Connolly continuait à le rencontrer régulièrement. Connolly avait ensuite enfumé Morris dans des rapports à Sarhatt au cours de l'enquête interne sur les fuites concernant les écoutes placées par la police d'État sur Bulger et Flemmi au garage de Lancaster Street. De son propre chef, Connolly envoyait parfois des rapports pour satisfaire aux directives du FBI, rapports dénués de toute vérité comme l'admettra Morris plus tard. Dans un de ceux-ci, Connolly évoque une rencontre qu'il aurait organisée en compagnie de Morris avec Bulger et Flemmi pour les avertir et les informer des règles que les agents devaient discuter avec leurs agents traitants. Cette rencontre qui devait avoir lieu chaque année portait une date et un lieu précis, pourtant Morris admettra plus tard :

– Je ne crois pas que cette rencontre se soit vraiment déroulée.

Il existait également des méthodes un peu plus raffinées pour rabaisser la dangerosité de Bulger, et qui avaient l'avantage de contourner les directives exigeant une évaluation stricte de toute activité criminelle prohibée. Si une plainte ou un tuyau concernant un informateur estimé du FBI devenait subitement trop vague ou trop peu digne de confiance, il devenait impossible pour l'agence de poursuivre les investigations. Morris et Connolly pouvaient ainsi continuer de s'en tenir aux directives tout en assurant que s'ils recevaient un tuyau ou une plainte véritablement digne de foi contre Bulger, ils ne manqueraient pas d'agir en conséquence.

Curieusement, néanmoins, aucun des tuyaux qui leur parvenaient aux oreilles n'était digne de confiance. Cette technique s'était déjà révélée utile à Connolly lorsqu'il avait enfumé les gérants des distributeurs automatiques venus se plaindre au FBI que Bulger et Flemmi cherchaient à leur soutirer de l'argent, et une autre fois dans l'affaire d'extorsion de fonds sur Francis Green, une affaire qui s'était dégonflée, une fois sur le bureau du FBI.

Les années 80 fournissent un nouveau défi : comment gérer les informations glanées par d'autres agents du FBI auprès de leurs indics sur l'empire criminel grandissant de Bulger et Flemmi. Selon un de ces informateurs, les deux gangsters s'approprient toutes les opérations de paris clandestins dans les communautés autour de Boston. Au début de 1981, un autre indic rapporte que « James Bulger, alias Whitey, commet notoirement des hold-up et tente de recycler le produit de ces hold-up dans les activités de casinos clandestins. »

Il fallait rapidement improviser pour faire face aux révélations les plus gênantes. Morris découvre un jour sur son bureau une information selon laquelle Bulger s'est lancé dans le trafic de cocaïne, la drogue à la mode au début des années 80, et qui rapporte beaucoup. South Boston n'échappe pas à la traînée de poudre qui s'étend déjà aux autres quartiers de la ville : la drogue déferle sur Broadway comme un raz-de-marée, malgré la réputation un peu trop embellie de Bulger de protecteur du quartier. Bulger a beau promouvoir l'image d'un chef de bande opposé à la drogue, les ados et les kids qui se shootent et qui sniffent dans les contre-allées des cités sont là pour le démentir. Certes, ils ne traitent pas directement avec lui, et on ne le voit que rarement dans les parages, mais ils le savent tous : sans sa permission, il n'y aurait pas de « produit ». La vérité, c'est que Bulger surfe allègrement sur la vague irrésistible de la coke.

En février 1981, un indic signale à un agent de Morris que Brian Halloran, un truand de Boston, « deale de la coke avec Whitey Bulger et Stevie Flemmi ». Il y a des années qu'Halloran est très lié à Bulger et Flemmi, surtout à ce dernier. Il roule dans la voiture de Flemmi et lui sert souvent d'éclaireur, chargé de vérifier qui se trouve dans un club ou un lieu de rendez-vous avant l'arrivée de Flemmi, un rôle que tenait Nicky Femia dans le passé. Le mois suivant, un nouvel indic confie à un des agents de Morris que « Brian Halloran gère la distribution de la coke pour Whitey Bulger et Stevie Flemmi. » Avec Halloran, il y a aussi Nick Femia, chargé de collecter les commissions auprès d'une trentaine de dealers déjà opérationnels. La rumeur qui court c'est que tout dealer de coke doit verser « une partie du gâteau à Bulger et Flemmi sinon il peut faire sa valise ».

En juin 82, nouvelle information : le FBI apprend qu'un gangster de South Boston gère les opérations de prêts usuraires et de distribution de drogue à partir d'un bar du quartier. « Il se fait autour de 5 000 $ par semaine avec la coke, et il reverse un gros pourcentage à Whitey Bulger pour le droit de tenir boutique. »

Chaque fois qu'une information aussi précise atterrit sur le bureau de Morris, il la lit, appose ses initiales et la classe dans le dossier. D'habitude, les rapports du FBI qui contiennent des chefs d'accusation sont indexés sous le nom de la cible, afin que les autres agents puissent localiser la source dans les dossiers d'enquête. Mais Morris sabote systématiquement le système : il n'indexe pas les rapports sous le bon nom, tout en maquillant les allusions trop négatives afin qu'elles échappent à un possible recoupement. Généralement, le dossier est classé sans suite. Même lorsque la police d'État établit un lien entre Bulger et des trafiquants de drogue notoires. Même lorsque les informateurs du FBI corroborent ces observations. Morris reste de marbre. Il n'ordonne pas d'enquête, il ne réclame pas d'action.

Circulez, rien à voir.

Tandis que Morris agit en sa qualité de superviseur, Connolly continue d'alimenter le dossier de Bulger. Quelques jours après une descente anti-drogue dans un entrepôt de South Boston début 1983, Connolly note dans le dossier que le gangster s'est déclaré « contrarié » d'apprendre que des trafiquants de drogue « stockaient du shit dans sa ville ». Dans plusieurs autres rapports pour le FBI, Connolly affirme que Bulger est totalement opposé au trafic de drogue, et en rajoute ainsi au mythe de Bulger.

Naturellement, Connolly est au sein du Bureau le meilleur expert lorsqu'on évoque Bulger et Flemmi. Dès qu'un agent cherche des informations sur le passé de Whitey, on l'envoie dans le bureau de Connolly, généralement sur la recommandation de Morris. Quelle est la place de Whitey dans la hiérarchie du milieu ? Va voir Connolly. Whitey et la drogue ? Va voir Connolly.

La plupart des documents du FBI se rapportant à Bulger étaient de pures fabrications, et Connolly en était l'auteur, avec une maîtrise qui frôlait parfois le génie. D'une banale information sur Whitey, il faisait une pépite.

Dans un rapport de Connolly à Sarhatt, par exemple, rapport sur l'aide apportée par Bulger au FBI sur un hold-up commis le weekend du Memorial Day en mai 1980 dans une banque de Medford, Massachusetts, Connolly affirme que Bulger a été «la première source» à fournir le nom des voyous responsables. Mais il n'en est rien. Le lendemain du hold-up, des appels anonymes confirmés par des indics avaient déjà fourni les noms.

– Pour être honnête avec vous, ce n'est pas Bulger qui m'a averti, précise le chef de la police de Medford, Jake Keating, sur les premières pistes qu'il a suivies.

Il faudra quelques années pour inculper les responsables, mais leur identité, précise Keating, «était de notoriété publique».

Connolly n'hésite pas à attribuer à Bulger l'élucidation d'un crime. Selon une note de service signée Connolly, Bulger avait offert son assistance dans une affaire où le FBI «ne parvenait pas à trouver d'indices». Il s'agit du meurtre de Joseph Barboza Baron, un exécuteur du milieu devenu témoin essentiel pour le gouvernement. Baron avait été tué par balles dans les rues de San Francisco. Dans sa note de service, Connolly déclare que trois mois après le crime, Bulger lui avait révélé le nom de celui qui l'avait commis : un petit malin du nom de Jimmy Chalmas. En fait, le rôle de Chalmas dans cette affaire était bien connu quand Bulger en fait la révélation à Connolly. Chalmas était le suspect numéro un dès le jour du meurtre : Baron avait été abattu juste devant l'appartement de Chalmas. Les inspecteurs de la police de San Francisco avaient interrogé Chalmas la nuit même. À la suite des confidences de Bulger, le FBI avait confronté Chalmas, mais il était déjà en tête de liste des suspects depuis le meurtre. Ces précisions ne figuraient pas dans la note de service rédigée pour Sarhatt. Sarhatt, lorsqu'il avait mené son enquête sur la viabilité de Bulger en tant qu'indic, n'était pas censé non plus connaître le déroulement de l'affaire. Il était en revanche censé pouvoir faire confiance à son propre inspecteur de Boston quant à la véracité de ses affirmations. En conséquence, il adopte le point de vue de Connolly, confirmant ainsi l'importance de son informateur.

Connolly sait avant tout appuyer sur les points sensibles. Il affirme à Sarhatt que Bulger a sauvé la vie de deux agents du FBI qui avaient travaillé en clandestins dans le cadre de deux affaires séparées vers la fin des années 70. Nous sommes face aux affirmations les plus stupéfiantes de Connolly, en partie parce qu'il est incapable de les étayer par des faits. Tout au long de sa carrière d'agent traitant, Connolly a rédigé des centaines de rapports, connus plus tard sous l'appellation des «209 pièces jointes», couvrant toutes les informations reçues de ses sources. Elles vont du sublime, comme des informations sur d'importantes réunions de la mafia sur sa stratégie, au ridicule, comme la dernière grosse colère de Larry Zannino. Mais à propos justement de ces agents dont la vie était menacée, on ne trouve aucun document d'époque de la main de Connolly qui puisse justifier l'aide de Bulger. Pour expliquer cette absence de preuves, Connolly insiste sur le fait qu'il n'avait pas de raison précise pour écrire des rapports ; Morris concédera cependant plus tard que les directives du FBI conseillaient de mentionner toute aide importante dans une affaire.

Un des cas où la vie d'un agent était soi-disant en jeu remonte à l'ancienne affaire de détournement de camions, l'Opération Homard. Dans une note de service adressée à Sarhatt, Connolly réitère une affirmation exagérée selon laquelle, en 1978, un tuyau de Bulger avait permis au FBI «de prendre des mesures de protection à l'égard d'un agent infiltré, Nicholas Gianturco». Dans un rapport ultérieur, Connolly rappelle à Sarhatt l'importance de ce tuyau et ajoute que Bulger avait fourni ces informations pour protéger des vies au sein du FBI «au péril de sa propre vie».

Avec le temps, Connolly évoque de moins en moins les détails de cette affaire.

— Ils ont sauvé la vie d'un de mes amis, se contente-t-il de dire.

Connolly peut également compter sur Gianturco, mais jusqu'à un certain point. Gianturco déclare que Connolly lui a passé un coup de téléphone pour le persuader de ne pas rencontrer les auteurs des détournements.

— Il m'a affirmé qu'ils voulaient me tuer.

Mais comme on insiste pour savoir s'il pense que c'est Bulger et Flemmi qui lui ont sauvé la vie, Gianturco hésite.

— J'étais content que M. Bulger et M. Flemmi aient eu la bonté de veiller sur moi…

Il n'affirme pas que c'est Bulger qui lui a sauvé la vie. Flemmi lui-même semble contredire Connolly : il qualifie le tuyau donné par Bulger «d'involontaire», l'intention des malfrats étant d'extorquer des fonds à Gianturco, pas de le buter.

Tout aussi remarquable, le fait que les responsables de la police dans l'Opération Homard ne se souviennent d'aucune menace de mort spécifique sur Gianturco. Un complot en vue d'abattre un agent du FBI, ce n'est pas quelque chose qu'un officier de police oublie facilement, précisent-ils. Si la hiérarchie avait eu vent d'un tel complot d'assassinat, une alarme interne aurait été déclenchée, des rapports urgents rédigés, pas seulement dans une note de service signée Connolly deux ans plus tard. Selon Bob Long, de la police d'État qui supervisait l'Opération Homard, si un événement majeur comme celui mentionné par Connolly s'était vraiment passé, «il est impensable que l'on n'ait pas averti les supérieurs directs de Gianturco, qui étaient responsables de sa sécurité.»

– Si vous appreniez qu'un individu projette de buter un agent du FBI, je suis certain que vous feriez l'impossible pour surveiller les allées et venues du suspect, non ? Parce que s'il ne réussit pas aujourd'hui, il essaiera de nouveau demain, et après-demain.

Les enquêteurs n'avaient jamais surveillé aucun des auteurs des détournements de camions ; ils n'avaient jamais fait figure d'assassins potentiels.

L'épaisse liasse de rapports rédigés par Connolly épargne à Bulger un examen plus minutieux de la part de la hiérarchie du FBI ; les notes de service s'ajoutent aux multiples rapports de la main de Connolly et de Morris pour former un vernis de respectabilité : aux yeux du Bureau, Bulger et Flemmi sont des anges. Mensonge et tromperie font partie du quotidien de Morris. Dans son bureau, on trouve un exemplaire de *Mentir : Choix moral dans la vie publique et privée*. Il est tombé sur ce livre de la philosophe Sissela Bok au cours de ses études en vue d'un diplôme d'éthique de l'université de Northeastern. Cet ouvrage le fascine, ce n'est pas un guide du mensonge, mais il y puise certaines assurances ; le livre est toujours à portée de sa main, il commente certains passages et en surligne d'autres. Tout en supervisant Connolly, il déforme avec lui la vérité à propos de Bulger et Flemmi, s'attardant sur certains chapitres comme «Mentir pendant une crise», «Mentir pour protéger des collègues ou des clients», ou bien encore «Se justifier».

Mais le début des années 80 ne se résume pas à de la paperasse. Les deux compères ne font pas que maquiller les registres du FBI, ils se montrent de plus en plus actifs. Leur vie sociale s'enrichit. La première petite fête chez Morris à Lexington en 1979, en partie pour célébrer l'heureuse conclusion de l'affaire des courses truquées, restera comme une mise en bouche. Depuis, Morris a organisé plusieurs dîners. Gianturco également dans sa petite maison de Peabody, au nord de Boston. Flemmi a joué les hôtes à son tour, mettant sa mère à contribution pour préparer un festin à l'italienne en l'honneur de Bulger, Morris, Connolly, Gianturco et un certain nombre d'autres agents. La première réception offerte par Flemmi s'est déroulée chez ses parents, dans le quartier de Mattapan, mais au début des années 80, ses parents ont emménagé à South Boston. Parmi leurs voisins, il y a juste la rue à traverser, un certain Billy Bulger. Flemmi organise ses petites soirées en face de la maison de l'homme politique le plus puissant du Massachusetts.

Flemmi et son acolyte Bulger vont même transformer la maison de la mère de Flemmi en une véritable cache d'armes. Dans un abri de jardin, là où monsieur Tout-le-monde rangerait sa tondeuse à gazon, les gangsters entassent un véritable arsenal : revolvers, carabines, armes automatiques, fusils, munitions de tout type et de tout calibre, jusqu'à des explosifs, le tout dissimulé derrière une fausse cloison de l'abri.

Autour des boissons fortes et du barbecue, il devient de plus en plus difficile de séparer business et plaisir. John Connolly se charge d'organiser les réjouissances, il s'occupe de synchroniser les agendas, les lieux de rendez-vous, la liste des invités.

— Je ne me suis jamais occupé des rendez-vous, précisera Morris plus tard, même s'ils avaient souvent lieu chez lui. J'ignorais comment on pouvait les contacter.

Connolly voulait toujours en faire trop. Après avoir persuadé Morris et Gianturco de jouer les hôtes pour les malfrats, il voulait toujours s'assurer qu'ils se conduiraient du mieux possible. Morris se souviendra que Connolly exigeait que l'on traite Whitey Bulger et Stevie Flemmi différemment des autres indics. Il fallait leur montrer le «respect spécial» qu'ils méritaient.

Le FBI interdit strictement d'entretenir des rapports conviviaux avec des informateurs. Connolly avait donc mis au point les raisons pour lesquelles le règlement ne pouvait s'appliquer à ce cas particulier, des raisons approuvées immédiatement par Morris. Bulger et Flemmi, expliquera Morris, «étaient extrêmement connus dans le milieu, cela réduisait le nombre d'endroits où on pouvait les rencontrer; de plus Connolly ne souhaitait pas les rencontrer dans des lieux publics, chambres d'hôtel, bars, etc. Il voulait les retrouver dans une atmosphère plus décontractée, plus conviviale, associée au plaisir, cela ne laissait que peu d'alternatives, c'est surtout pour cette raison que j'ai accepté de les recevoir à dîner.»

Il ne faut pas oublier qu'à l'époque Bulger et Flemmi font l'objet d'une surveillance de la part de la police d'État. Des années plus tard, on évoquera, toujours avec une certaine ironie, dans les autres agences de police la manière dont les gangsters réussissaient à semer leurs poursuivants en trouvant refuge et bonne chère aux divers domiciles d'agents du FBI.

Jamais les repas chez les inspecteurs ne figureront dans les registres du FBI, aucun rapport ne sera retrouvé dans les dossiers; autour de la table, devant des mets de choix et des verres de grands crus, le petit groupe d'invités sélectionnés évoque avec nostalgie les bons moments de leur collaboration. Flemmi raconte: on bavardait sur «les trucs du passé, comme l'affaire des courses truquées». La bonne humeur était de mise, et l'on évoquait parfois, selon Morris, «des trucs plutôt bizarres». Si Connolly jouait le maître de cérémonie, le PDG, c'était toujours Bulger, «décrivant la vie à Alcatraz, philosophant sur la vie, sur l'existence d'un fugitif, évoquant la famille, parlant de la société en général».

Il régale son auditoire avec ses expériences du LSD lorsqu'il était derrière les barreaux dans les années 50. Flemmi se souvient:

— Il était enfermé à Alcatraz quand ils ont fermé la prison. Après, il a connu Leavenworth, et il a participé à un programme de 18 mois mis sur pied par la CIA. Le programme s'appelait Ultra, il s'était porté volontaire, c'était sur les effets du LSD. Il avait été sélectionné parce qu'il avait un QI hors-normes. Super élevé.

Flemmi racontait parfois certaines de ses aventures, sa vie au Canada quand il était en cavale, mais le projecteur revenait immanquablement sur Bulger.

— Whitey parlait tout le temps. D'ailleurs, tout le monde vous le confirmera, il est très bavard.

Connolly rencontrait fréquemment Bulger et Flemmi en privé, en tout plusieurs centaines de fois, mais les dîners du FBI étaient devenus des agapes biannuelles. Agents et gangsters prenaient alors des précautions particulières pour ces événements. À l'occasion d'une soirée bière dans l'appartement de Bulger, Connolly et Morris avaient garé leur voiture à plusieurs pâtés de maisons de distance.

— Connolly connaissait par cœur toutes les ruelles du quartier, précisera Morris qui, lui, se perdait facilement dans South Boston. Je n'avais aucune idée de l'endroit où je me trouvais. On a pris des petites rues et on est parvenus à son appartement par l'entrée de service.

Ils portaient tous les deux un chapeau, censé dissimuler en partie leurs visages. Bulger les avait accueillis chaleureusement, avait décapsulé des bières *St Pauli Girl* et Morris s'était plongé dans la lecture d'un exemplaire du magazine *Soldier of Fortune* qui traînait sur la table.

Morris s'inquiétait moins de sécurité ou de ce que les voisins pourraient dire lorsqu'il jouait les hôtes dans son quartier de Lexington.

— Mes voisins n'avaient pas la moindre idée de qui pouvaient être Bulger et Flemmi.

Malgré tout, il fallait toujours prendre un minimum de précautions.

— Ils arrivaient au milieu de la nuit. Parfois ils entraient dans le garage privé. Ils portaient toujours des chapeaux.

La plus choquée était certainement Rebecca, l'épouse de Morris. Elle n'appréciait pas du tout de recevoir à dîner des tueurs notoires. Le mariage rencontrait déjà des problèmes, les disputes se multipliaient. Durant toutes ces années au sein du FBI, Morris n'avait jamais agi de la sorte. Certes, il rapportait souvent des dossiers à la maison pour travailler, mais jamais il n'avait invité des gangsters à une soirée en famille. Bulger et Flemmi savaient désormais où il habitait, connaissaient sa famille, ils pouvaient se demander si Morris recevait d'autres informateurs et, pour découvrir l'identité de ceux-ci, se mettre à surveiller les allées et venues du couple ! Selon Rebecca, c'était de la folie pure. Mais Morris était parvenu à rassurer son épouse, prétextant de la nécessité absolue de maintenir de bons rapports avec les deux malfrats, des indics tellement spéciaux.

— Oui, ce sont des «types peu recommandables», mais il faut les inviter à dîner pour leur inspirer confiance.

Ceci ne peut conduire qu'à accorder de plus en plus d'importance à Bulger et Flemmi. Morris n'est pas surpris par la réaction de son épouse : elle n'est pas consciente de la relation très spéciale que Connolly et lui entretiennent avec les deux gangsters. Après tout, comment pourrait-elle apprécier l'intimité croissante entre les membres de cette petite confrérie ? Car on passe bientôt des dîners fins aux cadeaux. Au début des années 80, les agents et leurs indics commencent à échanger des présents, les jours fériés, dans les grandes occasions, ou simplement pour le plaisir d'offrir. Pour Morris, Rebecca ne se rend pas compte, tout simplement.

C'est Connolly qui coordonne les cadeaux, assurant la distribution, et même la livraison aux gangsters et vice versa. Gianturco reçoit ainsi une mallette en cuir noir, une statuette décorative en cristal et une bouteille de cognac. La seconde fois où Bulger vient dîner chez lui, se souvient Gianturco, il apporte «des verres à vin en cristal. Je crois que j'avais payé les miens 1,25 $ chez *Stop & Shop*. Les siens étaient parfaits. D'habitude, M. Bulger apportait une bouteille de bon vin ou de champagne quand il venait dîner. »

Gianturco rendait ces cadeaux avec plaisir. Lors d'un déplacement à San Francisco, il repère dans la vitrine d'un magasin une boucle de ceinturon sur laquelle figure Alcatraz. Il l'achète, la confie à Connolly à son retour pour qu'il l'offre à Bulger. Celui-ci l'apprécie et la portera désormais souvent. Connolly et Bulger, pendant ce temps, échangent des livres et de bonnes bouteilles ; Bulger offre un jour à son agent traitant un couteau de chasse gravé.

– J'ai reçu un sweat-shirt de Nick Gianturco, un jour, se souviendra Flemmi. Et un bouquin de John Connolly.

Morris lui offre un paysage de Corée peint par un artiste coréen.

– Un beau tableau, précisera Morris. Je l'avais trouvé quand j'étais dans l'armée. J'avais servi là-bas pendant la guerre, et lui aussi, alors je le lui ai donné.

Bulger avait remarqué qu'il manquait un seau à glace sur la table d'hôte de Morris pour le vin blanc, il lui offrira un seau à champagne en argent. Ce cadeau somptueux agace prodigieusement l'épouse de Morris et suscite une nouvelle querelle. Elle déteste la largesse de Bulger et exige que Morris refuse tous les cadeaux. Mais Morris passe outre : il faut maintenir la confiance de Bulger. Rebecca Morris confisque le seau à champagne, le cache ; sans le dire à Bulger, John Morris le jettera un jour à la poubelle.

Bulger et Morris continuent pourtant d'approvisionner la cave de Morris avec des vins recherchés, parfois de grands crus de Bordeaux coûtant des dizaines de dollars.

– Je ne pense pas avoir jamais exprimé de l'intérêt pour ce vin, confiera Morris. Je crois plutôt que les choses ont évolué à partir du jour où ils ont apporté des bouteilles pour la première fois. Dans la conversation, j'avais dû mentionner mon intérêt pour le bon vin.

Les deux indics organisent même un jour une livraison pour Morris au Bureau du FBI, dans l'immeuble réservé à l'administration fédérale de Boston.

– C'est Connolly qui m'a averti, se souviendra Morris. Il m'a dit qu'il avait reçu quelque chose pour moi de la part de ces types.

Morris doit se rendre à la voiture de Connolly dans le parking de l'immeuble.

– Je suis descendu dans le parking réservé, j'ai ouvert le coffre de la voiture, il y avait un carton de 12 bouteilles.

Comme si les gangsters voulaient jouer sur le point faible de Morris. Il avait d'ailleurs prouvé son goût pour la bouteille lors de la soirée au *Colonnade Hotel*. En fait, Flemmi avait conservé comme un souvenir la bande magnétique oubliée par Morris cette nuit-là. Morris n'ignorait pas, évidemment, que cette intimité grandissante, ces échanges de cadeaux dépassaient les limites, mais il ne pouvait plus s'arrêter. Comme s'il se sentait plus fort en poursuivant cette alliance étrange avec Bulger et Flemmi. Avec un verre ou deux, on faisait taire sa conscience. Morris appréciait beaucoup les deux malfrats. Il aimait bien Connolly. Ils détenaient tous une part du grand secret.

Au début de juin 1982, Morris quitte Boston pour prendre part à une formation de deux semaines à Glynco, en Géorgie, au Centre fédéral de formation de la police. Sarhatt a donné son accord, tout comme l'agent spécial en charge du Bureau de Boston, Bob Fitzpatrick. Morris est inscrit dans un programme sur la «Formation spécialisée dans les narcotiques». Bien qu'une autre agence fédérale, la DEA (*Drug Enforcement Administration*), ait déjà pour mission de cibler les trafiquants de drogue, le FBI cherchait dans les années 80 à renforcer ses propres capacités à lutter contre le trafic. Dès le début du stage, Morris se languit de sa petite amie, Debbie Noseworthy. Depuis la Géorgie, il appelle Connolly.

Au téléphone, Morris rappelle à Connolly la promesse qu'avait faite Bulger et Connolly : si un jour il avait besoin de quelque chose, fais-le nous savoir.

– Alors j'ai demandé à Connolly s'il pensait qu'ils pourraient l'aider en achetant un billet d'avion ? Il a dit : « Pourquoi pas ? »

John Connolly reçoit l'appel dans son bureau de la Brigade contre le crime organisé. Debbie est devant sa machine à écrire près du bureau de Morris et se demande de quoi Connolly et son petit ami peuvent bien discuter. Connolly raccroche puis s'en va. Deux minutes plus tard, il revient au Bureau, s'avance vers le bureau de Debbie et lui tend une enveloppe.

– Il m'a dit que John voulait me donner ça, se souvient Debbie. J'ai demandé : « C'est quoi ? », et il m'a répondu : « Eh bien, regarde. »

Debbie ouvre l'enveloppe blanche et découvre 1000 $ en billets. Surprise, elle veut savoir d'où vient l'argent. Connolly lui sert le mensonge qu'il a concocté avec Morris : son petit ami a mis de l'argent de côté et l'a caché dans son bureau pour une occasion comme celle-ci.

– Morris, insiste-t-il, veut que tu prennes l'avion pour aller le retrouver en Géorgie.

Debbie n'a pas vu Connolly entrer dans le bureau de Morris ni fouiller dans son bureau. Elle-même sait bien tout ce qui s'y trouve et n'a jamais vu cet argent. Mais elle ne va pas se priver pour autant d'une telle opportunité. Elle est heureuse. Connolly, se souviendra Debbie, avait aussi l'air réjoui :

– C'est super ! Tu vas te payer du bon temps !

Debbie se débrouille immédiatement pour prendre quelques jours de congé, elle sort pour acheter son billet d'avion puis se rue vers Logan Airport d'où elle prend un vol pour rejoindre son amant. Grâce à Connolly et Bulger, les deux tourtereaux vont profiter de leur bonne fortune en Géorgie.

Six mois après avoir reçu son premier pot-de-vin, Morris cède son poste de superviseur de la Brigade contre le crime organisé à Jim Ring. Il est désormais nommé coordinateur de la nouvelle unité de lutte contre la drogue du FBI. Nous sommes début 1983, et Morris commence à ressentir un certain épuisement. La raison officielle de cette lassitude est tout à fait légitime et compréhensible. Morris a dirigé une équipe d'agents pendant la spectaculaire mais harassante opération d'écoutes et de surveillance du quartier général de la mafia de Boston. L'enquête est maintenant entre les mains d'Ed Quinn et de ses agents qui réécoutent attentivement, décryptent et transcrivent les bandes du FBI. Mais la dépression de Morris doit être attribuée en partie à une autre cause. Il est désormais mouillé jusqu'au cou.

Indiscutablement, il a accepté le cadeau de trop.

Connolly et lui partis, Bulger et Flemmi se retrouvent seuls, sans agent traitant. Morris tente bien de mettre son successeur, Jim Ring, en garde contre Bulger. Sans mentionner l'argent, évidemment. Il utilise avec Ring le jargon du FBI, suggérant que peut-être Bulger et Flemmi « ont atteint le terme de leur utilité » et devraient être rayés de la liste des informateurs du FBI. Morris a le vague espoir que Ring fasse le nettoyage à sa place. Pour sa part, Ring témoignera plus tard qu'il ne se souvient pas que Morris lui ait jamais conseillé de mettre un terme à la collaboration avec Bulger. Au sein du Bureau, les deux hommes ne sont pas considérés comme des amis mais plutôt des rivaux. Ring a hâte d'imposer son image, il ne souhaite pas être le liquidateur des restes de l'affaire Angiulo.

Connolly s'empresse d'organiser une rencontre entre Ring, Bulger et Flemmi afin d'inaugurer une nouvelle ère de bonne volonté. Le premier rendez-vous a lieu dans son propre appartement ; les deux gangsters trouvent que Ring n'est pas aussi chaleureux ni convivial que Morris.

– Je me sentais à l'aise avec John Morris, mais avec Jim Ring, ce n'était pas du tout la même chose, avouera Flemmi plus tard. Il aimait se concentrer sur les détails, ce type ne donnait pas l'impression de vouloir échanger avec toi.

Pourtant, bientôt, Ring rejoint les autres autour de la table ; il y a en particulier une soirée mémorable dans la maison de la mère de Flemmi. Billy Bulger, le président du Sénat, traverse la rue, entre dans la cuisine de Flemmi, juste en face de chez lui. Ébahi, le superviseur du FBI tâche de reprendre son souffle. Billy se dirige vers Whitey et lui remet une pile de photos de famille qu'ils parcourent ensemble. Billy démentira plus tard la véracité de ce témoignage, mais Ring affirmera sous serment que la scène s'est réellement passée.

Néanmoins, aucun autre superviseur n'arrivera jamais à la cheville de Morris au sein du petit groupe. Certes, il n'est plus le supérieur de Connolly, il ne dirige plus la Brigade contre le crime organisé, mais Connolly, Bulger et Flemmi ne lâcheront plus jamais Morris. Ils le tiennent, et ça ne leur aura coûté qu'un billet d'avion pour une escapade amoureuse clandestine. Morris va bientôt s'en apercevoir. Il a su qu'il avait perdu dès le moment où Debbie Noseworthy avait attaché sa ceinture peu avant le décollage de son avion de Logan Airport. Il est grillé, et les années 80 ne vont pas arranger les choses. Il tente de se raisonner, d'imiter Connolly, de noyer le poisson en invoquant la relation spéciale, la tâche exceptionnelle au nom de laquelle il a agi : anéantir la mafia. Mais la protection qu'ils fournissent à Bulger et Flemmi ne se justifie plus par l'importance des renseignements glanés çà et là ; les informations ne sont pas négligeables mais ne sont ni vitales ni indispensables comme ils tentent de le faire croire. Ce qu'il leur faut désormais protéger à tout prix, c'est la corruption qui s'est insinuée au sein du FBI.

Morris ne s'est pas montré à la hauteur, que ce soit au *Colonnade Hotel*, durant les dîners, face aux cadeaux, dans l'affaire des fuites sur la planque de la police d'État Lancaster Street, et maintenant confronté aux pots-de-vin. Il se rend compte qu'ils ont dépassé le simple maquillage d'écriture dans les rapports transmis à la hiérarchie, les mensonges accumulés dans le dossier de Bulger afin que leurs supérieurs ferment les yeux sur celui-ci, ils ont trop dépassé les limites, trop violé les directives.

Au cours des 18 mois entre fin 1980 et le milieu de 1982, ils s'étaient exclus du système : ils étaient tous devenus des hors-la-loi, des inspecteurs du FBI en collusion avec deux gangsters se serrant les coudes pour écarter le danger, même celui d'affronter un jour une inculpation de meurtre.

Chapitre Dix

Meurtres et Cie

Quelques jours après le jour de l'an 1981, Brian Halloran gare sa vieille Cadillac devant le *Rusty Scupper*, un restaurant populaire de North End, et grimpe quatre à quatre l'escalier qui mène au loft qu'occupe un de ses amis, avec qui il partage de bonnes bouteilles et un goût pour la finance de haut vol. John Callahan, comptable de profession, lui a demandé de passer pour parler affaires, un mot synonyme d'argent facile pour Halloran qui a toujours du mal à joindre les deux bouts.

À vrai dire, ils forment un curieux couple. Halloran est élancé mais sans grâce ; c'est un homme de main du gang de Winter Hill, tandis que Callahan, de petite taille et trapu, est expert-comptable auprès de plusieurs banques de Boston. L'amitié entre les deux hommes s'est développée autour de la vie nocturne de la ville. Ils se sont rencontrés au début des années 70 à *Chandler's*, un des hauts lieux fréquentés par les voyous de South End et contrôlés par Howie Winter. Callaghan est extraverti, il aime s'encanailler de temps en temps tandis que Callahan y passe le plus clair de son temps, habituellement les poches vides, jouant les gros bras avec brutalité et les collecteurs d'argent sale pour la pègre.

Callahan discute avec des banquiers le jour et se frotte aux malfrats la nuit. Il partage avec Halloran un goût prononcé pour les boissons fortes et la fête. Aux yeux des voyous, c'est un type qui dépense beaucoup mais gagne encore plus ; surtout, il semble doué pour le blanchiment. Après avoir fréquenté *Chandler's* pendant quelques années, Callahan tente de lier le monde des entreprises avec le milieu en proposant un marché qui stupéfie Halloran. Un soir, au milieu des années 70, l'expert-comptable demande à Halloran s'il ne voudrait pas « l'attaquer » et lui voler son argent lorsqu'il transportera un sac bourré de billets depuis son lieu de travail principal, une société baptisée *World Jai Alai*, un tripot de jeu qui s'avérait une véritable mine d'or. Halloran devait l'agresser tandis qu'il transférerait le gros sac jusqu'à un camion de la *Brink's* ; ils se partageraient l'argent un peu plus tard. Ils n'avaient jamais réalisé le hold-up prévu, mais Halloran avait compris ce jour-là que Callahan était un peu plus qu'un type sympa plein aux as. C'était un joueur de premier plan.

Dès qu'Halloran pousse la porte de l'appartement de Callahan qui surplombe le port de Boston, il a le choc de sa vie. Il découvre Whitey Bulger et Stevie Flemmi installés sur un canapé du living-room. Callahan l'accueille avec effusion. Stevie le salue, Whitey reste muet. Whitey n'apprécie pas vraiment Halloran, et il ne le cache pas. Sur un trottoir de Southie, le mutisme de Bulger devant quelqu'un qui le salue signifie l'arrêt de mort de celui-ci.

Mais la surprise d'Halloran ne dure pas. Depuis quelques mois, Callahan lui rebat les oreilles à propos de Bulger et Flemmi : ils veulent devenir partenaires dans l'aventure du *World Jai Alai*, une manne basée sur les paris illicites autour du jeu de pelote basque qui se joue sur des frontons dans le Connecticut et en Floride. Aux yeux d'Halloran, la présence de Bulger et Flemmi signifie que l'accord a dépassé le stade des négociations ; il est évident aussi que Callahan n'est plus le petit comptable qui aime faire la fête tout en maintenant des liens dans la banque. En fait, Callahan blanchit de l'argent pour Bulger et Flemmi, et qu'il s'en soit aperçu ou non, il s'est éloigné de plus en plus du quartier de la finance de la ville pour se rapprocher de Winter Hill.

On bavarde un moment autour d'un verre, puis Callahan se jette à l'eau et va droit au cœur du problème. Un gros pépin au sein de *World Jai Alai*. En effet, un nouveau patron de Tulsa, Oklahoma, Roger Wheeler a découvert « quelque chose qui clochait » dans la comptabilité. Il a tout simplement constaté que quelqu'un soutirait un million de dollars par an dans les coffres de la société. Le nouveau patron envisage maintenant de licencier les responsables financiers et de les remplacer par des hommes à lui. Ce Wheeler est un danger public, insiste Callahan ; en réalité, il a peur de finir derrière les barreaux car le patron a décidé d'organiser un audit interne complet.

Mais voilà, John Callahan a la solution. Brian Halloran, propose-t-il, pourrait « le rayer de la carte », c'est-à-dire lui coller une balle dans le crâne, tout simplement. Le faire disparaître serait d'après lui le seul moyen de faire capoter l'enquête administrative et d'éviter une éventuelle inculpation contre lui pour détournement de fonds. Il ajoute que l'exécuteur patenté du gang de Winter Hill, Johnny Martorano, devrait sans doute être recruté pour faire le boulot. Rien ne remplace l'expérience. Du fond de son canapé, Flemmi émet quelques doutes : « leurs amis » au sein de *World Jai Alai* ne parleront-ils pas une fois que la police sera appelée pour enquêter ? On ne peut pas accepter le risque que des comploteurs se retournent contre Callahan. Il reste aussi la question qui tue : Callahan sera-t-il capable de résister à un interrogatoire poussé ?

Tout au long de l'échange, Bulger reste muet, il ne bouge pas, se contentant d'écouter. À l'époque, nous sommes loin de cette période des jeux d'argent illicites dans les bars de Southie, ces journées tendues en 1972 lorsqu'il craignait d'être descendu par le gang de Mullin. Non seulement il a atteint un sommet dans la hiérarchie des voyous mais il a pignon sur rue, il choisit ses investissements dans des domaines vastes et variés. En vérité, il a même trop d'activités, en partie grâce à un atout majeur, l'agent du FBI John Connolly, qui veille sur sa santé.

Il est arrivé au top en planifiant méthodiquement sa carrière, usant de la liberté totale d'action que lui offre sa position dans le milieu, même si celle-ci a ses aléas. On a assisté à un certain nombre d'assassinats de petits voyous dans la pègre de Southie depuis qu'il collabore avec le FBI en 1975, mais le décompte sans cesse croissant des cadavres ne provoquera jamais le moindre remous du côté de Connolly. Plus grave encore, rien ne bouge lorsque c'est une des petites amies de Stevie qui est abattue. Debra Davis est une jeune femme voluptueuse de 26 ans, elle fréquente Flemmi depuis sept ans et rêve de partager sa vie. En vacances à Acapulco, elle tombe amoureuse d'un jeune entrepreneur mexicain spécialisé dans l'huile d'olive et la volaille. Debra ne songe qu'à un beau mariage et à fonder une famille, un rêve impossible avec Flemmi dont c'est le dernier des soucis. Mais une rupture est totalement inenvisageable pour le malfrat, possessif en diable, et Debra Davis disparaît sans laisser de trace le 17 septembre 1981. Elle avait commencé la journée par quelques heures de shopping avec sa mère et déclaré en l'embrassant qu'elle avait rendez-vous avec Flemmi. Sa mère et ses frères avaient contacté le FBI, mais les inspecteurs qui s'étaient présentés chez eux s'intéressaient avant tout à ce que Debra connaissait sur Stevie, beaucoup moins à élucider le mystère de sa disparition. Peu après, l'enquête tourne court. En faisant preuve de prudence dans ce monde de brutes, Bulger et Flemmi avaient appris qu'ils pouvaient se permettre à peu près tout.

La question à laquelle Whitey devait maintenant répondre, c'était : jusqu'où pouvait-il aller ? Un meurtre en Oklahoma constituait-il un franchissement dangereux de la ligne blanche ? Le FBI, par l'entremise de Connolly et de Morris, fermerait-il les yeux sur un règlement de comptes sanglant hors des limites de la pègre de Southie, où ce genre d'événement était aussi banal que l'augmentation des prix chez l'épicier du coin ?

Finalement, pourquoi se poser la question ? Bulger a pleine confiance en Connolly : celui-ci le tirera toujours d'affaire si nécessaire. Roger Wheeler a beau être multimillionnaire, de Tulsa, à la tête de sept grosses entreprises du pétrole à l'électronique, à l'aube de 1981 à Boston, ce n'est rien d'autre qu'un type qui s'est mis en travers de la route de Bulger.

La pilule est un peu dure à avaler pour Halloran. Car c'est trop demander à un joueur de base-ball minable reconverti dans des petits hold-up avant de rejoindre le gang de Winter Hill en 1967 vers la fin de la guerre des gangs irlandais, un véritable bain de sang déclenché lorsqu'un voyou éméché avait insulté la petite amie d'un autre type sur la plage. Au fil des années, Halloran s'était fait un nom, en quelque sorte, mais on le connaissait surtout pour des passages à tabac sur des mauvais payeurs qui peinaient à rembourser trois sous. Halloran était un petit joueur, mais Bulger l'utilisait encore lorsqu'il fallait récupérer l'argent des prêts usuraires ou transporter la coke. Il n'avait jamais tué personne.

Halloran jouait néanmoins un rôle, mineur certes, dans l'assassinat d'un des bookmakers les plus célèbres de Southie, un acte qui avait renforcé la réputation de tueur implacable de Bulger dans le secteur. En avril 1980, Halloran avait servi de chauffeur à Louis Litif alors qu'il se rendait au bar *Triple O*, dans l'avenue principale de Southie, West Broadway.

Durant des années, Litif a fait office de bookmaker lui-même, l'un des plus rémunérateurs pour Bulger, mais il s'est récemment reconverti dans le trafic de drogue. Erreur fatale en chemin, il a abattu un autre trafiquant sans le feu vert de Bulger. Peu après avoir déposé Litif, Halloran gare la Lincoln derrière le bar et attend. Quelques minutes plus tard, il voit Bulger et un acolyte descendre les marches de l'entrée de service, traînant un grand sac poubelle vert. Ils entassent le sac poubelle dans le coffre de la Lincoln. Halloran démarre et repart vers South End où il abandonne le véhicule. On retrouvera le cadavre de Litif dans le coffre, une balle dans la tête.

Si bien que lorsqu'on aborde le sujet d'un meurtre éventuel dans l'appartement de Callahan, Halloran sait bien qu'il ne s'agit pas d'une plaisanterie. Mais cette fois-ci, c'est lui qui appuierait sur la détente, il ne serait pas simple témoin. Les yeux écarquillés, il s'éclaircit la voix et demande s'il n'y a pas autre chose à faire que «buter ce type». La remarque lui vaut un regard assassin de la part de Bulger, un de ses traits caractéristiques. La discussion dure plus d'une heure, et finalement Bulger annonce qu'il va réfléchir. Halloran quitte North End persuadé que Roger Wheeler est un homme mort.

Wheeler est à la tête d'un empire éclectique spécialisé dans l'électronique par le biais d'une société-mère baptisée *Telex*, qui fabrique des terminaux d'ordinateurs et des magnétophones. Il a grandi dans le Massachusetts mais a suivi ses études au Texas avant d'obtenir un diplôme d'ingénieur électronique. Vers la fin des années 70, l'énergie et l'ambition de Wheeler ont été telles que *Telex* fait un bénéfice de 8,1 millions de dollars pour un chiffre d'affaires de 86,5 millions. Depuis des années, il est pourtant à la recherche d'un marché qui puisse rapporter une plus grande marge de profit; en fait, il est fasciné par l'argent qui circule dans l'industrie du jeu organisé.

Père de cinq enfants, dévoué à sa famille, il fréquente régulièrement son église locale sans être un enfant de chœur. Il peut subitement devenir exigeant, directif et impitoyable comme certains chefs d'entreprise. Aucun scrupule en ce qui concerne l'univers du jeu à partir du moment où l'on peut engranger de grosses sommes d'argent sans payer trop d'impôts. Il a tenté au fil des mois de se rapprocher de sa cible d'élection, flirtant un temps avec l'hippodrome de Shenandoah, en Virginie en 1976, puis jetant les yeux sur un casino de Las Vegas en 1977. Mais il fixe son choix sur le *World Jai Alai* et ses installations de pelota dans le Connecticut et en Floride, idéales pour les paris illicites. Pour ce projet, il a réuni un financement irrésistible de 50 millions de dollars réunis par la *First National Bank* de Boston.

Par un heureux hasard, la banque utilise les services de consulting de John Callahan, ce qui explique en partie l'importance de la somme mise à disposition. En dépit des protestations de Wheeler, la banque impose une condition à ce prêt : il faut que l'ancien associé de Callahan, Richard Donovan, conserve son poste de président de *World Jai Alai*. Autre condition impérative, Wheeler doit s'engager à maintenir l'ancien agent du FBI Paul Rico à la tête de la sécurité.

Mais le reste du marché est trop alléchant pour faire reculer Wheeler, il empoche le prêt et achète la société. Un coup de maître pour Callahan : deux ans auparavant, il avait été licencié par le conseil d'administration de *World Jai Alai* pour des dépenses extravagantes et des liens avec le milieu, en particulier avec Brian Halloran et Johnny Martorano.

Le scénario est déjà écrit, le destin est au rendez-vous mais Wheeler ne s'en rend pas compte ; il est excité par la réalisation de son projet, et ébloui par les 5 millions de dollars de bénéfice annuel, 16% du chiffre d'affaires ! Pourtant, les tiroirs de l'administration de la société renferment quelques dossiers très inquiétants, ceux de Callahan et de son partenaire et associé de longue date.

Néanmoins, Roger Wheeler s'imaginait posséder désormais le beurre et l'argent du beurre : les revenus des paris et un certificat de bonne conduite. Il avait foi dans son sens des affaires pour éliminer bientôt les «individus louches». Peu à peu, cependant, Wheeler réalise dans quel guêpier il est venu se fourrer. Il commence à paniquer, selon ses collaborateurs. Ironiquement, il calme ses craintes devant le nombre important d'anciens agents du FBI qui veillent sur la sécurité du *World Jai Alai*, parmi eux le redoutable Paul Rico.

Une semaine environ après cette fameuse réunion avec Bulger, Halloran croise Callahan dans un de leurs bars favoris ; il demande où en est la situation en ce qui concerne Wheeler. Callahan se montre évasif, ils sont toujours «en train d'étudier les détails», comme s'il s'agissait d'envisager une fusion-acquisition. Callahan change de sujet, et les deux hommes commandent une nouvelle tournée.

Deux ou trois semaines plus tard, Callahan passe un coup de fil à Halloran, lui demandant de venir le voir à son appartement de North End. Ce jour-là,

Callahan est seul à l'accueillir. Il lui tend un petit cadeau de consolation car il ne participera pas à l'action cette fois-ci : deux grosses liasses de billets de 100 $, 20 000 $ en tout. Ils ont finalement décidé de s'occuper de Roger Wheeler sans lui.

– Prends le fric, encourage Callahan. Il vaut mieux que tu ne sois pas impliqué dans ce truc.

Grandes claques dans le dos.

– On n'aurait même pas dû t'en parler, mon vieux.

Halloran n'a pas besoin de se forcer pour accepter ce cadeau. On ne le contraint pas de tuer un type qu'il ne connaît pas, et tout ce fric est bien utile pour améliorer le quotidien. Pour lui, il s'agit d'une faveur professionnelle de la part d'un gars plein aux as. L'argent lui brûle les doigts, Halloran s'achète des meubles pour son appartement de Quincy, s'éclate à Fort Lauderdale pendant une semaine et flashe sur une voiture neuve.

Une fois Halloran sur la touche, le commando de tueurs de Winter Hill débarque à Tulsa trois mois plus tard. L'après-midi de printemps est ensoleillé et chaud, Roger Wheeler termine son parcours de golf hebdomadaire sur le green du Country Club de Tulsa, quitte les vestiaires et rejoint le parking. Deux hommes l'attendent à bord d'une Pontiac brun clair dernier modèle dont les plaques d'immatriculation sont volées. Ils observent le brillant chef d'entreprise qui monte dans sa Cadillac. Un des hommes, lunettes noires et fausse barbe, s'avance à grands pas de la voiture, la main droite enfoncée dans un sac en papier, l'air déterminé d'un soldat de fortune en mission. L'homme dans la Cadillac regarde l'individu qui s'approche. Johnny Martorano place le sac en papier contre la vitre et abat Wheeler d'une balle entre les deux yeux à l'aide d'un calibre 38 à canon long. Il rejoint rapidement la voiture qui l'attend et démarre en trombe tandis que des jeunes dans la piscine proche s'interrogent, surpris par la détonation.

Halloran se rend compte très vite qu'il est arrivé à un croisement de sa vie à South Boston. Les mauvaises relations qu'il entretient avec Bulger s'ajoutent à un quotidien qui se détériore trop rapidement. Sa propre consommation de cocaïne le préoccupe désormais plus que la vente de ses doses. Et on le maintient hors des bons coups de Winter Hill puisqu'il dépend de la bonne volonté de Bulger. Il s'entendait mieux avec les anciens de Winter Hill,

Howie Winter et Joe McDonald et même Jimmy Sims, malheureusement ces vétérans sont soit en prison soit en cavale.

Après la mort de Wheeler, Halloran, le survivant des voyous de la rue de Boston, est pleinement conscient que Callahan et lui sont désormais complices dans un complot en vue de tuer, ordonné par un exécuteur impitoyable qui ne l'aime pas. Un matin d'automne en 1981, quelqu'un tire au jugé dans sa direction alors qu'il vide la poubelle de son appartement de Quincy. Simple avertissement, sans frais.

La déchéance est à l'œuvre. Quelques semaines plus tard, Halloran aggrave son cas. Au cours d'un deal avec un minable du circuit de la drogue, Halloran descend à bout portant George Pappas dans un restaurant chinois, à 4h du matin, à l'issue d'un repas. Halloran le flingue à bout portant par-dessus la table, sous les yeux de Jackie Salemme, mafiosi connu et frère cadet de Frank. Ça ressemble beaucoup au meurtre dans *Le Parrain*, dans lequel Michael Corleone jette le revolver sur la table avant de fuir et de s'engouffrer dans une voiture à destination de la Sicile, improbable héros de la famille. Mais le chauffeur dans cet épisode réel ne fait que reconduire Halloran à Quincy, où les problèmes se compliquent. Cette exécution en plein Chinatown l'isole de ses pairs, qui assistent à sa dégringolade. Elle attire également les soupçons de la police.

À l'issue d'un mois de planque, Halloran se constitue prisonnier en novembre 1981, puis est relâché sous caution ; c'est désormais un cocaïnomane perdu, avec pour seule perspective une inculpation de meurtre sur la personne d'un membre de la mafia. Il est persona non grata avec la mafia et avec Bulger, le pire qui puisse arriver dans l'univers de la pègre de Boston. C'est devenu un embarras pour tout le monde, et Bulger voit l'occasion qu'il attendait.

À l'automne 1981, Connolly note dans ses rapports sur Bulger et Flemmi que le ciel s'est assombri significativement sur l'avenir d'Halloran. Bulger confie à son agent traitant que la mafia veut « le buter », une balle dans la tête pour éliminer celui qui accuse faussement Salemme du meurtre. Deux mois plus tard, Flemmi en rajoute une couche : la mafia cache Salemme jusqu'à ce qu'Halloran soit descendu. Le tuyau est typique de la manière d'agir de Flemmi. Déjà en 1968, il avait prédit des ennuis à un certain William Bennett, bookmaker de son état, se fondant soi-disant sur des confidences entendues dans la rue. Le problème, c'est que Flemmi avait déjà exécuté Bennett et balancé son corps par la portière de sa voiture lancée à grande vitesse. Une des routines inénarrables de Flemmi pour brouiller les pistes et lancer la police sur la piste de quelqu'un d'autre.

Mais Halloran a également choisi une stratégie. Lâché par tout le monde dans le désert, il est temps pour lui de traiter avec les représentants de l'ordre. Il décide de passer un marché avec le FBI, il est prêt à les aider en contrepartie d'une réduction de peine concernant le meurtre de Chinatown. En particulier, il se dit prêt à tout balancer sur le comptable, le PDG de Tulsa et le tueur de South Boston.

Un an presque jour pour jour après la fameuse réunion de North End avec Callahan sur le projet de meurtre de Wheeler, Halloran raconte son histoire au FBI, non-stop du 3 janvier au 19 février 82. On le transfère trois fois dans des lieux protégés tandis que les policiers le pressent de donner des preuves flagrantes de ce qu'il avance. Ils vont l'équiper d'un micro, mais sans aucun résultat : les voyous le voient arriver de loin. Ils tentent de le soumettre au détecteur de mensonge, mais il refuse. La «confession» d'Halloran tourne court ; les inspecteurs croient en son récit des événements certes, mais ils réclament des preuves qu'Halloran est incapable de leur fournir.

Halloran ajoute au sentiment d'amertume ressenti au sein du FBI à propos de Bulger dès que l'inspecteur Leo Brunnick s'assied dans le bureau de l'affable Morris : il aimerait savoir ce que celui-ci pense du récit d'Halloran. Morris se rend compte immédiatement de la menace potentielle que les confidences d'Halloran posent à la collaboration avec Bulger. Les directives du Bureau sont claires : il faut cesser tout contact avec un informateur qui fait l'objet d'une enquête de la part du FBI. Morris s'attache immédiatement à démolir la crédibilité d'Halloran.

Tandis que l'intéressé est toujours dans la nature, transféré d'un lieu protégé à un autre, Morris prévient Connolly que Bulger est accusé d'avoir pris part au meurtre de Wheeler. Il sait parfaitement que Connolly va prévenir Bulger. Morris n'ignore pas les graves conséquences que pourrait entraîner ce tuyau, pourtant il ne s'inquiète pas outre mesure ; il est persuadé que le témoignage d'Halloran est une invention pure et simple.

Les événements se précipitent. Les inspecteurs qui croient en Halloran ont besoin du procureur Jeremiah O'Sullivan pour assurer la sécurité du mouchard de Winter Hill. S'il donne son feu vert, Halloran pourra sauver sa peau en changeant d'identité avec la bénédiction des autorités. Pourtant, O'Sullivan refuse obstinément d'accorder ce changement d'identité et de lieu de résidence. Il considère Halloran comme un problème négligeable. En fait, il pose un regard dépassionné sur toute cette affaire et décide que les preuves sont insuffisantes dans son témoignage. Finalement, c'est la parole d'Halloran contre celle de Callahan, et Halloran refuse le détecteur de mensonge. Équipé d'un micro, il s'est également révélé incapable de soulever d'autres affaires à Winter Hill.

Il est évident qu'O'Sullivan, aux prises avec le nœud de considérations soulevé par l'affaire Angiulo, n'a pas mesuré toutes les implications de l'affaire Halloran.

– C'est comme s'il avait fait partie de l'arsenal de protection de Bulger, notera ingénument un autre procureur. Inconsciemment, bien sûr. Face à une nouvelle inculpation de meurtre à l'encontre d'Halloran, il refuse à celui-ci une protection vitale, prétextant un manque de preuves matérielles. Dans ces circonstances, il était difficile d'envisager une réduction du chef d'accusation. Je ne suis pas certain qu'il ait été en mesure d'envisager les choses différemment.

Néanmoins, les enquêteurs qui travaillent sur l'affaire Wheeler reconnaîtront plus tard qu'O'Sullivan a perdu de vue le danger vital qui menace tout informateur fournissant des tuyaux dans une affaire importante. Plusieurs agents, si l'on en croit Robert Fitzpatrick, le numéro deux du Bureau de Boston à l'époque, étaient persuadés qu'Halloran pouvait être abattu s'il ne faisait pas l'objet d'une protection dans le cadre du programme sur les témoins.

Fitzpatrick fait part de ses craintes à O'Sullivan, mais se heurte à un mur.

– O'Sullivan ne prenait pas Halloran au sérieux, se souviendra Fitzpatrick. Il était convaincu qu'Halloran voulait faire l'intéressant, qu'il inventait ; un ivrogne qu'il valait mieux ignorer. Je suis retourné le voir et je lui ai expliqué que mes gars me demandaient de ne pas le laisser dans la rue comme ça parce qu'il était en grave danger. Il m'a répondu : «On a déjà discuté de tout ça, je vous ai bien écouté, et je vous ferai savoir ma décision.» C'était un refus pur et simple.

En mai 82, Fitzpatrick s'inquiète tellement du danger qui pèse sur Halloran qu'il passe par-dessus la tête d'O'Sullivan et rencontre le nouveau procureur fédéral William Weld.

– Je lui ai dit : « Ce type va se faire descendre. Mes agents me le répètent tous les jours. Il faut faire quelque chose. »

Weld confirmera quelques années plus tard qu'il a bien rencontré Fitzpatrick.

– Fitzy m'a dit : « Vous savez, les gens affirment toujours que tel ou tel indic est en danger. En collaborant, ils risquent leur vie. Je vais vous dire un truc : je n'aimerais pas marcher dans la rue à côté d'un type comme ça. »

Mais Weld n'intervient pas, à l'instar d'O'Sullivan qui faisait figure de mentor pour Weld à l'époque où il avait pris le poste de procureur.

Vers la fin de son débriefing, Halloran apprend que Whitey Bulger est un informateur du FBI. Paniqué, Halloran se rend subitement compte qu'il n'a plus personne vers qui se tourner, que sa vie est menacée non seulement dans la rue mais également dans les bureaux du FBI.

– C'est vraiment l'impression que tu as affaire à une bande de bras cassés, confiera, dépitée, la cousine d'Halloran, Maureen Caton. Tu apprends ça un beau jour : « Bulger est une balance. » Le massacre de Waco, c'est rien à côté. Regardez ce qui est arrivé à Brian Halloran.

Le résultat, c'est qu'Halloran, déboussolé, terrifié, est lâché dans un paysage hostile où il doit jouer les fantômes, tandis que deux brigades du FBI se battent pour régler son destin. Les inspecteurs en charge d'Halloran doivent maintenant monter une opération d'arrière-garde contre Connolly, qui a balayé le témoignage d'Halloran, qui n'est selon lui qu'un ramassis d'insanités inventé par un tocard. Certes, les agents aux côtés d'Halloran doutent parfois de son rôle précis dans certains assassinats, certains complots, mais ils sont convaincus que Bulger est en point de mire, et qu'Halloran les y mène tout droit. On est au bord de l'affrontement. Connolly est accusé d'avoir tenté de piller les dossiers sur Halloran et c'est Fitzpatrick, énervé au possible, qui est obligé d'enfermer les documents dans le coffre de son bureau.

En fait, se souviendra Fitzpatrick, Connolly n'a jamais nié surveiller les éléments que les autres inspecteurs notaient dans leurs rapports sur Bulger. Il sortait le menton, comme un défi :

– Soit vous me faites confiance en tant qu'inspecteur, soit non. C'est mon client, il faut que je sois au courant de tout ce qui le concerne.

Selon Fitzpatrick, Connolly organise un entretien avec Bulger et Flemmi au sujet de l'affaire Wheeler. Entorse au règlement, les deux malfrats sont interrogés ensemble ; les enquêteurs n'ont alors plus les moyens de jouer sur les contradictions entre les deux versions. L'interview ne donne rien, elle finit au fond du tiroir d'un bureau.

Printemps 1982. La vie d'Halloran est un calvaire ; il guette dans le rétroviseur la moindre voiture suspecte, il se retourne à chaque pas dans la rue. Il ne peut pas rentrer chez lui voir sa femme et son petit garçon, il a peur de voir la porte s'étoiler de balles de mitraillettes et de les voir mourir avec lui. C'est son père et un oncle qui paient leur loyer et apportent des provisions à sa femme une fois par semaine.

Halloran passe plusieurs semaines en planque, sa femme est à l'hôpital pour accoucher de leur second fils. Il reçoit un coup de fil, si l'on en croit sa famille, l'avertissant que sa sœur désire le voir, elle habite près du front de mer de South Boston. Un ami le conduit à Southie, un endroit qu'il tente d'éviter le plus possible. Vers 6h du soir, Halloran et son ami sont garés devant un restaurant lorsqu'une voiture s'arrête à côté de la Datsun d'Halloran. À son bord, Bulger et Flemmi ; une altercation éclate, suivie de deux coups de feu. Puis une fusillade. Halloran sort de sa voiture en titubant et s'écroule dans la rue. Un des exécuteurs se rue vers lui et fait feu à plusieurs reprises. Halloran rend l'âme avec plus de 12 balles dans le corps, provenant de deux armes de poing. L'opération porte tous les stigmates d'une exécution dans le plus pur style de Bulger et Flemmi, et Stevie appose même sa signature avec une petite embardée de satisfaction et un départ en trombe. Il a rendez-vous avec l'inspecteur Connolly le lendemain de l'exécution et celui-ci termine son rapport en suggérant que des gangsters de Charlestown pourraient être à l'origine de la mort d'Halloran.

Selon un détective de Boston qui se trouvait sur les lieux, avant de mourir Halloran a réussi à identifier le tueur : un certain Jimmy Flynn, gangster connu de Charlestown. Flynn a un mobile, d'après la police ; en effet, Halloran et lui sont tous deux membres du gang de Winter Hill et ne s'entendent pas particulièrement. Surtout depuis que Flynn a appris qu'Halloran l'avait dénoncé à propos d'un hold-up. Flynn avait dû se planquer ; on ne remettra la main sur lui que deux ans plus tard, et il apparaîtra rapidement qu'il ne se trouvait pas sur les lieux du meurtre. La police conclura que Flynn avait servi de pigeon pour brouiller les pistes. Dans le cas du meurtre d'Halloran, on voit

Bulger passer lui-même à l'action, un fait plutôt rare car il n'aime pas sortir du bois pour appuyer sur la détente.

De manière surprenante, la discorde au sein du Bureau du FBI connaît un certain apaisement à la suite de l'exécution d'Halloran, les deux factions se contentant de s'observer mutuellement. Un peu comme une famille confrontée à un problème d'inceste. Un indic a été tué, les inspecteurs apprennent à vivre avec le malaise.

Les officiers supérieurs se résignent à la torpeur au sujet de Bulger. Le responsable en charge du Bureau, Larry Sarhatt, a cessé d'être l'homme neuf déterminé à faire la lumière sur l'affaire de Lancaster Street en 1980, c'est désormais un patron accablé de soucis, qui n'aspire qu'à une retraite bien méritée après vingt ans de bons et loyaux services.

Les efforts en vue d'apaiser les dissensions au sein du Bureau de Boston ont une autre conséquence : les responsables butent quotidiennement sur le dilemme à propos de Bulger. Les patrons de Connolly, dans leur grande majorité, ne font pas une confiance aveugle à leur inspecteur. Mais personne ne désire prendre l'initiative administrative pénible qui pourrait lui nuire. Certes, Connolly est trop proche de son informateur, mais cela ne justifie pas de lui régler son compte. Ce sont les risques du métier en quelque sorte.

— Connolly est devenu une force indestructible, expliquera plus tard Fitzpatrick. Un tourbillon au centre d'un système en perpétuelle évolution. Il reste en place alors que de nouveaux inspecteurs vont et viennent. Et il sait comment gérer les autres inspecteurs. C'est le type qui vous dégote des billets pour les matchs de foot. Celui qui vous aide à obtenir un jour de congé en charmant les secrétaires. Il vous fait savoir qu'il vous trouvera un boulot après votre retraite par l'entremise de Bulger. Non, il ne sait pas gérer la paperasse. Il est juste très fort pour impressionner en société et raconter des conneries que tout le monde croit. On a dû contribuer à son image, c'est certain, mais personne n'avait assez de cran pour le surveiller de trop près. On n'a jamais su comment prendre ce type, finalement.

Mais le meurtre d'Halloran continue d'obséder Morris. Il a fini par accepter le rôle passif qu'il a lui-même joué dans le drame, mais il sait parfaitement ce qui s'est passé. Un peu plus tard, lorsque Bulger et Flemmi apprennent par la bande qu'un de leurs bookmakers est la cible d'autres agents du FBI, Morris se sent obligé d'avertir les deux malfrats : pas de meurtre cette fois-ci, ne vous approchez pas de ce type. Il n'est pas question de l'abattre.

Morris a raison de craindre le pire. Il sait ce qui est arrivé à Wheeler et Halloran, et il n'ignore rien non plus du sort réservé à un autre voyou de la pègre de Boston qui s'était mis Bulger à dos. Arthur «Bucky» Barrett était un perceur de coffre-fort renommé dans le milieu qui s'était retrouvé par mégarde dans le no man's land entre Bulger et le Bureau. Il s'était rendu célèbre dans le casse retentissant d'une banque en 1980, au cours duquel ses cinq complices et lui-même s'étaient partagé 1,5 million de dollars en espèces. Peu après ce casse, Bulger avait désigné Barrett à Connolly et Morris. Les inspecteurs approchent le malfrat avec deux objectifs non officiels ; ils désirent l'attendrir pour Bulger avec un avertissement amical : celui-ci va lui réclamer une part du butin. Ils lui offrent ensuite d'être protégé dans le cadre du programme controversé du FBI réservé aux témoins repentis s'il accepte de livrer des informations. C'est une mission de corruption flagrante : deux inspecteurs patentés du FBI jouant les émissaires de Whitey Bulger à découvert.

Néanmoins, Barrett refuse l'offre du FBI. Et même s'il consacre une bonne partie de son butin pour satisfaire Bulger, cela ne l'empêche pas d'être enlevé, torturé, avant d'être enfermé dans la cave d'une villa de South Boston en 1983. Il ne devait jamais en sortir vivant.

Mais Bucky Barrett n'est qu'un pion sacrifié dans cette guerre. Il disparaît de la surface de la Terre mais personne ne s'inquiète outre mesure du sort de ce gangster, si ce n'est son épouse et ses enfants. C'est la découverte du corps sans vie de Brian Halloran sur Northern Avenue qui fera le plus de vagues au sein du Bureau du FBI de Boston. Quand Fitzpatrick y repensera, il se dira, atterré :

– J'étais anéanti. J'y pense souvent, je me bats contre des fantômes.

Michael Huff, le premier inspecteur de la brigade criminelle de Tulsa arrivé sur les lieux du meurtre de Wheeler en 1981, se rend très vite compte que John Callahan et les affaires troubles du *World Jai Alai* sont probablement à l'initiative de l'assassinat, par extension le rôle du gang de Winter Hill semble évident. Mais il ne parvient pas à obtenir des informations vraiment utiles de la part du FBI de Boston. On ne le rappelle pas lorsqu'il téléphone, les conférences et réunions sont soit annulées soit reportées. La police d'État du Massachusetts l'avertit que le gang de Winter Hill est probablement mouillé, mais Huff n'arrive pas à convaincre le FBI de lui fournir des informations sur les divers membres du gang. Il n'avait jamais entendu parler de Bulger jusqu'à la mort d'Halloran.

Callahan est la première cible de Huff et de quelques inspecteurs de la police d'État du Connecticut, qui suivaient la double vie du comptable depuis plusieurs années en raison des tourbillons de poussière autour du site de *Jai Alai* de Hartford. Ils s'étaient penchés sur les finances de Callahan, à la recherche d'irrégularités dans la comptabilité de la société qui pourraient servir de moyens de pression dans l'affaire Wheeler. Les inspecteurs s'étaient même rendus en Suisse pour vérifier ses comptes et les séjours récents qu'il y avait effectués. Confrontés par les agents de deux États épluchant désormais sa comptabilité, Callahan fait un constat effrayant : il est le seul témoin vivant en mesure d'impliquer Bulger dans le meurtre.

L'ancien dirigeant de *World Jai Alai* est indubitablement dans la ligne de mire. Mais les poursuites à l'encontre du suspect numéro un, Callahan, passent forcément par Boston. Lorsqu'il commence à soupçonner Callahan fin 1981, Huff collabore avec le Bureau de Tulsa du FBI, qui transmet une demande d'information sur les associés de Callahan au sein de Winter Hill. C'est l'inévitable John Morris qui reçoit cette requête. Morris dépêche Connolly pour interroger Callahan. Sur la défensive, Morris justifiera plus tard ce choix « parfaitement logique » pour établir si le gang de Winter Hill avait joué un rôle dans le meurtre en Oklahoma. Logiquement, Connolly rapporte que Callahan n'entretient pas de liens avec le gang de Winter Hill et que Bulger n'a rien à voir dans l'affaire Wheeler. Bulger n'a rien à se reprocher répète Connolly, et Morris clôt le dossier.

La rapidité de cette réaction plonge Huff dans un abîme de réflexion. Certes, il peut comprendre qu'il n'existe pas de preuve évidente, mais pourquoi fermer le dossier ? Il n'arrive pas à comprendre pourquoi l'assassinat de Wheeler suscite aussi peu d'intérêt à Boston. Wheeler était une personnalité hors du commun dans cette ville, il employait des centaines de salariés et se montrait généreux envers les associations caritatives. Quelque chose ne tourne pas rond, conclut Huff. Pourquoi personne n'accepte-t-il de me parler face à face du meurtre d'un homme d'affaires éminent commis en plein jour, ne serait-ce que par respect pour sa famille ?

Huff et ses nouveaux collègues du Connecticut font la seule chose qui leur reste : ils continuent d'enquêter et de se poser des questions sur l'attitude du Bureau de Boston. Ils dirigent leur attention sur le site du *World Jai Alai* de Miami, à la recherche d'éléments qui pourraient incriminer un peu plus Callahan. En juillet 82, ils estiment qu'ils possèdent un dossier suffisamment épais sur la gestion financière douteuse de Callahan pour faire pression sur lui. Ils se rendent en Floride le 1er août. Mais un ancien compagnon de beuverie du suspect s'y trouve déjà, Johnny Martorano. Lorsque Huff et les inspecteurs du Connecticut débarquent sur l'aéroport de Miami, le cadavre de John Callahan repose déjà dans le coffre de sa Cadillac de location, au fond d'un parking souterrain du même aéroport. Callahan, le triste fêtard qui aimait lever le coude avec les tocards du milieu, était mort comme l'un d'entre eux ; il avait 45 ans.

Cela portait à trois le nombre de cadavres retrouvés dans le coffre de leur voiture, une balle dans la tête. Ils s'étaient tous fait le même ennemi : Whitey Bulger.

Pour Huff, Callahan était la clé du meurtre de Wheeler. Mais Huff, en vrai homme du Middle West, se sent humilié chaque fois qu'il met le pied à Boston. Le petit sourire, la claque dans le dos, et merci de ta visite. Le seul moment où Huff peut donner libre cours à ses réflexions sur l'affaire, c'est quand il rejoint ses collègues inspecteurs du Connecticut et de Floride. Ensemble, ils commencent à pressentir que quelque chose d'inquiétant est en train de se passer à Boston. Mais franchement, ils ne savent pas encore à qui s'en prendre pour éclaircir la situation.

Dans les bureaux du FBI, Connolly hausse le ton chaque fois que l'on évoque le nom d'Halloran. Il participe à la préparation de l'interrogatoire de Bulger et Flemmi sur Wheeler qui interviendra finalement deux ans après le meurtre. Dans les rapports du FBI sur cet interrogatoire, on trouve le témoignage de Bulger. Il déclare aux inspecteurs qu'il n'accepte de parler que pour balayer les accusations sans fondements qui le mettent en cause. On dirait Billy Bulger s'adressant aux journalistes du Sénat local. L'interrogatoire se déroule selon ses propres termes : il refuse de se livrer au détecteur de mensonge et s'oppose à ce que les inspecteurs prennent sa photo pour l'identité judiciaire.

— Vous n'avez qu'à vous procurer une ordonnance d'un tribunal quelconque !

Fin des débats. Fermez le ban.

Chapitre Onze

Bulgerville, États-Unis

Julie Miskel Rakes et son mari Stephen ressemblent à tous les couples des vieux quartiers, travailleurs, proches de leurs enfants et déterminés à maintenir leur niveau de vie plutôt modeste. Ils ont grandi à Southie. Julie vient des cités, tout comme les Bulger et John Connolly ; sa famille fréquente la même paroisse que les Bulger, Sainte-Monica, située à la lisière des immeubles d'Old Harbour et proche d'une autre cité, celle d'Old Colony, de l'autre côté d'un rond-point.

Bien qu'ils n'aient que deux ans d'écart, Julie et Stephen ne se sont pas croisés au collège de South Boston. Julie a 20 ans et Stephen 22 lorsqu'ils se rencontrent. Stephen vient de se lancer dans sa première entreprise commerciale, qui sera suivie de nombreuses autres : *Stippo's Sub & Deli*, une épicerie doublée d'un snack. Stephen utilise son surnom, Stippo, pour cette entrée dans la vie, son épicerie du coin vend également du café et des beignets. Elle est ouverte de l'aube jusqu'à minuit, et son père, sa mère, son frère et sa sœur assurent le service chacun leur tour. Le père de Stephen se dévoue particulièrement. Insomniaque, il se lève et ouvre la boutique à 3h du matin.

– On le charriait pas mal quand il ouvrait à 3h du matin ; en fait il n'y avait jamais personne avant 6h, se souviendra Julie. Mais il tenait à ce que tout soit en ordre.

Julie commence à travailler au snack en 1977. Stephen, le propriétaire, est aussi le directeur, il passe les commandes de stock, se charge des finances, de la mise en place des étiquettes et du réassortiment des rayons. Les jeunes gens se plaisent, sortent ensemble et, en 1978, les familles Rakes et Miskel s'assemblent avec leurs amis pour célébrer le mariage de Julie et Stephen Rakes. C'est un grand événement dans le quartier de South Boston.

Stephen a déjà connu quelques problèmes ; ses frères et lui avaient eu maille à partir avec la police. Mais avec Julie, une nouvelle vie commence. Deux ans après le mariage, leur première fille, Nicole, voit le jour ; une seconde fille, Meredith, naît en novembre 1982. Stephen a vendu le snack pour s'associer avec un partenaire dans un magasin de vente d'alcool, mais en 1983, il décide avec Julie de se lancer dans une nouvelle aventure ; ils ont envie de gérer leur propre entreprise. Certes, il va falloir se retrousser les manches, mais ce sera tout bénéfice pour eux. Julie préférerait un magasin de location de vidéos, mais Stephen la persuade que la vente d'alcool est plus rentable.

Au cours de ses recherches, Stephen repère une station-service *Texaco* abandonnée au rond-point proche de l'église de Sainte-Monica. Il s'agit d'un site exceptionnel sur l'avenue principale, Old Colony Avenue. La circulation est intense le long de cette artère et autour du rond-point, et la station possède un atout majeur dans les quartiers d'affaires compacts de South Boston : un grand parking. Le jeune couple consulte les registres de propriété pour retrouver le propriétaire. Le terrain appartient à une femme, Abigail Burns. Julie Rakes confondra toujours son nom avec celui d'Abigail Adams, l'épouse du second président de l'histoire des États-Unis. Une confusion à l'origine d'une des blagues d'initiés favorites du couple.

– On allait atteindre des sommets ! se souviendra Julie. C'était la chance de notre vie, qui devait nous assurer le niveau de vie qu'on désirait, pour le reste de notre vie.

Mais en dépit de tous leurs espoirs et de leurs efforts, il y avait un gros problème. Whitey Bulger venait d'être chassé du garage de Lancaster Street, les policiers d'État ne lâchaient plus sa Chevrolet noire et, plus récemment, il était pourchassé comme suspect de meurtre. Il était temps pour lui et pour Flemmi de cesser de courir et de se trouver un nouveau bureau. Bulger avait dans l'idée de rester dans les parages confortables de son ancien quartier. Rien ne remplacerait jamais le sentiment de familiarité et de sécurité qu'il ressentait à South Boston. Le jeune couple malheureusement ignorait tout de ses intentions, et leur modeste ambition allait bientôt se heurter aux désirs de Whitey Bulger dans une petite ville où les désirs de Whitey étaient toujours des ordres.

À l'automne de 1983, le couple Rakes vit une période d'angoisse : ils s'évertuent à effectuer toutes les démarches nécessaires à l'ouverture avant la période des vacances. Ces derniers mois, tout s'était déroulé plutôt bien pour eux, le planning était respecté ; ils avaient d'abord acheté une licence IV aux enchères au cours de l'été. Stephen avait surveillé les annonces dans le journal et jeté son dévolu sur la licence d'un magasin de vin et spiritueux qui allait fermer pour cause de démolition. Julie et Stephen se mettent sur leur trente-et-un un samedi matin avant de rejoindre le cabinet de juristes qui organise les enchères.

– Je tremblais un peu, avouera Julie Rakes. C'était la première fois que j'assistais à des enchères.

Stephen avait un peu plus l'habitude de la vente d'alcool puisqu'il avait été partenaire dans une de ses aventures commerciales précédentes. Ils décident cependant que c'est Julie qui soumettra les enchères du couple.

– Il me disait : «Allez, tu peux le faire» raconte Julie, et moi je disais : «Mais qu'est-ce qu'il faut faire ? Je dis quoi ?» C'était excitant, et amusant. Il m'a dit : «Vas-y ! Lève la main ! Lève la main !»

C'est ce qu'elle a fait. Les enchères ouvrent à 1000 $. Il y a plusieurs enchères, mais Julie continue. Subitement les enchères s'arrêtent, et le couple repart avec la licence en poche. Ils ont déboursé la modeste somme de 3000 $. Une aubaine.

Un bon départ, un bon signe du destin. Ils créent une structure juridique de société, *Stippo's Inc.* dont tous les membres de la famille constituent les actionnaires.

– J'étais la PDG, précise Julie, ce qui suscitait quelques blagues.

Stephen était trésorier, secrétaire et également directeur technique. Une bonne nouvelle n'arrivant jamais seule, Julie apprend qu'elle attend leur troisième enfant. Fin septembre, le couple contacte un entrepreneur, Brian Burke ; c'est un ami, il habite dans le voisinage. Burke s'attaque à la partie la plus difficile du projet : transformer une ancienne station-service en magasin de vins et spiritueux. Il fallait avant tout ouvrir le sol pour en extraire les énormes réservoirs, tout en respectant les nouvelles lois sur l'environnement. Burke assainit le site, remplace le toit et impose un nouveau design au bâtiment.

– Pas mal de béton, précisera Julie.

Le couple n'est pas à cheval sur l'esthétique. D'ailleurs, ils n'ont pas des moyens illimités. Leur ambition est simplement de rénover le bâtiment de manière fonctionnelle : propre, bien éclairé, solide, avec des vitrines attrayantes. La consécration du projet, le bonheur, c'est quand on hisse l'enseigne sur la façade : *Stippo's Liquor Mart*.

Mais la famille et les amis du couple ne sont pas les seuls visiteurs sur le site en construction quelques jours avant l'ouverture. Bulger et Flemmi surveillent également l'avancée des travaux. La nuit tombée, ils viennent inspecter discrètement la rénovation. Ils se glissent dans le parking, accompagnés souvent d'un troisième homme, Kevin Weeks, qui a remplacé Nicky Femia comme acolyte, chauffeur et parfois homme de main. Bulger s'est débarrassé de Femia, qu'il jugeait trop accro à la coke. Celui-ci, passé freelance et totalement désorienté, avait tenté début décembre de cambrioler un atelier de carrossier, mais avait pris une balle en pleine tête de la part d'une de ses victimes. Weeks est deux fois plus jeune que Bulger et possède un pedigree idéal. Ce jeune homme aux cheveux en bataille ne dépasse pas le mètre soixante-quinze, mais il est bien bâti et musclé, pourtant ce sont ses mains qui surprennent le plus. Son père est entraîneur de boxe, et il a grandi sur les rings autour de la ville. Comme John Connolly, il admire Bulger et sa mystique, il a entendu raconter toutes les histoires sur le gangster de Southie mais il n'a rencontré l'homme que le jour où celui-ci a traversé les couloirs de la cité.

Weeks passe son diplôme de fin d'études au collège de South Boston en 1974 et décroche son premier boulot taillé pour lui : videur, « agent de sécurité » dans son propre collège ; il patrouille dans les couloirs, sépare les étudiants blancs et noirs qui s'affrontent régulièrement depuis les lois sur l'intégration. L'hiver suivant, quelques jours avant la Saint Patrick, il intègre à 18 ans l'univers de Whitey en décrochant un emploi au *Triple O*. Il débute derrière le bar, charriant des pains de glace. Une nuit, les videurs habituels sont débordés : une bagarre générale vient d'éclater. Kevin saute par-dessus le bar et tabasse les combattants les uns après les autres dans un style pugilistique impeccable.

Whitey le remarque immédiatement. Quelques semaines plus tard, Weeks est promu au grade de videur du *Triple O*, puis se retrouve rapidement garde du corps de Bulger. Au début des années 80, Bulger est devenu le mentor de Weeks, et lui-même fait figure de fils putatif du gangster. Weeks aime faire étalage de sa loyauté ; il confie à ses interlocuteurs qu'il préférerait passer des années au pénitencier, voir souffrir sa propre famille, plutôt que de dire un seul mot qui risquerait de porter tort à Whitey Bulger.

Les trois hommes rôdent autour du site en construction, descendent de voiture et s'aventurent sur les lieux. Bulger n'a qu'une idée en tête : trouver un nouveau havre de paix d'où il pourra diriger ses affaires. Flemmi et lui sont en pleine expansion, le business est florissant comme jamais. La mafia locale est hors circuit : Gennaro Angiulo est sous les verrous, ainsi que bon nombre de mafiosi d'envergure. Les divers rackets de Bulger rapportent un maximum depuis la mise sur écoute de la mafia par le FBI.

– Plus on s'attaquait à la mafia, moins elle posait une menace aux malfrats, confiera John Morris.

Le tribut, le « loyer » imposé par Bulger, augmentait régulièrement, ainsi que le nombre de bookmakers et de trafiquants de drogue contraints de s'en acquitter. Plus que jamais, Bulger et Flemmi se montraient désireux d'assister le FBI dans le nettoyage du milieu de la ville. C'était trop bon pour le business.

En quête de leur nouveau siège, Bulger et Flemmi avaient une priorité : trouver un lieu situé au cœur d'une entreprise établie et légitime. Gérer une entreprise légale permettait de blanchir les profits dérivés des jeux clandestins, des prêts usuraires et du trafic de drogue. Bulger avait souvent utilisé la couverture des bureaux du *Triple O ;* c'est là qu'il recevait son courrier. Mais les bars étaient toujours des lieux trop fréquentés, publics et souvent causes de désordres. Les bagarres qui éclataient au *Triple O* attiraient l'attention des forces de l'ordre. Bulger et Flemmi souhaitaient un lieu qu'ils pourraient contrôler plus facilement, et le site du nouveau magasin de vins et spiritueux les attirait irrésistiblement.

Vers la fin de l'année, Julie et Stephen Rakes connaissent une période agitée. Ils ont raté Noël et n'ont plus le temps d'organiser un lancement spectaculaire. Les deux sœurs de Julie, sa mère et les parents de Stephen participent à l'installation de la boutique et remplissent les étagères. Le couple surveille la mise en place d'une rangée de réserves frigorifiques, leur investissement le plus onéreux jusqu'ici. Afin de s'assurer ce qui reste de la période festive, ils ouvrent en hâte quelques jours avant le nouvel an.

Leurs familles décorent les plantes et le comptoir avec des guirlandes pour fêter l'occasion et, le grand jour, tout est prêt pour accueillir les premiers clients. Stephen a placé une publicité dans le *South Boston Tribune* pour annoncer que le magasin, situé au rond-point de South Boston, est désormais ouvert au public. « Parking assuré ». Les heures d'ouverture sont du lundi au samedi de 9h du matin à 23h. Rien de vraiment spécial. Pourtant, en bas de l'annonce, Stephen ajoute quelques lignes qui, selon lui, devraient retenir l'attention des lecteurs de South Boston : « Gagnez un voyage à Hawaii ou 1 000 $ en espèces. Tirage le 8 février 1984 à 17h au magasin. » C'était une idée de Stephen qui devait attirer les foules.

– Dans le coin, personne n'offrait jamais rien, encore moins un voyage, précisera Julie Rakes, on s'était dit que ça ferait du bruit. C'était vraiment nouveau.

Les clients sont au rendez-vous. Julie et Stephen se démènent entre le magasin et la maison, les affaires et les enfants. Les amis prêtent la main, mais sans se faire payer. Le couple n'a pas d'associés, personne à qui rendre des comptes. Ils n'ont plus une minute à eux, mais ils travaillent pour eux, et la caisse enregistreuse n'arrête pas.

Moins d'une semaine plus tard, les Rakes sont finis. Ils n'auront même pas le temps d'organiser le tirage au sort qui doit désigner l'heureux bénéficiaire du fameux voyage. Whitey et Stevie n'ont pas prévu d'offrir un aller-retour à Hawaii gratuitement.

Julie enfile son manteau et s'élance dans la nuit froide d'hiver, une nuit qui débute comme tant d'autres nuits : mouvementée, remplie d'imprévus. Quand Julie part, Stephen arrive, le rythme fou de leurs journées dure depuis le début des travaux et s'accélère encore depuis l'ouverture. La ville est dans le brouillard cette nuit-là, la radio prévoit des rafales de neige. Mais il fait encore trop doux pour la neige, dans les 4°. On ne parle en ce moment que du nouveau maire de la ville, Ray Flynn, le « Maire du peuple », un Irlandais de Southie qui entamera son mandat dans les premiers jours de 1984.

Julie rejoint le magasin en voiture depuis leur maison de Fourth Street, un trajet rapide dans des rues qu'elle connaît depuis toujours, avec des maisons, des magasins, des bars le long d'Old Colony Avenue. Elle ne connaît pas d'autre univers, et elle rêve ce soir-là de sa famille, de Stephen, de la réussite de leur aventure. Dès son arrivée, elle fait le point avec l'employé sur les stocks et les livraisons à venir. Soudain, le téléphone sonne. C'est Stephen.

– Quand est-ce que je saurai que les côtelettes sont cuites ?

Stephen ! Ils ne sont pas encore habitués au partage des tâches, elle au boulot, lui à la maison. Julie lui donne ses instructions pour la cuisson, raccroche et sert quelques clients. On est en milieu de semaine, il n'y a pas grand monde. Julie prend le temps d'apprécier le chemin parcouru, s'occupe autour des rayons jusque vers 9h. Puis le téléphone sonne de nouveau. Stephen ? se demande-t-elle. Qu'est-ce qu'il veut encore ?

– Julie ?

– C'est moi.

Elle ne reconnaît pas la voix grave, rocailleuse qui lui parvient dans l'écouteur.

– Je vous connais, je vous apprécie, et je n'aimerais pas qu'il vous arrive quelque chose...

– Qui est à l'appareil ?

La voix ne tient pas compte de la question.

– Vous devriez sortir du magasin.

– Mais qui êtes-vous ?

– Le magasin va sauter.

– Mais pourquoi m'appelez-vous ? (La voix de Julie s'affole.) Si vous m'appréciez, pourquoi ne me dites-vous pas qui vous êtes ? (Elle hausse la voix.) Pourquoi ne dites-vous pas votre nom ?

Mais elle crie dans le vide. Son interlocuteur a raccroché.

Julie prend peur. Son regard parcourt les rayons presque vides, elle a l'impression que quelqu'un l'observe. Elle décroche, tremblante, et explique à son mari qu'elle vient de recevoir un appel inquiétant, et plus elle évoque cette voix, plus elle perd ses moyens. À l'autre bout du fil, Stephen se montre rassurant. Julie entend la télévision dans le salon, les enfants qui font du bruit. Mais en raccrochant, elle se rend compte que la voix de Stephen avait l'air tendue.

Stephen Rakes a une bonne raison d'être nerveux. Dans sa cuisine, il y a trois visiteurs qu'il n'attendait pas. Après dîner, il a nettoyé la cuisine, joué avec ses deux petites filles et les a préparées pour le coucher, mais avant, elles ont eu le droit de regarder la télévision un moment. Puis quelqu'un a frappé à la porte. Il n'attend personne en particulier et va ouvrir. Trois hommes sont là, dans l'ombre du porche, et Rakes les reconnaît immédiatement. Il connaissait Kevin Weeks depuis l'enfance, sans être vraiment proche. Coïncidence fréquente à Southie, un de ses frères a épousé une sœur de Weeks. Stephen et Julie se sont rendus quelquefois au *Triple O* pour boire un verre, et Weeks s'y trouvait souvent, sa femme faisait office de barmaid. Mais Stephen connaît aussi les deux autres. Il les a également croisés au *Triple O*. Mais il ne les a jamais fréquentés, il n'a jamais rien eu à voir avec eux et ils ne sont jamais venus chez lui. C'est juste que tout le monde connaît Whitey Bulger et Stevie Flemmi.

L'affaire se présente mal. Les trois hommes pénètrent dans la maison et entraînent Stephen dans la cuisine. Bulger et Flemmi s'asseyent. Weeks reste debout dans un coin de la pièce, tandis que Bulger prend les devants :

– Tu as un gros problème, lance-t-il à Rakes. La concurrence, précise-t-il. Certains autres propriétaires de magasins de vins et spiritueux du coin veulent ta mort. Je te propose quelque chose : au lieu de te flinguer, on va t'acheter ta boutique.

Rakes donne des signes d'impatience.

– Le magasin n'est pas à vendre.

C'est la dernière protestation qu'il osera se permettre. Bulger explose, vocifère qu'ils vont le buter d'abord et prendre le magasin ensuite. Hors de lui, il sort en trombe, suivi de près par Flemmi et Weeks. Paniqué, Stephen rappelle sa femme et lui déballe la visite des trois malfrats. Ils sont perdus, ne savent pas comment réagir. Mais Stephen n'a même pas le temps de réfléchir, de se calmer, il entend de nouveau que l'on frappe à la porte.

Bulger est revenu. Tenant un gros sac en papier à la main, il pousse Rakes à l'intérieur, toujours flanqué de Flemmi et de Weeks. Une fois dans la cuisine, Bulger pose le sac sur la table et se penche vers Rakes qui s'est assis. Bulger sort un couteau de sa poche, l'ouvre et le ferme tout en parlant. Curieuse, une des petites filles de Stephen s'aventure dans la cuisine. Flemmi tire alors un pistolet de sa poche, le pose sur la table et soulève l'enfant pour l'asseoir sur ses genoux.

– Elle est mignonne à croquer, cette gamine, blague-t-il, tout en caressant les cheveux blonds de la petite.

Les yeux de l'enfant tombent sur le métal noir de l'arme et elle s'en saisit. Flemmi la laisse jouer avec le pistolet, elle le porte même jusqu'à sa bouche.

– Quel dommage si elle cessait de vous voir…

Stephen Rakes est glacé d'horreur. Ce qui n'émeut pas Bulger : soit on te descend maintenant, soit on achète la boutique. Rakes, incapable du moindre mouvement, de la moindre pensée, écoute. Whitey lui explique qu'à l'intérieur du sac en papier, il a compté 67 000 $ en liasses de billets presque neufs. Peu importe si Stephen et Julie ont dépensé plus de 100 000 $ dans l'affaire, entre le coût de la licence, les travaux de rénovation et le stock, une somme qu'ils comptaient bien récupérer avant des bénéfices substantiels. Whitey a fixé son prix, nous sommes à Bulgerville.

– Tu peux t'estimer heureux de récupérer ta mise, lâche-t-il.

Comment ça heureux ? Bulger laisse entendre qu'ils lui donneraient 25 000 $ supplémentaires si tout se passait bien.

– Maintenant, il faut vider les lieux, conseille-t-il à Rakes en partant.

Les trois visiteurs se fondent dans la nuit.

– C'est à nous, maintenant, lance Flemmi en disparaissant.

Cloué sur place, Rakes n'arrive plus à se lever de sa chaise. Il était à mille lieues d'être heureux : au moment où la réussite, l'avenir radieux, semblaient à portée de main, tout s'effondrait.

Il est près de 11h du soir dans le magasin ; Julie Rakes tente toujours de reprendre ses esprits et s'apprête à fermer pour la nuit lorsque soudain le téléphone sonne.

C'est Stephen de nouveau, et cette fois-ci, il a l'air totalement effondré. Sa voix est étrange, lointaine, Julie s'aperçoit qu'il est en larmes. Stephen lui raconte sa dernière entrevue avec les malfrats, le marché qu'ils n'ont plus qu'à accepter, et Julie, glacée, l'écoute sans un mot, insensible au reste du monde. En état de choc, de vide sidéral dans lequel elle chute, la tête la première. Stephen bredouille, exprime entre deux sanglots des choses impossibles à croire, ce qui va se passer maintenant, ce qu'elle doit faire.

En levant les yeux, Julie voit une sorte de géant pénétrer dans le magasin, immense, les épaules étonnamment larges. C'est Jamie Flannery, qu'elle a connu au collège. Ils étaient amis, et Flannery fréquentait aussi régulièrement le *Triple O*. Un alcoolique qui servait parfois de videur dans l'établissement. Julie l'avait repéré un jour au bar en compagnie de Bulger. Tout devenait plus clair subitement dans sa tête.

Julie raccroche et Flannery n'y va pas par quatre chemins :

– Ramasse tes affaires personnelles, je te ramène chez toi. Ne pose pas de questions.

Julie Rakes s'exécute, elle vide le tiroir-caisse, ramasse les plantes vertes que sa famille a offertes pour l'inauguration de son magasin. Flannery emporte quelques bouteilles de vin qu'un des amis de Julie et Stephen a produites et qu'il cherchait à distribuer chez eux. Ils entassent les affaires dans le coffre. Julie, tremblant comme une feuille, éteint les lumières et verrouille la grille. Puis la voiture démarre en trombe.

Jamais elle ne retournera dans le magasin de vins et spiritueux. Dans la voiture, elle est secouée, incapable de contrôler ses tremblements, mais Flannery parle peu. En débouchant dans Fourth Street, il ralentit et Julie aperçoit trois silhouettes dans l'ombre, près du porche de la maison. Elle veut savoir qui sont ces hommes, et Flannery les identifie : Bulger, sur les marches de l'entrée, Flemmi un peu en retrait, et Weeks près de la voiture garée en bas de l'allée. Tandis que leur voiture s'approche, elle reconnaît Bulger et Weeks. Puis elle aperçoit son mari, immobile dans l'encadrement de la porte.

– Ne vous arrêtez pas, je vous en supplie ! crie-t-elle.

Terrorisée, elle ne veut pas rencontrer ces fantômes, et Flannery poursuit sa route, c'est le moins qu'il puisse faire. Il fait le tour du pâté de maisons. Lorsqu'ils s'arrêtent devant la maison, les trois hommes ont disparu, et Stephen est sur le trottoir, anxieux de voir revenir son épouse. Il ne la laisse pas sortir de la voiture, lui tend le sac en papier et lui ordonne de se rendre chez sa mère.

– Immédiatement, articule-t-il, les dents serrées.

– Chez maman en plein milieu de la nuit ?

Elle hurle, ne se contient plus. Stephen lui explique qu'il y a beaucoup d'argent dans le sac, et réitère l'injonction.

– Ne perds pas une seconde, tire-toi et donne ça à ta mère !

– Mais qu'est-ce qui se passe ? Pourquoi ?

Stephen est incapable d'en dire plus. Julie a l'impression de devenir folle.

– Mais je ne peux pas aller chez maman. Il va être minuit. Explique-moi ce qui se passe !

Il tente de la calmer et annonce à Julie qu'il a déjà prévenu sa mère. Elle l'attend. Vite ! Il a la voix blanche, le corps rigide, les yeux encore humides.

– Ta mère t'attend.

Il retrouve son autorité.

L'argent, c'est Whitey Bulger qui l'a donné.

– C'est tout ce qu'on a investi dans cette affaire, et reprenant l'argument de Bulger il ajoute, comme un zombie : «On peut s'estimer heureux d'avoir ça ! »

Julie se rend à toute vitesse chez ses parents, sur Old Colony Avenue. Ils l'attendent à la porte, le regard glacé. Stephen leur en a assez dit pour qu'ils aient découvert avec horreur que le couple avaient fait un marché avec Bulger, un territoire sur lequel la famille de Julie ne souhaite surtout pas s'aventurer. Il y a dans ce sac en papier plus de billets qu'ils n'en ont jamais vu. Julie tend le sac à sa mère.

– Il faut le cacher quelque part.

Sa mère le prend, l'emporte dans sa chambre et le dissimule à l'intérieur d'une malle. Julie est hystérique en présence de ses parents, elle craque devant son père.

– Je n'arrive pas à y croire, articule-t-elle avant d'éclater en sanglots.

Il faut quelques jours à la famille Rakes pour mesurer la gravité de ce qui vient de se passer, pour réaliser qu'une bombe vient d'exploser parmi eux. Ce délai est nécessaire pour tout le monde en raison des rumeurs qui circulent, ou des mythes qui entourent Whitey Bulger. Il était de notoriété publique dans la ville que Bulger se montrait toujours loyal envers les gens de Southie, qu'il ne dédaignait pas d'aider les gens, qu'il avait à cœur de soutenir sa communauté. On raconte que Bulger n'aimait pas les brutes, les petits voyous, et qu'il mettait un point d'honneur à les remettre à leur place. On dit que Bulger, sans vraiment encourager quiconque à contourner la loi, invite les gens à trouver leur plaisir en dehors de Southie. Apparemment, s'il entendait parler de quelqu'un qui avait cambriolé une maison à South Boston, il infligeait au coupable une sérieuse leçon d'éthique bulgérienne : tu peux cambrioler toutes les villas que tu veux dans les beaux quartiers comme Brookline ou Wellesley, mais pas dans ton propre quartier. Des hommes comme Weeks, à l'instar de beaucoup d'autres, répandaient l'évangile selon Bulger, et les Rakes connaissaient Weeks depuis des années. Ils connaissaient tout autant Bulger, mais seulement de réputation. Désormais, le couple savait d'expérience que tout cela était faux : Bulger leur avait volé leur magasin.

L'autre raison de cette réaction tardive, c'était un sentiment paralysant d'impuissance. D'abord, il y avait eu le choc, la soudaineté de Bulger à fondre sur sa proie. Puis avait surgi la colère devant le déroulement de cette nuit d'angoisse. La prochaine étape serait certainement la résignation, regarder la réalité en face et constater leur impossibilité d'agir. Mais avant que la colère ne s'apaise, les Rakes, et surtout Julie, décident de se battre. Avec un certain recul, c'était sans doute une erreur de jugement, elle aurait dû connaître un peu mieux les us et coutumes de la vie à South Boston. Mais personne, ni les Rakes, ni leur famille, ni personne à vrai dire, n'avait compris à quel point Bulger avait mis sous tutelle tout le quartier, et même au-delà.

Peu de temps après le fameux blitzkrieg nocturne sur leur entreprise, Julie et Stephen vont trouver leur oncle, un inspecteur de la police de Boston, Joseph Lundbohm. Lundbohm est un ancien de la police qu'il a rejointe en 1958, il fait aujourd'hui partie de la brigade criminelle. C'est le frère de la mère de Julie, il habite Quincy, au sud de Boston, avec sa famille. Il avait assisté au mariage de Julie et de Stephen, et les voyait de temps en temps lors de réunions familiales ou à d'autres occasions.

Lundbohm sait déjà que le nouveau site du couple vient d'être inauguré ; la bonne nouvelle s'est rapidement répandue dans la famille. Mais il ignore la suite des événements. Il emmène sa nièce et son mari dans la cuisine, autour d'un café. C'est surtout Julie qui prend la parole, vidant devant son oncle tout ce qu'elle a sur le cœur, «trois hommes débarquant chez elle, déclarant qu'ils vont acheter le magasin». Dans le récit, Lundbohm entend ce qui s'est passé entre Flemmi, la petite fille et le pistolet ; il bondit de sa chaise : la menace est évidente. Julie est totalement bouleversée par le souvenir des faits de cette nuit-là. Lorsqu'elle a terminé, Lundbohm lui laisse quelques minutes pour se remettre.

– Qu'est-ce qu'on peut faire ? Y a-t-il quelqu'un à qui on pourrait parler ? supplie sa nièce.

Lundbohm réfléchit, oui, il connaît quelqu'un «en qui il a confiance, un inspecteur du FBI». Il pense en fait que ce genre d'extorsion relève parfaitement du domaine du FBI. Après tout, cette agence fédérale dispose de plus de ressources, en termes de personnel et de capacité technique, ils peuvent placer des suspects sous surveillance électronique par exemple. De plus, Bulger et Flemmi sont des patrons de la criminalité organisée, et c'est le FBI, et non la police de Boston, qui est spécialisé dans la lutte contre le crime organisé. Il faut contacter le FBI, ce sont les meilleurs, et qui plus est, l'inspecteur que connaît Lundbohm appartient à la Brigade contre le crime organisé.

Le jeune couple donne son aval et repart, quelque peu rasséréné.

Lundbohm ne tarde pas à appeler l'agent en question. Quelques jours plus tard, ces deux représentants de l'ordre sont attablés dans un restaurant de Boston à l'heure du petit déjeuner. D'un côté de la table, l'inspecteur de la police de Boston, Joseph Lundbohm, de l'autre l'agent du FBI, John Connolly.

Ils bavardent gentiment jusqu'à ce que Connolly s'enquière de savoir ce qui tracasse Lundbohm. Celui-ci lui raconte tout ce qu'il sait : sa nièce et son mari, le magasin qui vient d'ouvrir, et puis le pistolet, la petite fille et l'argent. Connolly ouvre grand les oreilles. On a affaire ici à un crime injustifiable, comme d'autres l'ont été, mais nécessaire pour maintenir à Bulger sa position dans le milieu afin qu'il fournisse des informations sur la mafia. L'action entreprise par Bulger contre les Rakes n'a pas la moindre relation avec la mafia.

Confronté à ce dilemme, Connolly choisit l'option qui est devenue standard pour lui, désormais. Il laisse l'inspecteur terminer son récit, puis demande :

– Est-ce que Rakes serait d'accord pour qu'on l'équipe de micros ?

C'est évidemment l'option, parmi toutes celles qui lui sont ouvertes, qui fait le plus peur. Connolly n'envisage pas de s'entretenir avec le couple. Il ne dit rien sur la manière dont le Bureau pourrait enquêter discrètement sur Bulger à propos de cette affaire. Il recourt d'emblée à la manière forte, comme si la seule option était la plus dangereuse et la moins susceptible d'être acceptée avec enthousiasme.

– Je crois qu'ils n'aimeraient pas ça du tout, réplique immédiatement Lundbohm.

Il savait d'expérience, en fait tous les policiers savaient, que porter un micro sur soi pour aller voir Whitey Bulger pouvait s'avérer extrêmement dangereux. Les diverses agences n'arrivaient même pas à convaincre des petits voyous devenus indics de s'aventurer dans l'entourage de Bulger s'ils étaient équipés électroniquement. La suggestion de risquer la vie de gens ordinaires de cette façon était tout simplement irresponsable. Les Rakes étaient des amateurs. De plus, les policiers chevronnés comme Lundbohm n'avaient pas oublié le meurtre de Brian Halloran deux ans plus tôt. On racontait encore qu'il avait été abattu peu après avoir contacté le FBI. Lundbohm écarte sans ménagement la suggestion de Connolly : ce serait les envoyer à la mort.

– Je ne suis pas d'accord. Je vais m'y opposer totalement.

– Alors, je ne vois pas bien ce que l'on peut faire, Joe.

La réunion est close.

– Mais je vais étudier le problème.

Connolly n'est jamais revenu sur l'affaire. Il ne consigne pas l'information livrée par Lundbohm dans un rapport à ses supérieurs. Il ne partage pas le renseignement avec le nouveau patron de la Brigade, Jim Ring, ne serait-ce que pour savoir comment traiter l'accusation portée contre deux de leurs informateurs anonymes. De sa propre initiative, il décide à la place que le vol commis par Bulger et Flemmi n'est pas du ressort du Bureau, une décision qu'il n'avait aucune autorité pour prendre seul.

– J'aurais certainement apprécié d'être mis au courant, avouera plus tard Jim Ring. C'était à lui de prendre l'initiative. On avait affaire à une mainmise manifeste, il aurait dû m'en parler. Il doit m'avertir immédiatement. Il n'a aucune autorité lui permettant de traiter une telle affaire de son propre chef. Connolly partage néanmoins ce renseignement avec Whitey.

À la suite de son petit déjeuner avec Connolly, Lundbohm appelle Julie pour la mettre au courant : même s'il a rejeté l'idée de Connolly de leur faire porter des micros, l'affaire est désormais entre les mains du FBI, qui les tiendra au courant.

Quelques jours après la rencontre Lundbohm-Connolly, Lundbohm rend visite au couple Rakes. Stephen le prend à part, à l'abri des oreilles de Julie et de la femme de Lundbohm. Rakes est bouleversé.

– Whitey m'a dit de laisser tomber, confie-t-il à l'oncle de son épouse. En tremblant, il rapporte les propos de Whitey qui l'a arrêté dans une rue de South Boston : « Dis à Lundbohm de laisser tomber aussi. »

Instantanément, Lundbohm comprend que Bulger est au courant de sa conversation avec Connolly. Plus que jamais, les jours de Stephen et de Julie sont en péril. La vérité est difficile à avaler : tous les chemins mènent à Bulger.

Stephen Rakes jette l'éponge peu après cet avertissement. Bulger le convoque plusieurs fois au magasin au cours des semaines qui suivent, et Rakes signe les documents ; la reprise du magasin est inéluctable. Lorsque Rakes mentionne un jour courageusement la promesse des 25 000 $ supplémentaires, Bulger se met dans une fureur noire, et le sujet ne sera plus jamais abordé. L'acte de cession est rédigé au seul nom de Kevin Weeks, même si plus tard Weeks produira des documents citant Bulger et la mère de Flemmi, Mary, au titre de copropriétaires. Stevie Flemmi affirmera plus tard que le magasin de vins et spiritueux constituait la meilleure preuve que Bulger et lui possédaient une société légitime, une affirmation qui frise la plaisanterie si l'on tient compte de la manière criminelle dont s'était déroulée la passation de pouvoir.

Avant même la signature, Weeks investit la boutique et s'installe derrière le comptoir ; Bulger n'est jamais loin. L'enseigne sur la devanture est changée : *Stippo's* devient le *South Boston Liquor Mart*. La façade en ciment s'orne bientôt d'un gigantesque trèfle vert. Finalement, sur la recommandation de Connolly, le FBI commence à s'approvisionner régulièrement en alcool pour ses soirées dans la boutique de Bulger.

La rumeur fait lentement son chemin à South Boston. On murmure que Stephen Rakes a été suspendu par les chevilles au-dessus du pont de Broadway. On parle d'un pistolet qui lui aurait été pointé sur la tempe, ou bien qu'il aurait perdu son magasin aux cartes. Mais Rakes balaie toutes les suppositions et fait profil bas.

Pour survivre, Stephen et Julie piochent dans le sac en papier rempli de billets caché dans la malle, dans la chambre de la mère de Julie. Ils oublient leurs soucis en faisant quelques folies : une nouvelle mini-fourgonnette Dodge Caravan, un voyage à Disneyworld. L'année suivante, ils utilisent une partie de l'argent pour quitter South Boston et acheter une petite maison dans la banlieue, à Milton. Leur fils Colby vient au monde le 5 juin 1984. Stephen Rakes a bien respecté le contrat, il a jeté l'éponge.

Quand les Rakes sont en Floride, une rumeur se répand : Bulger a descendu Rakes. Weeks retrouve Rakes à Disneyworld et lui ordonne de rentrer. Stephen quitte sa famille, prend l'avion pour Boston et pour faire taire les mauvaises langues, se montre au côté de Bulger, de Flemmi et de Weeks à un carrefour très fréquenté afin que les passants puissent constater qu'il est bien vivant.

Stephen Rakes est rentré dans le rang, comme tant d'autres à Southie. Il sera convoqué plus tard devant un grand jury fédéral qui enquête sur des vols et du blanchiment d'argent au sein du magasin de Bulger. Il comparaîtra deux fois, en 1991 et 1995. À quelques jours de sa seconde comparution, Bulger arrête sa voiture à sa hauteur dans une rue de South Boston, il baisse la vitre et s'adresse à lui :

– Hé ! Je te surveille…

Mais Bulger n'a aucun souci à se faire à propos de Stephen. Lors de ses deux témoignages devant le grand jury, il affirme qu'il a été très heureux de vendre son magasin à Kevin Weeks quelques jours après l'inauguration. Quand on lui demande la raison de cette cession, Rakes répond sous serment qu'il était acculé par les dettes qui s'accumulaient et qu'il n'appréciait pas les nombreuses heures de présence nécessaires pour gérer l'affaire. Il témoigne que Weeks lui a remis 5000 $, et qu'il a récupéré 20 000 $ supplémentaires pour son investissement dans les travaux, en tout, il a donc touché 25 000 $. Personne ne peut croire de telles inepties, malgré tous les efforts de Stephen pour paraître détendu et convaincant. Le mensonge ne passe pas devant un grand jury.

Rakes est accusé de faux témoignage, d'entrave à la justice ; en 1998, il est reconnu coupable des deux chefs d'accusation devant la cour fédérale du district. Pour Rakes, c'est la double peine : le gouvernement qui ne l'a pas protégé le poursuit à présent, tandis que Whitey parade devant son magasin. Mais c'est un destin que Stephen Rakes accepte aujourd'hui ; tout est préférable à une confrontation avec Bulger.

Chapitre Douze

Le mythe Bulger

L'inspecteur Dick Bergeron, du service de police de Quincy, s'approche de sa vieille machine à écrire posée sur son bureau métallique. Les rapports dactylographiés ne sont pas son fort ; il préfère arpenter les rues, appréhender les malfaiteurs. Il remue sur sa chaise avant de se pencher sur le clavier.

En titre : « TOP SECRET »
SUJET : « Proposition de cibles éventuelles pour des enquêtes reposant sur une surveillance électronique complexe. »
Suivent les noms des deux cibles :
I. James J. (alias « Whitey ») Bulger
Date de naissance : 09/03/1929
Numéro de Sécurité Sociale : 018-22-4149
II. Stephen Joseph (alias « le Flingueur ») Flemmi
Date de naissance : 06/09/1934
Numéro de Sécurité sociale : 026-24-1413

Nous sommes le 19 juin 1983. Sur le bureau de Bergeron s'entassent des piles de notes internes et des rapports de surveillance. Bergeron feuillette parmi les documents afin de rédiger un rapport de sept pages, interligne simple, à l'intention de ses supérieurs de la police de Quincy sur «deux responsables notoires de la criminalité organisée». Le temps est venu pour la police de passer à l'action contre ces deux-là.

Bergeron surveille Bulger et Flemmi depuis des mois. Il a ainsi appris que Bulger, loin de se contenter de gérer les opérations illicites de racket dans le quartier de South Boston, contrôle désormais le crime organisé dans la ville de Quincy et plus loin encore «sur la côte Sud». Les inspecteurs autour de Bergeron, au sein de la brigade criminelle, ont également appris que Bulger vient d'emménager au sein même de leur communauté. Comme le signale Bergeron, «cet individu Bulger réside dans un bloc d'appartements au 160 Quincy Shore Drive, un immeuble de luxe baptisé Louisburg Square. L'appartement en question porte le n°101.» Il n'est pas en son nom propre : la propriétaire s'appelle Catherine Greig, c'est la petite amie de Bulger. Le prix de la vente s'élevait en 1982 à 96 000 $, payé en espèces, sans crédit. «Les rideaux de cet appartement sont toujours tirés, les petites fenêtres autour de la porte d'entrée sont masquées par du carton.» Ce qu'ignore Bergeron à l'époque, c'est la proximité de cet immeuble avec un cimetière. Cette nouvelle adresse est située à une centaine de mètres de l'endroit où, huit ans auparavant, Bulger et Flemmi ont enterré le corps de Tommy King, le long des berges de la rivière Neponset.

Les policiers ont découvert que Bulger organise les rackets à Quincy et qu'il y passe souvent ses nuits, une raison de plus de passer à l'action. Mais Bergeron a également mis en lumière une nouvelle facette inquiétante de la vie de Bulger. En consultant son propre réseau d'informateurs, il a appris que Bulger et Flemmi «semblent avoir élargi leur horizon vers le trafic de drogue». Avec cette «percée sur le marché de la drogue, écrit Bergeron dans un style très officiel, ils vont contribuer à détruire la vie de nombreux individus.»

Bergeron tape un point final à son rapport, le remet à son patron et reprend ses rondes dans la ville. Avec son équipe, ils continuent à suivre Bulger dans ses allées et venues entre la ville et South Boston. Ils sont présents dans l'ombre lorsqu'il rencontre régulièrement Flemmi et d'autres gangsters notoires, ainsi que George Kaufman, qui leur sert souvent de paravent en sa qualité de patron de leurs garages. Au printemps 1984, Bergeron assiste même au remplacement de l'enseigne devant le magasin de vins et spiritueux par celle de *South Boston Liquor Mart*.

La proposition de Bergeron fait le tour de divers bureaux de la police, et échoue sur celui de la DEA, l'agence fédérale de lutte contre la drogue. Le rapport de Bergeron confirme les propres informations de la DEA. L'agence a appréhendé un gros bonnet du trafic, Arnold Katz, qui a décrit aux agents de la DEA les liens d'affaires de Bulger avec un autre gros trafiquant de drogue, Frank Lepere. Ce Lepere, la police d'État de Boston l'a déjà repéré en compagnie de Bulger au garage de Lancaster Street dans le cadre de leur planque en 1980. Katz révèle maintenant à la DEA qu'au début des années 80, Lepere a établi «une alliance avec Whitey et son associé Stevie Flemmi, un accord dans le cadre duquel Lepere acceptait de payer un pourcentage à Whitey et Flemmi chaque fois qu'il touchait une livraison de stupéfiants en contrepartie de leur protection». Katz explique que Lepere l'a mis au courant personnellement de cet accord, révélant même qu'il remettait l'argent en espèces à Bulger dans une mallette.

Ce n'est pas la seule information dont dispose la DEA. Au début de 1981, un informateur anonyme avait averti que Bulger et Flemmi étendaient leur territoire, «ils tentent de s'approprier tout le trafic de drogue de la région en réclamant des commissions en espèces ou un pourcentage sur les bénéfices avant de permettre aux dealers d'opérer.» Dès que le rapport secret de la police de Quincy parvient aux oreilles de la DEA, deux agents, Al Reilly et Steve Boeri, rejoignent l'équipe de Bergeron. Ils ajoutent rapidement de nouveaux éléments au dossier concernant Bulger. En février 1984, Reilly rencontre un de ses indics, baptisé «C-2» dans les rapports de la DEA, qui affirme que les dealers de coke se plaignent d'avoir à «verser des commissions à Whitey pour leur protection». L'informateur cite nommément le propriétaire d'un pub de South Boston qui paie Bulger pour le droit de fournir «des petites doses de cocaïne et d'héroïne par-dessus le comptoir». Boeri rencontre un de ses indics, «C-3», qui connaît Bulger depuis une vingtaine d'années et qui affirme que l'ambitieux malfrat a «très récemment» pris le contrôle de «la distribution de drogue dans South Boston et ses environs».

Le thème de la drogue est également évoqué par «C-4», ainsi que par diverses sources du milieu; au début de 1984, toutes les pièces du puzzle sont rassemblées pour une enquête conjointe sur les activités de Bulger dans le domaine de la drogue. Cette opération, baptisée Opération Pilule, est dirigée conjointement par la DEA et des inspecteurs de Quincy.

Tout avait démarré par le travail de base des inspecteurs, surtout par les efforts inlassables et scrupuleux de Bergeron et de ses collègues. Ils accumulaient les nuits de veille depuis plus d'un an, mais Bergeron en savait assez sur Bulger aujourd'hui. En fouillant dans les poubelles de l'appartement, Bergeron dénichait parfois une liste de commissions entières que l'on trouve recopiée d'une écriture appliquée : « asperges, blanc de poulet, sorbet, ricotta, huile d'olives » ; il trouvait parfois des papiers de Bulger déchirés en petits morceaux ou à moitié consumés. Ainsi, il en avait déduit que Bulger « aimait ses habitudes », quittant l'appartement de Quincy tous les après-midi à la même heure pour aller dîner chez Theresa à South Boston, avant une nuit entière de rendez-vous d'affaires secrets, principalement au *South Boston Liquor Mart*. Puis retour à l'appartement. S'il faisait beau le lendemain, il sortait souvent sur le patio du second étage en début d'après-midi pour prendre l'air, parfois encore en pyjama.

Bergeron découvre la double vie de Whitey. Il semble évident que Theresa ignore tout de Catherine. Mais au-delà de ses femmes, Bergeron est témoin d'une autre trahison de Bulger, cette fois-ci envers ses voisins. Bulger contrôle d'une main de fer toute la drogue qui circule dans South Boston et alentour. Il touche sa commission auprès de chaque dealer sur chaque gramme de « *Santa Claus* », le nom de code local de la cocaïne à South Boston. Il taxe à tous les stades du trafic, de la petite dose aux kilos, du plus petit pétard aux plus gros ballots de marijuana entourés de toile de jute. De l'autre côté du grand rond-point où est situé le magasin de vins et spiritueux, certains appartements de la cité d'Old Colony, une cité proche de l'endroit où Bulger a grandi à Old Harbour, reçoivent des visites à toute heure du jour et de la nuit. Des jeunes gens, et parfois quelques mères de famille, revendent de la drogue sur place, *angel dust*, mescaline, valium, amphétamine, coke et héro, et rien ne se passe sans l'aval de Whitey. Un des sous-fifres de Bulger dans le domaine du trafic, Paul « le Chat » Moore, possède un appartement à Old Colony. Bulger a beau traiter souvent la drogue de « sacré saloperie », son dégoût apparent ne l'empêche pas de tirer de gros bénéfices du trafic, qui prospère dans les deux cités proches du rond-point beaucoup plus que dans les rues plus cossues de City Point. Le problème est si grave que bientôt le « *P-dope* », un mélange à base d'héroïne, voit son prix descendre à 4 dollars la dose, moins cher qu'un pack de bière.

Il faudra attendre une dizaine d'années avant que l'omerta, le code du silence, ne soit brisé. Des associations de victimes se créent alors pour repousser la marée de Bulger, des travailleurs sociaux se préoccupent désormais des jeunes des cités et les encouragent à abandonner la coke et l'héroïne, et des anciens drogués se révoltent. Comme ce jeune de Southie de 18 ans qui raconte qu'il n'a pas vu son père depuis huit ans, que sa mère a succombé d'une overdose, qu'il a tenté de se pendre dans le hall de son immeuble un jour. Pourtant il n'a pas abandonné tout espoir et considère qu'il a eu de la chance : il ne s'est pas shooté depuis plus d'un an. Il y aura également Chris, 19 ans, qui décrit sa déchéance dans la drogue ; elle a duré sept ans, une spirale descendante qui commence avec l'alcool, le joint de temps en temps, puis le LSD, la coke et enfin l'héroïne. Il a passé du temps derrière les barreaux mais a désormais la ferme intention de ne jamais recommencer.

— Il n'y a plus rien pour moi si je replonge, plus rien qu'une tombe avec mon nom gravé dans la pierre.

Patrick, un ancien drogué de 39 ans, évoque la pente savonneuse sur laquelle se retrouvent les ados qui se shootent :

— À 14 ou 15 ans, ils commencent à sniffer. Ils se disent qu'ils ne se planteront jamais une aiguille dans le bras. Et puis une fois qu'ils l'ont fait, ils se disent qu'ils n'utiliseront jamais une seringue souillée. Mais bientôt, ils se servent d'un clou rouillé pour planer.

Mais on ne parle pas seulement de ceux qui s'en sortent. Trop souvent, il y a des drames. Shawn «le Coq» Austin, un jeune de 24 ans qui avait grandi à Old Colony, est retrouvé mort un matin dans un meublé, victime sans doute d'une overdose. On retrouve un sachet vide d'héroïne et une seringue sans aiguille près du corps.

— Je me souviens de lui quand il était tout gamin, sur sa bicyclette, déclare un habitant de la cité, ajoutant qu'il avait vu le Coq quelques semaines auparavant seulement. Il racontait que tous ses amis étaient morts, qu'il n'arrêtait pas d'aller à des enterrements. Aujourd'hui, quand j'y repense…

Patricia Murray, une jeune femme de 29 ans de Southie, avait abandonné le collège et se droguait à l'héroïne lorsqu'elle avait été appréhendée pour racolage vers la fin des années 80.

— Vous vous imaginez que j'aime faire le trottoir ? avait-elle demandé aux policiers à l'époque. (Ses jambes étaient couvertes d'ecchymoses). Eh bien non ! Je déteste ça !

Mais pour la première fois dans les années 90, les gens commencent à combattre le fléau. Michael McDonald, un autre enfant de la cité d'Old Colony et qui écrira plus tard un recueil de souvenirs à succès sur sa vie à Southie, est à l'origine de la fondation d'un groupe de citoyens concernés de South Boston. La drogue a frappé dans sa famille, deux de ses frères sont morts des substances vendues par Whitey.

– Il y a beaucoup de douleur et de ressentiment dans notre communauté, on ne s'en rendait pas compte, devait-il déclarer. Si on regarde cette communauté de la même manière qu'on regarde un drogué, on en est à l'étape où le drogué admet qu'il a un vrai problème.

D'anciens toxicos comme Leo Rull se révéleront parmi les plus farouches combattants dans la nouvelle guerre de Southie contre la drogue. Il avait 18 ans vers le milieu des années 80, il sniffait de l'*angel dust*, aussi connue sous le nom de PCP, et de la coke ; dix ans plus tard, il avoue être devenu « un homme chargé d'une mission », qui tente de sauver la vie d'une nouvelle génération de gamins de la cité, transportant parfois en urgence des victimes d'overdose ramassées dans les passages obscurs des immeubles vers des hôpitaux, puis se chargeant de les conseiller à leur sortie. Rull agit au sein d'une association bénéficiant de subventions du gouvernement fédéral, une association qui tente de briser le cercle vicieux de la pauvreté et de la drogue dans les quartiers déshérités de Southie et de Roxbury, un rapprochement qui ne va pas de soi, compte tenu de leurs rivalités passées. Pendant la lutte pour les droits civiques, les habitants de Southie clamaient que leur quartier ne connaissait aucun des problèmes qui agitaient Roxbury. Les 29 000 résidents de Southie affirmaient en effet, et leurs responsables politiques les premiers, qu'ils vivaient dans un petit paradis.

Au cours des années 90, la ville de Boston envisage d'ouvrir le premier centre de traitement et de désintoxication visant exclusivement les adolescents victimes de la drogue. Dans l'ancien presbytère de l'église Sainte-Monica, au rond-point où trône le *South Boston Liquor Mart*, des associations charitables catholiques ont ouvert un centre d'accueil temporaire abritant une dizaine de lits pour des ados de 14 à 18 ans référés par le tribunal de South Boston ou d'autres centres de désintoxication.

Même si quelques-uns pensent encore que ce sont les Noirs et la lutte pour les droits civiques qui sont responsables de tous les maux de la communauté, le rôle d'un des leurs doit être pris sérieusement en considération. Southie a souffert entre les mains de Whitey. C'est la réalité que découvrait chaque jour Bergeron, celle que connaissaient les agents de la DEA, et les policiers, et que tous les dealers affrontaient chaque jour. Si on voulait introduire de la drogue à Southie, avouera plus tard un dealer devant un agent infiltré de la DEA, « il fallait soit payer Whitey Bulger soit renoncer, sinon, on se faisait descendre. »

Mais dans les années 80, la communauté n'était pas prête à faire face à ces vérités. Les résidents de Southie croyaient encore dur comme fer que Whitey les protégeait. Plus puissant que n'importe quel homme politique, il assurait l'ordre et prévenait des dangers. Cela les rassurait de le penser tout du moins ; le besoin cruel de se sentir protégé n'avait jamais été plus fort que durant la lutte pour les droits civiques : la majeure partie des habitants de Boston et même de la nation considéraient à tort que Southie n'était peuplé que de racistes et d'arriérés.

On voyait rarement Whitey, mais sa présence était palpable, c'était pour beaucoup un élément rassurant. Il envoyait même parfois des fleurs ou contribuait aux frais d'obsèques d'une famille qui venait de perdre une jeune victime de la drogue ou de la violence. Il possédait l'art et la manière avec les gens, tout en restant dans l'ombre. Il gardait les mains propres. Si la drogue et la prostitution sont devenues « un art de vivre dans d'autres quartiers de la ville, elles ne seront jamais tolérées à South Boston » claironne le Centre d'information de South Boston dans un de ses bulletins, même si les statistiques montrent à l'évidence que le quartier n'est en rien différent des autres, complètement infesté par la drogue. Les arrestations pour des délits de drogue ont triplé à Southie entre 1980 et 1990. Les affaires de trafic de drogue ont doublé devant le tribunal du district de South Boston entre 1985 et 1990, et si l'on en croit un inspecteur de la police de Boston, il y a plus de coke per capita à Southie que dans n'importe quelle autre banlieue de Boston. Finalement, la singularité de la communauté de Southie, sa réserve et sa profonde méfiance vis-à-vis des étrangers auront servi Whitey à merveille.

Mais tout comme la communauté refusait de croire à une telle duplicité, le Bureau du FBI de Boston refusait tout simplement d'entendre la véritable histoire de Bulger et de la drogue ainsi que celle des victimes sur le bord de la route, comme Patricia Murray. Dans les rues de Southie et dans les couloirs du FBI continuait de circuler la version angélique et positive de Whitey :

Whitey déteste la drogue, déteste les dealers et fait de son mieux pour que la drogue ne pénètre jamais les frontières de Southie.

Collision classique de la réalité et du mythe.

Cette légende de Whitey Bulger en Monsieur Propre est de celles qui dureront le plus dans le temps. Elle sera pratiquement indestructible. C'est une création commune de Bulger et de John Connolly, qui se sont servis pour cela de subtilités sémantiques. Dans la curieuse éthique du malfrat, l'argent de la drogue doit être totalement séparé de la drogue elle-même. Il a le droit d'exiger une commission auprès des dealers, leur prêter l'argent nécessaire au lancement de leur business et demander instamment qu'ils s'approvisionnent auprès des grossistes avec lesquels il est associé. Il protège ensuite ces dealers contre une part des profits, mais il ne prépare jamais les doses de coke, il ne remplit jamais les sachets d'herbe. Cette distinction forme la base de l'escroquerie morale de Bulger : il ne touche jamais à la drogue.

Certes, c'est un saut périlleux de langage, mais ce n'est pas le premier : on oublie sa position sur l'alcool. Bulger ne boit qu'en de rares occasions, pas plus qu'un verre ou deux de bon vin. Il déteste les ivrognes. Même le jour de la Saint Patrick, il admoneste des célébrants qui boivent à midi. Il a affirmé un jour qu'il «n'accorde aucune confiance à des types qui boivent.» Pour lui, boire est un signe de faiblesse, celui qui boit est susceptible de le trahir à tout moment.

Durant leurs vingt ans de vie commune, il n'a frappé Theresa Stanley qu'une seule fois, lorsqu'elle était rentrée tard de chez des amis où elle avait bu quelques verres de vin. Dès qu'elle buvait deux verres, il la traitait comme si elle avait descendu la bouteille entière.

– Il a failli me tuer une fois pour avoir bu plus d'un verre de bon vin, se souviendra Theresa plus tard.

En même temps qu'il reproche à sa petite amie de boire un verre de temps en temps, Bulger devient le plus gros fournisseur d'alcool de sa propre communauté. Il vide gaiement chaque soir le tiroir-caisse du magasin qu'il a volé à Stephen et Julie Rakes, et il pousse le cynisme jusqu'à déclarer à un policier en patrouille à South Boston :

– C'est la boutique la plus fréquentée de tout le quartier.

Certains ne sont pas dupes de cette hypocrisie renversante. Les drogués de plus en plus nombreux plaisantent à propos du poster qui trône dans une des boutiques contrôlées par Bulger : « Dites non à la drogue, oui à la vie ». Ce sont eux qui ont rebaptisé *le South Boston Liquor Store* « La boutique de la mafia irlandaise ».

Finalement, Flemmi lui-même se fera prendre au piège des mots. Il affirmera sous serment qu'on ne pouvait pas l'accuser d'être à l'origine des paris illégaux que Bulger et lui géraient dans les années 80 parce que le FBI était au courant de ces opérations et les avaient même « autorisées ». Dans son témoignage, Flemmi décrit la manière dont ils opéraient : Bulger et lui-même se contentaient de demander une « participation » aux bookmakers pour leur assurer une protection.

— Si bien qu'une partie du business des paris illégaux consistait à faire payer les bookmakers ? demandera un procureur.

— C'est tout à fait juste, répliquera Flemmi.

Ce qui incitera le procureur à aller plus loin dans le raisonnement :

— Si vous faisiez payer les dealers de drogue, vous étiez dans le business de la drogue, alors ?

— J'invoque le 5e Amendement là-dessus, rétorque Flemmi.

Il est coincé. Forcé de reconnaître que la logique est la même lorsqu'on touche à la drogue, il refuse de répondre. S'il avait acquiescé, il aurait détruit le mythe confortable dans lequel il avait vécu avec Bulger durant toutes ces années : jamais ils ne touchaient à la drogue.

Dans le cadre des directives régulant les rapports du FBI avec ses indics, les activités de Bulger dans le domaine de la drogue auraient dû entraîner la cessation brutale de l'accord avec Connolly et Morris, un accord que les deux agents s'efforçaient de préserver. Au lieu de cela, il fallait balayer d'un revers de main, ou tout du moins détourner les informations selon lesquelles Bulger était désormais lié au trafic de drogue. La technique s'imposera à toutes les parties prenantes : il faut cultiver une définition du trafic qui cloisonne d'un côté l'argent et de l'autre le produit.

Bulger, Flemmi et Connolly pouvaient maintenant entonner le même refrain : exiger même brutalement un pourcentage d'un dealer ne fait pas de Bulger un gros bonnet de la drogue. C'est pourtant bien ce qu'il est en train de devenir jour après jour.

Dès le départ, Bulger et Connolly ont défini ensemble que Bulger devrait donner l'image d'un malfrat totalement opposé à la drogue. Durant cette réunion cruciale du 25 novembre 1980, alors que Larry Sarhatt étudie le cas de Bulger, le gangster affirme qu'il «ne touche pas à la drogue et qu'il déteste tous ceux qui se livrent au trafic; c'est pour ça que ni lui ni aucun de ses associés ne s'approchent de cette merde.» Au sein du Bureau, ses déclarations ne font l'objet d'aucune vérification : si c'est Bulger qui le dit, c'est donc la vérité. En janvier 1981, alors que d'autres agences de police recueillent des informations sur l'alliance passée par Bulger avec le trafiquant Frank Lepere, John Connolly bourre ses rapports au FBI d'affirmations qui contredisent ce fait. Connolly précise que Bulger et Flemmi ont pris leurs distances par rapport à Lepere en raison de sa prédilection pour le trafic de drogue. Bulger, écrit Connolly, s'était associé il y a quelque temps avec Lepere, mais l'avait «banni de ses relations à cause de sa participation dans le trafic de marijuana».

Ce genre d'argument mensonger devait resservir en 1984.

Le FBI était resté plus ou moins sur la touche tandis que la DEA et la police de Quincy préparaient l'Opération Pilule. Mais par simple courtoisie, la DEA avait fait part de ses intentions au Bureau de Boston. Le Bureau était maintenant face à un dilemme : que faire de Bulger et Flemmi ? Pour prendre une décision, les responsables du Bureau de Boston se tournent vers les inspecteurs les plus au fait de juger de ce que font Bulger et Flemmi en ce moment : John Connolly et Jim Ring, qui a pris la succession de John Morris au poste de superviseur de la Brigade contre le crime organisé. Jim Ring, la quarantaine, a combattu la mafia en Nouvelle-Angleterre pendant près de dix ans, mais principalement à partir de sa base à Worcester, une ville au centre du Massachusetts considérée par les agents comme de peu d'importance. À partir du moment où il a pris les commandes de la Brigade, se souviendra Ring, Connolly n'a cessé de soutenir que «ni Bulger ni Flemmi n'étaient impliqués dans la drogue, qu'ils n'avaient rien à faire avec ça, qu'ils haïssaient trafiquants et distributeurs, et que jamais ils ne permettraient que de la drogue entre à South Boston.» Lorsque ses supérieurs commencent à poser des questions, Connolly, qui tient à être l'autorité en ce qui concerne les activités de Bulger, se présente armé de ses dossiers du FBI dans lesquels sont écartés tous les liens éventuels entre le malfrat et la drogue.

Le Bureau de Boston se doit de faire part au siège du FBI de Washington des projets de la DEA; il envoie donc un télex de deux pages au siège le 12 avril 1984 pour expliquer que la DEA a ciblé Bulger et Flemmi «que ses agents soupçonnent de contrôler une organisation de trafiquants». Mais le Bureau invite à la réflexion. Il qualifie les allégations de la DEA de «sans fondement; la DEA n'a fourni aucune information probante quant à leur implication.» Il ne faudrait pas mettre un terme à la collaboration avec Bulger «en raison de ses apports précieux dans le passé, aujourd'hui et dans l'avenir».

Ring signe une note de service plus détaillée quelques mois plus tard expliquant la non-participation du Bureau de Boston dans l'Opération Pilule, et une fois de plus, le Bureau soutient la version d'un Bulger totalement opposé à la drogue. «Le présupposé» sur lequel repose l'enquête de la DEA, écrira Ring en octobre, «bien qu'il puisse être correct, ne corrobore pas nos propres informations concernant les activités de ces deux individus.» Guidée principalement par Connolly et Ring, la hiérarchie du FBI à Boston n'accepte pas les rumeurs de drogue qui courent sur Bulger.

Pourtant, dans le dos de Ring, même Connolly est apparemment engagé dans des échanges secrets au sein du FBI à propos de Bulger et de ses connections avec la drogue. Au début du mois d'avril 1983, 15 tonnes de marijuana sont saisies dans un entrepôt au 345 D Street, South Boston. La drogue appartient à un trafiquant du nom de Joe Murray, et à l'issue de la descente de police, Connolly et l'inspecteur Rod Kennedy se rencontrent. Selon Kennedy, Connolly détaillera pour son collègue la manière dont Bulger profite du trafic de drogue de Murray.

– Il m'a déclaré que Murray devait payer un «loyer», une commission à messieurs Bulger et Flemmi pour s'acquitter du fait qu'il avait utilisé South Boston dans le cadre de ses activités de trafic de drogue, affirmera Kennedy.

Connolly lui avait indiqué que Murray avait payé Bulger et Flemmi entre 60 000 et 90 000 $ pour ce lot précis.

– Ça fonctionnait comme un loyer, pour l'utilisation de l'entrepôt de South Boston comme relais pour une activité illégale liée à la drogue, précise Kennedy, cette somme s'ajoutant à la commission perçue habituellement.

Mais rien de cela ne figure dans le rapport rédigé par Connolly au lendemain du coup de filet. Pas un mot sur ce bonus touché par Bulger et Flemmi de la part de Murray. Connolly note cependant que «la bande à Murray» s'inquiétait du fait que Bulger «semblait très agacé par l'utilisation de sa ville pour entreposer de l'herbe.»

Kennedy est un temps responsable de la liaison entre le Bureau et la DEA dans le cadre de l'Opération Pilule ; il partage certaines de ses informations sur les activités de Bulger dans la drogue avec les inspecteurs de la DEA, Reilly et Boeri. Kennedy possédait un indic qui lui avait affirmé que Bulger se servait d'un dealer de drogue de South Boston, Hobart Willis, pour établir la liaison avec Joe Murray. Néanmoins, Kennedy n'informera jamais le patron du Bureau, Jim Ring. Il ne révélera jamais non plus, ni à Ring ni aux agents de la DEA, le contenu des confidences de Connolly à propos de Joe Murray et de Bulger. Il jugeait que ça relevait de la responsabilité de Connolly et non de la sienne. De plus, Connolly ne tenait certainement pas à ce qu'il répète ce qu'il lui confiait, et il ne voulait pas contrarier Connolly.

Plus les agents du FBI de Boston consultent leurs indics, plus on identifie Bulger avec la drogue. Au milieu des années 90, même les dealers qui travaillent sous la coupe de Bulger, comme Moore « le Chat », se décident à témoigner contre lui. Sans parler des autres dealers. David Lindholm confie aux enquêteurs qu'en 1983 il est convoqué à East Boston où Bulger et Flemmi lui mettent le revolver sur la tempe afin de le convaincre de leur verser leur part de ses opérations illégales de revente de drogue. En 1998, le juge fédéral Mark Wolf statue que Flemmi a menti au superviseur du FBI Jim Ring, en 1984, en refusant d'admettre l'implication de Bulger et de lui-même dans le business de la drogue.

— Il est clair pour moi que Flemmi était au minimum impliqué… dans des opérations d'extorsion de fonds auprès de revendeurs de drogue, affirme Wolf le 2 septembre 1998.

Mais Connolly n'en démord pas. Il a joué un rôle crucial dans la fabrication du mythe, et il s'y tiendra toujours.

— Eh bien, vous savez, on ne m'a jamais fourni la preuve qu'ils se sont intéressés à la drogue, clamera-t-il en 1998, six semaines après le commentaire du juge Wolf devant la cour.

Il balaie les preuves, les témoignages, le jugement de la cour fédéral.

— Je vais vous dire, s'acoquiner avec un revendeur de drogue, réclamer sa commission sur la revente, ça c'est vraiment une honte pour un homme. Des types comme Bulger et Flemmi ne s'abaisseront jamais à fréquenter des ordures pareilles.

À Boston, on n'hésite pas à prendre ses désirs pour des réalités.

Bergeron se découvre une nouvelle raison pour vouloir la peau de Bulger et Flemmi. Il pense qu'ils ont fait disparaître un de ses informateurs les plus prometteurs. Tout a commencé un dimanche soir d'octobre 1984 ; l'inspecteur reçoit un message l'invitant à rejoindre le commissariat le plus vite possible. En arrivant, il apprend que d'autres agents de la police de Quincy viennent d'appréhender John McIntyre, un ancien militaire de 32 ans qui a déjà connu des démêlés avec la loi pour des motifs insignifiants. Les policiers désirent l'interroger aujourd'hui parce qu'il a tenté de pénétrer illégalement dans la maison de son ex-épouse. Détenu dans une des minuscules cellules mal éclairées du commissariat, McIntyre commence à tenir des propos qui dépassent la compétence des simples policiers. Il délire en évoquant de la marijuana, des bateaux, un trafic d'armes et, beaucoup plus inquiétant, le *Valhalla*.

Le chalutier *Valhalla* a quitté le 14 septembre dernier le port de Gloucester, au Massachusetts, pour une campagne de pêche à l'espadon de quelques semaines. Du moins, c'est ce qu'affirme l'armateur. En réalité, le chalutier transporte 7 tonnes d'armes estimées à un petit million de dollars, 163 armes de poing et des milliers de munitions, à destination de l'IRA en Irlande du Nord. À 200 milles de la côte irlandaise, il opère la jonction avec un bateau de pêche venu d'Irlande, le *Marita Arms*. Le transfert des armes s'effectue sans problème, l'opération semble couronnée de succès. Mais la marine irlandaise, qui a reçu des informations, intercepte le *Marita Arms* en pleine mer. La saisie de cet arsenal destiné à l'IRA fera la une des journaux des deux côtés de l'Atlantique.

Bergeron s'assure la présence de Boeri et ils commencent à interroger McIntyre dans le bureau du responsable des inspecteurs, au commissariat de Quincy. Le magnétophone enregistre les échanges. Bergeron n'en croit pas ses oreilles tandis que McIntyre égrène les noms des individus que lui traque tous les jours : Joe Murray, le gros bonnet de la drogue basé à Charlestown, et Patrick Nee de South Boston, qui assure la liaison entre Bulger et Murray. McIntyre se proclame membre de la «cellule» de Murray, et décrit une série d'opérations de trafic de marijuana. Il se met à table sans rechigner : depuis deux ou trois ans, la «cellule» de Murray s'est fondue au sein de «l'organisation de South Boston», ce qui explique la présence de plus en plus souvent de Nee, «parce qu'ils cherchent à implanter leurs propres représentants, afin de surveiller tout ce qui se passe.»

À propos de l'échec de la récente mission de fourniture d'armes à l'IRA, qui vient de défrayer la chronique, McIntyre explique qu'il a personnellement participé au chargement des armes, avant de prendre la place du mécanicien. Il précise qu'à part lui, il y avait à bord le capitaine, un membre de l'IRA appelé Sean, et trois types de l'équipe de Southie. Il ne connaît que leur surnom, et il ne les aime pas.

– Je les ai vus venir de loin, avec leur casquette de Boston sur la tête, leurs survêtements Adidas, sans la moindre tache. Ils ne connaissent rien aux bateaux, ils prennent deux ou trois douches par jour. Des mecs qui se baladent la brosse à dents dans la bouche, qui prennent des douches ! On a traversé une tempête pendant deux ou trois jours, heureusement qu'il y avait le capitaine et moi pour faire avancer le rafiot. Eux, ils n'ont pas décollé de leur couchette, ils ne sont pas sortis de leur cabine !

C'est Murray, Nee et «les types du magasin de vins et spiritueux» qui ont organisé la cargaison d'armes, ajoute McIntyre :

– Il vaut mieux pas trop s'approcher de leur gang… Ils vous attachent à un pieu avec des cordes à piano et ils foutent le camp. C'est le genre de truc qui les fait marrer.

La nuit où le *Valhalla* prend la mer, Kevin Weeks monte la garde sur une colline proche. Kevin est un vrai dur, continue de déballer McIntyre, «mais au-dessus de lui il y avait un autre type, lui c'est une vraie terreur.»

– Si tu le contraries, il te colle une balle dans la tête.

Bergeron constate que McIntyre se met à trembler, qu'il pâlit et qu'il a du mal à se contrôler.

– J'aimerais surtout retrouver une vie normale, finit-il par admettre. C'est comme si j'avais tout le temps un couteau pointé dans le dos. Ces dernières années, ça a été terrible, je ne sais jamais comment ça va finir, si la dégringolade va s'arrêter un jour. Je ne voulais pas que ma vie devienne cet enfer.

Jamais il ne prononcera le nom de «ce type» au-dessus de Weeks qui organisait le trafic de drogue et le chargement du *Valhalla*, mais tous ceux qui étaient présents dans le bureau savent qu'il ne peut s'agir que d'un seul individu : Bulger.

Bulger a la réputation d'être un farouche partisan de l'IRA. Mais quelques inspecteurs finiront par conclure que Bulger, comme il avait trahi sa communauté avec sa soi-disant aversion de la drogue, avait également trahi l'IRA. Certes il a joué un rôle dans la fourniture des armes vendues à l'IRA, mais après avoir touché le pactole, il a tourné casaque.

– Whitey a dit au revoir au *Valhalla*, puis il est allé donner un coup de fil, précisera un responsable plus tard.

Même si cette version est crédible, Bulger n'est pas le seul «traître». L'ancien patron de l'IRA dans le comté Kerry avouera plus tard qu'il avait mis en péril l'échange de la cargaison en mer. Sean O'Callaghan, un exécuteur tourné indic, précisera qu'il avait dénoncé l'opération afin de se venger de l'IRA. Il deviendra une cible privilégiée après avoir admis sa trahison.

À l'époque, Bergeron ignore tout de cette manipulation. Il boit les paroles de McIntyre, il a l'impression d'avoir touché le jackpot.

– Ça semblait un cadeau extraordinaire à ce moment de nos enquêtes, admettra-t-il plus tard. Ce type avait une montagne d'informations à nous confier.

Au cours des jours qui suivent, Boeri et lui-même préviennent la DEA, les douanes et même le FBI. McIntyre se déclare prêt à coopérer et l'on envisage des plans pour obtenir de lui des détails sur l'organisation du trafic par le gang. Subitement, quelques semaines après cette découverte capitale, on apprend que McIntyre a quitté la maison de ses parents à Quincy, prétextant un rendez-vous avec Patrick Nee. On ne reverra jamais McIntyre vivant. On retrouvera son fourgon et son portefeuille abandonnés dans un parking. Bergeron est effondré. L'épisode Halloran se reproduit point par point. C'est de nouveau la tragédie de Bucky Barrett. Des disparitions qui suivent toujours la mention de Bulger et Flemmi dans des affaires brûlantes. Une nouvelle disparition se produit cet automne, même si elle ne relève pas de la juridiction de Bergeron. Stevie Flemmi et son amie Deborah Hussey ne s'entendent plus. Les querelles sont incessantes et Deborah menace de révéler à sa mère sa liaison avec Flemmi. Évidemment, pour Flemmi, c'est une situation difficile. Deborah Hussey disparaît mystérieusement. Tout comme Debra Davis avant elle, elle avait 26 ans. Flemmi retourne chez Marion Hussey, à Milton. Il ne va sûrement pas lui avouer qu'il vient d'enterrer le corps de Deborah dans une cave de South Boston, une planque que Bulger et lui ont déjà utilisée quelques semaines auparavant pour dissimuler le cadavre de John McIntyre, et avant cela, celui de Bucky Barrett. Flemmi hausse les épaules et fait de son mieux pour calmer le chagrin de la mère de sa petite amie.

Bergeron en est persuadé : Bulger et Flemmi ont abattu McIntyre. Il ne s'explique pas vraiment comment ils ont eu vent de sa coopération, mais il soupçonne le FBI. Bergeron, et surtout les agents Reilly et Boeri de la DEA, sont au courant des rumeurs qui circulent autour du Bureau de Boston selon lesquelles Bulger et Flemmi ont été recrutés comme indics par le FBI. Durant l'élaboration de l'Opération Pilule, ils ont contacté le garde mobile Rick Fraelick qui leur a fourni des photos des individus ciblés, des rapports d'informateurs et autres documents rassemblés par la police d'État. Il leur a également relaté l'échec de la tentative de mise sous surveillance électronique au garage de Lancaster Street à Boston. Fraelick est convaincu que le FBI avait vendu la mèche.

La nouvelle équipe d'enquêteurs n'est pas naïve. Ils soupçonnent Bulger d'entretenir des rapports avec le FBI, mais ne détiennent pas l'ombre d'une preuve patente. Par leurs propres indics, ils savent que Bulger affiche une confiance sans faille, qu'il aime se vanter de son invincibilité face à d'éventuelles poursuites. Il raille la police d'État, qualifie de « grosse blague » la tentative d'écoutes à Lancaster Street. C'était le genre de fanfaronnade dont les policiers en planque avaient été témoins lorsque Bulger, jouant les gros bras, rentrait le ventre en roulant des épaules sur le trottoir du garage.

En réalité, Bulger considérait que toute l'affaire du garage de Lancaster Street était un véritable défi. À la suite de la tentative, Bulger et Flemmi avaient redoublé de prudence. Bulger avait installé un système d'alarme sophistiqué dans l'appartement qu'il occupait avec Catherine Greig. Il avait fait de même dans la Chevrolet noire Caprice modèle 1984 qu'il conduisait à tour de rôle avec Flemmi. La voiture était enregistrée au nom de la sœur de Kevin Weeks, Patricia, secrétaire dans les bureaux de la police de Boston. Dans l'appartement, Bulger allumait toujours la télévision et la chaîne stéréo. Dans la voiture, la radio était à fond et un scanner de la police était toujours branché pour le bruit de fond chaque fois qu'il ouvrait la bouche. À la fin de la journée, Bulger garait sa voiture juste devant la porte de son appartement, pour être en mesure de la surveiller à tout instant.

Précaution supplémentaire, Bulger et Flemmi s'exposaient moins, surtout Bulger. Au lieu de parader devant le défilé constant de gros bras du milieu, comme c'était devenu l'habitude à Lancaster Street, il se faisait rare. Un indic confiera aux enquêteurs en 1984 que Bulger « ne s'entretient avec ses subordonnés que chaque fois qu'il est nécessaire. Ses adjoints n'ont pas la possibilité de contacter Bulger et Flemmi. C'est George Kaufman qui se charge de transmettre les messages et de contacter les interlocuteurs. »

Ces mesures de protection s'ajoutent à la méfiance innée de Bulger, à ses méthodes habituelles pour contrer les surveillances éventuelles. De tout temps, il a toujours eu un œil dans le rétroviseur, se garant subitement pour laisser passer une voiture qui le suit, faisant demi-tour, prenant les sens interdits, sortant sans prévenir d'une voie expresse. Bergeron et les agents Reilly et Boeri de la DEA ont vite repéré que Bulger et Flemmi sont sans cesse sur leurs gardes.

Les deux malfrats croisent de temps en temps la nouvelle équipe d'enquêteurs. Bergeron et Boeri suivaient Bulger par une belle soirée d'été sur Dorchester Avenue, à Southie, quand Bulger les a repérés. Tout sourires, il leur adresse un signe amical de la main. Mais Bulger n'est pas toujours aussi guilleret. Bergeron, assisté d'un autre agent, se met en planque un soir devant l'appartement de Bulger à Quincy, à bord d'un fourgon Ford blanc que la DEA lui a fourni. Il est 2h du matin ; Bulger sort de l'appartement 101, s'engouffre dans sa voiture et fait le tour du parking, un œil sur le fourgon blanc. Puis il se gare, émerge de la Chevrolet noire et jette un œil par la vitre arrière du fourgon. Il en fait le tour pour venir inspecter la plaque minéralogique. Visiblement agité, il rentre chez lui. Les enquêteurs démarrent pour éloigner le fourgon et, surveillant leur rétroviseur, aperçoivent Bulger au volant d'une voiture qui surgit de l'ombre du local des poubelles.

À la suite de ces incidents, les enquêteurs prennent immédiatement conscience que Bulger et Flemmi sont au courant de l'intérêt dont ils sont l'objet. Néanmoins, même si l'Opération Pilule démarre dans une ambiance tendue, il n'est pas question pour eux de renoncer. Bergeron, Boeri et Reilly ont déjà tenu compte du fait que Bulger et Flemmi sont peut-être des informateurs du FBI. Mais après tout, qu'est-ce que cela change ? En 1984, on ne peut échapper à la réalité. Bulger et Flemmi, conclut Reilly, « constituent les plus puissants responsables de la criminalité organisée à Boston depuis le démantèlement de la famille Angiulo. » Même s'ils ont affaire à des informateurs, ajoute Reilly, « les indics ne bénéficient jamais du droit de faire n'importe quoi. » Tous s'accordent à reconnaître que la tâche serait beaucoup plus aisée s'ils arrivaient à réunir des témoins prêts à s'épancher devant un tribunal contre Bulger et Flemmi; mais ce n'est pas un scénario plausible dans les circonstances, pas depuis que Bulger s'est isolé et protégé, pas avec la crainte de Bulger ressentie dans le milieu, pas tant que des gens comme John McIntyre disparaissent de la surface de la planète. Ainsi l'objectif primordial et final de l'Opération Pilule reste l'enregistrement de tous les propos de Bulger. Durant la majeure partie de l'année 1984, les enquêteurs amassent les arguments en faveur de leur cause, en vue de convaincre un juge de les autoriser à mettre Bulger sur écoutes.

Même si le FBI a été poliment averti en avril 1984, un des objectifs durant la préparation de l'Opération Pilule, c'est de limiter la connaissance et la participation du FBI dans l'enquête sur la drogue.

– J'ai toujours voulu maintenir le FBI à distance et poursuivre la mise en œuvre, commentera Reilly. L'affaire est initiée par la DEA, soutenue par la DEA, financée par la DEA. C'est nous qui avons tout fait.

Toute l'opération vise à éviter que certains agents du FBI obtiennent des informations sur ce qui se prépare. Durant l'automne arrive «l'équipe technique» du FBI, de vrais spécialistes; quand ils débarquent de New York pour envisager les détails de la pose de micros dans la voiture et l'appartement de Bulger, il leur est demandé de ne pas signaler leur présence au Bureau de Boston. Les deux agents locaux du FBI prêtés à la DEA pour écouter les bandes magnétiques issues des écoutes sont des nouveaux venus en ville. Le bureau de l'Opération Pilule est même transféré dans l'immeuble Fargo à la périphérie du centre, loin de l'immeuble fédéral John Kennedy situé lui en plein centre, et où des agents de la DEA et du FBI se croisent souvent, déjeunent ensemble et risqueraient d'évoquer les affaires en cours.

Mais le FBI est néanmoins «au parfum», si l'on en croit Flemmi. Selon lui, le rôle du FBI dans l'Opération Pilule «n'est rien moins qu'un ensemble d'efforts en vue de s'assurer que l'enquête serait un flop retentissant.» Il s'avère que Connolly, dès le départ, avait eu vent de l'Opération Pilule, dans les premiers mois de 1984, avant même que l'opération ait un nom, avant que le moindre objectif ait été fixé. À la minute même où le télex est envoyé de Boston pour avertir le siège du FBI de l'enquête de la DEA à venir, un haut responsable du FBI à Washington, Sean McWeeney, décroche son téléphone pour appeler Jim Ring. McWeeney est alors chef de la section de lutte contre le crime organisé au siège du FBI. Ce n'est pas Jim Ring qu'il a au bout du fil, c'est John Connolly.

– Ce sont bien des types à nous, n'est-ce pas ? s'enquiert McWeeney auprès de l'agent traitant.

Et si Connolly est au courant, Bulger et Flemmi le sont immédiatement aussi. Ils continuent de se rencontrer secrètement tout au long de l'année et, si l'on en croit une fois de plus Flemmi, les conversations tournent souvent autour de l'intérêt croissant de la DEA et de la police de Quincy pour leurs personnes. Ils ont un système donnant-donnant dans lequel chacun partage avec les autres la moindre information utile aux uns et aux autres. Connolly collecte de plus amples détails par le biais d'autres agents ou bien directement en discutant avec Ring. Il aurait été utile de recueillir les confidences de John Morris, malheureusement non seulement Morris ne dirige plus la Brigade mais il a quitté la région ; l'ancien superviseur a été appelé en Floride pour une mission spéciale et ne rejoindra Boston qu'en 1985.

Durant une session cruciale en septembre 1984, Bulger, Flemmi, Ring et Connolly se retrouvent dans le minuscule appartement de Connolly à South Boston. L'endroit a été préféré parce que des policiers planquent jour et nuit autour de l'appartement de Bulger. D'après les souvenirs de Flemmi, les quatre hommes «échangent des propos plutôt vifs» autour de l'Opération Pilule. Flemmi et Bulger démentent avec véhémence toute implication dans des affaires de drogue. Ring et Connolly les rassurent, et insistent :

– Vous pouvez compter sur nous, les gars, on est dans le même bateau.

Ils confient aux deux malfrats que l'Opération Pilule est désormais basée dans l'immeuble Fargo de Boston. Cette information permettra à Bulger de planquer autour de l'immeuble et de repérer les marques, les modèles et les numéros d'immatriculation des véhicules utilisés clandestinement par les enquêteurs.

Vers Noël, les enquêteurs de la DEA obtiennent le feu vert du tribunal pour la pose d'un mouchard sur le téléphone de George Kaufman, mais Bulger et Flemmi ont de nouveau une longueur d'avance. John Connolly leur a fourni un vrai cadeau de Noël sous la forme d'un tuyau : il les prévient que des écoutes ont été autorisées. Si bien qu'au lieu d'enregistrer des conversations incriminantes, les agents de la DEA Reilly et Boeri entendent Flemmi aligner des banalités navrantes à George Kaufman. Ou bien est-ce un code ? Jamais les agents n'entendront Bulger répondre au téléphone...

Si l'on tient compte du tuyau, Bergeron et l'équipe de la DEA avaient accompli un véritable exploit en implantant des micros à bord de la voiture et dans l'appartement de Bulger. Un exploit qui ne durera que quelques semaines, cependant. Les agents de la DEA et Bergeron avaient dû déployer leur propre ingéniosité en la matière : l'équipe de techniciens du FBI appelés en renfort avaient été incapable de trouver la faille pour implanter des mouchards dans la voiture ou l'appartement de Bulger. Les deux endroits étaient équipés de systèmes d'alarme détectant toute intrusion. À moins que des agents de la police locale ne récupèrent les codes pour désactiver ces alarmes, avaient conclu les techniciens avant de partir, impossible de pénétrer pour installer les micros. Ils avaient néanmoins suggéré une autre solution au problème des enquêteurs : remplacer la voiture de Bulger par exactement le même modèle déjà truffé de micros… Le lendemain, les techniciens repartent vers New York. Leur proposition farfelue alimente les craintes de Reilly vis-à-vis du FBI, même si les techniciens avaient reçu pour consigne de ne pas avertir le FBI de Boston de leur venue. «À mon avis, ils n'ont pas été à la hauteur.»

Reilly, Boeri et Bergeron n'ont plus qu'à se retrousser les manches. Ils obtiennent une Chevrolet noire en tous points semblable à celle qu'utilise Bulger, et se mettent à l'étudier sérieusement, cherchant un moyen d'insérer un mouchard sans avoir à fracturer la serrure. Ils dénichent un point d'entrée en bas d'une des portières et ils font des essais à l'aide d'une perceuse jusqu'à ce qu'ils réussissent à installer un mouchard. Ils pratiquent de même avec l'appartement, perçant l'encadrement d'une fenêtre depuis l'extérieur pour insérer un micro.

Au début de 1985, au milieu de la nuit, les agents parviennent à placer le mouchard à l'intérieur de la fenêtre de l'appartement.

– Le résultat était très satisfaisant, commentera Bergeron.

Un problème, néanmoins : Bulger branche la stéréo et la télévision constamment à fond dès l'arrivée de Flemmi, et les deux malfrats montent à l'étage pour discuter affaires. La tentative s'avère totalement improductive.

Puis, le 2 février 1985, tandis que Bulger est endormi, les agents installent un micro dans la portière de la Chevrolet noire. Le lendemain, Bulger prend sa voiture pour se rendre à South Boston. Pour les agents qui ont chaussé les écouteurs, la surprise est totale, et c'est une mauvaise surprise. Le micro ne leur retransmet qu'un horrible vacarme. Il enregistre les cahots et les défauts de l'asphalte ainsi que la saturation du roulement des pneus sur les avenues. Même après avoir repositionné le mouchard la nuit suivante, les agents se heurtent à un mur de son qui ne permet pas de percevoir clairement les conversations de Bulger dans l'habitacle. Une partie du problème réside dans la mauvaise qualité des micros qu'ils ont été contraints d'utiliser. Ces instruments ne font qu'envoyer un signal qui est transmis vers un véhicule de surveillance où les bandes magnétiques sont censées enregistrer les signaux. Il était donc impératif que le véhicule de surveillance ne soit jamais trop éloigné de la voiture de Bulger, ce qui constituait déjà un véritable défi. De plus, il fallait compter avec les bruits de roulement et l'autoradio de Bulger, toujours à fond lorsque Bulger bavardait avec son collègue. Sans même parler de la méfiance maladive des deux malfrats.

Il fallait batailler pour déterminer qui parlait dans la voiture, et déchiffrer le dialogue. Le meilleur résultat est obtenu dans la nuit du 17 février 1985. Bergeron, en compagnie de deux agents de la DEA, suivent Bulger et Flemmi qui vont retrouver George Kaufman au *Triple O*. Malgré la radio et les bruits de fond envahissants, les agents entendent Bulger et Flemmi évoquer la nouvelle hiérarchie de la pègre locale. Les deux gangsters parlent d'Howie Winter, qui doit bientôt sortir de prison.

– On s'en fout d'Howie, lâche Bulger.

La conversation aborde la drogue.

– Ce putain de deal de coke, attaque Flemmi.

– Je gère l'affaire et tout le reste au téléphone, rétorque Bulger.

Certes, c'est une révélation de poids, mais ils n'élaborent pas. Des bribes de commentaires sur l'argent, des «points de vente de drogue», et sur les paris de Bulger. Les agents interceptent ce qu'ils croient être une référence à un des agents du FBI local, mais sans savoir ce qu'elle signifie : «Connolly a les putain de chocottes depuis un moment,» remarque Flemmi dans la conversation.

Les agents continuent de planquer et de chausser les écouteurs chaque fois que c'est possible, mais les nuits passent et ils ne parviennent pas à glaner assez de phrases pour constituer un scénario criminel. Ils voient Bulger dans sa voiture avec Patrick Nee, qui sert de messager entre le gangster et Joe Murray, mais impossible d'entendre ce qu'ils se disent. Ils voient un adjoint de Bulger s'asseoir à côté de lui et lui livrer une mallette bourrée de dollars, mais le micro ne transmet qu'un vacarme incompréhensible. Ils entendent Bulger, hors de lui, s'en prendre à un sous-fifre de sa bande qui a commis le péché de venir lui parler chez Theresa Stanley. Bulger lui admoneste un savon mémorable, et ajoute qu'il «descendra» quiconque viendra chez lui. Il ne faut jamais confondre famille et business chez les voyous.

Jamais auparavant un enquêteur n'avait entendu la voix de Bulger sur un enregistrement, même de mauvaise qualité, mais les enquêteurs se rendent compte que s'ils veulent présenter des arguments convaincants devant un tribunal, il va leur falloir améliorer la qualité de la prise de son. Dans la nuit du 7 mars, vers 2h40 du matin, Reilly et Bergeron tentent pour la dernière fois de placer leur micro dans une meilleure position.

– On pensait qu'il dormait parce que d'habitude, il était toujours couché à cette heure-là, se souvient Reilly. On a contourné l'immeuble et il est sorti de l'appartement. Il nous a vus, et on a pris la fuite en courant comme des dératés.

Bergeron précise que Bulger était fou de rage. Il a sauté dans sa voiture avec sa petite amie Greig et s'est mis à faire des cercles sur le parking.

– Il conduisait comme un dingue, hurlant des obscénités vers sa petite amie, insultant tous les flics de la Terre !

Flemmi n'était pas à Boston cette nuit-là mais au Mexique, et Bulger avait fini par se calmer. Échappant aux enquêteurs, il rencontre John Connolly le lendemain. On est le 8 mars. Trois jours plus tard, les agents de la DEA Reilly et Boeri suivent Bulger qui conduit sa Chevrolet noire jusqu'à un garage derrière le *South Boston Liquor Mart* à Southie.

La phrase prononcée par Bulger ensuite mettra un point final à l'Opération Pilule.

– Il a raison… Ils ont planté un mouchard dans la bagnole.

Les agents bondissent du fourgon de surveillance et se ruent vers le garage pour récupérer le micro. Avant tout, ils veulent éviter que leurs cibles ne connaissent le genre de technologie qu'ils utilisent contre elles. Bulger est en train d'arracher le panneau intérieur de la portière, tandis que Kevin Weeks, un détecteur de radiofréquences à la main, se penche vers lui. Face à eux, Reilly, Boeri et deux autres agents de la DEA sont à la porte de l'atelier. Bulger, qui retrouve sa superbe habituelle devant les forces de l'ordre, fait bonne figure. Il s'avoue bluffé par la maîtrise des agents qui ont placé le mouchard dans sa voiture :

– J'avais pourtant installé un super système d'alarme… lance-t-il à Reilly.

Celui-ci s'approche de la portière, écarte le panneau et retire le micro. Bulger reconnaît qu'il s'était douté de quelque chose en voyant Bergeron et Reilly dans le parking de son appartement quelques jours plus tôt. Il ne fait aucune allusion, bien sûr, aux contacts qu'il entretient au sein du FBI.

Boeri remarque que Bulger porte une boucle de ceinturon inhabituelle, qui porte l'inscription «Alcatraz : 1934-1963». En riant, l'agent lui fait remarquer que la boucle est superbe, et originale, mais Bulger se garde bien de mentionner la personne qui la lui a offerte.

Le malfrat et les policiers échangent des plaisanteries, Bulger insiste pour savoir comment ils avaient pu installer le mouchard, et depuis quand.

– Pas plus de 7 ou 8 jours, non ? risque-t-il.

Weeks pour sa part dirait plutôt environ deux mois. D'ailleurs, ils ont bien dû planter un mouchard dans sa propre voiture, non ?

– Eh les gars, vous voulez acheter ma voiture ? Je vous fais un bon prix, blague Weeks.

Boeri demande pourquoi Flemmi n'est pas là.

– Il n'est pas loin, ment Bulger.

La discussion se prolonge dans une atmosphère détendue. Bulger est à l'aise, sympa dans la provocation.

– Hé, vous êtes vraiment des bons gars. Comme nous.

Ah bon, pourquoi ?

– Vous, vous êtes les vraiment bons garçons. Nous, on est des vilains bons garçons.

Les agents reprennent possession de leur matériel et rentrent au bureau. Deux jours plus tard, Boeri et Bergeron passent en voiture devant la maison de Theresa, Bulger est là et leur fait un grand signe de la main. Le panache du gangster qui conseille aux enquêteurs de ne pas croire toutes les horreurs qu'ils entendent sur son compte. Il leur avait montré le panneau intérieur de la portière qui ne tenait plus bien, et demandé leur aide pour le remettre en place.

– C'était vraiment ingénieux votre installation, dira-t-il encore à Boeri, tentant d'en savoir plus.

Flemmi, de retour du Mexique, rencontrera par hasard Boeri et Reilly sur le parking du *Marconi Club* à Roxbury, qu'il fréquentait souvent. Ils évoquent

« l'incident excitant » du garage au sujet du mouchard. Flemmi tente de savoir si la qualité des transmissions était à la hauteur.

– Je suppose que le froid n'arrange pas le fonctionnement des piles ? risque-t-il.

Les agents répliquent que tout fonctionnait à merveille. Surtout, sauver l'honneur, ne rien lâcher.

Flemmi prêche pour la concorde. Au lieu de se donner la chasse les uns les autres, ne vaudrait-il pas mieux s'entraider ?

– Vous voulez qui ? plaisante-t-il. Nous, on n'a pas besoin de Miranda. On peut passer la corde au cou à n'importe qui. Vous n'avez qu'à nous indiquer le bonhomme qui vous gêne.

Il veut ensuite savoir quand tout cela va finir.

– Vous allez nous emmerder longtemps ? Vous n'allez pas nous poursuivre comme ça toute la vie, j'espère ?

– En fait, c'est juste le début, réplique Boeri.

Bulger et Flemmi ne sont pas dupes : c'est du bluff de la part de Boeri. Les deux malfrats ont déjà des informations de la part de Connolly.

– John Connolly m'a dit que selon Jim Ring l'enquête de la DEA n'avançait plus, qu'elle était au point mort, ou quelque chose comme ça, reprend Flemmi. C'est Connolly qui me l'a dit. On s'est pas mal rencontrés chez Connolly, en plus des réunions avec les superviseurs.

Dans l'atelier, au moment même où Bulger avait prononcé les mots « Ils a raison… Ils ont planté un mouchard dans la bagnole », l'agent Reilly de la DEA avait eu la conviction que le FBI avait passé le tuyau à Bulger. Ce n'était que des soupçons, car il ne pouvait encore mettre un nom sur celui dont parlait Bulger. La phrase était pourtant la preuve qui ouvrait de nouveaux horizons. À partir de ce moment-là, Reilly, Boeri et Bergeron savaient que leurs efforts étaient réduits à néant.

Pourtant, aucune enquête gouvernementale ne viendra jamais étayer ces convictions. On ne tentera jamais de trouver la cause réelle de l'échec d'Opération Pilule. Chacun repartira comme il était venu. Comme si ce nouvel échec d'une enquête entraînait une sorte de torpeur administrative, et contraignait les forces de l'ordre à accepter la dérangeante réalité : le FBI avait établi un bouclier protecteur autour de Bulger et Flemmi. C'était comme ça à Boston, ça faisait partie de la spécificité de cette ville.

Extérieurement, les gangsters se réjouissent de l'incident.

– Ils n'avaient pas l'air de s'inquiéter du tout, se souviendra Ring.

Pour Bulger et Flemmi, le mouchard est une vaste plaisanterie.

– J'imagine qu'ils étaient plutôt fiers d'avoir repéré la manœuvre.

Mais à vrai dire, l'événement n'amusait personne. L'opération qui avait duré un an avait épuisé tout le monde. Bulger et Flemmi s'étaient sentis harcelés à chaque instant. Malgré le FBI, la DEA avait accompli un petit miracle : placer un micro à bord de la voiture de Bulger. L'inspecteur Bergeron et les agents Reilly et Boeri de la DEA avaient révélé l'homme qui se cachait derrière la légende, mais sans réunir la moindre preuve tangible en vue de poursuites criminelles. Mais la somme d'informations recueillies par Bergeron et ses collègues de la DEA resterait désormais à jamais enfermée dans des dossiers secrets. John Connolly, Bulger et Flemmi pouvaient maintenant reprendre en cœur le refrain de l'anti-drogue. Ils avaient vaincu l'Opération Pilule de la DEA.

Mais ils ont pourtant senti le vent du boulet. L'alerte a été chaude. La surveillance s'est révélée harassante, ce n'est pas la belle vie dont les gangsters avaient rêvé en passant un accord avec le FBI. Si bien qu'en avril 1985, quelques jours seulement après l'échange avec les agents de la DEA au *Marconi Club*, Bulger et Flemmi se mettent en quête de nouvelles garanties. Ils veulent être assurés que tout ira bien, maintenant et dans l'avenir. John Morris vient de rentrer à Boston, il est grand temps d'aller le voir.

Chapitre Treize

Black Mass (messe noire)

Le John Morris de 1985 est toujours cet homme intense et secret qui s'enorgueillit encore d'avoir organisé avec succès l'opération de surveillance électronique du quartier général de la mafia en 1981. Il donne l'image d'un flic chevronné, attentif et déterminé. Il mène pourtant une double vie de libertin, à l'image des autres membres du petit cercle, John Connolly, Whitey Bulger et Stevie Flemmi. Chacun affiche une image publique en contraste total avec la réalité de sa vie privée. Morris et Connolly sont agents du FBI le jour et font la nouba la nuit en compagnie des deux malfrats qu'ils protègent contre vents et marées, même s'il faut pour cela enfreindre les codes et violer la loi. Bulger et Flemmi continuent de jouir de leur réputation de mauvais garçons irrésistibles, trop malins pour se faire pincer par la police. En réalité, ils fournissent depuis des années des informations au FBI sur leurs copains et ennemis de la pègre, protégés par la police la plus efficace et la plus sophistiquée de la nation.

Morris est bel et bien le débiteur de Bulger depuis qu'il a demandé puis accepté en 1982 les 1000 $ pour sa petite escapade avec Debbie Noseworthy en Géorgie. Depuis, dans les premiers jours de 1984, en pleine préparation de l'Opération Pilule de la DEA, Morris a replongé.

– Connolly m'a passé un coup de fil pour me dire : « J'ai un cadeau pour toi de la part de ces types. Pourquoi tu ne viens pas le chercher ? »

Je me suis rendu chez lui et j'ai ouvert le paquet, c'était un carton de grand crus. En sortant, il m'a dit : « Fais attention, il y a quelque chose au fond du carton. » Alors je l'ai ouvert et j'ai trouvé une enveloppe. Elle contenait 1 000 dollars.

C'était comme s'ils savaient que Morris avait besoin de petits cadeaux de ce genre pour entretenir l'amitié. Comment va-t-il le prendre ? Va-t-il entrer en fanfare dans le bureau de l'agent spécial en charge du Bureau de Boston et dénoncer tout le monde ? Non, il jette un œil à droite et à gauche pour s'assurer que personne ne le voit, va chercher un tire-bouchon, débouche une bonne bouteille et empoche l'argent de Bulger. Il savoure l'instant.

Pourtant, si Bulger considère que le carton de grands crus est un second versement sur son contrat d'assurance avec le FBI, il ne va pas tarder à connaître une déception. Le FBI, qui voit en Morris un modèle d'intégrité, envoie le superviseur à Miami pour surveiller une équipe d'agents spéciaux chargés d'enquêter, ironiquement, sur un agent du FBI soupçonné de corruption. Cela tombe plutôt mal pour Bulger, qui sent avec Flemmi que la DEA et la police de Quincy accroissent leur surveillance sur leurs activités. Tout au long des mois qui suivent, en 1984 et début 1985, Bulger et Flemmi subissent les assauts de l'Opération Pilule avec la seule aide de Connolly et occasionnellement de Jim Ring. La tâche n'est pas aisée sur le moment. Mais aujourd'hui, les agents de l'agence fédérale anti-drogue sont dans l'impasse, et John Morris a refait surface. Il est temps de se retrouver tous ensemble. Temps de s'asseoir autour d'une même table et de partager un bon repas. Temps de reparler du passé récent, l'Opération Pilule, et d'aborder les problèmes qui se profilent à l'horizon, tel le prochain procès longtemps reporté de Gennaro Angiulo, le mafioso accusé de racket, procès au cours duquel seront abordés les enregistrements issus des écoutes du FBI au 98 Prince Street. C'est le procès criminel le plus important depuis des décennies à Boston ; il doit démarrer incessamment, et Bulger et Flemmi ont pas mal de soucis à se faire à propos des enregistrements.

En chemin vers le restaurant, Connolly a déjà révélé le fait que les chefs de la mafia locale, Jerry Angiulo et Larry Zannino, évoquaient souvent Bulger et Flemmi lors des écoutes, « des conversations, selon Flemmi, qui évoquaient divers actes criminels. » Flemmi s'inquiète particulièrement de l'allusion faite par les mafieux à son rôle dans l'assassinat des trois frères Bennett en 1967.

Mais il y a pire. Connolly fournit une description précise des dialogues entre les mafieux.

– On parle des Bennett dans les enregistrements, se souvient Flemmi, et Connolly évoque également les paris clandestins, certains bookmakers, si je ne me trompe pas, avec lesquels on était en relation. Je crois que Jerry [Angiulo] mentionne le fait que Whitey gère tout South Boston, Stevie tout South End, et qu'on tire un gros paquet de dollars des bookmakers. Il cite un chiffre : Whitey tire probablement… 50 000 $ par semaine de ses commissions sur les bookmakers.

Flemmi et Bulger sont effarés. Avant que la surveillance électronique ne soit installée au siège de la mafia en 1981, ils avaient déjà évoqué leurs craintes : même s'ils évitaient de se rendre au 98 Prince Street, les mafieux ne manqueraient pas de parler de leurs liens mutuels en matière de business. Ils veulent aujourd'hui rappeler une promesse faite à l'époque par Morris et Connolly : en retour de leur assistance pour coincer Angiulo, les enregistrements ne seraient pas utilisés contre eux.

Durant l'absence de Morris à Miami, les malfrats avaient discuté du sujet avec Connolly et demandé à leur agent traitant dans quelle mesure les écoutes pouvaient leur poser un danger. Connolly avait tenté de les rassurer.

– C'est là qu'il nous avait dit de ne pas nous en faire, se souviendra Flemmi.

Mais les gangsters veulent entendre la même promesse de la bouche de Morris.

– C'est John Connolly qui a organisé la soirée, précisera Flemmi. Connolly contacte Bulger, qui prévient ensuite Flemmi. Ça tombait bien, on était libres.

On choisit un jour de semaine, au début du printemps. La ville émerge des brumes de l'hiver, il fait doux, on attend les beaux jours. Sur un parking de South Boston, Connolly fait monter Bulger et Flemmi dans sa voiture. Il leur annonce qu'un vieil ami va se joindre à eux, Dennis Condon, l'ancien agent du FBI qui les avait accompagnés au début de la collaboration en 1975 et qui occupe aujourd'hui un poste haut placé à la tête de la police d'État. Condon faisait partie des personnalités en vue, un vétéran des manœuvres du FBI dans les années 60.

– Ils se connaissaient, se souviendra Morris, Connolly et moi pensions que Condon aurait plaisir à les retrouver.

Inutile de préciser que la présence de Condon était la bienvenue à ces retrouvailles qui constituaient une simple revue de l'accord entre le FBI et Bulger. Condon, un ancien du FBI, était désormais à la tête de la police d'État ; comme Bulger et Flemmi étaient constamment alertés par l'intérêt que leur portaient les autres agences de police, pourquoi ne pas faire d'une pierre deux coups ?

Évitant les embouteillages de l'heure de pointe, Connolly, Bulger et Flemmi quittent la ville pour aller dîner avec John Morris.

Pendant ce temps, Morris s'affaire dans la cuisine de sa maison de Lexington. Il assaisonne les steaks et fait chauffer le four. La table est mise pour cinq personnes. Rebecca, son épouse, ne sera pas de la fête.

– J'ai refusé de faire la cuisine pour ces gars-là, avouera-t-elle plus tard.

Si John est optimiste à l'idée de ce dîner, son épouse n'a pas le moral. Ils tournent autour de la table de cuisine, ils s'observent, sur leurs gardes ; elle a déjà exprimé son opposition catégorique à l'invitation lancée aux deux malfrats : « Que vont penser nos enfants ? » John a bien tenté de lui exposer l'importance qu'il y a à garder la confiance de Bulger et Flemmi. Rebecca ignore tout de l'argent provenant de la poche de Bulger, elle n'a aucune idée de l'étrangeté des liens qui unissent son mari à ces chefs de bande. Mais elle sent qu'il se passe quelque chose d'inquiétant. Elle est l'épouse d'un flic depuis trop longtemps pour ne pas flairer quelque chose de louche dans sa propre maison.

Alors, elle refuse d'accepter. John minimise les choses, il emploie les termes de « mauvais garçons » quand il évoque Bulger et Flemmi, une sorte de concession qui montre qu'il sait bien qui sont ces deux individus. « Rassure-toi, je sais ce que je fais. » Il va même jusqu'à admettre qu'il se fait du souci à propos de Connolly, de sa proximité vis-à-vis de Bulger ; en tant qu'ami de Connolly, d'ancien superviseur, il a le devoir de surveiller jusqu'où vont les choses. Mais Rebecca n'y croit pas, elle n'en démord pas : pas de ces gens-là ni de leurs cadeaux chez moi.

Les érables sont en fleurs dans le jardin ; John les admire depuis la fenêtre de la cuisine où il fait de son mieux pour évacuer les soucis conjugaux. À part ça, il est plutôt satisfait de sa vie, flatté d'avoir été choisi pour l'enquête qu'il vient de superviser en Floride. Il est en train de rédiger son rapport sur le flic qu'il était chargé d'évaluer. Cet agent, Dan Mitrione, passait pour un flic modèle. Athlétique, l'ancien Marine et ancien combattant du Vietnam a le maintien de l'ordre dans le sang. Son père, ancien gradé de la police et employé du Département d'État, le ministère américain des Affaires étrangères, a été tué par des rebelles en Uruguay en 1970. Au début des années 80, Dan Mitrione entame une mission clandestine dans le cadre d'une vaste enquête du FBI dans le trafic de drogue. Mitrione gravit les échelons d'un important cartel de cocaïne. Mais il tombe sous le charme d'un trafiquant notoire, un homme plus âgé qui entreprend de traiter Mitrione comme son fils. Mitrione finit par aider les trafiquants qu'il est censé appréhender. En 1984, il fait l'objet d'une enquête.

John Morris dirige une équipe d'enquêteurs du FBI venus de tout le pays, chargée de démêler l'affaire. À l'automne 1984, Mitrione avoue devant les enquêteurs qu'il a reçu 850 000 $ de pots-de-vin de la part des trafiquants de drogue. Il plaidera coupable devant un tribunal fédéral et sera condamné à dix ans d'emprisonnement. Lors du procès, le juge fédéral s'avoue choqué par la déchéance advenue à un agent à la carrière si exemplaire.

— La Justice a peut-être un bandeau sur les yeux, mais aujourd'hui une larme doit couler sur sa joue, conclura le juge à la fin du procès.

En rentrant à Boston, Morris est fêté par ses supérieurs pour la tâche accomplie avec brio. Mais l'expérience garde pour lui un goût amer. Il avait fait le déplacement en Floride quelques semaines seulement après avoir accepté le carton de bouteilles et les 1000 $ de la main de Bulger. Bien sûr, ces billets ne représentent pas grand-chose par rapport à la somme colossale de 850 000 $ touchée par Mitrione. Mais il imagine les répercussions sur le FBI si l'on apprenait qu'ils avaient envoyé un agent corrompu pour enquêter sur un autre. Ce n'était pas le seul secret à préserver, le moindre d'entre eux étant qu'il cachait à Rebecca sa liaison avec sa secrétaire Debbie.

Le silence s'est abattu dans la cuisine de leur petite maison lorsque, vers 7h du soir, quelqu'un sonne à la porte. Les invités arrivent, et Rebecca se raidit. John surveille les derniers préparatifs du repas, vérifie la viande dans le four et va ouvrir.

— J'avais toujours cru que ma maison était un lieu sûr, confiera Morris plus tard à propos de cette soirée. Jamais je n'aurais imaginé que mes enfants puissent courir un danger quelconque. Plus tard, j'ai commencé à m'inquiéter car ces gangsters savaient maintenant où j'habitais, mais sur le moment, je ne craignais pas pour la sécurité de ma femme et de mes enfants.

Il était heureux de revoir Connolly, Bulger et Flemmi. Au bureau, il avait déjà compris que le petit cercle n'était pas tellement satisfait de la conduite de Jim Ring.

Morris ouvre la porte et accueille joyeusement ses invités. On se congratule. Bienvenue, bienvenue chez moi ! Les malfrats ont apporté non seulement quelques bonnes bouteilles de vin mais aussi du champagne. John Morris, suivi de Flemmi, va à la cuisine chercher de la glace pour le champagne. Rebecca est en train de se laver les mains devant l'évier. Dès qu'elle aperçoit Flemmi, elle ferme le robinet et quitte brusquement la pièce. Morris hausse les épaules. Il se tourne vers ses invités, affiche un sourire contrit et demande des nouvelles de chacun.

Connolly, Bulger et Flemmi se réjouissent autant de retrouver Morris que celui-ci est heureux de les revoir. Surtout Connolly. Jim Ring s'avère un cas difficile. Il a fait de son mieux pour partir sur un bon pied avec lui en organisant une rencontre afin que tout le monde puisse faire connaissance.

— John est venu me voir avec ces mots : « Mes garçons voudraient vous rencontrer », témoignera Ring plus tard.

Mais Ring a bien étudié Connolly et il s'inquiète de plus en plus de l'attitude flamboyante de son agent. À la fin du repas organisé par celui-ci chez la mère de Flemmi, Ring manque avaler son dessert de travers :

— À ce moment, le frère de Whitey Bulger, Billy Bulger, est entré dans la cuisine pour lui montrer des photos.

— Qu'est-ce que c'est que ce bordel ? glisse Ring, incrédule, à Connolly.

Dans la voiture, au retour, il fera devant son agent la liste des entorses au règlement ce soir-là : l'atmosphère détendue du dîner en compagnie de deux terreurs du milieu, l'implication de la mère d'un indic, l'entrée d'une des personnalités les plus influentes de l'administration. Et personne n'a cillé. Un bon petit repas de famille en toute décontraction ! Connolly ne voit pas où est le problème. Il précise simplement pour son superviseur que Bill Bulger habite juste en face, ce qui explique sa visite impromptue.

Mais c'est lors de son entretien en tête à tête avec l'agent traitant vedette du Bureau de Boston que Ring décide de lui faire part de sa fureur et de sa consternation. Il dresse la liste de toutes les entorses commises, qui violent toutes les directives en vigueur au FBI et dans toutes les agences de police qui régissent les rapports avec des informateurs.

– J'ai convoqué John Connolly dans mon bureau, précisera Ring plus tard, et je lui ai signifié qu'il commettait de graves erreurs dans sa collaboration avec Messieurs Bulger et Flemmi, des erreurs qu'un flic débutant ne commettrait jamais.

Ring reproche la familiarité beaucoup trop libre de leurs rapports :

– Vous les traitez comme si c'étaient des collègues de bureau du FBI.

Ring remarque immédiatement que l'information circule dans la mauvaise direction, celle de Bulger et Flemmi.

– Connolly, précise Ring, laisse filer trop d'informations. Il pourrait reformuler la question autrement. Il aurait pu noyer la question parmi d'autres, et ce truc qu'il m'a dit, je crois que c'était lors de notre seconde rencontre, il s'est tourné vers moi et m'a dit quelque chose du genre : «Oh, parle-leur un peu d'untel et untel.»

Les rencontres dans l'appartement de Connolly à South Boston posent également un problème à Jim Ring.

– C'était de la folie.

Il ordonne à Connolly de cesser de recevoir Bulger et Flemmi chez lui. Connolly réagit comme un collégien qui se réjouit de faire une bonne farce au principal du collège. Il contacte un autre agent, John Newton, pour lui demander d'accueillir les soirées dans son appartement de South Boston. Newton, c'est le jeune inspecteur à qui il avait offert son amitié à son arrivée à Boston, et il est heureux de pouvoir rendre ce service. Newton offre son domicile à son ami du FBI et, lorsque les malfrats arrivent pour ces rendez-vous clandestins, il va promener ses deux chiens dans le parc. Bulger, qui est bien élevé, n'arrive jamais sans une boîte de biscuits pour les toutous.

Connolly prévient Ring qu'il a obtempéré : il n'organise plus de rendez-vous chez lui avec ses indics. Mais la rumeur parvient aux oreilles de Ring : Connolly lui a joué un tour. Les rendez-vous ont lieu un peu plus loin.

– Un manque total de professionnalisme, déplorable, indigne d'un agent du FBI, note Jim Ring. Pourquoi organiser des rencontres dans un quartier où tout le monde connaît ces deux individus ? Ils pourraient aller à New York, au Canada ou ailleurs, n'importe où. C'est de la négligence pure et simple.

Et Ring n'est même pas au courant des soirées organisées chez Nick Gianturco, chez John Morris… Ring note en outre que de voir deux indics en même temps, une pratique maintenant reconnue par le FBI à ce stade de la collaboration avec Bulger et Flemmi, est tout à fait opposé au règlement.

– Si vous pouviez contrôler la situation, ajoute Ring, vous rencontreriez Bulger et Flemmi séparément.

Mais bien sûr, le FBI ne contrôle plus la situation.

En réponse aux critiques de Ring, Connolly se lance dans son éternelle défense de Bulger et Flemmi : selon lui, ils sont indispensables dans la guerre lancée par le FBI contre la mafia. Et il ressort l'anecdote qui fait toujours pleurer dans les chaumières : celle dans laquelle Bulger et Flemmi sauvent la vie de Nickie Gianturco.

Mais Ring a le toupet de mettre en doute la véracité de l'anecdote. Plutôt que de prendre Connolly au mot, il va recueillir l'histoire de la bouche même de Gianturco.

– Je lui ai demandé de me raconter toute l'histoire. Et il me parle de cette opération clandestine dans laquelle il était infiltré, du rendez-vous auquel il était convoqué, de l'information qu'il avait soi-disant reçue de la part de Bulger et Flemmi pour l'avertir de ne pas y aller. Je lui ai dit : « Tu n'as pas répondu à la question. Je t'ai demandé : Est-ce que tu m'assures que ces deux individus t'ont sauvé la vie ? » Et je me souviens de sa réponse : « L'affaire est close aujourd'hui. »

Ring n'obtiendra jamais d'autre réponse à sa question.

Malgré ses scrupules, Jim Ring n'ébruite pas le différend avec Connolly. Cela reste entre eux. Il ne rédige pas de rapport sur ses critiques ni ne partage ses craintes avec aucun des superviseurs du FBI en poste à l'époque au Bureau de Boston. Aucune sanction ne sera prise à l'encontre de Connolly. Ring estime qu'elle n'aurait pas été appropriée, « la bêtise avait été faite. Il fallait que je me concentre sur les gens qui dépendaient de moi, sans me laisser distraire. » Pendant ce temps, dans le dossier personnel de Connolly, les appréciations très favorables continuent de s'accumuler.

Il n'est pas surprenant, donc, qu'au printemps 1985, dans la maison de Morris, Jim Ring ne se trouve pas dans la cuisine aux côtés de Bulger, Flemmi et Connolly. En fait, à cette époque, Ring et Connolly ont déjà évoqué la question.

– M. Bulger et M. Flemmi ne m'aiment pas, se souviendra Jim Ring, et cela ne me dérangeait pas plus que ça ; après tout, ce n'était que des indics.

Pour sa part, Morris apprécie d'être aimé, aimé par tout le monde.

– Connolly, Flemmi et Bulger sont arrivés ensemble, se souvient Morris.

Condon a fait son apparition une demi-heure plus tard, vers 7h30.

Il venait directement de son bureau, au ministère d'État chargé de la Sécurité publique.

En hôte parfait, Morris fait la navette entre le salon et la cuisine et s'affaire autour de ses invités.

Les hommes s'installent autour de la table, dans la salle à manger. Il y a des années que Bulger et Flemmi n'ont pas vu Condon.

– C'est la première fois que je rencontrais Dennis Condon depuis 1974, se souviendra Flemmi à propos du dîner de Lexington.

Cette année-là marquait un tournant dans la vie et la carrière de Flemmi. Il venait de réintégrer Boston après cinq années de cavale, un départ précipité par sa mise en examen en 1969 dans le cadre d'un attentat à la bombe et du meurtre de William Bennett. Flemmi était persuadé que Condon avait permis son retour du Canada en s'assurant que les deux principaux chefs d'accusation étaient annulés, ainsi qu'un troisième qui avait été lancé immédiatement après sa fuite. Dès son retour, Flemmi et Condon s'étaient rencontrés dans un café, dans le cadre de la passation de pouvoir entre Condon et Connolly. Dans l'esprit de Flemmi, Condon était à l'origine de l'évolution favorable de sa situation, il lui en était reconnaissant.

– J'étais content de le revoir. Je lui ai demandé des nouvelles de sa santé, de sa nouvelle vie. Je l'ai remercié d'avoir annulé le mandat d'arrêt pour délit de fuite qu'on avait lancé contre moi. Je lui ai demandé des nouvelles de M. Rico, un de ses collègues, j'ai dit : «À l'occasion, si vous le voyez, passez-lui mon bonjour.»

Morris sert les steaks. Les verres s'emplissent de bon vin. Durant la première heure, les hommes évoquent le bon vieux temps.

– L'ambiance était très relax, se souvient Flemmi.

Bulger raconte ses aventures dans les pénitenciers qu'il a fréquentés vers la fin des années 50, à la suite de ses divers hold-up.

– La plupart du temps, c'est lui qui parlait. Sur tous les sujets. Il est cultivé, très intelligent. On peut dire qu'il captive son public.

Mais si Bulger se montre bavard, Condon parle peu. L'ancien flic aux cheveux grisonnants de la police de Boston est penché sur son assiette et écoute poliment. Il a l'impression d'être tombé dans une embuscade et n'en revient pas de trouver Bulger et Flemmi au domicile de Morris. Il a reçu l'invitation par téléphone dans l'après-midi, du genre «viens prendre un pot à la maison». On lui a seulement laissé entendre que Morris et Connolly en seraient, «et aussi deux types qui aimeraient te saluer.»

Bien sûr, la soirée est conviviale, on est tous contents de lever le verre ensemble, on apprécie l'occasion de partager des souvenirs. Mais sous le vernis de l'amitié, il est aussi question de Bulger et Flemmi, des inquiétudes ressenties par les deux malfrats concernant leur protection et leur sécurité. Dans un certain sens, chaque représentant de la loi autour de la table est symbolique de l'histoire et de l'envergure de leur collaboration : le passé, le présent et, ils le souhaitent ardemment, les lendemains qui chanteront. Mais pour Condon, qui couvre désormais deux agences de police, celle de l'État et le FBI, l'événement n'est pas aussi heureux. Morris se souvient :

– Je me suis rendu compte immédiatement après son arrivée qu'il n'était pas vraiment à l'aise.

Condon s'expliquera plus tard.

– J'ai trouvé très inapproprié que Mme Morris soit présente, et moi aussi d'ailleurs, car ni l'un ni l'autre à l'époque n'appartenions au FBI. Il me semblait que, de par ma position, je n'aurais jamais dû être là.

Dennis Condon ne proteste pas sur le moment, il ne prend ni Morris ni Connolly à l'écart pour demander une explication.

– Je suis resté, dirai-je, par politesse et par diplomatie.

D'ailleurs, il n'évoquera jamais ce dîner auprès de sa hiérarchie pendant plus de dix ans. Condon ne s'attarde pas dans la familiarité ce soir-là. Le repas avalé, il quitte la table moins d'une heure après être arrivé. Flemmi est décontenancé. À ses yeux, Condon «n'avait pas l'air mal à l'aise», ce départ précipité le désole.

La soirée se déroulera sans lui.

Au moins, pour Bulger et Flemmi, il reste Connolly et Morris. Il reste des bouteilles à finir et des choses sérieuses à aborder.

Flemmi précisera plus tard que John Connolly livre ses dernières informations sur les petites frappes dont les deux malfrats devraient se méfier dans le cadre de leurs activités. Puis on aborde le procès de la mafia qui doit d'ouvrir incessamment, les enregistrements du FBI qui exposent sans doute Bulger, et surtout les promesses faites par les deux agents.

– Je ne me rappelle plus qui a soulevé le sujet, commentera Flemmi. On s'inquiétait parce que dans les conversations à Prince Street, on était sûrs que nos noms seraient cités en relation à des activités criminelles. À l'époque, je savais qu'il y avait une conversation dans ces bandes entre Jerry [Angiulo] et Larry [Zannino] qui parlaient de Jim Bulger et de moi. Je craignais que ça nous retombe dessus. J'ai demandé ce qu'ils en pensaient à John Morris et John Connolly. Ils m'ont dit de ne pas m'inquiéter, je ne serais pas poursuivi pour les propos qui figuraient dans les enregistrements. Tandis qu'on discutait de ces enregistrements, on en est venus à parler de cette phrase que John Morris nous avait dite, à Jim Bulger et à moi.

Une phrase plus précieuse encore qu'une promesse que leur auraient jamais faite Morris et Connolly. Le verre à portée de main, mais encore sobre malgré tout, Morris prononce les mots qu'ils attendent :

– Vous pouvez faire tout ce que vous voulez, tant que vous ne tuez personne.

Flemmi boit du petit lait.

– J'ai dit à John, je lui ai dit, eh bien j'ai dit : « John, c'est vraiment une promesse ? » Et il a répondu : « Bien sûr. » Alors on s'est serré la main, et il a serré la main à Jim Bulger.

L'heure était venue de déboucher le champagne.

La soirée dure trois heures, mais on ne fait pas d'excès. Bulger, Flemmi et Connolly prennent congé vers 22h30. Morris débarrasse la table, remet de l'ordre dans la cuisine et va se coucher.

Si Condon, parti trop tôt, n'a pas passé une soirée inoubliable, Bulger et Flemmi s'estiment plutôt satisfaits. Les gangsters sont convaincus que leurs agents traitants leur ont donné le feu vert pour poursuivre leurs activités criminelles.

– C'est comme ça que je l'interprète, confiera plus tard Flemmi à propos de l'avenir qui s'ouvrait devant eux. Hormis les meurtres, je crois que oui, ils pouvaient nous faire confiance.

Dans l'esprit de Flemmi, les deux agents ont réaffirmé la politique de protection offerte par le Bureau avec un éventail de services : étouffer les ennuis éventuels avant le démarrage d'une enquête, comme il l'avait fait dans le passé dans l'affaire des distributeurs automatiques *Melotone*, l'affaire d'extorsion à l'encontre de Francis Green, les diverses disparitions violentes et la prise de contrôle du magasin des Rakes ; les prévenir en cas de surveillance électronique, comme dans le cas du garage de Lancaster Street et plus récemment dans l'Opération Pilule ; éviter toute poursuite qui pourrait entraîner des mises en examen, comme avec le juge Jeremiah O'Sullivan dans le cadre de l'affaire des courses truquées ; et enfin, au cas où Bulger et Flemmi ne parvenaient pas à éviter des inculpations, les prévenir suffisamment à l'avance.

Comme si à l'occasion du dixième anniversaire de leur collaboration secrète, ils avaient tous renouvelé leurs vœux. Bulger et Flemmi quittent la table avec une confiance réaffirmée. Certes, Ring peut s'avérer imprévisible par moments, donc peu fiable, mais ils peuvent compter sur un soutien sans faille de la part de Morris et de Connolly. C'est le hasard qui leur a fourni cette raison de se réjouir. Pourtant personne ne soupçonne cette nuit-là qu'un autre Bulger, son frère Billy, va bientôt avoir besoin d'amis au sein du FBI.

Chapitre Quatorze

Nuances de Whitey

En 1984, Billy Bulger a atteint brillamment le sommet du Sénat de l'État ; il règne habilement mais fermement, jouant tantôt de la carotte, tantôt du bâton. Pourtant, il a délaissé le cabinet privé d'avocats qu'il animait avec un ami d'enfance d'Old Harbour, et il a du mal à joindre les deux bouts pour financer son train de vie et sa remuante famille de neuf enfants. Il craint de voir un jour le toit de sa maison s'effondrer sur eux, et il a également des soucis pour payer leurs études. Il a peur que sa vieille guimbarde rende l'âme un jour sur le bas-côté d'une rue d'une banlieue perdue, immobilisant sa femme Mary qui se dévoue à servir de chauffeur aux enfants dont les activités les réclament à l'un ou l'autre bout de la ville. Certes, il touche entre 75 000 et 100 000 $ par an, mais il est dépassé et dépense plus qu'il ne gagne. Dans ses mémoires, il confiera que s'il n'était pas ruiné, il était toujours au bord de la faillite.

Mais soudain, si l'on en croit Billy, un client miraculeux va pousser la porte de son cabinet privé aux limites du centre-ville. Deux frères désirent racheter la propriété d'un client, et Bulger leur a trouvé un prêt de 2,8 millions de dollars d'une banque amie de South Boston. En contrepartie de cette aide dans la négociation du prêt et le rachat de la propriété, Billy se voit offrir des honoraires très avantageux. Billy en a déjà des visions de paradis : « Une voiture neuve pour Mary… la réfection du toit de la maison. »

Sans passer trop de temps sur la transaction, Bulger clôt le dossier en 1985 et accepte des honoraires à paiement différé de 267 000 $; c'est plus qu'il n'en faut à Mary et Bill pour apaiser leurs soucis concernant la voiture ou les frais de scolarité des enfants. Mais les ennuis financiers ne cessent pas immédiatement car Bulger a décidé de n'encaisser le chèque qu'en 1986. Il confie à son associé au sein du cabinet, Thomas Finnerty, qu'il continuerait d'appartenir aux « riches sans le sou » jusqu'à ce qu'il puisse toucher l'argent.

Mais Thomas ne peut laisser son associé dans le besoin. Il propose à Bulger une sorte de prêt-relais de 240 000 $ en attente de ses honoraires. Bulger est aux anges, mais sa joie sera de courte durée. Quelques semaines après avoir encaissé le prêt, il apprend que Finnerty travaille avec un promoteur de Boston, Harold Brown. Bulger s'insurge lorsqu'il apprend que Finnerty traite avec des individus comme Brown, et il met en garde son associé : cet individu a mauvaise réputation, il est dangereux. Mais Finnerty prend l'avertissement à la légère, il charrie Bulger, le traitant d'inquiet perpétuel. De plus, il révèle que le promoteur a déjà versé 500 000 $ dans un fonds en fidéicommis créé par Finnerty lui-même.

Bulger a un haut-le-corps en apprenant l'existence du fonds, et en réalisant que le prêt qui vient de lui être fait provient de l'argent de Brown.

– Pourquoi ne m'as-tu pas prévenu ? Je vais le rembourser immédiatement. Je ne veux aucun lien, même lointain, avec Brown.

Il rend l'argent, qui se monte maintenant à 254 000 $ avec les intérêts, fin 1985. Mary a été priée de remettre ses rêves de dépenses à plus tard.

L'année suivante, Bulger se sent justifié ; il a eu raison de faire preuve de méfiance : Brown est reconnu coupable de corruption par un tribunal fédéral. Brown est recruté par le FBI, il porte un micro sur lui et cherche à entamer la conversation avec tous les hommes politiques qu'il croise tous les jours. Bulger et Finnerty en plaisantent, ils jurent d'éviter de tomber sur Brown un jour d'orage, de peur d'être électrocutés... Mieux vaut en rire.

Mais Harold Brown raconte une tout autre version de l'histoire.

L'affaire Bill Bulger commence en 1983 ; des enquêteurs fédéraux appréhendent un inspecteur de la ville corrompu en train de toucher un pot-de-vin et le transforment en agent infiltré. En 1985, équipé d'un micro caché, il rencontre un certain nombre d'anciens clients, dont Harold Brown en personne. Pratique, le promoteur verse 1000 $ à l'inspecteur pour trafiquer à la baisse le coût d'un projet immobilier, ce qui permet à Brown d'économiser 24 000 $ en frais de permis de construire.

Brown tombe dans le piège lorsqu'il est assigné devant un grand jury. Ignorant tout des enregistrements qui ont été effectués par l'inspecteur, il croit que la police se trompe en le convoquant. Il tente bien de mentir, jurant ses grands dieux qu'il n'a jamais versé un centime à quiconque, il ne manquerait plus que ça ! Les jurés l'inculpent immédiatement pour faux témoignage et corruption ; il est recruté aussi sec comme agent au service du gouvernement, équipé à son tour d'un micro, évitant ainsi une peine de prison ferme. Les procureurs demandent à Brown à qui il va s'en prendre. Brown, sans hésiter, nomme Tom Finnerty et Bill Bulger.

Le lien peu reluisant qui unit Brown et Finnerty remonte au milieu des années 70. Brown imagine d'ériger un gratte-ciel en bas de State Street, une artère qui a perdu beaucoup de charme, l'un des boulevards les plus courus de Boston à l'époque coloniale. Il commence à acheter les propriétés qui tombent en ruine les unes après les autres. C'est à l'époque le propriétaire foncier le plus riche de l'État, ses avoirs fonciers sont estimés entre 500 millions de dollars et un milliard, et il entrevoit un formidable boom de la construction dans les années 80. Lui au moins sera prêt.

Le site commence à être développé en 1982. La ville est alors aux prises avec la première année de réduction des impôts fonciers étendue à tout l'État ; elle se retrouve avec l'obligation de reverser 45 millions de dollars d'excédent de paiement aux propriétaires situés dans des zones commerciales. Le maire Kevin White a besoin d'une loi d'une autorité officielle pour garantir le remboursement et il se tourne vers le Sénat. Bill Bulger fait voter la loi, à la condition que la ville s'engage à vendre des propriétés à l'État afin de constituer une autorité pour l'établissement d'un palais des congrès. Cette nouvelle autorité est immédiatement contrôlée par des responsables nommés par Bulger et par White.

Un autre article de la loi exige que la ville vende quatre garages réservés au parking des véhicules, dont l'un d'entre eux est inclus dans le projet de développement de Brown. Les garages ne seront pas mis aux enchères mais transférés directement à l'autorité de redéveloppement de la ville, qui avait tout loisir de les revendre à des promoteurs. Le circuit était étanche, et Bulger était partie prenante de son élaboration.

Dès l'accord officialisé entre White et Bulger, Brown et son associé, un architecte très connu, sont aux premières loges pour développer le site de State Street. La société des architectes de Boston avait donné son feu vert au projet, et Brown avait acquis la plupart des terrains nécessaires. Brown reçoit alors la visite d'un proche de White, l'ancien procureur général du Massachusetts, Edward McCormack. Celui-ci réclame un pourcentage extravagant du projet en contrepartie de l'obtention du feu vert du conseil municipal de Boston. Quand Brown refuse catégoriquement, un avocat mois connu, et beaucoup moins gourmand, apparaît sur la scène, il s'appelle Finnerty.

Finnerty commence par exiger une portion du gratte-ciel ; à l'époque, c'est un avocat spécialiste des affaires criminelles, sans aucune expérience de l'immobilier de haut vol. Un changement de statut audacieux qui ne manque pas de surprendre à Boston. Les deux domaines demandent des compétences opposées, d'un côté une certaine humilité proche du peuple, de l'autre une autorité froide propre aux conflits de clients riches. Ancien avocat de district, Finnerty s'inscrivait dans la tradition tapageuse de South Boston ; il n'avait pas grand-chose en commun avec les juristes silencieux des grandes firmes qui géraient habituellement les affaires des promoteurs. Brown marchande avec Finnerty pendant quelques mois, de fin 1983 à février 1985, sans jamais refuser ni accepter, tandis qu'il argumente son projet devant le conseil municipal.

Quand Finnerty constate que Brown va remporter le marché tout seul, les négociations se font plus âpres. Brown finit par capituler en 1985 ; il accepte d'acheter le soi-disant intérêt de Finnerty dans le projet, un intérêt qui n'a pas la moindre raison d'être, pour une somme d'environ 1,8 million de dollars. Finnerty n'apparaîtra jamais aux nombreuses réunions sur la conception et le développement du projet ; il ne représentera pas non plus Brown lorsqu'un autre promoteur lui intentera un procès à propos de la taille de son gratte-ciel, réservé à des bureaux.

Quoi qu'il en soit, Finnerty encaisse le premier versement de 500 000 $ en juillet. Instantanément, Billy et Tommy, les deux anciens potes d'Old Harbour, se partagent 450 000 $ en août, puis 30 000 $ supplémentaires en octobre. Mais un mois plus tard, le ciel tombe sur la tête de Bulger : en novembre, Brown est reconnu coupable devant un grand jury fédéral d'avoir versé un pot-de-vin à un inspecteur municipal «ainsi qu'à d'autres fonctionnaires». Bulger remet l'argent au fonds trois jours plus tard, et note qu'il s'agit d'un remboursement de prêt.

Lorsque la transaction rebondit à la une des journaux en 1988, Finnerty a cessé de briguer le statut d'avocat spécialiste de l'immobilier de haut vol. Il affirme que s'il a rejoint l'équipe de développement de Brown, c'était pour défendre sa respectabilité : il voulait utiliser son passé d'avocat en droit criminel pour défendre son client, accusé autrefois d'association avec des incendiaires. Le prix de cette respectabilité s'élevait à 1,8 million de dollars, et il intentera un procès à Brown pour récupérer la totalité de la somme.

Au bout de quelques semaines, la vindicte populaire contre cet accord vient à bout de la résistance de Brown. Le promoteur, qui tient à faire profil bas, jette l'éponge et paye. Il qualifie sa décision de pragmatique, elle lui évite de verser plus si la procédure s'éternise.

– Je suis un homme d'affaires, je n'ai pas envie de passer ma vie devant les tribunaux, conclura-t-il.

Il ne reparlera jamais de cette affaire.

Malgré son attitude de défi en public, Bulger, au travers de cette controverse à propos du gratte-ciel du 75 State Street, vit un véritable calvaire. Lorsque le scandale atteint un sommet, le président du Sénat est visité par « le chien noir de la mélancolie ». Fin 1988, il sort du Sénat par une porte dérobée, marche jusqu'au Boston Common, le plus grand parc de la ville, et s'assied sur un banc. Totalement déprimé, il regarde les gens qui mordent dans leurs sandwichs sur les bancs autour de lui, remâchant sa colère. Car il en veut à tout le monde de leur indifférence face aux excès des médias.

– Tous ces gens, dans les rues, dans les jardins publics, ne se rendent-ils pas compte du mal que les médias font à notre ville ?

Ce coup de blues ne dure pas : après tout, les étrangers n'ont aucune raison de s'intéresser à ses problèmes. Son tempérament a repris le dessus, il retourne vers le Sénat « d'un pas plus léger, prêt à affronter ce que la vie [lui] réserve. »

Bulger publie une déclaration écrite sous serment affirmant qu'il a emprunté l'argent à Finnerty sans connaître son origine. Les années passant, la version de Billy du scandale devient partie intégrante de son image de gamin de South Boston, banlieue éclaboussée de sang mais toujours rebelle. Une fois encore, Bulger a relevé la tête et affronté l'adversité, même si les médias ne lui ont pas pardonné. Comme toujours, Bulger en est sorti grandi.

Néanmoins, la déclaration de Bulger sur le 75 State Street ne tient que si l'on ignore les faits. Billy Bulger est tout sauf une victime innocente. Les victimes, ce sont ceux dont la maison a été démolie pour le projet. Et tout comme le FBI protégeait Whitey Bulger depuis quinze ans, le Bureau va entreprendre maintenant d'empêcher quiconque de s'en prendre à William Bulger.

Dans le cadre d'une enquête fédérale sur plusieurs sites de développement immobilier, dont le 75 State Street, les enquêteurs découvrent des éléments nouveaux qui ébranlent la version du président du Sénat. Ces documents, qui dormaient au fond des armoires de l'administration fédérale, prouvent que Billy a gardé une bonne partie de l'argent de Brown. Certes, Bulger a « remboursé » le prêt, mais Finnerty a « recyclé » l'argent vers Bulger par le biais d'autres comptes que détenait le cabinet privé. Grâce à cette manipulation occulte, Bulger a finalement touché près de la moitié des 500 000 $ du versement initial de Brown.

Autre difficulté, Bulger n'a jamais touché les honoraires de 267 000 $ qu'il prétend avoir encaissé pour justifier son prêt. La comptabilité du cabinet privé montre qu'il a reçu moins de la moitié de cette somme, soit 110 000 $.

La comptabilité ne constitue pas une preuve d'extorsion de fonds, mais elle détruit la fable d'un emprunt destiné à réparer la voiture de Mary et le toit de sa maison. Bulger ne consacre pas l'argent à des réparations domestiques, il l'investit dans un fonds de titres non imposables. Une initiative qui passerait mal à Southie. Après tout, Billy ne serait pas Billy s'il avait gardé l'argent pour lui. Prendre le fric rappellerait trop certaines nuances de Whitey.

Mais Billy Bulger va trouver de l'aide au sein du FBI. Malgré le scandale, l'affaire de l'extorsion de fonds de Brown a été close par le Bureau. C'est John Morris, qui avait protégé Whitey Bulger et empoché son argent, qui est en charge de l'affaire en tant que superviseur de la brigade anti-corruption. En 1988, Morris prend rapidement l'initiative d'éviter des ennuis à Billy Bulger en refermant le dossier, quelques jours seulement avant la une retentissante du *Boston Globe* qui publie l'affaire des magouilles autour du gratte-ciel.

Une fois encore, Morris a dû lutter contre ses problèmes de conscience. L'affaire Brown qui perdure présente un choix qu'il ne connaît que trop bien : il faut peser le risque de décider ce qui est juste face à la colère d'un gangster implacable, dont il a déjà reçu de l'argent et qui le séduit à coups de bons vins et d'étranges preuves d'amitié. Morris sait bien que Whitey n'hésitera pas à jouer de sa faiblesse. Ainsi, lors du dernier dîner organisé par Morris pour les informateurs (une modeste réception dans l'appartement de Debbie Noseworthy à Woburn), Whitey a fait monter les enchères. Après le départ de John Connolly et Stevie Flemmi, Morris s'était aperçu que Bulger s'attardait autour du portemanteau.

— En enfilant son manteau, expliquera Morris, il en a sorti une enveloppe qu'il m'a tendue en disant : « Tiens, ça c'est pour t'aider un peu », puis soudain il est sorti.

Dans l'enveloppe, Morris découvre 5 000 $ en espèces.

Morris repense à cette enveloppe en refermant le dossier sur 75 State Street. Mais l'affaire du gratte-ciel continue de refaire surface, surtout lorsqu'on apprend que le FBI n'a jamais daigné interroger Billy Bulger.

Le procureur général du Massachusetts, James Shannon, exige de nouvelles initiatives fédérales pour faire toute la lumière sur l'affaire.

C'est le moment que choisit John Connolly pour intervenir. Tandis que Billy Bulger essuie le feu des projecteurs, Connolly prend Morris à part et tente de savoir si le président du Sénat devrait accepter d'être soumis à un interrogatoire. Morris se souvient :

— Connolly est venu me voir ; il voulait savoir ce que le président du Sénat devrait faire maintenant qu'on exigeait qu'il témoigne. Qu'est-ce que j'en pensais ?

Morris recommande que Bulger se soumette à un interrogatoire, les allégations sans preuves de Brown rendant l'affaire peu crédible.

— Il me semblait que l'affaire n'était pas très sérieuse, poursuit Morris. Je ne croyais pas qu'elle puisse porter tort à Bulger et qu'il avait tout intérêt à témoigner afin de faire taire la rumeur publique.

La reprise de l'enquête ne pourrait être que favorable pour Bulger, meilleure en tout cas que son silence.

Après avoir couvert Whitey, jusqu'à le mettre en garde contre d'autres indics du FBI, Connolly se rue au secours de son frère Bill, le vrai héros de sa jeunesse. Avec Whitey, c'est le business. Mais avec Bill, on est dans l'adulation. Au fil des années, Connolly a caché ses relations avec Whitey, mais jamais son amitié avec Billy, il en était très fier et se vantait sans cesse de ses liens avec l'enfant de chœur de Sainte-Monica. Il était persuadé que c'était cette amitié avec Billy qui avait convaincu Whitey de collaborer. Billy est pour lui « un ami de longue date… un mentor… quelqu'un de cher à mon cœur ». Et il se sert de cette relation au sein du FBI, il promène les agents dans le bureau de Bulger au Sénat et les introduit auprès du président. Bulger le présentera un jour à tous les Sénateurs au cours d'une session et tous se lèveront pour ovationner Connolly. Comme celui-ci n'ignore pas que les agents, comme les footballers, se font toujours du souci pour le jour où ils quitteront le Bureau, il n'hésite pas à leur confier que Bill Bulger pourrait leur trouver un emploi bien payé lorsqu'ils prendront leur retraite. Connolly ne permettra donc jamais que le FBI procède à un interrogatoire qui puisse nuire à Bulger ; quant à une enquête pour faire toute la lumière, il n'en est pas question.

Dans ces circonstances, il n'est pas surprenant que la seconde enquête du FBI consiste uniquement en un interrogatoire de Bulger dans le bureau de son cabinet privé. Les procureurs, flanqués d'un agent du FBI, écoutent un discours de deux heures de Bulger dans lequel il dément tout contact avec Brown et s'en tient à sa version concernant le prêt et ses honoraires. Il affirme que Finnerty lui a « juré » n'avoir jamais invoqué le nom de Bulger pour en tirer avantage. Et Billy fait rebondir le sujet du prêt : cette fois, il ne parle plus de petits travaux domestiques mais de mesures préventives qu'il aurait prises parce qu'il doutait que Finnerty remette la totalité de ses honoraires. Billy ne cherchait qu'à recouvrer son dû pendant qu'il le pouvait.

Cet interrogatoire « amical » du FBI servira de base à la décision de clôture définitive du dossier. Pour Jeremiah O'Sullivan, qui occupe le poste de procureur général par intérim, l'affaire tourne autour d'un partage de pouvoir, mais on ne peut parler véritablement d'extorsion de fonds. On fera remarquer au procureur qu'on a l'impression d'avoir affaire à un délit avéré qui ne fait pas l'objet de poursuites, mais O'Sullivan avoue que ce n'est plus de son ressort : ce sont les autorités de l'État qui jugeront selon leur conscience.

O'Sullivan est déjà intervenu dans les coulisses en faveur de Whitey Bulger, mais il ne se récusera pas. Il avait fermé les yeux sur les courses truquées et averti le FBI que la police d'État planquait à Lancaster Street. Il avait joué un rôle déterminant en préservant Bulger de la révision interne du FBI initiée par Sarhatt, et c'est lui encore qui n'autorise pas le placement d'un Brian Halloran, pitoyable et désespéré, dans le programme de protection des témoins. Aujourd'hui, sûr de lui comme à son habitude, le procureur affirme qu'il n'y a plus d'affaire Bill Bulger, et que rien ne s'est passé. Ce sera le chant du cygne pour le magistrat O'Sullivan.

Un sujet grave délégué à des agences subalternes par O'Sullivan, c'est le côté sombre du mandat de Bill Bulger au Sénat du Massachusetts. L'image de rectitude qu'affiche Bulger est par ailleurs sérieusement écornée lorsqu'on apprend les honoraires hors du commun qu'il applique parfois pour ses services. Par exemple, en plus des 250 000 $ de l'argent de Brown recyclés pour lui par Finnerty, Bulger touche la moitié des honoraires d'un lobbyiste du Sénat qui rabat vers des clients désireux d'utiliser son influence. Le lobbyiste en question s'appelle Richard « Dickie » McDonough ; c'est le fils d'une fripouille légendaire qui avait sévi en tant qu'homme politique, Patrick « Sonny » McDonough. Bien que le fils soit dénué du charme bourru de son père, c'était un arnaqueur avisé qui avait appris les dessous de la mécanique du Sénat. C'était en fait Dickie McDonough qui avait apporté à Bulger l'affaire en or de ces promoteurs qui cherchaient un prêt de 2,8 millions de dollars.

Dickie encore qui avait touché 70 000 $ pour sa trouvaille. Il avait également présenté à Bulger un autre client, une compagnie californienne spécialisée dans la perte de poids qui désirait une aide influente pour retirer un de ses produits de la liste des substances carcinogènes de la FDA, la Food and Drug Administration. Cette société misait beaucoup sur Bulger, mais il s'était contenté d'un rendez-vous avec quelques bureaucrates de second ordre dépendant d'une autre administration. Malgré l'absence de résultats, Bulger et McDonough s'étaient partagé des honoraires de 100 000 $.

Au cours de leur interrogatoire par des enquêteurs fédéraux, ni Bulger ni McDonough ne seront en mesure de produire le moindre document sur la transaction. McDonough ignorait pratiquement tout du travail effectué par ses clients, qui lui versaient quand même indirectement 120 000 $.

Deux mois après qu'O'Sullivan a fermé la porte à toute enquête ultérieure, le président du Sénat est l'invité d'honneur d'une petite réception marquant le départ à la retraite d'un inspecteur du FBI, John Cloherty. Cloherty était chargé des relations avec la presse lors de la clôture par le Bureau de l'affaire du 75 State Street. C'était également un ancien membre de la Brigade contre le crime organisé, il avait comme chef John Morris et comme ami John Connolly. Une très belle fête, tout le monde s'amuse, toasts, bière et grandes claques dans le dos.

Environ un an après le partage des 500 000 $ provenant du plus grand promoteur de l'État entre Bill Bulger et Tom Finnerty, un petit agent immobilier de South Boston reçoit une offre qu'il ne parvient pas à refuser. Un fois de plus, on exige de lui sous pression une somme d'argent, mais les termes sont plus proches de ceux qui ont cours à Southie. Raymond Slinger doit choisir entre s'acquitter de 50 000 $ ou prendre une balle dans la tête.

Slinger avait pensé trouver une belle opportunité lorsqu'il avait eu un premier contact avec Whitey Bulger à l'automne 1986. Bulger était entré dans son bureau sans être annoncé ; il désirait trouver un moyen de gagner un peu d'argent sur le marché immobilier qui venait subitement de prendre de l'essor dans la ville. Ils bavardent une vingtaine de minutes, et Slinger pense qu'il va bientôt être associé à Bulger dans un projet immobilier non spécifié.

Mais les choses ne se passent pas comme il l'avait espéré. Six mois plus tard, Slinger est convoqué au *Triple O*, de sinistre réputation. Il entre avec précaution dans le bar sombre au plafond bas, au plancher inégal. Les murs sont noircis et les tables collantes. Un solitaire obtus joue au billard tout en sirotant un verre, quelques individus assis au bar enchaînent en silence bière et petits verres d'alcool. On envoie Slinger à l'étage, au bureau où Bulger l'attend, les bras croisés. Il lève les yeux vers son interlocuteur :

– On a un gros problème.

Bulger affirme qu'il a reçu l'ordre de descendre Slinger, une opération qui exige qu'il se pointe au bureau de Slinger dans la cité d'Old Harbour «avec des flingues, des masques et tout le toutim.»

Bulger ne précise pas qui a posé le contrat et pourquoi on veut le descendre. Il ne veut parler de ce que l'on peut faire : lui donner de l'argent pour annuler le contrat. Slinger compte de nombreuses dettes, il a son compte d'ennemis. Il déglutit avec peine et demande si ça peut se faire pour moins de 2000 $. Bulger éclate de rire et précise que ses bottes coûtent plus cher que ça.

Bulger : 50 000 $, ça me semblerait plus approprié.

Slinger : Je ne possède pas une telle somme.

Bulger : Alors, il va falloir que tu la trouves.

Slinger quitte le bureau, boit un verre au bar pour se calmer les nerfs, avant de rentrer à son bureau d'East Broadway Street. Il passe un coup de fil désespéré à un conseiller municipal, James Kelly. Après que celui-ci a parlé à Bulger, il assure à Slinger que le problème va s'arranger.

Mais il ne s'arrange pas. Deux jours plus tard, Slinger croise Kevin O'Neil, l'associé de Bulger qui gère le *Triple O*. O'Neil lui apprend que le boss veut le rencontrer de nouveau. Craignant le pire, Slinger retourne au *Triple O* le cœur battant, un pistolet emprunté à un ami dans la poche. Une fois à l'intérieur, deux gros bras de Bulger se saisissent de lui et le poussent dans l'escalier vers le bureau. Bulger est hors de lui. Slinger se souviendra que les hommes l'ont maltraité, fouillé, l'ont délesté de son arme et se sont acharnés sur lui à coups de poing et de ceinture. Dans la mêlée, il se rappellera très bien que Bulger lui donnait des coups de pied.

Bulger et ses acolytes l'installent sur une chaise, le fouillent encore à la recherche d'un micro, puis l'insultent pour avoir contacté Kelly. Bulger s'empare du pistolet de Slinger et place le canon verticalement sur la tête de Slinger. Il explique que la balle va descendre le long de la colonne vertébrale, évitant une grosse perte de sang. Bulger ordonne à un des acolytes d'aller chercher « une housse mortuaire ». Slinger manque s'évanouir de trouille.

– J'ai cru que ma dernière heure était arrivée.

Une minute s'écoule, et l'on accorde à Slinger une deuxième chance pour produire l'argent. La chemise déchirée, le cerveau retourné, Slinger redescend l'escalier en catastrophe. En rentrant au bureau, il appelle sa sœur et sa femme et fait des emprunts pour un premier paiement de 10 000 $. Il s'est engagé à plusieurs paiements hebdomadaires.

Environ deux mois après avoir été tabassé et terrorisé par Bulger, Slinger n'arrive plus à soutenir le rythme d'un versement de 2 000 $ par semaine, une somme qu'il enfourne dans un sac en papier et remet à O'Neil dans une voiture devant l'agence immobilière. Slinger s'est déjà acquitté de la moitié de la dette, mais à bout de forces, à court de solutions, il se tourne vers l'autorité policière. Au printemps 1987, il contacte le FBI.

Sans prévenir, deux agents se rendent au bureau de l'agence immobilière d'Old Harbour. Slinger fait la connaissance de John Newton et de Roderick Kennedy.

Newton précisera plus tard que Slinger désirait témoigner à propos d'un « tabassage » infligé par Kevin O'Neil. Il affirme que Slinger n'a jamais prononcé le nom de Bulger. Pour sa part, Kennedy ne parviendra pas à se souvenir d'un seul détail de l'entretien, il doute même qu'il ait eu lieu. Détail proprement incroyable, au mépris total de la procédure, aucun des deux inspecteurs ne pensera à rédiger un rapport sur la rencontre avec Slinger.

C'est l'exemple classique de ce qu'il ne faut jamais faire en pareil cas. Newton évoque le témoignage de Slinger avec son responsable, qui en parle avec le directeur adjoint. Les patrons du Bureau décident de ne pas poursuivre l'affaire, contrairement aux directives qui les obligent soit à en référer à un procureur soit à expliquer leur refus auprès du siège du FBI.

L'ironie de la chose, c'est que ce témoignage abandonné par le FBI servira quand même à Slinger pour mettre un terme à cette relation commerciale crapuleuse établie avec Bulger. Dès que les inspecteurs quittent son bureau, Slinger, paniqué, appelle O'Neil pour se couvrir : il explique que la visite impromptue du FBI n'est pas de son fait. O'Neil le rappelle le lendemain matin pour lui dire qu'il peut annuler le planning des remboursements. Les 25 000 $ qu'il a déjà versés ont été jugés suffisants, un discount de 50% plutôt rare dans l'entreprise Bulger.

Quelques années plus tard, Newton reconnaîtra avoir enterré une affaire qui aurait pu constituer un cas grave d'extorsion de fonds. On lui demandera devant un tribunal si l'on pouvait faire un lien entre l'abandon de l'affaire et le fait que Bulger était un informateur.

— Chaque fois qu'un informateur est impliqué dans un délit grave, précisera-t-il, soit vous poursuivez l'enquête, soit il faut trouver quelque chose.

Ce quelque chose qu'il faut trouver, c'est l'agent John Connolly qui demande à Whitey de se contenter de ce qu'il a déjà touché de la part de Slinger. C'est dans l'adversité qu'on reconnaît ses vrais amis.

Chapitre Quinze

Connolly parle

En fin de matinée, le lundi 8 février 1988, l'inspecteur John Connolly sort de la boutique d'outillage proche de son bureau du FBI et croise par hasard Dick Lehr, journaliste au *Boston Globe* (et l'un des auteurs de ce livre). Connolly s'est fait faire un double de ses clés, tandis que Lehr traverse le centre pour un rendez-vous avec une source.

Une rencontre par hasard sur le trottoir, un matin d'hiver.

Connolly reconnaît le journaliste et s'arrête pour le saluer. Ils se connaissent de loin, même si Connolly est un personnage connu dans le milieu des médias de Boston dont le crime organisé fait souvent les gros titres. De tous les inspecteurs du FBI de Boston, Connolly est certainement le plus abordable, celui qui est le plus prompt à prendre la parole devant les micros et les caméras pour évoquer son travail et celui de la Brigade.

Lehr ne s'occupe pas de la rubrique criminelle. Mais il a rencontré Connolly l'année précédente, en 1987. Il faisait partie de l'équipe des journalistes du *Globe* qui ont passé des mois à interviewer des agents du FBI de la Brigade contre le crime organisé à propos des écoutes chez Angiulo. Lehr et les autres journalistes ont rencontré une dizaine d'agents, Connolly, John Morris, Ed Quinn, Nick Gianturco, Jack Cloherty, Shaun Rafferty, Mike Buckley, Bill Shopperle, Pete Kennedy, Bill Regii et Tom Donlan. La série d'articles a rencontré un grand succès auprès des lecteurs et au sein même du Bureau car il met en lumière le meilleur des techniques modernes du FBI : pénétrer au cœur du sanctuaire de la mafia et y cacher des micros. Lehr n'a pas revu Connolly ni ne lui a parlé depuis les articles parus l'année précédente. Les deux hommes se saluent avec chaleur, puis le journaliste demande à l'inspecteur comment va le Bureau.

Connolly, agitant ses clés toutes neuves dans la main, n'hésite pas une seconde. Il commence à parler d'un nouveau mouchard électronique au FBI, qui a pour cible les mafiosi qui veulent tous prendre la place des Angiulo et luttent les uns contre les autres. L'agent précise que depuis environ six mois, de fin 1986 à mi-1987, le FBI a établi des écoutes sur les nouveaux chefs mafieux qui gèrent leur business derrière une sandwicherie située dans un centre commercial au pied de la tour *Prudential*, un haut lieu fréquenté de Boston.

— Succès total, ajoute l'inspecteur à propos du mouchard installé à l'intérieur de la boutique *Vanessa's Italian Food Shop*.

Lehr ouvre grand les oreilles, l'information pourrait faire un article formidable. Mais le journaliste est quelque peu décontenancé par la décontraction de Connolly. On ne parle pas de «entre nous» ou de «off», termes qui s'appliquent généralement à des informations qu'on ne tient pas à diffuser auprès d'un journaliste. L'inspecteur parle de la boutique *Vanessa* comme il parlerait de l'équipe des Boston Bruins qui ont battu la veille au soir l'équipe des Calgary Flames 6 buts à 3, et qui ont pris la tête de leur poule dans la Ligue nationale de hockey sur glace. Ou comme il évoquerait la politique. Le congrès des responsables du Parti démocrate de Iowa se déroule en ce moment, et l'on assiste au défi lancé par le gouverneur du Massachusetts, Michael Dukakis, au favori dans la course à la nomination démocrate, Richard Gephardt. En fait, Connolly a la réputation de lancer une rumeur en orbite sans que l'on puisse l'accuser ensuite de l'avoir lancée.

Aucun journal n'avait évoqué la pose d'écoutes par le FBI dans une sandwicherie du quartier de Back Bay. Au mieux, les journalistes de Boston spécialistes de la criminalité se posent des questions sur le statut de la mafia au lendemain de l'opération menée au 98 Prince Street. On sait qu'il y a toujours un moment de flottement naturel au sein de la mafia lorsqu'on élimine des chefs de l'envergure d'Angiulo ; mais un certain nombre de noms de mafiosi relativement inconnus commencent à circuler.

On parle d'un certain Vincent Ferrara, qui ajoute à un diplôme en administration d'entreprises de l'université de Boston un goût certain pour le sang ; d'un mafioso plus âgé, J. Russo ; et du demi-frère de Russo, Bobby Carrozza, d'East Boston. Les trois hommes occupent les fonctions de *capi de regimes*, c'est-à-dire de lieutenants dans la mafia convalescente, mais on ne connaît pas grand-chose sur eux. Il fallait compter aussi avec Frank « Cadillac » Salemme qui vient de sortir du pénitencier où il purgeait une peine de quinze ans à la suite d'un attentat à la voiture piégée à l'encontre d'un avocat en 1968, tentative d'assassinat pour laquelle son ami et complice Stevie Flemmi n'avait jamais été inquiété.

Sur le trottoir devant le magasin d'outillage, Connolly est intarissable. Oui, le Bureau a les moyens de suivre la mafia à la trace, depuis sa base historique de North End jusqu'à un centre commercial de luxe, comme celui de Back Bay. La mention de la sandwicherie de *Vanessa* constitue un rebondissement parce qu'elle est située dans un lieu improbable pour la mafia, c'est comme si un éléphant était entré dans le fameux magasin de porcelaine. Clients affluents, jeunes cadres urbains se pressent aujourd'hui au comptoir pour un en-cas sur le pouce, tandis que dans l'arrière-boutique, un Ferrera véhément crache son venin et lance des ultimatums aux bookmakers, leur expliquant qu'une nouvelle ère de la mafia vient de naître.

L'arrière-boutique est une salle sans fenêtres, isolée, on ne l'atteint qu'après un dédale de couloirs. Les gangsters garent leurs voitures dans l'immense parking souterrain du *Pru Center*, et personne ne peut alors les suivre sans se faire repérer. Connolly se rengorge : ce petit effronté de Ferrara, Russo et Carrozza pensent tous qu'ils ont trouvé un lieu vraiment impénétrable pour leurs réunions, mais ils ne vont pas tarder à le regretter, Ferrara le premier. Ferrara, ce type « arrogant » et « insolent » est un vrai poison. Ses pairs le détestent parce qu'il est brutal et ne respecte rien ni personne. En fait, ajoute Connolly, Ferrara serait déjà mort si la rumeur ne s'était répandue dans la pègre de Boston que le FBI voulait sa peau. Les autres fripouilles, conclut Connolly, « n'ont plus qu'à se laisser vivre jusqu'à ce qu'on le coince. »

Immédiatement, Lehr s'associe avec un collègue journaliste, Kevin Cullen, et après avoir effectué des vérifications pour confirmer les dires de Connolly, ils rédigent un article en une sur *Vanessa*, qui paraît le samedi 17 avril 1988. L'introduction donne le ton : « L'endroit est idéalement situé. Les flics ne peuvent pas vous suivre et vous pouvez garer la voiture dans le parking souterrain, prendre l'ascenseur de service et entrer dans le cercle du secret.» Bien que l'article contienne une masse d'informations, il ne contient aucun des enregistrements issus des écoutes au *Vanessa*. Ce qui signifie que les journalistes n'avaient pas eu accès à l'enregistrement favori de Connolly : celui où Ferrara passe un savon mémorable à «Doc» Sagansky.

– On a pas mal d'amis qui ont des problèmes, Doc, entame Ferrara.

Il utilise la manière douce pour attendrir son interlocuteur qui, à 89 ans, est une légende dans le monde des bookmakers. Né à la fin du XIXe siècle, Doc commence sa carrière comme dentiste, avec un diplôme de la Tufts Dental School, mais c'est en tant que plus gros bookmaker de la ville qu'il devient millionnaire. Dans les années 40, la police le considère comme le principal financier des rackets de la ville ; il a des actions dans deux boîtes de nuit de Boston ainsi que dans une société de prêt. En 1941, il a prêté 8 500 $ à James Michael Curley, le maire légendaire de Boston qui deviendra membre du Congrès américain. Le nom de Sagansky figure comme bénéficiaire d'une assurance sur la vie de 50 000 $ prise comme garantie sur le prêt. Le fait qu'ils se fréquentent en fera jaser certains et les journaux ne s'en priveront pas. Sagansky est de toutes les enquêtes sur les paris illégaux lancées à Boston depuis la Grande Dépression. Le 14 janvier 1987, dans la réserve de la boutique *Vanessa*, Ferrara se montre raisonnable avec le vieux Sagansky ; il explique l'état pitoyable de la mafia : cinq frères Angiulo derrière les barreaux, sans parler de ceux qui sont tombés comme eux.

– Il faut les aider, exhorte Ferrara. Il y a leurs familles, les avocats… Certains d'entre nous ont des ennuis.

Il suggère à Sagansky et à l'associé qui l'accompagne, un autre bookmaker cacochyme nommé Moe Weinstein, de payer un «loyer». Durant le règne de Gennaro Angiulo, Sagansky n'avait jamais rien eu à verser mais, explique Ferrara, les temps ont changé, et il exige un geste de bonne volonté : 500 000 $.

– Pas grand-chose pour un millionnaire comme toi, pour un homme de ta classe. Tu dois nous aider.

Mais Sagansky refuse. Il a beau être assis dans cette salle sans fenêtres, entouré de gros bras dévoués à Ferrara, il tente de faire valoir que son business de bookmaker est en faillite, qu'il a été «réduit à néant».

Les deux parties insistent sur l'état déplorable de leurs finances, puis Doc s'énerve.

– Jamais je ne vous donnerai ce fric.

Ferrara explose. Un exécuteur de la mafia, Dennis Lepore, se penche vers le visage ridé du vieil homme :

— Tu n'as pas le choix. Il faut casquer. Et tu peux t'estimer heureux, c'est une petite somme pour toi. Tu dois payer, tu m'as bien compris ?

Le visage de Lepore est déformé par la haine.

— Qu'est-ce que tu crois, mon vieux ? Qu'on s'amuse ? Tu t'es fait des couilles en or pendant toutes ces putains d'années ! Alors aujourd'hui, il faut cracher la monnaie. On veut le fric, on ne le demande pas !

Pour aider Sagansky à se montrer plus coopératif, Ferrara menace le vieillard :

— On va garder ton copain Weinstein en otage jusqu'à ce que tu nous files les 500 000 !

On laisse Doc et Moe seuls quelques minutes dans la salle vide.

— Je ne te reverrai jamais, bredouille Doc. Alors, qu'est-ce que je dois faire ?

Weinstein se fait la voix de la raison :

— Je crois qu'il va falloir que tu leur files le blé…

Ferrara revient dans la réserve, les deux hommes promettent de s'acquitter de la somme et le mafioso les laisse partir.

Le lendemain, les enquêteurs en planque assistent à bonne distance à l'arrivée de Weinstein, un sac en plastique blanc à la main, dans un restaurant du *Park Plaza Hotel*. Il tend le sac à Ferrara, flanqué de Lepore. Le sac contient 250 000 $, un premier versement. Les deux voyous se hâtent de revenir à la réserve de *Vanessa* et, euphoriques, partagent l'argent en six parts de 40 000 $.

— Quels connards ! J'espère que ce ne sont pas des faux billets !

Ferrara est rouge, extatique, et plaisante avec Lepore.

Même en l'absence de dialogues, l'article du *Boston Globe* fait sensation. Les responsables du FBI, les procureurs fédéraux, surtout Jeremiah O'Sullivan de la Brigade contre le crime organisé, sont outrés. Ils sont au beau milieu de leur enquête sur Ferrara et exigent de savoir comment ont fuité les informations sur *Vanessa*. Mais les journalistes n'avaient aucune raison ni obligation légale de révéler leurs sources. Ils n'allaient pas se plaindre de la tendance naturelle de John Connolly à la vantardise.

Il s'avérera que Connolly ne pouvait résister au désir de s'épancher au sujet de *Vanessa*, que l'on évoquait en secret sous le nom de code d'opération « Brouillard dans la Jungle ». L'inspecteur adoptera même une sorte de tic de langage par lequel il fera de *Vanessa* la seconde opération d'une «trilogie» de la surveillance électronique contre la mafia (la première étant celle du 98 Prince Street) ; le FBI n'aurait jamais pu la monter sans sa collaboration avec Bulger et Flemmi.

— Sans le moindre doute, c'étaient les sources les plus importantes que nous ayons jamais eues, se plaisait à dire Connolly en terminant ses tirades.

Mais, comme toujours, un examen attentif des affirmations de Connolly suscite quelques doutes. Selon Connolly, c'est grâce aux confidences de Bulger et Flemmi que l'affaire avait démarré, du moins c'est ce qu'il avait révélé à Lehr, du *Boston Globe*, sur le trottoir début 1988. Si c'était vrai, cela constituait une preuve de l'importance cruciale des deux informateurs. Les enregistrements entraîneront d'ailleurs la reconnaissance de la culpabilité de Ferrara, de Lepore, Russo et Carrozza, accusés de racket et d'extorsion de fonds. Pourtant, c'est à Stevie Flemmi plutôt qu'à Bulger qu'il revient d'attribuer l'honneur d'avoir attiré l'attention du FBI sur *Vanessa*.

En avril 1986, Flemmi signale à Connolly que Vinnie Ferrara s'est maintenant établi avec Mercurio, J. R. Russo et Bobby Carrozza dans la sandwicherie italienne. C'est Flemmi et non Bulger qui assiste aux réunions où l'on tente de répartir les tâches du milieu entre la faction de Ferrara et le gang de Bulger. En sortant d'une de ces réunions début août, Flemmi explique que Mercurio était son «ami» et celui de Whitey Bulger :

— Ça remonte à l'époque où il faisait la liaison entre «les Hill» et Jerry Angiulo. Il ajoute que c'est Mercurio qui est en charge d'organiser les discussions entre les groupes, et de gérer notamment l'attribution des commissions sur les paris illégaux afin que chacun y trouve son compte.

Flemmi participera à une nouvelle réunion une semaine plus tard ; il fournira ensuite à Connolly un compte-rendu complet sur la répartition des commissions sur les paris illégaux et sur le projet de distribution de formulaires illégaux de paris sur le football américain durant la prochaine saison d'automne.

— Le projet de la mafia, confiera-t-il à Connolly, c'est de couvrir toute la ville et l'État si possible, en s'assurant le contrôle de tous les bookmakers indépendants.

Il révèle que «la mafia est en pleine expansion dans les banlieues», précisant qu'il est parvenu jusqu'à la salle de réunion «en prenant un ascenseur du niveau 5 depuis l'aire de service.»

Les réunions se succèdent et Flemmi continue d'alimenter Connolly avec les détails des lieux, de l'agencement et de la sécurité.

– La réserve est située à deux portes de la boutique *Vanessa*, confie-t-il à l'inspecteur le 18 août 1986, les réunions ont lieu dans cette salle, il y a un système d'alarme et la zone est surveillée par des gardes de sécurité.

Au cours d'un de leurs soupers en privé chez Connolly fin août, auquel participent Bulger et Jim Ring, Flemmi dessinera un croquis de la disposition des lieux.

Muni de telles informations, le FBI va obtenir facilement l'autorisation du tribunal de poser des écoutes électroniques à l'intérieur de la réserve du magasin, et même ailleurs. Le croquis par exemple était plutôt farfelu, si l'on en croit Jim Ring.

– C'était plutôt nul, commentera le superviseur, je n'ai pas besoin d'un croquis pour imaginer comment ils accèdent à la réserve.

Il vaut toujours mieux que ce soient les inspecteurs qui organisent la surveillance plutôt qu'un informateur criminel qui aurait eu vent des plans du FBI.

– Il faut éviter d'aller trop loin quand on discute avec un indic, il peut apprendre beaucoup de vos questions, commente Ring. Malgré le talent évident de M. Flemmi, ajoute-t-il avec une pointe de sarcasme, on a de bien meilleurs spécialistes, et je me suis appuyé sur nos techniciens pour placer les mouchards au bon endroit, et en bon état de marche.

Lorsque les mouchards du FBI sont en place, vers Halloween, Flemmi a cessé de participer aux réunions dans la réserve de *Vanessa*. Coïncidence ou pas, l'événement n'est pas surprenant en soi. Une fois encore, le FBI va coincer la mafia, tandis que Flemmi et Bulger s'en tireront sans dommage.

– On ne m'a pas entendu parce que je savais que le mouchard serait bientôt en place, déclarera Flemmi plus tard.

Il précise que peu avant le début des enregistrements, John Connolly l'a prévenu.

Durant plusieurs mois, les réunions stratégiques à *Vanessa* avaient impliqué les deux organisations criminelles les plus actives à Boston, la mafia et le gang de Bulger. Mais dès que les magnétophones du FBI commencent à tourner, c'est comme si Boston n'était plus soumise qu'à la loi de la seule mafia.

L'extorsion de fonds exercée sur Sagansky coïncide avec l'arrivée au Bureau de Boston d'un nouvel agent spécial. Jim Ahearn, lui-même spécialiste chevronné de la criminalité organisée en Californie, débarque à Boston en novembre 1986, alors que le Bureau est en train d'accumuler des preuves grâce aux écoutes sur la faction de Ferrara. Il est immédiatement impressionné favorablement par le travail de la Brigade contre le crime organisé, et surtout par John Connolly, qui s'assure que les autres soient au courant : les indics qui ont mené à la pose des micros lui appartiennent.

Faire confiance à Flemmi à cette époque, néanmoins, cela suppose pour le FBI d'ignorer les informations qui s'accumulent en provenance d'autres informateurs sur les deux gangsters.

– Stevie Flemmi, du gang de Winter Hill, recherche des bookmakers dans tout le secteur durant la période de confusion et d'affaiblissement de la mafia, rapporte un informateur à John Morris le 20 avril 1986.

Flemmi met Connolly sur la piste de *Vanessa* au moment même où Bulger et lui-même s'activent à travers toute la ville, faisant étalage de leur force.

– La bande de Winter Hill s'affiche en challenger face à l'ancienne emprise d'Angiulo, et Flemmi se montre partout à la fois, ajoute l'informateur. Ce qui reste du règne d'Angiulo est incapable de résister à Flemmi.

À cet égard, le tuyau donné par Flemmi à propos de *Vanessa* lui rend un grand service, c'est une manière de remettre la mafia à sa place. Et puis, c'est le FBI qui se charge du sale boulot.

Il reste la troisième opération dans la trilogie citée par Connolly dans les années 90 pour prouver la suprématie de Bulger sur le milieu. La surveillance électronique elle-même ne dure qu'une nuit, celle du 29 octobre 1989, mais elle mérite de figurer au palmarès des plus beaux succès du FBI. Pour la première fois, des agents vont enregistrer une cérémonie d'intronisation de la mafia. Y participent Vinnie Ferrara, J. R. Russo, Bobby Carrozza, treize autres mafiosi importants et surtout le parrain régnant de la mafia de Nouvelle-Angleterre, Raymond Patriarca Junior, le fils de feu Raymond Patriarca. Dans la salle à manger de la maison d'un associé à Medford, Massachusetts, les mafiosi récitent leur légendaire rituel, la piqûre au bout du doigt, le partage des serments du sang ; la cérémonie culmine par «l'initiation» de quatre nouvelles recrues. Elle s'inscrit alors dans la démarche entreprise par la mafia post-Angiulo pour apaiser les tensions entre les diverses factions et établir une plus grande stabilité de fonctionnement.

– Nous sommes ici pour introduire des nouveaux membres dans notre Famille, commence Patriarca, qui gère le rituel, et plus encore, afin de prendre un nouveau départ. Car ils entrent dans notre Famille pour entamer une nouvelle ère.

L'un après l'autre, les quatre initiés prononcent le serment du mafieux. Chacun se pique l'index, le doigt qui appuie sur la détente.

« Moi, Carmen, je désire entrer dans cette organisation pour protéger ma Famille et protéger tous mes amis. Je jure de ne jamais divulguer ce secret et d'obéir, avec amour et *omerta*. »

On déclare à chacun qu'il est devenu « frère pour la vie », et chacun répond : « J'entre vivant dans cette organisation et n'en sortirai que mort. »

Carmen Tortora ainsi que les trois autres, doivent également répondre à un test de loyauté :

– Si je t'apprends que ton frère a causé du tort, qu'il a mouchardé, qu'il va nous faire du mal, il faudrait l'éliminer. Tu ferais ça pour moi, Carmen ?

– Oui.

– Et même si c'est quelqu'un d'entre nous ici ?

– Oui.

– Alors, tu connais la sévérité de cette Chose qui est Nôtre ?

– Oui.

– La désires-tu ardemment et désespérément ? Ta mère est au lit, mourante, et tu dois la quitter parce que nous t'avons appelé en urgence. Tu dois partir. Le ferais-tu, Carmen ?

– Oui.

Durant les années 90, cette fameuse cérémonie d'intronisation sera partie intégrante du culte éternel que voue Connolly à Bulger. Une fois encore, malheureusement pour lui, les faits contredisent la version de Connolly. Les dossiers du FBI révèlent que le nom de Bulger ne figure à aucun moment parmi ceux des quatre informateurs utilisés par l'agence dans sa déclaration sous serment qui avait permis de décrocher l'approbation du tribunal pour la pose d'écoutes lors de la cérémonie. Une des causes de cet « oubli », c'est que le FBI s'était appuyé presqu'exclusivement sur un autre informateur de Connolly, Sonny Mercurio ; Sonny possédait toutes les informations cruciales sur les lieux et le jour de l'intronisation de la mafia. Bulger ne les avait pas. Pour sa part, Flemmi avait fourni quelques tuyaux mais insignifiants comparés aux informations de Mercurio. En fait, Flemmi avouera plus tard que le peu de renseignements qu'il avait pu glaner au début de l'automne 1989 et fournir à

Connolly découlaient du fait que l'agent l'avait averti de l'événement à venir. Jusque-là, Flemmi ignorait tout.

— Il m'a demandé de contacter toutes mes sources et de lui rapporter les informations que je pourrais ramasser, c'est ce que j'ai fait.

Puis, une fois la cérémonie enregistrée par le FBI, Flemmi avait été mis au courant du succès de toute l'opération, une révélation qui pouvait sembler insignifiante à Flemmi mais qui violait les règles du FBI. Qui l'avait prévenu ?

— C'est John Connolly, avait déclaré Flemmi.

Le discours bien huilé que répétera Connolly à l'envi reflète non seulement sa propension à se mettre en valeur mais aussi son désir de toujours embellir Bulger aux dépens de Flemmi. Au fil des années, Connolly rédigera parfois deux rapports au lieu d'un, attribuant la même information, dans les mêmes termes exactement, soit à Bulger soit à Flemmi. La seule différence notable entre les deux rapports sera l'utilisation de deux machines à écrire au lieu d'une. D'autres fois, les termes diffèrent, mais l'information est la même et chacun s'en voit attribuer la primeur. Pour expliquer cette pratique, Connolly prétend qu'il n'était pas spécialement soigneux dans la tenue des registres ; de toute façon, il les considérait comme une seule et même source.

— Souvent, ils se mélangeaient, ajoutera-t-il. L'information venait presque d'une seule personne.

Cette technique profite à Bulger, car des deux, c'est Flemmi qui jouit d'une relation prolongée et personnelle avec la mafia. Flemmi, et non Bulger, est celui qui agit, c'est lui qui se rend fréquemment dans les planques de la mafia. C'est Flemmi qui décrit à Connolly l'agencement des lieux et fournit les croquis, pas Bulger. Larry Zannino, Patriarca et d'autres chefs de la mafia inviteront Flemmi à plusieurs reprises à rejoindre la Cosa Nostra. Mais en installant un flou sur les événements, Connolly augmente le mérite de Whitey Bulger et contribue ainsi à faire briller l'étoile, et donc à protéger d'autant mieux son vieux copain d'enfance.

Les tuyaux comme ceux concernant le *Vanessa* valent leur pesant d'or. À la différence des deux autres opérations de surveillance du FBI citées par Connolly, on peut vraiment attribuer le succès de *Vanessa* à la collaboration Connolly-Bulger-Flemmi. Sans leurs informations, il n'y aurait pas eu de surveillance électronique de la nouvelle mafia à Back Bay ni d'extorsion de fonds à l'encontre de Sagansky.

Mais à quel prix, après toutes ces années ?

Le pacte entre le Bureau de Boston du FBI et Bulger était aujourd'hui en plein chamboulement : chaque bonne nouvelle était contrée par la marée des concessions et de la corruption. Évidemment, de tels aspects de la collaboration n'apparaissaient jamais dans la paperasse officielle du FBI ; en fait, les comptes-rendus annuels envoyés sans conviction par Connolly et Morris plaçaient régulièrement Bulger et Flemmi sous l'autorité des directives du Bureau, comme tous les autres informateurs. Pas de faveurs. Pas d'autorisation de commettre des délits graves. Pas de clémence particulière. Par exemple : « Un informateur ne doit pas participer à des actions violentes ou recourir à des techniques proscrites pour obtenir des informations pour le FBI ou bien comploter en vue de commettre des actes criminels. » Chaque année, Connolly signe une note interne au FBI proclamant qu'il avait récité les dix mises en garde imposées à Bulger et Flemmi, telles que celle-ci : « L'informateur a été averti que sa relation avec le FBI ne le protège pas d'une arrestation ou d'une inculpation par la justice en cas de violation des lois fédérales, de l'État ou locales, sauf si l'activité de l'informateur est justifiée par le superviseur en charge de la juridiction, conformément aux directives du procureur général. » Dans tous les dossiers du FBI sur Bulger et Flemmi, recensant des centaines de pages sur vingt ans, il n'apparaît aucune trace des multiples crimes commis par les deux gangsters. On n'en trouve pas une ligne.

Connolly, Morris et finalement tout le Bureau de Boston avaient à la place mis en vigueur un pacte secret, écrit à l'encre sympathique, invisible à toute personne extérieure. Un pacte d'une extrême simplicité et qui va droit au but. Il exige que des agents commettent des délits graves afin de protéger les deux informateurs. C'est le diable déguisé en bonne sœur.

Parfois, le FBI étendait son zèle protecteur au-delà de Bulger et touchait des acolytes à la périphérie du gangster. En 1986, aux petites heures du jour de la fête des mères, les bars en bas de West Broadway ferment leurs portes. Des coups de feu claquent et au fond du parking, en face de l'entrée du *Triple O*, Tim Baldwin, 23 ans, un ex-voyou de South Boston qui vient de sortir de prison, s'écroule. Il est mort.

Au bout de quelques jours, les inspecteurs de la brigade criminelle de la police tiennent leur suspect. Il s'agit de Mark Estes, un autre ancien voyou qui avait passé la soirée à boire des verres au *Triple O* juste avant le meurtre. Les policiers ont appris que, deux semaines plus tôt, Baldwin avait frappé

Estes à l'aide d'un démonte-pneu à la suite d'une bagarre à propos d'une fille. Il y avait des témoins de l'incident le soir du meurtre parmi les centaines de fêtards qui sortaient des bars à l'heure de la fermeture. Selon ces témoins, ils ont vus Estes descendre Baldwin, tirer sur des passants en s'enfuyant et sauter dans une voiture conduite par une femme pour fuir les lieux du meurtre.

Pourtant, lors du procès au cours du mois de juin, l'affaire Estes tourne court. Les témoins ne reconnaissent plus l'accusé. Le juge abandonne le chef d'accusation de meurtre. La police se plaindra du «code de silence» bien connu observé par le voisinage ; les résidents du quartier refusent par principe de coopérer avec les autorités.

— Moi, je suis de South Boston, confie un voisin en haussant les épaules, quand lui demande d'expliquer ce revirement au juge. On garde tout ça pour nous.

Les procureurs s'entêtent, ils vont poursuivre l'enquête devant un grand jury ; le premier lundi de septembre, jour du Travail, une assignation à comparaître devant le grand jury est rédigée à l'encontre de Kevin O'Neil. Le petit protégé de Bulger était le patron du *Triple O* la nuit du meurtre, et le sergent Brendan Bradley de la brigade criminelle de la police de Boston affirme détenir des informations selon lesquelles O'Neil «connaissait tous les détails du meurtre, dont le nom du meurtrier.» Les procureurs désirent faire témoigner O'Neil devant le grand jury afin de confondre Estes.

Mais le gang de Bulger et le FBI considèrent que cette citation à comparaître leur pose problème. Brendan Bradley se rend à son bureau le 5 septembre 1986 et trouve un Post-it sur son téléphone. L'inspecteur John Connolly, du FBI a appelé. Bradley lui passe un coup de fil en retour.

— Connolly m'a dit qu'il désirait me parler.

Ils conviennent de se retrouver pour un café trois jours plus tard dans le hall de l'immeuble fédéral John Fitzgerald Kennedy, siège du Bureau du FBI de Boston.

Bradley arrive le premier. «Connolly sort d'un ascenseur, un gobelet de café à la main.» Comme son autre main est vide, il demande pardon :

— Les filles du bureau m'adorent, elles m'offrent toujours un café…

Quand on a du succès, n'est-ce pas, pourquoi s'en passer ? Les deux agents vont chercher un gobelet pour Bradley, puis s'installent à l'écart.

— Qu'est-ce que tu es en train de faire à mon ami ? demande Connolly avec un sourire.

Il est au courant de la citation à comparaître qu'a reçue O'Neil. O'Neil vient d'une famille honorable de South Boston, son frère, ancien pompier de Boston, a été blessé en sauvant des vies. C'est «une petite merde sympa».

Bradley rappelle que l'on parle d'une enquête sur un sale meurtre, et qu'O'Neil détient des informations qui pourraient aider la police. Connolly n'en démord pas.

– Mais c'est un bon gars.

D'autre part, selon lui, le type qui est mort était «une vraie merde».

Le message est clair: une «petite merde sympa» est toujours préférable à «une vraie merde».

Connolly n'exige pas expressément «le retrait de la citation à comparaître visant O'Neil», mais Bradley quitte Connolly avec «l'impression que c'était l'objectif de la conversation». O'Neil comparaîtra finalement devant le grand jury, mais il refusera de témoigner. Il invoque le 5e Amendement, ce qui lui évite de s'incriminer soi-même. Les enquêteurs de la brigade criminelle se rabattent sur d'autres pistes, mais faute de nouvel élément, abandonnent l'enquête. Estes reste un homme libre.

Peu de temps après, Bradley confie à un collègue et à deux procureurs de la brigade qu'il a subi des interférences gênantes en faveur d'un protégé de Bulger, apparemment dans le but «d'annuler une assignation à comparaître devant un grand jury.». Plusieurs années plus tard, un de ces procureurs ne se rappellera pas avoir entendu Bradley se plaindre de Connolly. John Kiernan, qui affirme être un ami de Connolly, déclarera «qu'il n'arrive pas à croire que Connolly puisse avoir agi de la sorte.» L'autre procureur, cependant, se souvient très bien d'avoir entendu Bradley aussitôt après qu'il a pris un café avec l'agent du FBI.

James Hamrock précise qu'il a vraiment envisagé d'assigner Connolly à comparaître devant le grand jury «afin qu'il témoigne de son rôle et des informations qu'il possédait sur l'affaire.» Mais pour éviter d'aggraver les divergences entre le FBI et les procureurs locaux, Hamrock avait renoncé. Comme beaucoup avant lui, il laisse Connolly répandre la bonne parole.

Pour faire le ménage dans les dossiers de Bulger au sein du FBI, John Connolly n'était pas seul. John Morris supervisait maintenant la brigade en cols blancs en charge de la lutte contre la corruption et, début 1985, il entame une enquête qui avait débuté par une affaire de crime organisé. Les cibles initiales des investigations étaient deux bookmakers qui opéraient de longue date dans le quartier de Roxbury, Boston, John Baharoian et Steve Puleo. Baharoian gère ses petites affaires depuis sa boutique *American Variety* délabrée sur Blue Hill Avenue. Les rayons regorgent d'invendus gris de poussière.

Les enquêteurs savent que la boutique n'est qu'une couverture pour une des officines de paris illégaux les plus fréquentées du quartier. Ils pensent également que Baharoian verse des commissions à Flemmi. Mais ils commencent à rassembler des preuves selon lesquelles le bookmaker verse des pots-de-vin à plusieurs officiers de la police de Boston, s'assurant ainsi de leur protection. À ce stade de l'enquête, le dossier est transféré sur le bureau de Morris, et sa brigade se concentre sur la recherche de ces officiers ripoux.

Vers la fin de l'hiver 1988, les agents de la brigade s'apprêtent à installer un mouchard sur le téléphone de Baharoian. Sans faire part de ses craintes à personne, Morris redoute que la voix de Flemmi, et éventuellement celle de Bulger, transparaissent sur les bandes enregistrées. On ne pouvait écarter ce genre de pépin qui entraînerait l'arrestation de Bulger et Flemmi, et par extension la sienne, au cas où les gangsters, en quête d'indulgence, échangeraient son nom contre une réduction de peine. Il décide qu'il ne peut faire autrement que de les avertir de ce qui se trame.

Morris révèle donc à Connolly l'imminence du danger : Bulger et Flemmi ne doivent pas téléphoner à Baharoian ni se rendre dans sa boutique. Il faut organiser une réunion, répond Connolly. Morris se souvient :

— Connolly m'a dit qu'ils aimeraient l'entendre de ma bouche. Il voulait que je les mette en garde moi-même et pas lui, ou bien que je les rencontre au moins pour en parler face à face.

D'accord, acquiesce Morris. Ils pouvaient se rencontrer tous les quatre. Mais Morris n'arrive pas à chasser de son esprit un autre gros souci. Même si les circonstances étaient différentes, il n'a pas oublié que lorsqu'il avait révélé une enquête théoriquement secrète au petit cercle, la conclusion avait été brutale, définitive.

— Je ne veux pas d'un autre Halloran, exhorte-t-il Connolly.

Connolly organise une petite réunion de leur cercle, cette fois-ci dans la maison où Morris a emménagé à Lexington. Sur tous les fronts, la vie de Morris part en vrille. Son mariage a atteint le point de non-retour et il se fait du souci pour sa fille, aujourd'hui adolescente. Connolly, pour sa part, se porte bien. Bulger et Flemmi ont également l'air d'apprécier la vie. Ils sont venus dans l'espoir d'obtenir les informations qu'ils aiment entendre : des tuyaux sur les enquêtes, les écoutes, les mouchards et le nom des autres voyous qui collaborent avec les flics.

— Selon les besoins, et selon ma situation, précisera Flemmi plus tard, je posais à Connolly une question à propos de certaines personnes, et il me conseillait.

Comme si les deux agents leur servaient de *consiglieri*, le terme utilisé dans la mafia pour parler des conseillers.

Mais les propres motivations qui poussent Morris à vouloir protéger Bulger et Flemmi ont tendance à se multiplier. Il cherche désespérément à couvrir ses propres traces.

— J'étais totalement compromis à ce stade, et je craignais que M. Flemmi ne se fasse coincer ; ça aurait été le signal du grand déballage de mes liens avec eux, avouera Morris.

Il était conscient de violer la loi, d'être coupable d'entrave à la justice.

— Oui, je savais bien que l'affaire Baharoian violait les directives.

Mais il se voyait déjà la tête sur le billot si la voix de Flemmi ou de Bulger paraissait dans les enregistrements. Connolly, Bulger et Flemmi débarquent dans la petite maison et Morris va droit au but. Il avertit les deux gangsters :

— On a déjà commencé un Titre III, une demande de surveillance électronique, sur Baharoian ; il faut éviter cet individu à tout prix.

Flemmi apprécie le tuyau.

— Morris affirme qu'il peut m'éviter une inculpation, mais il ne pourra pas éviter d'inculper les autres participants dans cette opération, en l'occurrence Baharoian et Puleo.

Le mouchard du FBI sur le téléphone de Baharoian restera en place du 22 juin au 26 septembre. Les écoutes électroniques, accompagnées de preuves annexes, permettront d'inculper Baharoian, Puleo et plusieurs officiers de la police de Boston. Baharoian craquera et témoignera contre les flics ripoux au procès. Sur les enregistrements, on reconnaît les voix des bookmakers et des flics. Mais pas celle de Flemmi ni de Bulger. Ils savent quand ils peuvent parler et quand il vaut mieux se taire.

Chapitre Seize

Grand déballage

Si Connolly fait figure d'Elmer Gantry, le charlatan, au sein du FBI, l'agent qui par la vertu de sa parole arrive à convertir des adeptes, John Morris est un tout autre personnage. Incapable de résister à la tentation mais torturé par tous ses manquements, Morris ressemble à un gamin qui, devant sa console, conduit une Formule 1 autour d'un circuit. Il rentre dans le mur, recule, met les gaz, prend le virage trop vite et s'encastre dans le mur d'en face. Sa voiture tangue de droite à gauche, il ne la contrôle plus et risque l'élimination à tout moment. En 1988, son couple a chaviré. Il risque sa carrière au FBI, et même son amitié avec le versatile Connolly ne fonctionne plus très bien. Morris, qui avait approuvé la décision, s'oppose en fin de compte à la promotion de Connolly au poste de superviseur. Connolly, évidemment, se sent trahi et non sans raisons. Mais Morris s'inquiète légitimement d'un inspecteur qui entre et sort à tout bout de champ, incapable de rester assis à son bureau, remettant des rapports laconiques tout en donnant des directives à tous les agents qu'il croise.

Plus prosaïquement, l'opposition de Morris repose sur des sujets qu'il n'oserait jamais évoquer publiquement. Dans la lettre qu'il rédige pour l'administration du FBI chargée de l'avancement, Morris n'évoque pas le sujet de la corruption ou n'explique pas qu'en faisant accéder Connolly à un poste supérieur, il renforcerait la protection dont jouit déjà un Bulger de plus en plus dangereux.

– Je pensais qu'il n'était pas apte au poste de superviseur, point barre, précisera Morris. Ce n'était pas un poste pour lui.

La décision négative de l'administration offusque Connolly. Il décide de contre-attaquer. Il se rend dans le bureau de Jim Ahearn, qui vient d'arriver au poste d'agent spécial à Boston depuis fin 1986, il y a moins d'un an. Connolly et Ahearn sont vite devenus très copains. Connolly peut compter sur le patron plus que sur tout autre superviseur du Bureau.

– Ils étaient proches, précisera Morris, extrêmement proches.

On comptait alors plus de 200 agents du FBI assignés au Bureau de Boston, et Morris verra le nouveau patron « faire des trucs pour Connolly que je n'ai jamais vu aucun autre agent faire dans toute ma carrière ». Un de ces « trucs » consiste à accorder à Connolly tout ce que Connolly réclame.

– Jamais je n'avais vu un agent spécial en charge d'un Bureau se rendre au siège du FBI pour recommander qu'on nomme quelqu'un à un poste de superviseur quand l'administration s'est exprimée contre une telle nomination. Jamais.

Mais Connolly a bien manœuvré, il obtient gain de cause et, durant l'année 88, il est nommé superviseur d'une brigade anti-drogue. Jim Ahearn a seulement donné le coup de pouce nécessaire.

Maintenant qu'il a trahi Connolly, Morris s'inquiète de plus en plus de l'influence de l'inspecteur, qui n'a jamais été plus proche de sa légende.

– J'avais peur que la nouvelle situation ne finisse par causer ma perte.

Morris sent qu'il perd pied, qu'il est de plus en plus isolé. L'expérience récente de la fuite concernant le mouchard chez Baharoian provoque chez lui des bouffées de culpabilité : il a l'impression que sa Formule 1 va de nouveau s'écraser contre le mur.

Il prend un engagement solennel avec lui-même :

– Je décide de tout arrêter, tu vois, de cesser de les protéger pour mieux me protéger moi-même.

Morris se promet de couper les ponts.

Nous sommes à la fin du printemps 1988, et les états d'âme destructeurs de Morris coïncident avec la préparation d'une série d'articles du *Boston Globe* sur Bulger et le FBI. L'équipe de journalistes comprend Gerard O'Neill (l'auteur de ce livre), Christine Chinlund et Kevin Cullen, et collecte des informations pour leurs articles sur les frères Bulger. Cullen travaille sur l'hypothèse non vérifiée que Whitey est un indic du FBI, ce qui expliquerait qu'il mène grand train en toute impunité.

Les journalistes enquêtent sans relâche. Parmi les policiers, Dennis Condon, officier supérieur dans la police d'État et ex-agent du FBI, balaie les questions lors d'une interview cet été-là. Il fournit de nombreuses informations sur l'histoire de la mafia de Boston et le gang de Winter Hill, mais ne va pas plus loin.

— Vous savez, j'ai pris ma retraite du FBI en 1977, et je n'ai jamais compté sur aucune aide de la part de Whitey Bulger ou de Stevie Flemmi, lâche-t-il sans ciller.

Jeremiah O'Sullivan, qui est toujours à la tête de la Brigade contre le crime organisé, s'avère combatif et montre de l'impatience.

— Totalement farfelu, un tissu de mensonges, juge-t-il lorsqu'on l'interroge sur la théorie selon laquelle Bulger est un informateur du FBI.

Il s'insurge alors contre les policiers qui ont parlé avec les journalistes.

— Vous trouverez beaucoup de gens qui se promènent avec des lumières bleues qui flashent sur leur voiture et des pistolets à la main, et qui touchent de gros salaires. La plupart ne travaillent pas sur des affaires, et que font-ils toute la journée ? Ils provoquent des dissensions, ils traînent les gens dans la boue et ils passent leur temps à se plaindre.

Même si Lehr a croisé par hasard Connolly sur un trottoir il y a quelques mois, même si Cullen lui a parlé à plusieurs reprises de diverses affaires, l'équipe de journalistes est consciente qu'elle ne peut compter en aucun cas sur son aide pour ses articles. Connolly, c'est justement l'agent du FBI dont les autres flics se plaignent.

Il faudra faire sans lui. En mai 1988, O'Neill passe un coup de fil au superviseur John Morris du FBI. Ils se sont connus au cours de la rédaction des articles du *Globe* sur les écoutes au 98 Prince Street.

Morris prend la communication avec O'Neill, mais il repousse immédiatement la notion avancée innocemment par le journaliste selon laquelle Bulger est un indic du FBI. Morris accepte pourtant de déjeuner avec O'Neill. Celui-ci a évoqué le projet des articles sur les frères Bulger et précisé qu'il attendait de Morris des informations sur le contexte, pour éclairer la vie de Whitey au sein de la pègre de Boston.

O'Neill et Morris se rencontrent en juin au *Venezia*, un restaurant qui domine Dorchester Bay. Morris arbore un costume très chic et semble réjoui de déjeuner avec O'Neill. Les deux hommes échangent des propos sans importance avant qu'O'Neill aborde le sujet des liens entre Bulger et le Bureau.

– Vous n'imaginez pas à quel point cet homme est hyper dangereux, attaque Morris.

C'est comme si le superviseur attendait ce moment depuis longtemps. Oui, Bulger est un informateur, révèle subitement Morris, et ce pacte de collaboration est devenu extrêmement pesant, il risque de corrompre le Bureau, tout ça risque de mal finir. Impossible d'arrêter le flot croissant des paroles qui s'échappent de sa bouche. Connolly et Bulger sont proches, trop proches peut-être. Il y a ces dîners, explique Morris, auxquels il a participé avec Connolly chez la mère de l'associé de Bulger. Au cours de l'un d'entre eux, Billy Bulger est entré et s'est assis pour partager le bon repas que Mme Flemmi avait préparé. (Il s'agit d'un dîner différent de celui auquel assistait Jim Ring.)

– On était là, les deux frères d'un côté de la table, et les deux agents du FBI en face d'eux.

O'Neill est effaré. Malgré le bruit de fond dans le restaurant, les autres clients, les serveurs, les deux hommes n'y prêtent pas attention. O'Neill n'avait espéré qu'une confirmation, il a droit à une confession. Le superviseur du FBI a l'air accablé, il est pâle et défait ; il craque visiblement. Ils terminent le déjeuner, alternant des banalités avec des références constantes à Bulger. Morris s'inquiète de la manière dont le *Globe* va traiter ses confidences et met en garde contre les conséquences de la révélation de l'identité d'un indic : le danger serait pour Bulger, pour lui-même et pour les journalistes du *Globe*.

O'Neill ignore encore quelle tournure prendront les articles. Mais ils sont tous deux conscients que quelque chose vient de se passer, d'essentiel et de dangereux. Ce genre d'information peut provoquer un séisme, entraîner des bouleversements historiques dans la manière dont les citoyens appréhendent leur ville. Une version de l'histoire va s'effondrer comme un château de cartes, remplacée par une version plus complète et plus juste.

Les journalistes ne le savent pas, mais Morris était déjà bien informé sur le projet du *Globe* avant même le coup de fil d'O'Neill. Connolly avait prévenu Morris que le président du Sénat, Billy Bulger, collaborait au projet et accordait des interviews sur son enfance et sa jeunesse à Southie. Le problème qui inquiète Connolly, c'est la tournure que prend la série d'articles : les journalistes du *Globe*, a-t-il appris, commencent à poser des questions sur Whitey et le FBI. Connolly avait alors suggéré à Morris, puisqu'il connaissait O'Neill mieux qu'aucun autre agent du Bureau, qu'il appelle le journaliste pour éviter qu'il ne s'égare en territoire dangereux.

– Connolly, se souviendra Morris, m'a demandé de le contacter pour tenter de connaître la direction que prendraient les articles, et pour le remettre dans le droit chemin.

La décision du superviseur de vérifier les informations du *Globe* n'est pas vraiment noble :

– Je songeais avant tout à sauver ma peau, concèdera-t-il plus tard. Je tâchais de réduire le plus possible les retombées négatives sur ma carrière.

D'après son calcul, « sortir » Bulger paraissait fournir une nouvelle solution. Le scandale pourrait forcer la main du FBI et entraîner finalement la fin de la collaboration avec les deux indics. Dans cette éventualité, ses propres entorses – « que j'aie accepté de l'argent, des cadeaux et que j'aie compromis une enquête » – risqueraient d'être enterrées une fois pour toutes. Mais il existait une autre éventualité : celle que la mafia ou un voyou quelconque n'assassine un Bulger désormais « grillé ». Cela mettrait un terme aux risques courus par Morris, que Bulger n'expose lui-même ses erreurs. Mais Morris est catégorique : il n'avait pas l'intention de l'exposer à un tel danger mortel.

– Je voulais qu'on cesse toute relation avec eux, conclura-t-il.

Il se rend compte néanmoins que si le FBI cesse de collaborer avec Bulger, il se retrouvera automatiquement en sécurité.

– Là-dessus, je n'arrivais pas à me faire une idée, précisera-t-il. Je pensais que si Connolly était exposé aux yeux de tous, je le serais aussi ; je crois qu'à cette époque j'avais envie que tout le monde sache ce que j'avais fait.

Effrayé, dégoûté de lui-même, Morris manque de courage pour se confesser aux autorités.

Dans les bureaux du *Globe*, O'Neill partage son scoop avec ses collègues. Ils sont effarés par ce qu'ils entendent et tâchent d'évaluer la portée des révélations : faut-il les publier au risque de provoquer un bain de sang dans le milieu ? Mais avant de songer à la publication, les journalistes savent qu'il leur faut enquêter en profondeur. Ils ne possèdent qu'une seule source. Parfois, cela suffit si cette source anonyme est haut placée, mais pas cette fois-ci, les révélations seraient une bombe. Il faut vérifier les informations de Morris.

En juillet, O'Neill et Cullen s'envolent pour Washington D.C. pour rencontrer William Weld. Weld vient de démissionner de son poste de chef de la Division criminelle au ministère de la Justice à la suite d'un différend politique avec Ed Meese, le ministre de la Justice. Au cours d'un déjeuner, le contexte de Boston est évoqué, et Weld se montre très prudent. Il dit avoir connaissance des rumeurs de la part de diverses agences, dont la police d'État. Il avoue même attacher du crédit à ces rumeurs. Mais il ne possède pas de preuves, et il ne peut fournir aux journalistes ce qu'ils sont venus chercher.

Puis, durant la dernière semaine de juillet, Lehr passe un coup de téléphone à Bob Fitzpatrick, un nom qui figure parmi ceux qui lui ont été confiés au cours de l'enquête. Ce natif de New York est entré au FBI en 1965. Il a été en poste à la Nouvelle-Orléans, Memphis, Jackson dans le Mississipi et à Miami. Il a travaillé sur l'assassinat de Martin Luther King et sur plusieurs attentats à la bombe impliquant le Ku Klux Klan, avant de devenir enseignant au sein de l'Académie du FBI à Quantico en Virginie. Désormais en retraite, l'ex-inspecteur avait occupé le poste d'agent spécial adjoint du FBI en charge du Bureau de Boston de 1980 à 1987. Au cours de son séjour, il avait été le supérieur de Morris dirigeant la Brigade contre le crime organisé. En 1988, il est toujours à Boston où il est devenu détective privé.

Lehr se rend chez Fitzpatrick à Rhode Island, et Fitzpatrick l'emmène faire un tour sur une plage à proximité. Le temps est couvert, humide, la plage est vide. Pendant ce temps, à Atlanta, les Démocrates qui tiennent leur convention sont en train d'élire le gouverneur du Massachusetts, Mike Dukakis, candidat à la présidence des États-Unis.

— Qu'est-ce que vous savez exactement ? s'informe Fitzpatrick, inquiet.

— On sait tout.

Arpentant la plage, Fitzpatrick semble crispé, mal à l'aise. Puis il se met à parler. Pendant plusieurs heures, il va s'épancher sur Whitey Bulger et le FBI, sur Connolly et sur Morris.

— Ce type est devenu un putain de boulet, lâche Fitzpatrick à propos de Bulger.

Il affirme que durant son séjour au Bureau de Boston, il s'était inquiété de plus en plus de la qualité des informations de Bulger et de son ascension vers les sommets de la pègre bostonienne.

– Il ne faut jamais employer la plus grosse crapule de la ville comme informateur, éructe-t-il à un moment. Ce type qui est au top, il fait la loi et puis il vous tient. Vous lui appartenez !

Il commence à pleuvoir, et les deux hommes se rabattent d'abord dans la voiture de Lehr puis dans la maison de Fitzpatrick. Les discussions qui s'ensuivent sont pour le journaliste une mine inépuisable de renseignements sur la manière de traiter un indic, sur les dangers et les avantages de leur faire confiance, sur ce qu'il convient de faire et ce qu'il ne faut faire à aucun prix. À plusieurs reprises, il regrette que ce scandale interne très grave, selon ses propres termes, n'ait jamais été traité. Les quelques fois où Bulger avait fait l'objet d'une révision interne, ce sont ses partisans qui l'avaient emporté.

– Le FBI est compromis dans cette affaire. C'est ce qui m'emmerde le plus. Il faut comprendre que ce type se sert du FBI.

D'après lui, la racine du problème réside dans la séduction la plus élémentaire qui guette un agent traitant face à un informateur de longue date. Ainsi Connolly s'était depuis longtemps identifié avec le type qu'il était censé gérer, et le type avait mis le grappin sur lui. L'inspecteur, selon Fitzpatrick, « avait adopté le mode de fonctionnement du voyou. »

Deux mois plus tard, une série de quatre articles sur les frères Bulger est publiée dans les pages du *Boston Globe*, dont un long développement sur, je cite, « la relation spéciale » unissant Whitey Bulger et le FBI. Durant les semaines frénétiques précédant la publication, Cullen et un photographe du *Globe*, John Tlumacki, qui ont bénéficié d'un tuyau de la part d'un policier local, parviennent à prendre des clichés de Whitey Bulger dans un parc ensoleillé en fin d'après-midi, près de Neponset Circle à Dorchester. Bulger est en train de promener le caniche de Catherine Greig, il arbore ses éternelles lunettes de soleil et sa casquette de base-ball.

À ce moment précis, le FBI est au courant de l'existence des articles en préparation du *Globe* et décide d'aller à la pêche aux informations. Un après-midi, Tom Daly, un agent de longue date, appelle Cullen à son bureau. Daly prend un air contrarié et demande à Cullen pourquoi celui-ci a tenté de contacter « Fat Tony » Ciulla, l'ancien témoin protégé dont il avait la charge dans l'affaire des courses truquées en 1979 contre Howie Winter. Puis la conversation dévie vers Bulger. Avant d'aller plus loin, Daly affirme qu'au cas où on lui demanderait un jour, «cette conversation n'a jamais existé.» (En fait, Daly niera dix ans plus tard avoir jamais rencontré Cullen.) Daly précise ensuite qu'il est venu «en ami», bien que Cullen le connaisse à peine.

Daly veut savoir où le *Globe* veut en venir en publiant les articles sur Bulger. Il affirme ensuite que Bulger n'a jamais été un informateur du FBI. Puis il veut s'assurer que Cullen a bien compris quel genre de personne lui et ses collègues doivent affronter. Il ajoute que Ciulla, qui bénéficie aujourd'hui du programme fédéral de protection des témoins, lui a demandé de passer un message d'avertissement au *Globe* : «Whitey est un type dangereux. Il ne faut jamais le contrarier.»

Daly précise : Ciulla a averti que Bulger ne tolérerait aucun article qui se révélerait inexact, ou qui pourrait mettre sa famille dans l'embarras.

— Il ne pourrait pas vivre avec cette idée dans la tête, glisse Daly en parlant de Bulger. Il ne réfléchirait pas à deux fois avant de vous flinguer.

C'est de l'intimidation pure et simple, et Cullen est désarçonné sur le coup. Mais le lendemain, les journalistes et leurs rédacteurs en chef sont d'accord : Whitey Bulger n'est pas arrivé où il est aujourd'hui en exécutant des journalistes. Tous sont déterminés à faire tourner les rotatives et publier les articles.

Les articles sortent fin septembre 1988, quelques semaines après le cinquante-neuvième anniversaire de Bulger. On peut y lire des démentis sans équivoque de la part de responsables du FBI. Leurs déclarations publiques sont bardées de certitudes, à l'image de celle de Jim Ahearn, le patron du Bureau de Boston :

— Tout est absolument faux, clame-t-il. Nous démentons énergiquement que cet individu ait bénéficié d'un traitement de faveur.

Dans les coulisses, néanmoins, la teneur des articles ne fait pas l'unanimité.

— J'ai lu le journal, avoue Flemmi, et j'en ai parlé avec Jim Bulger.

Début octobre, ils se réunissent dans l'appartement de Morris.

— Je m'y suis rendu en compagnie de John Connolly et de Jim Bulger, précisera Flemmi.

Il est encore trop tôt pour s'interroger sur la provenance des sources du *Globe* ; il faut d'urgence limiter les dégâts.

— Bulger était vraiment en colère, déclarera Flemmi. Mais je ne crois pas qu'à l'époque il ait parlé du type qui aurait pu moucharder ; je ne pense pas qu'il l'avait identifié. La réunion n'a pas duré longtemps.

C'est d'ailleurs la dernière fois où Bulger et Flemmi se retrouveront face à face avec Morris.

– Les agents, se souviendra Flemmi, parlaient de prendre leurs distances par rapport à nous.

Mais Flemmi remarque que Connolly n'apprécie pas ce genre de discours ; il est sous pression. En fait, il s'oppose à une rupture.

– John Connolly lui, il voulait qu'on marche ensemble, et c'est ce qui s'est passé, conclut Flemmi.

En fait, Morris et Connolly ont lu les articles et conclu qu'ils pourraient s'en tirer sans dommages. Même si les journalistes « laissaient peu de place à l'imagination » concernant le statut de Bulger, le *Globe* n'employait à aucun moment, notait Morris, le mot tabou : informateur. On parlait du pacte comme d'une « relation spéciale ». Les articles étaient suivis des démentis publiés par le FBI, ce qui jouait en sa faveur. Peut-être pourrait-on s'en tirer. Et peut-être leur meilleur argument serait Bulger lui-même, et le mythe selon lequel il avait réussi à la seule force de ses poignets.

– Connolly et moi estimions que l'informateur s'en tirerait parce que personne, dans le milieu, ne croirait un seul mot du *Globe*, précisera Morris, qui cherche encore à faire oublier ses erreurs.

Dans les semaines qui suivent, l'histoire leur prouve qu'ils ne se sont pas trompés. Flemmi et Bulger reprennent leurs activités et traitent les articles d'élucubrations. Pendant ce temps, les agents du FBI sondent les réactions de la pègre. Fin septembre, Sonny Mercurio confie à Connolly que selon ses associés, l'histoire est « merdique ». Mercurio précise que Ferrara et J. R. Russo parlent de manipulation, le véritable objectif des articles est d'embarrasser Billy Bulger. Les agents s'interrogent : la dénonciation aussi rapide par la mafia des articles du *Globe* ne reflète-t-elle pas la crainte exacerbée de la Famille envers Bulger ? Si les mafieux sont convaincus que Bulger est un indic du FBI, alors il leur faut agir tout de suite ; il faut supprimer Bulger. Peut-être la mafia préfère-t-elle ne pas être convaincue ?

En octobre, une autre source gouvernementale indique que les révélations du journal ne provoquent pas de remous particuliers. Cette source, qui dans le même temps donne des informations sur les bénéfices en pleine expansion de Bulger dans le commerce de la drogue, mentionne que Bulger et Flemmi sont encore « inquiets des éventuelles retombées des articles », mais qu'ils estiment que « l'orage est désormais passé ». Les deux malfrats parlent toujours des mensonges de la presse, mensonges fabriqués par leurs ennemis et d'autres indics désireux de les éliminer. À Boston, on ne parle que de cela durant quelques mois. Mais fin octobre, les choses se calment.

Connolly, pour sa part, est concentré sur une autre affaire majeure. Il avait rencontré Elizabeth Moore dix ans plus tôt dans les couloirs du Bureau et aujourd'hui, le 5 novembre 1988, il l'épouse officiellement. Parmi la foule qui ovationne le couple à la sortie de la cérémonie, de nombreux copains du Bureau, surtout de l'ancienne Brigade contre le crime organisé, Nick Gianturco, Jack Cloherty et Ed Quinn. C'est un jour de réjouissance pour tous, tandis que John Connolly commence à songer à la retraite. Mais il s'accrochera, malgré les tourments causés par le scandale du pacte entre Bulger et le FBI. Après tout, la mer est calmée et le ciel infiniment bleu.

Jusqu'à maintenant, Connolly et les intimes du petit cercle, dont un John Morris au bord de la crise de nerfs, avaient uni leurs efforts pour éviter les gros pépins. Il y avait treize ans qu'ils se battaient, et ils bravaient de mieux en mieux les tempêtes. Désormais, sur sa liste d'ennemis, où figurent les flics de Boston, les agents de la DEA et d'autres agents qui selon lui le haïssent, Connolly ajoute les journalistes. Il ne les comprend pas. Pourquoi voudraient-ils dézinguer un agent qui, à coups d'anecdotes brillantes, ne cherche qu'à mettre la mafia à genoux ? Pour réfuter la théorie Bulger, il cherche à obtenir un rendez-vous avec le rédacteur en chef du *Globe*. Comment ces inventions pourraient-elle être vraies, explique-t-il à Jack Driscoll, alors qu'il n'a jamais, de sa vie, parlé à Whitey Bulger ?

Connolly et les autres mettent sur pied une stratégie pour battre en brèche le regard insistant des journalistes : continuer à parcourir sans relâche les rues de la ville. Ils en sont certains : ils éteindront tous les feux de brousse qui se présenteront devant eux, et même celui qui couve à l'intérieur du petit cercle.

Celui-ci est allumé par Bill Weld. Avant de quitter son poste au ministère de la Justice, il a reçu plusieurs coups de fil d'une habitante de Boston, et celle-ci propose un nouvel éclairage troublant sur Bulger et le FBI. Le premier appel date du 6 janvier 1988, et la femme tombe sur un des assistants de Weld. Elle semble « vraiment effrayée, et appelle depuis une cabine publique. » Elle promet de rappeler afin « de donner des informations sur tous ceux qui touchent du fric de Stevie Flemmi et Whitey Bulger, par exemple certains flics de Boston et certains agents fédéraux.» Weld fait circuler une note de service parmi certains hauts fonctionnaires du ministère, et écrit dans la marge en face du nom de Bulger: «OK, ça concorde; ce n'est peut-être pas une dingue.» Le bureau de Weld reçoit fréquemment des appels en provenance de dingues qui se plaignent d'être l'objet de surveillance; la CIA aurait placé un micro dans un de leurs plombages par exemple, mais Weld a l'intuition que ce coup de fil est de nature différente. L'appel suivant parvient le 20 janvier, et l'interlocutrice cite nommément «l'inspecteur John Connolly, du FBI» ainsi qu'un responsable de la police de Boston, accusés de «vendre des informations sur les surveillances électroniques» à Bulger et Flemmi. Weld rédige une fois de plus dans la marge de sa note de service: «Je sais déjà tout ça! Ça continue à s'accumuler.» De nouveaux appels lui parviennent, le 27 janvier, le 3 février, le 10 février, et ils révèlent des informations juteuses comme celle-ci: «Je vais vous apprendre quelque chose sur le meurtre de Brian Halloran. C'est Whitey Bulger et Pat Nee qui ont fait le coup.»

En dépit de ses remarques enthousiastes, Weld n'est pas certain de la véracité des tuyaux, mais il est d'avis qu'il faut les prendre au sérieux et enquêter.

– J'avais l'intuition qu'il pourrait exister un maillon faible entre M. Bulger et M. Connolly.

Weld démissionne de son poste le 29 mars, mais ses anciens assistants continuent de recevoir des appels, le 15 août et le 27 octobre. Cette fois-ci, la correspondante anonyme affirme qu'un autre inspecteur du FBI, John Newton, a divulgué des secrets d'État à Bulger. Cette correspondante n'est autre que Sue Murray, qui parle au nom de son mari, Joe Murray, le gangster et trafiquant de drogue et d'armes volées au bénéfice de l'IRA, et qui faisait de temps en temps des affaires avec Bulger. Murray, derrière les barreaux depuis son arrestation en 1983, cherche à échanger des informations contre une remise de peine.

Avant de démissionner, Weld envoie «tout le bazar à Boston afin qu'ils poursuivent les investigations.» Mais les dossiers se retrouvent sur le bureau des amis de Connolly et éternels protecteurs du pacte avec Bulger, des gens de l'acabit de Jeremiah O'Sullivan et du nouveau copain de Connolly, Jim Ahearn. Le chef du Bureau de Boston se décide en faveur d'une enquête interne visant Connolly, enquête qui progressera lentement pendant les années 88 et 89. Elle n'est pas menée par des tiers assermentés ou des agents impartiaux d'un autre Bureau, mais par des associés de Connolly. C'est comme si on avait demandé à Connolly lui-même d'évaluer les allégations.

Ahearn n'y va pas par quatre chemins : les informations ne reposent sur rien. Dans un courrier adressé au directeur du FBI, William Sessions, il se plaint que cette dernière enquête sur le comportement de Connolly « s'inscrit dans une longue liste d'allégations au fil des années. » Il assure son patron qu'il ne sautera pas aux conclusions, mais c'est justement ce qu'il fait dans le paragraphe suivant. Il écrit à Sessions : « Je ne voudrais pas préjuger de l'enquête en cours, mais il faut avouer que toutes les autres se sont révélées sans fondement ; l'agent Connolly est tenu en très haute estime par la Division des enquêtes criminelles et par moi-même pour sa réussite exceptionnelle. » Voilà ce qui s'appelle être objectif.

Joe Murray est transféré à Boston en juin en provenance du pénitencier fédéral de Danbury, dans le Connecticut. Il est interrogé par deux agents du Bureau de Boston ; Ed Clark et Ed Quinn s'asseyent face à Murray. Les deux agents sont des proches de Connolly, surtout Quinn, qui a travaillé durant des années au côté de l'inspecteur et qui, quelques mois auparavant, levait son verre en l'honneur de John le jour de son mariage.

Murray déclare aux agents qu'il a entendu que Bulger et Connolly s'étaient rendus ensemble au Cap et avaient partagé un appartement dans le quartier de Brighton de Boston. Un certain nombre d'associés de Bulger, à l'instar de Pat Nee, étaient au courant des liens entre Bulger et Connolly et savaient que Whitey avait barre sur lui.

– Connolly ? C'était pas un problème, affirme Murray.

Il ajoute que « c'est Bulger et Flemmi qui sont responsables du meurtre de Bucky Barrett en 1983 », et décrit en détail ce qu'il sait des vingt-quatre heures qui ont précédé la disparition de Barrett.

Les agents du FBI hochent la tête, prennent quelques notes, mais ne posent aucune question de fond sur Connolly, sur le rôle de Bulger dans le meurtre d'Halloran ou celui de Barrett, ni sur le malfrat lui-même.

En évoquant cette journée, Clark déclare qu'il s'est senti comme un bleu prenant des notes et non comme un inspecteur chevronné. Selon lui, ils étaient là pour écouter ce que Murray avait à dire, transmettre leurs notes à une personne qui les évaluerait et déciderait ensuite s'il fallait poursuivre l'interrogatoire. Clark se rend compte que Murray « ferait un superbe indic ».

Mais au lieu de cela, Murray est reconduit dans sa cellule à Danbury. Clark avoue n'avoir jamais reçu l'ordre de poursuivre de quelconques investigations sur les déclarations de Murray.

Pendant ce temps, Jim Ahearn et ses adjoints envoient un courrier avec le rapport dactylographié de Clark au siège du FBI, exhortant les responsables à refermer le dossier Connolly. Les commentaires de Murray sont traités dans ce courrier de «rumeurs et de conjectures». La lettre conclut: «Boston recommande que l'enquête soit close et qu'aucune sanction administrative ne soit prise.»

C'est ce qui va se passer. La paperasse est enterrée, comme les corps d'Halloran et de Barrett, et les rumeurs autour de Connolly s'évanouissent une fois de plus dans la nature.

Connolly, Bulger et Flemmi en tirent le sentiment croissant d'être invincibles: la ville leur appartient. Si bien que Bulger est vraiment contrarié le jour où, à l'aéroport de Logan, sa petite amie Theresa Stanley et lui-même sont retenus au moment où ils s'apprêtent à monter à bord d'un vol de *Delta Airlines* à destination de Montréal.

Il est aux environs de 7h10 du soir. Theresa vient de régler en espèces deux billets de première classe; Bulger arbore un survêtement noir et porte une housse à vêtements en cuir noir. À l'intérieur, au moins 50 000 $ qu'il tente de faire passer à l'étranger. Lorsque la housse passe le portique de sécurité, une policière remarque plusieurs masses indistinctes. En ouvrant la housse de vêtements, elle trouve des liasses de billets de 100 $. Comme elle estime la somme à plus de 10 000 $, elle se voit dans l'obligation de faire un rapport. Elle intime l'ordre au couple de s'éloigner et les avertit qu'elle va prévenir la police locale.

— Va te faire foutre! lance Bulger à la préposée de la sécurité.

Il s'empare de la housse et s'éloigne rapidement. Puis il tend la housse à vêtements à un autre homme:

— Tiens, Kevin, occupe-toi de ça.

Kevin file vers l'extérieur, s'engouffre dans une Chevrolet Blazer noire et démarre en trombe. Bulger a glissé le pied dans la porte à tambour du hall afin de retarder un second agent lancé à la poursuite de la housse.

Bulger est en grande discussion avec des agents de la sécurité quand intervient Billy Johnson, un policier de l'État du Massachusetts basé sur le site de l'aéroport. Personne n'a encore reconnu Bulger, qui continue de prendre à partie les agents, soutenu véhémentement par Theresa.

– Vous là-bas, approchez-vous, lance Johnson.

Il produit son insigne et un des agents explique la situation, mais Bulger interrompt l'échange et pointe le doigt vers l'agent.

– Ferme ta gueule, toi, lâche-t-il. Tu mens !

Johnson demande à Bulger de décliner son identité, et Bulger sort son permis de conduire : « James Bulger, 17 Twomey Court, South Boston. »

L'agent tente une nouvelle fois de s'adresser à Johnson, mais Bulger intervient à nouveau :

– Je t'ai dit de fermer ta gueule !

Johnson se tourne vers Bulger :

– Non, vous, fermez-la.

Il colle Bulger face au mur, un des seuls individus à avoir jamais posé la main sur le malfrat.

– Un mot de plus et je vous colle au trou.

Bulger s'entête.

– C'est comme ça que vous traitez les honnêtes citoyens ? (Il hurle maintenant.) Comme ça que vous traitez les citoyens ?

Johnson garde son calme. Le policier saisit 9 923 $ en espèces dans le sac de Theresa Stanley. Les douanes sont prévenues, mais la somme est inférieure de peu au montant de devises permises aux voyageurs. Finalement, après s'être entretenu avec d'autres agents, Johnson se rend compte qu'il n'a pas de raison de placer Bulger en détention. Il aurait peut-être pu l'accuser de trouble à l'ordre public, mais il estime que cela n'en vaut pas la peine. Bulger et Stanley sont libres. Le gangster s'éloigne en tempêtant, appelle un taxi et disparaît dans la nuit.

Pas de bobo. Flemmi à l'époque s'éloigne souvent de sa vie de mauvais garçon ; il a une passion pour le parachutisme et assiste à des réunions d'anciens combattants, adhérant même à l'Association internationale des vétérans de l'aviation. Il voyage dans le monde entier pour être parachuté : Afrique du Sud, Allemagne de l'Est, Thaïlande, Israël. Il rencontre d'anciens parachutistes qu'il a rencontrés en Corée pendant la guerre. Quant à Connolly, c'est l'euphorie : nouveau mariage, promotion au poste de superviseur d'une brigade anti-drogue et perspective d'une prochaine retraite. À la suite du succès retentissant de l'enregistrement de la cérémonie d'initiation de la mafia fin 1989, le directeur du FBI, William Sessions, se rend à Boston pour féliciter les agents du Bureau et congratule personnellement Connolly pour la manière dont il gère ses informateurs. Connolly fait son chemin dans la vie, et pas seulement dans sa carrière : en 1990, il vend sa maison de Thomas Park et emménage pour un temps dans une maison mitoyenne de South Boston, un complexe de six logements dans lequel Bulger et Weeks possèdent également une maison. Mais Bulger rêve de s'installer dans les quartiers du North Shore et il ne tarde pas à acheter du terrain à Lynnfield où il fait bâtir une grande maison à étages en brique.

Même si Jim Ring a ordonné à Connolly de cesser de rencontrer ses indics chez lui, les réunions se poursuivent, elles se déroulent simplement chez John Newton ou bien chez Nick Gianturco. Gianturco invite un jour deux agents vedettes du FBI du Bureau de New York pour passer quelques jours à Boston. Joseph Pistone, qui vient de prendre sa retraite du Bureau, a écrit un livre.

Le second agent du Bureau de New York s'appelle Jules Bonavolonta, un ancien de la guerre contre la mafia, et qui écrira également un livre plus tard. C'est Gianturco qui se met aux fourneaux, et Connolly présente fièrement Bulger et Flemmi aux invités d'un soir.

– Il nous a paru tout de suite évident, se souviendra Bonavolonta, que Bulger, Steve et Connolly étaient amis.

Connolly se vante encore : un jour il écrira un livre sur ses succès au FBI.

Morris est désormais persona non grata. En 1989, il se débat dans une enquête interne sur les fuites impliquant le *Boston Globe* au sujet du 75 State Street. Il a refusé de passer au détecteur de mensonge et tente de s'en tirer par une fable, rédigeant des rapports erronés et niant toute fuite devant les hauts responsables du FBI ; c'est Connolly, pendant ce temps, qui mène la charge pour avoir la peau de son ancien ami et collègue.

– Il se méfiait de moi, dira Morris à propos de Connolly.

Néanmoins, Morris s'en tirera avec un blâme et 14 jours de congé sans solde.

Depuis l'arrière-boutique du *South Boston Liquor Mart* et du modeste supermarché voisin, Bulger et Flemmi poursuivent leurs petites affaires crapuleuses et dirigent leur empire du milieu, distribuant les rendez-vous aux mauvais payeurs, sortant parfois le flingue pour appuyer leurs arguments et convaincre les récalcitrants. Dans le magasin, c'est la période des fêtes, les agents du FBI viennent faire leurs achats. « Dick Baker, ami de John

Connolly », retrouvera-t-on écrit à la main sur un reçu de 205 $ en vins et alcools achetés par cet inspecteur en 1989.

Le système est en place et fonctionne à merveille pour Connolly et le petit cercle d'initiés. Tout en haut, Jim Ahearn se gausse de toutes les critiques. Dès son arrivée à Boston pourtant, il ordonne à son adjoint d'évaluer le statut de Bulger afin de faire taire les commérages au sein du Bureau. Les conclusions sont sans appel et ne surprendront personne : Bulger est plébiscité. L'évaluation se résumait principalement à un réexamen des dossiers de Connolly et un entretien avec celui-ci. Ahearn écrit le 10 février 1989 au directeur du FBI : Whitey Bulger « est considéré comme le plus important informateur sur le crime organisé depuis de nombreuses années. » La note de service ne mentionne même pas le nom de Flemmi, alors que celui-ci est le seul à avoir ses entrées dans la mafia. Connolly, écrit Ahearn, « possède une excellente réputation en tant qu'agent traitant et ses succès sont reconnus dans les forces de police du Massachusetts. »

Cette note du patron du Bureau à William Sessions remplit un objectif précis : c'est une protestation contre la DEA et le Département de la police de Boston, qui ont entrepris une nouvelle enquête sur Bulger pour faits de drogue. Ahearn a appris en effet la veille l'existence de cette enquête conjointe ; pire encore, l'enquête a débuté depuis 1987. Le patron est hors de lui, vexé d'avoir été mis sur la touche, irrité par le fait que cette agence mineure traite le FBI avec un tel mépris.

Pourtant, la décision de maintenir le FBI hors du coup a fait l'objet d'intenses considérations.

– Je me félicitais de savoir que le FBI n'y participerait pas, confiera Bill Weld, chef de la Division criminelle au ministère de la Justice à l'époque. Je me doutais qu'il y avait un problème quelque part au sein du FBI. Je pensais que ce pouvait être à un niveau subalterne, le niveau de John Connolly. Ça ne datait pas d'aujourd'hui, mais il y avait bel et bien une difficulté quelque part.

Mais Jim Ahearn s'entête. Il déclare au directeur du FBI que la conduite de la DEA est « répréhensible » et qu'il est « profondément déçu ». Et il enfonce le clou : le Bureau de Boston et John Connolly sont au-dessus de tout soupçon et Whitey Bulger est ce qui est arrivé de mieux dans l'histoire du FBI.

Un sommet dans l'hagiographie de Bulger et du FBI. Et une fois de plus, Bulger va passer entre les mailles du filet. L'enquête de la DEA va ramener quelques gros poissons, tels que les exécuteurs John « Red » Shea et Paul

«Le Chat» Moore, ainsi que des dizaines de distributeurs de drogue. Mais pas Whitey. Le temps est venu de se calmer. À l'approche de la retraite, Connolly rédige un rapport laissant entendre que Bulger et Flemmi songent également à se retirer des affaires, «ils vont se ranger des voitures et gérer les diverses affaires légales dont ils sont propriétaires.» Flemmi, pour sa part, a commencé d'investir plus d'un million de dollars en espèces dans l'immobilier du côté de Back Bay, un quartier huppé de Boston.

Pourtant, ce que Connolly nomme pudiquement «diverses affaires légales» va bientôt attirer l'attention d'une nouvelle équipe de procureurs fédéraux, à l'affût d'un éventuel blanchiment d'argent. En dépit des apparences en cette fin de décennie, Connolly et le petit cercle ne vont pas tarder à voir le ciel s'assombrir.

TROISIÈME PARTIE

« On dit parfois que le mal est nécessaire,
mais certaines choses sont plus mal que nécessaires. »
John Le Carré, *La maison Russie*

Chapitre Dix-sept

Fred Wyshak

La cérémonie d'intronisation de la mafia enregistrée en 1989 fait penser à une scène tirée de *Saturday Night Live*, la célèbre émission de divertissement de la chaîne NBC aux États-Unis. Comme dans un sketch, de grands types baraqués prononcent des serments d'une voix compassée et brûlent des images pieuses. Mais il s'agit là d'un événement extrêmement grave dans l'histoire de la mafia de Nouvelle-Angleterre, c'est la dernière chance que doit saisir le *capo* local, Raymond Patriarca de Rhode Island, pour unir les factions antagonistes de Boston. Patriarca «Junior» est encore le prétendant au trône détenu autrefois fermement par son défunt père ; il désire avant tout instiller du sang neuf dans les rangs de la Famille afin d'apaiser les cabales qui la divisent à Boston. Deux des notables rebelles de la mafia de la ville, Vinnie Ferrara et J. Russo sont présents, ils hochent la tête et sourient poliment. En quittant cette cérémonie de réconciliation, Ferrara déclare :

– Mon Dieu, seul le fantôme sait ce qui s'est vraiment passé aujourd'hui…

Il a tort. Dans les coulisses, Whitey Bulger se frotte les mains ; il se réjouit de savoir qu'un autre cadre supérieur de la mafia va bientôt mordre la poussière après avoir déposé sur les bandes magnétiques des preuves évidentes de racket que les fédéraux se hâteront d'exploiter. Une fois de plus, des responsables mafieux se retrouveront devant les juges, contraints de plaider coupables et risquant de lourdes peines. Patriarca, dont le casier judiciaire est le moins chargé, est condamné à huit ans de prison ; Russo reçoit seize ans et Ferrara écope de la peine la plus lourde, vingt-deux ans derrière les barreaux. Une fois de plus, Whitey et Stevie ont aidé à cibler leurs ennemis avant de disparaître du paysage au dernier moment.

La hiérarchie de la Famille est bouleversée, mais c'est aussi l'occasion qu'attendait un ancien partenaire de Stevie dans les années 60, Cadillac Frank Salemme. Il vient de sortir de prison et prépare son ascension depuis quelques années. Renouant sa vieille amitié avec Flemmi, celle qui avait vu les deux hommes sévir mortellement en duo vers la fin des années 60 ; à l'époque, ils faisaient office d'exécuteurs au service de Larry Zannino. Salemme avait réussi à échapper à une tentative de meurtre contre lui devant une crêperie, tentative qu'il avait attribuée à Ferrara. Mais cet événement ne ralentit pas son projet ambitieux de prendre la direction de la mafia et de s'allier avec Flemmi et Bulger.

Dans l'univers des forces de l'ordre, le paysage change également. D'abord, John Connolly prend sa retraite à la fin de l'année 1990. Il est fêté par ses collègues au cours d'une soirée bruyante et arrosée avant d'être embauché à la tête de l'équipe de sécurité de *Boston Edison*, une société qui cherche depuis longtemps à s'attirer les faveurs du président du Sénat, Billy Bulger. À peu près au même moment, Connolly emménage dans une petite maison mitoyenne d'un ensemble immobilier de South Boston où Kevin Weeks et Whitey Bulger possèdent également leurs quartiers. Très rapidement, Connolly grimpe les échelons et occupe un poste de lobbyiste interne, doté d'un salaire royal de 120 000 $ par an. Depuis un bureau situé dans la Prudential Tower qui domine le quartier de Back Bay de Boston, Connolly travaille aux côtés des législateurs du Sénat, et se rend jusqu'à Washington quand la situation l'oblige. Mais il ne s'intéresse vraiment qu'à sa ville et son quartier. Sur les murs de son bureau, des photos d'hommes politiques locaux et des grands noms du sport parmi lesquels trône le portrait de son idole de jeunesse, Ted Williams, légende du base-ball local.

Le départ de Connolly du Bureau coïncide avec un ralentissement des activités de Bulger ; il reconcentre ses affaires sur South Boston au lieu de se lancer dans de nouvelles aventures juteuses. Il se fabrique même un plan de retraite typiquement bulgérien : il « gagne » le gros lot de la loterie du

Massachusetts. Quand il apprend que le ticket gagnant a été vendu dans son petit supermarché, le *Rotary Variety Store*, Bulger informe le gagnant du jackpot de 14,3 millions de dollars, qu'il aurait tout intérêt à se trouver un nouveau partenaire. Whitey et deux associés abandonnent à ce client veinard la moitié de ses gains. Bulger déclare un revenu personnel après impôts d'environ 89 000 $, un traitement qui lui permet de maintenir son train de vie en cas de contrôle de la part d'un fisc de plus en plus tatillon. Des enquêteurs relèveront plus tard que Bulger avait versé au client gagnant 700 000 $ en argent sale afin de bénéficier d'une réduction d'impôts officielle qui lui rapportera 1,8 million de dollars sur les vingt prochaines années.

De son côté, Flemmi met en œuvre son plan-retraite par capitalisation grâce aux fidéicommis sur des propriétés qu'il contrôle par le biais de sa famille et de sa belle-famille. Les années 90 marquent son entrée remarquée dans le quartier le plus chic de la ville, un des bastions historiques des Brahmins, l'élite de Boston, Back Bay. En 1992, il achète un immeuble en copropriété composé de six appartements, deux autres appartements séparés, ainsi que des terrains résidentiels dans les quartiers mitoyens pour une somme de 1,5 million de dollars.

À l'aube de la décennie qui s'annonce, la mafia a subi des revers dévastateurs tandis que le gang de Winter Hill contrôlé par Bulger atteint une sorte de respectabilité. Des deux côtés de la barrière, les principaux protagonistes de l'histoire récoltent les fruits des années 80.

Whitey Bulger, pour la première fois depuis qu'il était gardien du tribunal, peut justifier d'un revenu licite.

Steve Flemmi a empoché 360 000 $ sur la vente de son immeuble de Back Bay.

John Connolly jouit d'un poste de prestige dans une grande entreprise.

Jeremiah O'Sullivan, pour sa part, exige des honoraires de 300 $ de l'heure pour ses prestations d'avocat de la défense au sein d'une firme huppée de Boston. Quant à Jim Ring, du FBI, il n'a pas tardé à rejoindre cette même firme en qualité d'enquêteur.

Seul John Morris continue d'en baver au seuil des années 90. Il s'est tiré non sans mal de l'enquête sur les fuites au *Boston Globe* à propos du 75 State Street. Retrouvant un certain équilibre, Morris déménage à Washington, avec un coup de pouce d'une des étoiles montantes du Bureau, Larry Potts, qui a travaillé un temps à Boston. Morris finit par obtenir la promotion dont il rêve depuis toujours : inspecteur adjoint en charge du Bureau de Los Angeles.

C'est à ce moment-là qu'apparaît Fred Wyshak. Natif de Boston, Wyshak a rejoint sa ville après avoir combattu le crime pendant dix ans dans les quartiers difficiles de Brooklyn et du New Jersey. Du sang neuf, mais aussi de l'expérience. Il prend son poste au Bureau du procureur des États-Unis en 1989 avec une réputation bien trempée : c'est un juriste intègre qui ne supporte pas les imbéciles et ne mâche pas ses mots. Il a horreur de perdre son temps avec des agents qui ne jouent pas le jeu. À l'inverse des procureurs fédéraux BCBG qui ne connaissent rien à la réalité de la rue, Wyshak ne cultive aucune ambition de carrière personnelle. Il ne désire que des affaires à résoudre, les plus graves possibles. Au bout de quelques semaines, il n'a plus qu'une question en tête : pourquoi personne n'a encore réussi à coincer ce Whitey Bulger ?

On lui a répondu que Bulger avait toujours réussi à passer entre les mailles du filet ; il est intelligent, malin, ne parle jamais au téléphone et évite d'avoir affaire directement avec ses interlocuteurs, il a échappé à chaque fois à la DEA, à la police d'État et plus récemment à la police de Boston. Et puis, fait-on remarquer à Wyshak, Bulger n'en vaut pas la peine. Pourquoi ne pas s'intéresser plutôt au nouveau patron de la mafia, Cadillac Frank Salemme, c'est lui la prochaine affaire retentissante.

Wyshak arbore son sourire énigmatique tandis que ses yeux trahissent ses doutes. « Ah vraiment ? »

Lui, il connaît la vraie mafia du New Jersey, et les successeurs d'Angiulo de la trempe de Salemme ne pèsent pas lourd. En fait, Wyshak vient de remporter une victoire majeure à Newark, l'inculpation d'un chef de la mafia de la ville, l'homme qui dominait les syndicats au point d'extorquer des millions de dollars aux promoteurs dépendant de la main-d'œuvre ouvrière et des contrats d'embauche. Jeune procureur alors à peine âgé de 35 ans, Wyshak n'avait pas hésité à faire appel à l'agent spécial en charge du Bureau de Newark du FBI et à le motiver : « On y va ! »

Wyshak sait faire la différence entre un gros poisson et le menu fretin, et lorsqu'il analyse le milieu bostonien, il en revient toujours à Bulger. La question le taraude, et l'excite en même temps. Pourquoi personne ne s'est occupé d'une cible aussi évidente ?

À son arrivée à Boston, il a 37 ans ; le nouveau procureur Wyshak a passé plus de dix ans à faire aboutir des affaires à Brooklyn et à Newark en laissant les accusés se déchirer entre eux. Il a le secret pour rassembler et gérer des preuves dans les grosses affaires de racket contrôlées par des magnats de la pègre. Il sait rédiger des rapports et se battre face à un juge. Il a toujours une longueur d'avance sur les avocats de la défense et possède assez d'intuition pour deviner parmi les crapules ceux qui vont craquer et ceux qui resteront muets.

Pourtant, malgré ce bagage impressionnant, Wyshak n'était pas préparé à affronter les coulisses des mœurs politiques de Boston. Sa mentalité de New-Yorkais sportif, amateur de controverses, ne fonctionne pas avec tout le monde. Certains ne l'apprécient guère. Ce juriste chevronné peaufine sans cesse son plan d'attaque et fréquente les gens qui préfèrent agir plutôt que pérorer. Il peut aller jusqu'à qualifier un agent «d'âne empêtré dans la fange». Au cours de la première réunion avec les policiers d'État, qui s'avéreront ses meilleurs alliés à Boston, Wyshak s'en prend à un inspecteur : «C'est un fils de pute arrogant, un gamin du New Jersey qui prétend savoir tout mieux que nous.» Néanmoins, pour un cercle réduit de connaissances et d'amis, Wyshak est un comique irrésistible qui peut transformer un dîner en spectacle délirant. Il plaisante à propos de tous ceux qui le détestent, même au sein de sa propre famille. Et quand il lance une plaisanterie qui fait mouche lors d'une petite fête de Noël au bureau, «les secrétaires sont pliées de rire», Wyshak conclut avec un clin d'œil narquois.

Bien qu'il élabore ses stratégies à long terme, son approche du travail est plutôt simple. Son instinct lui permet de repérer les points faibles de toute entreprise criminelle, et il utilise comme arme «le choix de Hobson», celui que l'on ne peut refuser. Vous êtes soit prévenu, soit témoin. Vous marchez avec nous ou bien c'est direct en prison. Pour Robert Sheketoff, un avocat de la défense qui s'est battu contre Wyshak, impossible de ne pas respecter son intelligence tenace, mais également de ne pas lui reprocher son fanatisme.

– Je n'arrive pas à comprendre comment le gouvernement peut détruire un être humain sous prétexte que s'ils en détruisent suffisamment, ça engendrera du bien pour la société, confie Sheketoff.

Mais à propos de la stratégie de Wyshak, rien à redire :

– Ça marche, admet-il, résigné.

Au fil des années, Wyshak combattra les juges et les avocats avec des effets de manche, des tons de voix menaçants, le menton en avant. Au cours d'une session houleuse du tribunal, le juge, exaspéré, craque ; il lance ses lunettes sur bureau et se tournant vers Wyshak la voix tremblante, il lance :

– Arrêtez-vous ! Ça suffit !

Wyshak accueille les témoins avec un bon sourire poli, puis se met au travail. Il se tourne un jour vers un agent du FBI, l'air menaçant :

– Dites-nous ce que vous pensez réellement !

Comme la presque totalité du Bureau de Boston, cet agent déteste le procureur. Chaque fois qu'il tente de répondre, Wyshak pose une nouvelle question, tandis que le juge tente d'intervenir :

– Mais laissez-le répondre, laissez-le !

Au début, Brian Kelly oppose son yin au yang de Fred Wyshak. Certes, il ne possède pas l'expérience que Wyshak apporte à chaque affaire majeure, le jeune procureur désire avant tout en avoir sa part. Ils partagent le même mépris irrévérencieux pour les plans de carrière, mais Kelly possède le CV le plus en accord avec la tradition pour le poste de procureur fédéral, il est conservateur à l'extrême, et détonne même dans les rangs des Républicains. Il a obtenu une licence avec mention du Darmouth College, et se situe politiquement à la droite du très conservateur *National Review*. À la différence d'un grand nombre de procureurs obsédés par leur carrière au sein de leur profession, Kelly ne craint pas de perdre certains procès s'il peut en tirer quelques leçons. Mais surtout, il peut s'accommoder de la langue acerbe et des grands gestes de Wyshak. Il peut même le faire rire et le détendre. Quand un interlocuteur vexé le quitte en marmonnant : « Je n'arrive pas à croire qu'il m'ait parlé sur ce ton… », Kelly sourit : « Allez, arrêtez de dire des conneries, » ou bien : « Mais pour qui vous prenez-vous ? » Kelly affuble tout le monde d'un surnom, pour Wyshak, ce sera « Fredo », réminiscence du personnage du frère de Michael Corleone dans *Le Parrain*.

Kelly est non seulement toujours d'humeur égale mais il parvient à faire ramer tout le monde dans la même direction et peut reconstruire certains des liens brisés par Wyshak. Au bout de deux ans, les deux procureurs sont devenus aussi inséparables que Bulger et Flemmi, rivalisant à l'intérieur et en dehors du tribunal. Par-dessus tout, ils préfèrent les joutes verbales devant le juge, et sont prêts à relever tous les défis. Ils seront servis en affrontant Bulger.

Instinctivement, Wyshak et Kelly rejettent chacun l'opinion selon laquelle le FBI est le meilleur client du bureau des procureurs. Ils ont tous deux travaillé dans des bureaux de procureurs fédéraux où ceux-ci travaillaient côte à côte avec des agents issus des diverses administrations chargées de la police et du maintien de l'ordre, pas seulement le FBI. C'était tout à fait la ligne de conduite de Wyshak. Surtout ne pas gaspiller son temps. Un procès, on le gagne ou on le perd.

Quelque temps plus tard, un troisième procureur rejoindra l'équipe Wyshak-Kelly, James Herbert, le meilleur rédacteur du bureau. Comme tous ses réquisitoires, il est ordonné, clair et va droit au but. Moins expansif que ses nouveaux collègues, Herbert est un scribe appliqué et perspicace, parfaitement à l'aise devant la cour. Son CV impeccable est plus conforme à ceux des juristes du bureau, il remplit trois pages entières, alors que celui de Wyshak ne dépasse pas quatre paragraphes.

Le premier obstacle que rencontre Wyshak lorsqu'il entreprend de se lancer sur les traces de Bulger, c'est la barrière psychologique. De nombreux procureurs fédéraux désirent rester concentrés sur la mafia et suivre les pistes du FBI, une ligne de conduite douteuse adoptée depuis une dizaine d'années par Jeremiah O'Sullivan, suivie plus tard par les procureurs adjoints fédéraux Diane Kottmyer et Jeffrey Auerhahn. Le contingent pro-FBI était conduit par le tandem Jim Ring et Kottmyer, un adjoint compétent dans l'affaire Angiulo et une disciple intransigeante d'O'Sullivan. On ne s'oppose pas directement aux premières initiatives de Wyshak à l'encontre de Bulger. On ne lui répond jamais : «Aucune chance que ça marche» mais plutôt : «Intéressant. On devrait en discuter.»

C'est à ce moment qu'intervient Howie Winter. Fin 1989, Howie est sorti de prison depuis quelques années ; libéré sur parole, il s'est mis au vert dans la campagne du Massachusetts et travaille dans un garage, évitant Boston. Winter traverse une période difficile et touche une indemnité à la suite d'un accident du travail. Mais l'attrait de l'argent facile dont il disposait dans les années 70 s'avère bientôt irrésistible et, comme il fallait s'y attendre, la police d'État et la DEA reçoivent un tuyau les avertissant qu'Howie distribue de la cocaïne. Les inspecteurs transmettent le dossier à Wyshak, le nouveau venu, sans passé ni lien avec le FBI. Wyshak met immédiatement en œuvre un scénario : le vieux Howie, équipé d'un mouchard, discutant de «Santa Claus» avec Whitey.

Mais il faut d'abord appréhender Howie. Le réseau des indics signale qu'Howie prend imprudemment des commandes par téléphone. Wyshak obtient l'approbation d'un juge pour la pose d'écoutes électroniques sur le téléphone d'Howie ; il convoque ensuite une réunion d'enquêteurs fédéraux et de l'État pour minimiser les fuites possibles de la part de ceux qui procéderont aux écoutes.

C'est un échec dès le premier jour. Howie fait l'imbécile au téléphone, les enquêteurs sont déçus. Un informateur leur apprend qu'Howie l'a averti de ne pas l'appeler. Pour Wyshak, c'est une première leçon cinglante sur les pratiques des forces de l'ordre à Boston.

Wyshak s'était lancé dans l'enquête sur Howie comme il le faisait habituellement à Brooklyn : on définit les détails d'une procédure d'opération avec plusieurs agences de police. À New York, il était possible et courant de collaborer avec un éventail d'enquêteurs. Mais pas à Boston. Wyshak est contraint d'adopter la stratégie qui prévaut, il s'adapte aux circonstances. Après avoir bien fait savoir que l'affaire Howie était close pour cause d'échec, il se remet au travail sur un nouveau plan, cette fois-ci avec un nombre limité de personnes triées sur le volet. En utilisant ce que certains de ses collègues nomment son «flair infaillible», il se concentre sur un des fournisseurs de cocaïne de Winter et détecte que celui-ci va collaborer. Ce fournisseur, un ex-taulard dans la quarantaine, vient de se mettre en ménage, et sa femme a mis au monde leur bébé. Les enquêteurs l'inculpent de trafic de cocaïne et lui mettent le marché en main : de longues années derrière les barreaux ou bien collaborer avec les procureurs en restant libre.

Quelques mois plus tard, le trafiquant est équipé d'un mouchard et discute avec Howie d'un deal portant sur la distribution de plusieurs kilos de cocaïne. En 1992, Howie fait face à une peine de dix ans de prison, et même trente si Wyshak réussit à convaincre un juge que ses condamnations antérieures dans les affaires de courses truquées et d'extorsion de fonds font de lui un criminel endurci. Howie est emmené dans un motel et interrogé par Wyshak, l'inspecteur de la police d'État Thomas Duffy et Daniel Doherty, un agent de la DEA. Comme si Winter ne s'y attendait pas, ils dressent un portrait plutôt sombre de son avenir. Ils lui apprennent que c'est surtout contre Whitey Bulger qu'ils en ont, Bulger qui, puisqu'on en parle, ne lui a pas fait trop de cadeaux récemment. Est-ce qu'on ne pourrait pas élaborer une solution de ce côté ? Howie réfléchit un moment avant de répondre. Il demande à parler à sa femme, Ellen Brogna.

– Quoi, toi un indic ? répond-elle, horrifiée. Tu ferais mieux de leur conseiller d'aller se faire foutre !

Et c'est ce que fait Howie Winter.

En mai 1993, Winter plaide coupable et se voit infliger une peine de dix ans de pénitencier. L'ancien roi de Winter Hill quitte le tribunal par une journée grise, dans un minable costume gris ; à 62 ans, il va entamer dix de prison, tous ses biens tiennent dans un sac en papier froissé. Trafiquant condamné avec une femme intraitable, mais pas une balance.

Certes, Wyshak a attrapé un gros poisson en la personne d'Howie mais il n'a pas atteint sa cible, Whitey Bulger. Pourtant, le principe de la révision des chefs d'inculpation en vue de réduire une peine signifie beaucoup plus que l'incarcération d'un autre membre du gang de Winter Hill. Elle forge une alliance durable entre l'énergique procureur, les inspecteurs de la police d'État et les agents de la DEA qui piaffent tous d'impatience à la pensée de coincer Bulger. Pour sa part, Wyshak se concentre sur de nouvelles inculpations. Ils s'attellent tous aux dossiers.

La petite troupe de Wyshak reprend une piste qu'avait suivie l'inspecteur de la police d'État Charles Henderson dans les années 80. Henderson avait écouté des enregistrements de certains bookmakers juifs locaux discutant de « Whitey » et « Stevie ». En sa qualité de chef de la Brigade spéciale, Henderson avait appréhendé tous ces bookmakers à un moment ou à un autre, et avait appris qu'ils versaient tous une commission à Bulger. Whitey pose un problème personnel à cet inspecteur combatif. Il se rend compte également que le malfrat touche ses « loyers » en toute impunité, puisque personne dans les diverses agences de police ne s'y intéresse, à l'exception de la police d'État et de quelques procureurs locaux. En réalité, le FBI avait pour consigne officielle de ne pas s'abaisser à pourchasser les petits bookmakers de quartier.

Mais Henderson estime que ces bookmakers peuvent le mener à Bulger, et qu'ils seraient vulnérables si on décidait un jour de les inquiéter tous ensemble. Mais un effort concerté semble alors improbable. Henderson ne se souvient que trop bien de l'échec cuisant du garage de Lancaster Street, et des lendemains du meurtre d'Halloran. Mais avant tout, c'est un policier jusqu'à la moelle des os, et il en a marre de ce sale type qui plastronne dans South

Boston avec la bénédiction du FBI. Henderson met en place un plan d'attaque. Il lui faut traduire des bookmakers devant les tribunaux afin que la police puisse mettre la main sur les bénéfices de paris et les confisque légalement. Le meilleur moyen, selon lui, de motiver les bookmakers. Il est nécessaire également de remettre les bookmakers entre les mains de procureurs fédéraux tels que Wyshak, qui sauront les convaincre de témoigner contre Bulger pour une forme de racket organisé. Au début de l'élaboration de ce plan complexe, vers la fin des années 80, il se rend compte que la politique va compter dans la balance autant que les preuves.

En 1990, Henderson estime que le temps est enfin venu. Il vient d'être promu à la tête de la police d'État en uniforme. Un nouvel état-major des forces de l'ordre a également été mis en place, prêt à œuvrer en collaboration. Le nouveau procureur général de l'État, Scott Harshbarger, le nouveau procureur de district du comté de Middlesex, Thomas Reilly, et le procureur fédéral Wayne Budd sont des amis et désirent travailler de concert. Un des facteurs qui contrecarraient auparavant les initiatives à l'encontre des bookmakers et du crime organisé, c'était l'éparpillement des juridictions des procureurs de districts. Une des premières mesures prises par Henderson une fois installé à son poste sera d'obtenir du bureau de Harshbarger une autorisation du tribunal permettant de poursuivre des bookmakers au-delà des frontières des comtés. La seconde sera la nomination de son protégé, Thomas Foley, à la tête de la Brigade spéciale.

Le plan prévoit un certain nombre d'inculpations de bookmakers qui seront alors remis aux procureurs fédéraux ; ceux-ci menaceraient alors les bookmakers de peines beaucoup plus lourdes que celles auxquelles ils sont habitués, environ 3 000 $ devant un tribunal d'État et jamais de prison ferme, à moins qu'ils ne témoignent. Les bookmakers de quartier estimaient être plus des hommes d'affaires que des criminels endurcis, et peu d'entre eux auraient aimé se voir infliger une peine de dix ans dans un pénitencier fédéral.

L'opération est centrée sur le comté de Middlesex ; il a été choisi en raison du volume de paris illégaux (c'est le comté le plus peuplé de l'État du Massachusetts), et parce que la police d'État s'entend bien avec Reilly qui y a été procureur pendant de longues années. Les premières écoutes électroniques sont installées en 1991, suivies rapidement de plusieurs autres, un bookmaker menant les enquêteurs à un autre. Bientôt, les résultats s'accumulent et la police d'État doit prendre une décision rapide : poursuivre soit le gang de Bulger soit les bookmakers de la mafia. Manœuvre habile de la part des enquêteurs, ils vont livrer «Fat Vinny» Roberto, un bookmaker de la mafia, au FBI, mais appréhender secrètement Chico Krantz et son réseau de bookmakers juifs qui paient Bulger.

Tandis que le cas de Roberto ne produit aucun résultat probant, les enquêteurs de l'État font de spectaculaires progrès avec Chico, surtout lorsqu'un mandat de perquisition permet de mettre la main sur les clés du coffre du bookmaker. Krantz se montre coopératif, l'idée d'éviter la prison et de récupérer une partie de son argent rien qu'en bavardant avec Whitey l'intrigue. C'est sur ce dernier que l'opération va s'enliser.

Foley est l'homme de la situation lorsqu'il s'agit de passer à la seconde phase de cette délicate opération. Il effectue depuis 1984 des missions spéciales pour le bureau du procureur des États-Unis et pour le FBI; il sait comment diriger une affaire vers des procureurs fédéraux qui ne renverront pas le dossier vers le FBI pour un complément d'enquête. Foley apporte le dossier de Chico sur le bureau de Fred Wyshak. Il réussit à convaincre le procureur qu'une fusion a eu lieu, et que le pouvoir a été pris par Bulger. Wyshak est tellement impressionné qu'il en oublie de sortir ses habituelles vannes.

C'était une chose de ramener des bookmakers anxieux de signer un marché qui leur éviterait la prison. Se glisser dans l'univers fermé de Bulger pour l'inculper de trafic de drogue à South Boston était une tâche beaucoup plus complexe. Durant les années 80, Southie était resté une forteresse imprenable. Mais aujourd'hui, on commence à entrevoir quelques brèches.

Timothy Connolly est un courtier en prêts hypothécaires qui tente de faire oublier ses racines, du temps où il était propriétaire d'une taverne à South Boston. Il n'a qu'une petite histoire d'extorsion de fonds à raconter: Bulger lui a posé un couteau sous la gorge pour le faire payer. Mais le bureau du procureur des États-Unis aimerait transformer cet essai. Ils échafaudent un plan sophistiqué visant à infiltrer les opérations financières de Bulger, mais l'opération capote lamentablement. Comme certains le désiraient au sein du FBI, Timothy Connolly est vite oublié, ou presque.

Quatre ans plus tard, en 1994, Brian Kelly croise un enquêteur dans un couloir du tribunal.

– Rappelez-vous l'affaire Tim Connolly, remarque l'enquêteur. C'était du bon travail.

Kelly le regarde sans comprendre. Tim Connolly ?

– Qui c'est ce type ? réplique Kelly.

L'affaire commence, rappelle l'enquêteur, en 1989. Une voiture manque d'écharper Tim Connolly tandis qu'il descend à pied un trottoir de South Boston par une belle journée d'été. La voiture prend un virage sur les chapeaux de roues et Connolly tente de repérer les passagers. Il reconnaît avec effroi Whitey Bulger et Stevie Flemmi qui le fixent. Le conducteur hurle à Tim Connolly de venir rencontrer Bulger au *Royal Variety Store*, le supermarché du malfrat, avant de repartir pleins gaz.

Tim Connolly a le souffle coupé. «Qu'est-ce qui m'arrive ? » pense-t-il, l'estomac retourné. La réponse arrive dès qu'il entre dans la réserve sans fenêtres du petit supermarché.

– Approche, connard ! hurle Bulger, tirant un couteau de la gaine qu'il porte au mollet.

Bulger se met à poignarder des cartons vides empilés contre le mur. La faute impardonnable de Tim Connolly est qu'il a mis trop de temps avant de récupérer le fric auprès d'un type qui devait de l'argent à Bulger sur un trafic de drogue saisie par la police. Tim Connolly n'avait pas réagi suffisamment rapidement.

Bulger pointe le couteau sur la gorge de Connolly tandis que Flemmi surveille la porte. Mais la furie de Bulger se calme peu à peu. Comme en d'autres occasions, son hystérie semble calculée, on assiste à un nouvel épisode de la fameuse saga de Bulger, intitulée «La Deuxième Chance».

– Je vais te laisser racheter ta vie, articule-t-il.

Scénario classique, le prix cette fois-ci : 50 000 $, et «je me fous de la manière dont tu te les procures. »

Une fois de plus, une victime terrifiée est reconnaissante de payer Bulger pour éviter la mort.

Tim Connolly supplie qu'on lui accorde un peu de temps car il doit se rendre en Floride au cours des prochains jours. Bulger fixe l'échéancier : 25 000 avant de partir et 25 000 à son retour. Tim Connolly va emprunter 25 000 $ et l'apporte au petit supermarché dans un sac en papier. En partant, un Bulger souriant lui donne une tape sur l'épaule :

– On est copains, maintenant.

À son retour de Floride, Tim Connolly apporte 10 000 $ au supermarché. Mais comme Bulger est occupé, il l'envoie vers son associé, Kevin Weeks.

Weeks s'empare du sac, compte les billets :

– Où est le reste ?

– Je m'en occupe, c'est pour bientôt, balbutie Connolly, les jambes flageolantes.

Mais, Connolly ne reviendra pas. Il cherche désespérément à échapper à une dette qui met sa vie en péril et contacte un avocat pour qu'il le mette en contact avec un procureur fédéral. À l'instar de Brian Halloran, il a besoin qu'on lui accorde une protection. Mais l'histoire sanglante montre que rien n'est simple lorsqu'on a affaire à Whitey Bulger.

En quelques semaines, Tim Connolly se retrouve soulevé par la vague, mais cette fois, c'est de l'autre côté de la barrière. La DEA et la police de Boston sont dans la dernière phase de leur enquête sur South Boston, et Tim Connolly reçoit une assignation à comparaître pour témoigner sur un second prêt accordé à un des dealers de drogue de Bulger.

Grâce à des écoutes et pas mal de kilomètres à pied, les inspecteurs sont remontés d'un petit distributeur de rue au plus haut niveau du réseau de cocaïne de Bulger. Parmi les preuves rassemblées, les enregistrements sur le téléphone d'un dealer qui avait perdu de l'argent dans une transaction avec Bulger, celui justement qui avait provoqué la convocation de Tim Connolly au supermarché. Les enquêteurs ignorent tout des menaces dont Connolly a fait l'objet, mais ils veulent savoir s'il finance des transactions de drogue par l'intermédiaire de ses contacts dans les banques. Ce qu'ignorent également les enquêteurs, c'est que Tim Connolly a déjà affaire avec le FBI depuis qu'il a contacté le bureau du procureur des États-Unis.

Mais comme il faut toujours s'y attendre lorsque les événements se rapprochent un peu trop de Bulger, il se produit une catastrophe au niveau des bureaux fédéraux. Un des procureurs les plus en vue du bureau des procureurs des États-Unis, John Pappalardo, décide d'utiliser Tim Connolly pour pénétrer les finances de Bulger. Il remet Tim Connolly entre les mains de deux agents du FBI qui n'ont aucune relation avec John Connolly. Les agents placent un mouchard sur le courtier en prêts dans l'objectif de plonger au cœur du système de blanchiment d'argent du malfrat. Puis, subitement, Whitey Bulger cesse de traiter avec Tim Connolly.

En fin de compte, la DEA et la police d'État n'utiliseront pas Tim Connolly au cours du procès à l'encontre du réseau de drogue de Bulger, tout simplement parce qu'ils ignorent l'incident de l'extorsion de fonds dans la réserve du supermarché. Le FBI tentera d'utiliser Tim Connolly dans l'affaire de blanchiment d'argent contre Bulger, mais renoncera finalement. Mais si les enquêteurs et même quelques procureurs n'ont pas su voir l'importance du courtier en prêts quand il le fallait, on ne peut pas dire la même chose de Whitey Bulger. Lui estimait à sa juste valeur la menace posée par Tim Connolly, presque immédiatement après que celui-ci avait été équipé d'un mouchard par le FBI.

Stevie Flemmi précise que peu après que Tim Connolly a été dirigé vers le FBI, «M. Bulger m'a averti que Tim Connolly portait un mouchard et qu'il nous avait ciblés... l'information provenait du FBI.» Flemmi ajoute qu'elle provenait certainement de John Connolly.

Kelly écoute religieusement l'histoire du courtier. La leçon est rude : amener Bulger devant un tribunal, quel que soit le chef d'inculpation, ne sera pas chose facile. Mais à la réflexion, la cause n'est pas encore perdue, et tout est encore possible.

Chapitre Dix-huit

Heller's Café

Par une fraîche journée de novembre, annonciatrice de l'hiver, un policier d'État ralentit en longeant un établissement en brique à l'allure sévère, des barreaux aux fenêtres, orné d'une énorme lanterne à la gloire de la bière Schlitz éclairant la porte d'entrée. Pour le policier Joe Saccardo, c'est une surprise de découvrir autant de belles voitures dans un quartier de clochards. Trop de Cadillac pour ce coin de Chelsea, se dit-il. *Heller's Café* n'est qu'un pauvre havre pour les bookmakers et les parieurs clandestins.

Pourtant, à l'intérieur de la taverne, le patron fait un peu plus que classer des reçus de paris illégaux. Michael London manie des chèques, comptabilisant une partie des quelque 500 000 $ qu'il convertit en espèces chaque semaine et répartit entre les plus gros bookmakers de la région. Il a commencé avec un petit carnet dans un bar qu'il avait hérité de son père, puis London est monté peu à peu dans la hiérarchie du réseau des paris clandestins ; sa spécialité, changer des chèques un peu douteux en espèces sonnantes et trébuchantes. À tel point que les bookmakers l'ont surnommé « Check Man », le manitou du carnet de chèques. Au début des années 80, il s'éloigne de la clientèle locale et se tourne vers le réseau gigantesque des paris sportifs gérés par les bookmakers juifs qui sont liés avec le gang de Winter Hill et, dans une moindre mesure, avec la mafia. London, c'est l'homme qu'il faut rencontrer quand des bookmakers ou des hommes d'affaires désirent planquer des bénéfices au fisc américain.

Lorsque Saccardo gare son véhicule dans une rue adjacente, il fait le compte de ses découvertes. Il a noté une dizaine de numéros de plaques d'immatriculation sur les voitures de luxe qui sont garées autour du *Heller's Café*. Au commissariat, l'ordinateur de la police d'État crache les noms d'un véritable *Who's Who* des bookmakers de Boston : Chico Krantz, Jimmy Katz, Eddie Lewis, Howie Levenson, «Fat Vinny» Roberto… Même Joe Y, alias Joseph Yerardi, plus voyou que bookmaker à vrai dire, qui fournit du cash dans la rue pour le gang de Winter Hill et a l'autorisation de collecter des commissions pour son propre compte.

Bingo ! Saccardo vient de tomber sur beaucoup plus qu'un bistrot de paris clandestins. Il vient de découvrir le pot aux roses, la banque de la pègre, l'endroit où les pertes des parieurs, des sommes en chèques à 5 chiffres, libellés à des noms farfelus, tels que Ronald Paris ou Arnold Palmer, le célèbre golfeur, sont convertis en espèces et en bénéfices. Depuis son petit bureau au fond d'une des salles, le caissier en gilet pare-balles convertit chaque année plus de 50 millions de dollars en espèces. Ce qui assure à London un revenu d'environ un million de dollars par an, tout cela depuis une ruelle perdue sous un pont mal entretenu, dans une ville en décomposition.

Comme il convient, c'est à Joe Saccardo de la police du Massachusetts que revient l'honneur de s'attaquer à l'équivalent bostonien de Meyer Lansky, le célèbre banquier de la mafia. Michael London jongle entre deux comptes dans une banque locale avec des avoirs personnels d'environ 800 000 $; il retire ce montant toutes les semaines dès que les chèques sont enregistrés. Le système fonctionne à la perfection. La banque locale profite de l'argent sans avoir à verser d'intérêts et ferme les yeux sur le fait que London ne signale pas au fisc les transactions supérieures à 10 000 $. Avec ce montage, il achète une maison à Weston, le quartier le plus riche du Massachusetts, ainsi qu'une résidence secondaire à West Hyannisport, proche du domaine familial des Kennedy.

Bien que la majorité des bookmakers clients de London soient affiliés au gang de Bulger, il est attiré par la flamboyance impertinente de Vincent Ferrara, un *capo* tapageur qui deviendra un habitué du *Heller's Café* au point d'y avoir sa table. London voit là sa chance d'approcher la mafia et associe le destin de sa taverne rouge à celui, prometteur, de Vinny.

London et Ferrara sont sur la même longueur d'onde, ils comprennent tous les deux que l'argent peut être autre chose qu'une liasse de billets dans la poche et une voiture neuve. London se met à recruter des bookmakers indépendants pour Ferrara, et leur parle franchement.

— De nos jours, il faut choisir son camp et ensuite payer, j'essaie seulement de te montrer comment ça fonctionne, et de t'éviter de gros problèmes.

Bientôt, London se retrouve dans la peau, dans sa version pour les pauvres, du courtier de la Bourse de Wall Street qui oriente ses clients vers le banquier d'investissement qui lui cède la commission la plus juteuse. Les deux hommes partagent des goûts similaires. Ils roulent tous deux dans la même voiture, un cabriolet Mercedes argent à deux places, et Ferrara convaincra London de lui racheter un des minuscules chiens qu'il avait payé 5 000 $ à New York. Ils partagent également les bénéfices des prêts illégaux.

Dès que Joe Saccardo imprime la liste des propriétaires des voitures de luxe pour ses supérieurs, ils se rendent compte qu'ils sont tombés sur quelque chose d'énorme. Au lieu d'ordonner immédiatement une descente de police dans l'établissement, ils demandent des renforts. Une équipe d'enquêteurs de la police de l'État et d'agents du FBI et du fisc se met en place. Souvent, les diverses agences ne font que se gêner. Il faudra trois ans avec des hauts et des bas avant que des micros soient placés dans la cabine du caissier du *Heller's Café* et les mouchards connectés aux deux téléphones. Des enquêteurs enregistrent les conversations depuis une remorque sur un chantier proche, durant les deux derniers mois de 1986. À l'issue de cette période, les enquêteurs ne sont pas vraiment certains de pouvoir exploiter les enregistrements. Une chose leur paraît évidente, néanmoins : Vinny et Mike ont un problème. En décembre, la police effectue une descente dans la taverne et colle tout le monde contre le mur. Mais ce n'est pas la clientèle qui intéresse les policiers : ils mettent la main sur des cartons entiers de chèques qui prennent le chemin du FBI de Boston.

Peu après, London confie à Jimmy Katz, un bookmaker qui attend son heure :

— Ça va faire un sacré barouf. Non, pas tout de suite. Mais ça va nous retomber sur la figure.

London sait que le total des chèques encaissés de 1980 à 1986 doit avoisiner les 200 millions de dollars.

Bien que les cartons de chèques confisqués et les bandes enregistrées constituent une masse de preuves d'une importance capitale pour la police, toute l'affaire capote au FBI en 1987. Le Bureau est persuadé que dans cet amas de matériel se trouve un *capo* de la mafia, mais ne se décide pas à poursuivre les investigations. Dans le bureau du procureur des États-Unis, Jeremiah O'Sullivan vient de boucler l'affaire Angiulo ; il est prêt à affronter les jeunes loups. Tandis que les procureurs fédéraux décortiquent les enregistrements, O'Sullivan fait son tri pour son équipe et rejette tout le reste. Il tranche : on va s'occuper de Vinny, quelqu'un d'autre devrait vraiment se pencher sur London. Ah, et puis il y a peut-être d'autres trucs à suivre là-dedans.

C'est certain : il y avait encore pas mal de « trucs » à fouiller. En ne s'en prenant qu'à Ferrara, on abandonnait les poursuites contre les bookmakers qui faisaient la queue devant la cabine du caissier de Mike London après avoir été extorqués par Whitey Bulger et Stevie Flemmi. London avait confié un jour à Chico Krantz, le meilleur des bookmakers qui travaille depuis longtemps avec Bulger :

– Tu devrais bosser avec les Italiens… Stevie ne fait pas le poids face à Vinny. Vinny travaillera pour toi… collecte des paris, protection personnelle. Stevie ne fout rien. Ce type Ferrara va se mouiller pour toi.

Autre conseil de Mike London en forme d'avertissement, cette fois à l'attention d'un bookmaker surnommé « Beechi » :

– Si tu n'arroses pas Ferrara, les autres vont se procurer ton nom… Stevie et Whitey…

Mais personne du côté du FBI ne semble particulièrement intéressé par ces preuves qui accablent Bulger et Flemmi.

O'Sullivan ayant extrait des enregistrements tout ce qui se rapporte à Vinny, les cartons de chèques vont tomber dans les oubliettes. Plusieurs procureurs ont jeté les yeux sur cet amas de preuves avant de détourner la tête. Personne ne veut se colleter avec cet amas de documents si c'est simplement pour inculper le patron d'une taverne de Chelsea. Joe Saccardo arrive finalement à intéresser un jeune procureur novice mais énergique, Michael Kendall, qui se penche sur l'affaire.

Certes, la salle où s'entassent les cartons regorge de matériel, mais la qualité des preuves qui ont été saisies est remarquable. Kendall trouve la patience de rassembler les documents et d'établir un diagramme pour démontrer comment 200 millions de dollars issus des paris perdus et de remboursements de prêts illégaux se sont transformés en cash. Deux ans plus tard, Mike London est reconnu coupable de blanchiment d'argent et de racket. Il est condamné à quinze ans de prison.

Chico Krantz n'apparaît que sur une note en bas de page sur l'acte d'accusation de London, mais cela semble suffisant à Saccardo pour réclamer une seconde vague de mises en examen autour du *Heller's Café* : celle de tous les bookmakers qui versent des commissions. Il ignore au départ quels étaient les délits impliqués, mais il commence à imaginer quelque chose qui pourrait incriminer Bulger. Kendall décline, cependant ; il a trop de dossiers en attente.

Puis intervient un fait banal qui se transforme cependant en miracle. Kendall se souvient que Fred Wyshak a travaillé sur un cas similaire de vérification de chèques, et il rejoint son bureau pour lui parler de Chico Krantz. Hasard et coïncidence, le nom de Chico vient d'apparaître au cours d'une autre enquête étendue menée par la police du Massachusetts par le biais de la Brigade des services spéciaux dirigée par Tom Foley. Cette enquête vise à identifier tous les bookmakers qui versent des commissions à Bulger, et comme dans l'affaire du *Heller's Café*, Chico figure en tête de liste.

Subitement, le petit génie des paris clandestins attire tous les projecteurs et devient le témoin idéal contre Whitey Bulger. Depuis près de vingt ans, il paie sa dîme à un Bulger coupé du monde extérieur. C'est l'un des premiers à subir le nouveau système de versements mensuels, les fameux « loyers », mis en place par Bulger en 1979. Bulger l'a menacé de mort lorsqu'il a tardé à rembourser une dette à un autre bookmaker. Et l'on peut mesurer l'étendue de l'empire de Whitey à l'aune de l'historique de ses versements. Au fil des années, le « loyer » payé par Chico est passé de 750 à 3 000 $.

Les ennuis de Chico remontent à l'époque où Mike London est inculpé en 1990. La police d'État cible un réseau de bookmakers qui entretiennent des liens avec la mafia. « Fat Vinny » Roberto et ses frères gèrent les opérations de trente-cinq parieurs qui risquent jusqu'à 500 000 $ par semaine. Mais une des découvertes les plus surprenantes de l'enquête sur Roberto, c'est que Krantz est le vrai patron du réseau ; c'est même lui qui fixe les horaires de travail des frères de Roberto. Cerise sur le gâteau, des policiers en civil suivent Roberto jusqu'au domicile de Chico, dans la banlieue de Boston, et le voient déposer un petit paquet. Muni d'un mandat de perquisition, les policiers s'introduisent dans le pavillon de Krantz et mettent la main sur un trousseau de clés ; ce sont celles de coffres dans une banque où dorment 2 millions de dollars en espèces.

Peu après son arrestation pour paris illégaux en 1991, Krantz se retrouve dans un bâtiment de la police du Massachusetts proche de Boston et demande à rencontrer Foley.

– Comment se fait-il que la police est descendue chez moi cette fois-là ?

Foley hausse les épaules.

– Où est-ce que ça vous mène, cette histoire ?

Nouveau haussement d'épaules de la part de Foley.

Une semaine plus tard, Krantz est libéré sous caution et Foley le rencontre dans sa villa en Floride. Pendant deux heures, la conversation passe des paris clandestins au gang de Bulger. Krantz ne lâche pas beaucoup d'informations ; il évoque Flemmi, George Kaufman et Joe Yerardi. Mais le bookmaker accepte de collaborer en tant qu'informateur confidentiel.

Tandis que Krantz, qui nage encore entre deux eaux, attend son tour d'intervenir, les procureurs et la police d'État entreprennent de remonter l'écheveau des pistes issues des enregistrements au *Heller's Café*, ainsi que celles de l'affaire du comté du Middlesex centrée autour de « Fat Vinny » Roberto. Wyshak se penche bientôt de très près sur quatre encaissements de chèques dans l'agglomération de Boston, qui inclut le *Heller's Café*. Les enquêteurs rassemblent les cartons de chèques, ils les isolent et font correspondre les chèques dépassant la limite des 10 000 $ qu'il est nécessaire de signaler au fisc. La pression sur Krantz monte d'un cran. L'État du Massachusetts abandonne l'inculpation de paris illégaux contre lui en 1992 et remet les preuves au bureau du procureur américain. En septembre, Foley annonce à Krantz qu'il va être inculpé pour blanchiment d'argent en compagnie de son épouse, qui a encaissé des chèques pour Chico lorsqu'il était souffrant. Foley lui montre les papiers officiels destinés au procureur ; Chico encaisse le coup et demande à réfléchir.

Le lendemain, Krantz engage un nouvel avocat et cesse de se cacher derrière son petit doigt : il passe du statut d'informateur confidentiel à celui de bénéficiaire du programme de protection des témoins. Après avoir rectifié quelques inexactitudes dans ses déclarations antérieures, il finit par parler de Bulger et de sa loyauté douteuse.

En novembre, Chico et sept autres bookmakers du *Heller's Café* sont inculpés pour blanchiment d'argent par le biais d'un vaste système d'encaissement de chèques. À peu près au même moment où London se voit condamné en 1993, Chico Krantz se présente sous haute sécurité devant une autre cour de justice fédérale et plaide coupable. Il renonce officiellement à ses 2 millions de dollars, avec une concession cependant : le gouvernement pourrait lui en rétrocéder la moitié s'il coopère. Il admet sa culpabilité en ce qui concerne le blanchiment de 2 millions de dollars en chèques, la plupart grâce au *Heller's Café*. Insigne honneur, il devient le numéro un de la liste des témoins qui aideront à initier l'action contre Bulger et Flemmi.

Jimmy Katz, qui a également blanchi de grosses sommes d'argent grâce au *Heller's Café*, se retrouve embourbé dans les sables mouvants entre Wyshak et Stevie Flemmi. Juste avant le procès de Katz, Flemmi lui donne rendez-vous dans un fast-food du centre de Boston et lui raconte la parabole d'Eddie Lewis, un autre bookmaker du camp de Chico. Lewis avait refusé de témoigner devant un grand jury au sujet des « loyers » et avait écopé de dix-huit mois derrière les barreaux pour entrave à la justice. Stevie insiste sur la morale de l'histoire : si Katz accepte une peine légère comme Eddie l'avait fait, on s'occuperait bien de lui en prison. Ça valait le coup d'y songer.

Ils se séparent et Katz se présente devant le tribunal. Mais il perd son procès et écope de quatre ans. Tandis que sa femme et sa fille se lamentent dans les couloirs, Katz déclare qu'il avait refusé par principe de faire un pacte avec Wyshak.

– Je ne ferai jamais ça. Le gouvernement veut qu'on devienne tous des mouchards. Ça va devenir comme en Russie. Tous les deux jours ils m'appellent : « Tu veux venir avec Chico ? »

Katz est emprisonné en Pennsylvanie. Au bout de quelques semaines, il commence à se faire des amis, mais il est subitement transféré dans une cellule austère dans le Massachusetts. On le présente devant un grand jury pour répondre à des questions sur les fameux loyers : s'il refuse, il écopera de dix-huit mois supplémentaires.

Au bout d'un an derrière les barreaux, Katz abdique, il veut « aller avec Chico » et bénéficier du programme de protection des témoins après tout. Il devient ainsi un nouveau témoin-clé contre Bulger et Flemmi.

Joe Yerardi est la prochaine étape vers Winter Hill. S'en prendre à Joey Y, c'est s'approcher dangereusement du but final. Krantz et Katz ont payé cher le droit à la tranquillité. Mais Yerardi est un méchant au service de Bulger et Flemmi, chargé de répartir plus d'un million de dollars de leur argent dans la rue avant de collecter les dettes en leur nom. Yerardi gère un petit nombre de bookmakers, mais l'essentiel de son business, c'est le prêt illégal. Son casier judiciaire est radicalement différent de ceux des autres clients du *Heller's Café*. On y trouve du port d'armes prohibé, ainsi que plusieurs agressions et voies de fait constatés par des tribunaux de l'État.

Le gros du travail de Yerardi consiste à gérer des prêts usuraires pour le compte du terrible Johnny Martorano. Ce sont ses liens anciens avec Flemmi et Martorano qui lui valent l'honneur de figurer comme cible principale de Wyshak sur la liste des témoins à charge. Yerardi le sait. Et Stevie et Whitey ne l'ignorent pas non plus.

Vers le milieu de l'année 1993, Krantz est hors circuit, et Katz ne va pas tarder à l'être ; la catastrophe est imminente. Un grand jury est mis en place et prépare les mises en examen. Grand temps pour Whitey et Stevie de prendre des vacances. Stevie prend le chemin du Canada comme il l'avait fait vingt ans en arrière. Whitey entame un long périple à travers les États-Unis en compagnie de Theresa Stanley.

Et Yerardi prend aussi la fuite vers la Floride avec les 2 500 $ que lui a envoyés Martorano. Mais il fait l'erreur d'utiliser un nom d'emprunt du Massachusetts ; six mois après son inculpation, la police de l'État met la main sur lui : il vivait à Deerfield Beach sous le nom de Louis Ferragamo. Fataliste, Yerardi conscient de sa maladresse lance aux policiers :

– Mais qu'est-ce qui vous a pris si longtemps ?

Joey Y devient le Gordon Liddy du *Heller's Café* : il ne lâche rien. Il continue même à collecter des remboursements de prêts illégaux durant sa liberté surveillée et n'accuse pas son pays de ressembler à la Russie. Il aurait pu dénoncer Flemmi avec qui il avait des relations d'affaires très suivies. En fait, Stevie apparaît, sur des écoutes, en grande discussion avec Yerardi. Mais celui-ci se tait et sera condamné à onze ans de prison ; c'est le prix à payer quand on ne veut pas coopérer avec Wyshak. Il ne reste à la disposition de la justice que Chico et Katz, plus quelques autres qui figuraient dans la file d'attente devant la cabine du caissier du *Heller's Café*.

La brigade des bookmakers est devenue le point vulnérable du gang de Bulger. À cause d'eux, Whitey et Flemmi se retrouvent dans la ligne de mire ; l'éventualité d'une inculpation devient inévitable alors qu'elle était jusqu'ici improbable. Pendant ce temps-là, le FBI n'intervient pas, ne serait-ce que pour éviter l'embarras d'être maintenu hors du coup tandis que l'étau se resserre autour des deux gangsters les plus notoires de Boston. Tout le crédit en reviendra à la police de l'État du Massachusetts. Le FBI regarde le train passer devant ses yeux et ne sautera à bord qu'au dernier moment.

Milieu de l'année 1994. London et Yerardi sont au pénitencier, toutes les bandes enregistrées du *Heller's Café* ont été analysées, et les procureurs commencent à assembler les pièces à conviction pour un grand procès sur le racket où l'on entendra des preuves anciennes, comme celles du 98 Prince Street, du snack-bar de *Vanessa* ainsi que de l'enquête sur la mafia datant de 1989. Ce travail nécessite de recruter de l'aide auprès du FBI, et celui-ci désigne Edward Quinn, le héros de l'affaire Angiulo qui dirige aujourd'hui la Brigade contre le crime organisé.

Si Quinn impose le respect aux autres enquêteurs, la lutte d'influence se poursuit entre les diverses agences de police, ce qui se traduit par des unes retentissantes dans les journaux, dont plusieurs inspirées par le FBI qui promet bientôt des résultats dans la traque de Bulger. Un article affirme, sans citer ses sources : « C'est très chaud pour Bulger, on y est presque. » Bulger, en lisant entre les lignes, apprend tous les détails de l'enquête et peut continuer tranquillement son escapade. Mais il n'y a pas que le journal. Dans les coulisses, John Connolly tient Bulger et Flemmi au courant journellement des progrès du grand jury. Ils discutent en particulier de l'enquête sur Yerardi, qui s'approche de plus en plus du gang de Bulger.

Les bookmakers constituent l'épine dorsale des investigations, mais les procureurs vont réussir dans le même temps à casser le code de silence à South Boston. Il y a d'abord le témoignage de Tim Connolly, mais également le retournement spectaculaire d'un convaincu comme Paul Moore, grand boxeur et bagarreur notoire surnommé « Le Chat » en raison de la rapidité de ses poings et de son jeu de jambes. Moore était à la tête d'un des réseaux de distribution de cocaïne, une référence, une vraie teigne qui avait plaidé coupable dans l'affaire de drogue de 1990. Il a entamé sa peine de neuf ans de prison dans un pénitencier de Pennsylvanie sans dire un mot mais confiant dans la certitude qui fait aussi partie du code : un bon avocat, le soutien de sa famille, des assurances concernant sa maison. Mais au bout de quelques années derrière les barreaux, il sent bien que ses demandes en faveur d'un appel de sa sentence restent sans réponse. Sa femme n'obtient pas le soutien dont elle a besoin. Et la banque saisit sa maison.

En 1995, Moore a une illumination : pendant qu'il se morfond dans sa cellule, d'autres qui mériteraient d'y être se promènent dans les rues de son quartier. À cette époque, les rumeurs qui courent parmi les prisonniers lui apprennent que Whitey Bulger serait peut-être un mouchard. Il commence à se poser la question dont rêvent tous les procureurs : « Et je passe pour quoi, moi, là-dedans, un connard ? » Les choses s'accélèrent lorsque Moore est traîné devant un grand jury et s'expose à un supplément de peine de dix-huit mois s'il ne répond pas aux questions à propos de Bulger. Rompre avec Whitey le mouchard est un jeu d'enfant. Briser le code de silence, c'est une autre affaire. Mais Moore est à bout. Il n'a qu'une doléance :

– Mettez-moi au bord de la mer, ça sera comme à South Boston, une petite maison avec un bout de rivage.

Il rejoint le programme de protection des témoins, prêt à témoigner contre Bulger.

La détermination des procureurs est sans faille, la stratégie ne change pas, même si la liste des témoins est bouleversée. Katz et une dizaine de bookmakers ont remplacé Krantz, atteint par une leucémie qui finira par le tuer. Paul Moore et le gérant des prêts Timothy Connolly remplacent maintenant l'inflexible Yerardi en tant que témoins au cœur du système.

Au centre de l'affaire, les pratiques habituelles de Bulger et Flemmi consistant à infliger des violences aux bookmakers vulnérables du *Heller's Café*. Bien que les bookmakers aient eu affaire surtout à la vitrine musclée de Bulger, George Kaufman, la plupart ont fait l'expérience au moins une fois des yeux blancs de Whitey Bulger et du sourire hostile de Stevie Flemmi. Pour ce qui est des autres crimes et délits relevant du chef d'accusation de racket, ils remontent aux premières années de « travail » de Bulger, à l'époque du réseau de courses truquées de Winter Hill dans les années 70. Pour Flemmi, ces chefs d'accusation sont reliés aux règlements de comptes entre gangs datant des années 60.

Un nouveau membre de la pègre apparaît dans le viseur de l'enquête. Il s'appelle Frank Salemme. Malgré les années passées dans la rue, Salemme semble ne jamais s'être rendu compte de la dangerosité de son copain de jeunesse, Stevie Flemmi. Il n'imagine pas que s'il a passé quinze ans derrière les barreaux pour tentative de meurtre, c'est parce que Stevie l'a dénoncé au Bureau du FBI de Boston.

À l'issue de sa libération de prison en 1988, Salemme commence à empocher l'argent facile que Stevie lui réserve, de l'argent qui provient des bookmakers indépendants qui se sont libérés du réseau Ferrara. Du coup, Salemme est aussi exposé au chef d'accusation d'extorsion de fonds que peut l'être le gang de Bulger. C'est le moment choisi par Salemme pour se tirer une balle dans le pied. Un peu moins d'un an après son élargissement, il décide de s'investir dans un deal que lui a malencontreusement conseillé son propre fils. Il aurait commencé à extorquer de l'argent à une société de production hollywoodienne qui cherchait à éviter de payer des ouvriers syndiqués au cours d'un tournage sur Boston et Providence, Rhode Island. Moyennant paiement, Salemme convainc les ouvriers syndiqués d'accepter le deal. Mais il y a un piège : le responsable de la société de production est un agent du FBI infiltré. Cadillac Frank s'est pris tout seul dans la toile d'araignée.

Mi-84, les procureurs ont rassemblé une mosaïque complexe mais probante d'éléments justifiant les chefs d'accusation de racket. L'objectif est d'appréhender Bulger, Flemmi et Salemme l'un après l'autre rapidement pour éviter qu'ils ne passent entre les mailles du filet. Mais tandis que Salemme fréquente toujours vers la mi-décembre ses repaires habituels, Stevie et Whitey n'y font depuis plusieurs semaines que de rares apparitions. Le FBI insiste pour que Salemme, le mafioso sur la sellette, soit arrêté en premier. Mais les hauts responsables à la tête du bureau des procureurs des États-Unis repoussent cette initiative et insistent : l'affaire est celle de Bulger et Flemmi. En fait, la plupart des éléments à charge visent Flemmi, c'est l'homme du milieu, à la jonction entre Bulger et la Cosa Nostra. Comme il se doit, le mandat d'arrêt visant Flemmi l'accuse d'extorsion de fonds à l'encontre de Chico Krantz.

Au début de 1995, les dernières informations de la police signalent que Flemmi a été vu à Quincy Market, un centre commercial touristique de la ville de Boston où deux de ses beaux-fils sont en train de rénover un restaurant.

Le lieu est surveillé par les policiers Thomas Duffy et John Tutungian et un agent de la DEA, Daniel Doherty, qui font partie de l'équipe réunie dès le début par le bureau de Fred Wyshak. Ils ont l'ordre d'appréhender Flemmi dès qu'il entre dans sa voiture. La nuit d'hiver est tombée sur le centre commercial. Les agents entrent en action dès que Flemmi, accompagné par une jeune femme asiatique, quitte le restaurant *Schooner* et monte à bord d'une Honda blanche. Il est 7h du soir. Deux véhicules viennent rapidement bloquer la Honda et les agents se ruent vers la voiture de Flemmi, l'arme au poing. Après avoir tenté instinctivement de se cacher sous le tableau de bord, Flemmi émerge calmement de la Honda et demande la permission d'appeler son avocat. Après une fouille en règle, les policiers se saisissent d'un couteau et d'une bombe de gaz incapacitant et tentent sans succès de convaincre la jeune femme de les accompagner au siège du FBI, ne serait-ce que pour l'empêcher de prévenir d'autres personnes. Mais elle connaît la musique et refuse de monter dans la voiture des policiers sans un mandat d'amener.

Malgré la mobilisation par le FBI de sa Brigade des opérations spéciales pour surveiller Salemme en hélicoptère, il réussit à s'enfuir cette nuit-là. Cadillac Frank se fait la belle à West Palm Beach en Floride, un sanctuaire très apprécié par les mafieux en cavale. C'est là qu'il finira par être arrêté huit mois plus tard, mais sa cavale alimente la colère froide des enquêteurs qui travaillent sur cette affaire. L'un d'entre eux fustigera la Brigade des opérations spéciales, la traitant de ramassis de vieillards.

– Des incapables! Une bande de gros nuls! se lamentera-t-il. Ils sont là pour la parade. Ces types sortent tous d'un asile de vieux. Des fonctionnaires : à 18h ils rentrent chez eux et se foutent pas mal de l'affaire en cours.

Pour sa part, Flemmi affiche un visage flegmatique dans les bureaux du FBI, une sérénité qui repose sur la certitude que ses trente années de bons et loyaux services pour l'agence le tireront de ce mauvais pas. Il s'attend à verser rapidement une caution et à prendre un vol de nuit vers Montréal. Mais les heures passent, la porte reste close ; subitement il prend conscience de sa solitude et de ce qui vient de lui arriver. Bien sûr, il compte sur John Connolly ou Paul Rico : ils vont intervenir, comme ils l'ont toujours fait... Mais Flemmi se retrouve comme le chouchou de Hollywood qui vient de se faire prendre pour conduite en état d'ivresse : protester de son importance ne ferait qu'envenimer les choses. Personne ne peut plus rien pour lui. Il est le jouet du policier Tom Duffy.

Flemmi attendait quelque chose de Connolly car celui-ci le tenait au courant des développements du grand jury depuis des mois, utilisant son contact permanent avec le bureau de la Brigade contre le crime organisé. Mais Connolly ne fait plus partie du décor, à l'instar de John Morris qui, à l'approche de la retraite, est en poste à Los Angeles ; le système d'alarme est en panne.

En fait, il s'est produit un grand remue-ménage au sein du bureau du procureur des États-Unis et du FBI, une série de changement de têtes qui avait abattu la barrière de protection de Bulger. Mais l'homme était toujours dans le collimateur.

Bulger, c'était le petit secret honteux qui tâchait de survivre dans un jeu redistribué, où les maîtres de cette nouvelle donne n'avaient certes pas toujours tout compris à l'histoire, mais qui observaient scrupuleusement, loyalement, le règlement. Toute tentative pour changer les règles ne pourrait être qu'un défi lancé par des arrivistes qui auraient le mauvais goût de casser leurs jouets. Cet engagement obstiné était renforcé par la crainte que Bulger ne devienne une bombe à retardement en attirant trop d'attention de la part du public, surtout après la publication des articles du *Boston Globe* en 1988. La vigoureuse amitié de John Connolly avait été remplacée par le protectionnisme primaire d'un agent spécial après l'autre. La devise était : Bulger est peut-être une crapule, mais c'est notre crapule.

L'arrestation de Flemmi par la police du Massachusetts signale au FBI que rien ne sera plus comme avant. Et dès qu'il réalise ce qui s'est passé, le Bureau retire ses billes aussitôt qu'il le peut. Le seul contact qu'aura Flemmi avec ses anciens alliés après son arrestation se produira lorsqu'il se retrouve face à l'agent Edward Quinn lors d'une audience examinant sa demande de liberté sous caution. Il y aura un grand moment de gêne et Flemmi se rendra compte qu'il n'est plus l'informateur numéro un du Bureau. Il était devenu un simple truand qui n'avait pas eu de chance, et qui faisait face à ses juges.

– Qu'est-ce que c'est que travail ? demande Flemmi à Quinn, interloqué, qui passe dans le couloir. Quand est-ce que je fous le camp d'ici, qu'on me libère sous caution ?

Flemmi insiste, l'air de dire : «Fais-moi sortir de ce trou.»

Mais Quinn ne peut faire grand-chose, à part aller lui chercher une canette de Coke.

Même à ce moment, alors que Quinn s'éloigne et que le magistrat du gouvernement arrive, Flemmi pense que le parachute magique va s'ouvrir. Il repense à toutes ces années où le FBI était intervenu, à cette époque où Paul Rico avait fait abandonner des chefs d'accusation de meurtre contre lui face au juge. Il se souvient du coup de fil qui l'avait averti des mouchards que la police d'État avait posés au garage de Lancaster Street, et de l'époque où Whitey et lui s'en étaient tirés dans l'affaire des courses truquées. Il revoit comment le FBI de Boston avait aidé à écarter les soupçons de meurtre du gang de Winter Hill à Boston, Tulsa et Miami. À tous les coups, ses amis Jim Bulger et John Connolly ne vont pas tarder à « arranger le coup ».

Mais les seules visites que recevra Flemmi dans sa prison seront celles de Kevin Weeks, le copain de Bulger de South Boston, qui lui transmet les vifs regrets de John Connolly. L'agent aimerait que Flemmi sache combien il est désolé d'apprendre que le FBI les a laissés tomber tous les deux.

Flemmi n'entendra plus jamais un mot de la bouche de Whitey Bulger.

Bulger s'habitue assez rapidement à la vie en cavale. L'ado rebelle qui promenait un ocelot en laisse dans la cité d'Old Harbour pour le plaisir de se faire remarquer cultive maintenant la discipline de fer d'un soldat perdu crapahutant en pleine jungle. Dès qu'il comprend que les inculpations sont prêtes pour lui, il rompt tout lien avec South Boston, mis à part quelques rares coups de fil à partir de cabines anonymes.

Bien qu'il ait toujours pu apprécier la froideur de Bulger sur le plan des sentiments, Flemmi est surpris de ne plus avoir de contact avec Bulger tandis que celui-ci transite dans l'Amérique profonde, de petite ville en bourgade à travers le Midwest. Pourtant, Bulger avait fait pour Flemmi plus que pour aucun autre. Il l'avait averti de ne pas remettre les pieds à Boston, mais Flemmi ne l'avait pas écouté. Grave erreur, erreur stupide, de celles que Whitey ne commettait jamais.

Pourtant, Bulger avait failli tomber, lui aussi. En janvier, peu après que le policier Tom Duffy avait pointé son arme sur la tempe de Flemmi, Bulger avait lui-même repris le chemin de Boston. Theresa Stanley s'était lassée de cette errance, de ces vacances qui n'en finissaient pas. Depuis l'automne 1994, Bulger attendait la suite des événements à Boston ; ils avaient joué les touristes à Dublin, Londres et Venise, puis s'étaient baladés dans le sud-ouest des États-Unis. Mais Theresa en avait marre des sites touristiques, elle en avait soupé des tête-à-tête avec un Bulger buté et toujours silencieux. Ses enfants lui manquaient, et surtout South Boston. Au cours des dernières semaines, elle hésitait même à poser des questions banales, du type «Et maintenant, on va où ? », de peur qu'elles ne provoquent une querelle.

Si bien qu'en janvier 1995, ils avaient repris la route de Boston dans un silence de plomb, roulant le long de la route 95 dans le Connecticut, lorsque Theresa avait entendu à la radio la nouvelle de l'arrestation de Flemmi. Bulger avait fait demi-tour immédiatement et rejoint New York, où ils avaient pris une chambre dans un hôtel de Manhattan. Bulger avait passé quelque temps dans les cabines téléphoniques payantes de l'hôtel, pour glaner le plus d'informations possible. Theresa n'avait même pas demandé ce qui se passait.

Le lendemain, ils s'étaient rendus dans un parking au sud de Boston où Theresa Stanley était sortie de la voiture pour attendre sa fille. Bulger avait lâché : «Je t'appelle plus tard,» avant de repartir pleins gaz. Pour toujours. Jamais plus elle n'entendra parler de lui.

Au lieu de reprendre seul sa cavale, il va chercher son autre amie intime, Catherine Greig et replonge dans l'Amérique rurale, comme n'importe quel autre citoyen urbain chauve accompagné de sa jeune épouse.

Il taille la route de nouveau, avec une femme différente cette fois-ci. Bulger hante un certain temps les bayous de Louisiane, puis on le repère dans le Midwest, en Floride et même au Mexique, au Canada et en Irlande. Les enquêteurs remonteront la piste de coups de fil donnés depuis un hôtel à la Nouvelle-Orléans, depuis un restaurant à Mobile, Alabama. Il parvient à garder le contact avec Kevin Weeks et certains membres de sa famille, et se risque même dans les faubourgs de Boston une fois ou deux pour rencontrer Weeks. Ces rendez-vous ont lieu en 1994, plus tard en 1995 puis en 1996, et Weeks en profite pour fournir à Bulger de fausses pièces d'identité et les dernières informations concernant l'enquête en cours. Kevin O'Neil n'est pas en reste non plus, il versera près de 90 000 $ sur le compte bancaire de Bulger peu après le début de sa cavale. Mais personne, à part le cercle fermé de ses amis, n'entendra parler de lui après qu'il a largué Theresa Stanley.

Personne, sauf John Morris.

Avant de prendre sa retraite, le dernier poste occupé par Morris au sein du FBI fin 1995 est celui de directeur de formation à l'École de police du FBI en Virginie. Un après-midi d'octobre, sa secrétaire le prévient qu'un certain

«M. White» insiste pour lui parler. Depuis dix mois en cavale, l'audacieux Bulger l'appelle depuis une cabine sur le bord de la route.

Il n'a qu'un court message à l'attention de «Vino»:

– Si je tombe, tu tombes aussi. Tu iras en tôle avec moi, pauvre con, éructe Bulger.

– J'ai compris, balbutie Morris.

Le soir-même, John Morris est victime d'une grave crise cardiaque. Bulger a presque réussi à le tuer d'un seul coup de téléphone.

Chapitre Dix-neuf

Quand le vin est tiré...

Leurs cellules se côtoient sur la mezzanine du bloc pénitentiaire H-3 du centre pénitentiaire de Plymouth, Massachusetts ; au numéro 419, on trouve Cadillac Frank Salemme tandis qu'au numéro 420 on trouve le soldat de base de la mafia, Bobby DeLuca. Les cellules aux murs blancs ont un sol en ciment et mesurent 2m10 sur 2m75. Nous sommes à la fin de l'été 96 et l'instruction du procès pour racket à l'encontre de la mafia, de Bulger et de Flemmi, quoiqu'encore par contumace en ce qui concerne Bulger, suit son bonhomme de chemin. L'instruction fédérale en est au stade de la communication à la défense des pièces du dossier potentiellement justificatives pour les prévenus. La défense doit alors étudier ces pièces, d'abord pour préparer le procès, mais également pour déceler d'éventuels vices de forme dans le traitement des preuves. Si les avocats de la défense parviennent à convaincre le juge que certaines preuves ont été obtenues de manière illégale, le juge peut ajourner le procès. Selon le nombre de vices de forme, les chefs d'accusation à l'encontre des prévenus peuvent être réduits ou, mieux, disparaître purement et simplement.

Salemme et DeLuca sont penchés sur un petit magnétophone Sony. Leur avocat de Boston, Anthony Cardinale, leur a assigné une tâche : écoutez ces enregistrements, écoutez-les attentivement. L'avocat a apporté lors d'une de ses visites un petit tas de cassettes, des copies des enregistrements effectués entre autres par le FBI lors des écoutes électroniques du 98 Prince Street, à la sandwicherie *Vanessa*, au *Heller's Café*, ainsi qu'au cours d'une rencontre entre deux mafiosi dans l'hôtel *Hilton* de l'aéroport international Logan, et lors de la cérémonie d'initiation de la mafia en 1989.

Tony Cardinale avait déjà écouté les bandes auparavant mais il insiste pour que Salemme et DeLuca les analysent de leur côté. Ils ont les oreilles plus accoutumées au jargon de la mafia. Ces voix, ils les reconnaissent. Tous trois, ils cherchent un moyen de refuser leur utilisation lors du procès.

– Cherchez bien quelque chose qui pose problème, conseille Cardinale.

L'avocat se concentre particulièrement sur les enregistrements effectués à partir d'un «mouchard espion». À la différence des autres mouchards, ce micro n'est pas fixé dans un plafond, dans un mur ou sous une lampe de bureau. Il s'agit d'un micro puissant et portable, équipé d'une parabole que les agents du FBI orientent vers les personnes dont ils désirent saisir les conversations, même si celles-ci se trouvent à l'intérieur d'un véhicule ou d'une maison. Les agents utilisent ces micros espions lorsqu'ils ignorent à l'avance le lieu d'un rendez-vous ou lorsqu'ils n'ont pas le temps nécessaire à l'installation d'un mouchard fixe. À cause de leur mobilité et de la qualité des enregistrements, ces mouchards électroniques sophistiqués inquiètent les partisans des droits des citoyens et des avocats de la défense. Cardinale, pour sa part, en est un adversaire convaincu.

– Les mouchards espions représentent une intrusion des plus dangereuses du gouvernement dans la vie privée des Américains, clame-t-il. Dans un certain sens, il piétinent le côté protecteur du 4e Amendement. Si vous en êtes la cible, le gouvernement peut vous suivre partout. À l'intérieur de votre domicile, dans celui de votre mère. Dans une église. Partout où vous irez, le gouvernement a tous les droits, c'est un mandat de perquisition itinérant. C'est un développement inimaginable de la surveillance électronique, un méchant gadget qui ne doit pas être utilisé à mauvais escient.

Cardinale a sa petite idée à propos de l'utilisation des mouchards espions par le FBI de Boston : d'après lui, cette utilisation est illégale en l'occurrence. Il est persuadé que le FBI, contrairement aux déclarations sous serment de ses agents devant le juge, connaissaient parfaitement le lieu où devaient se dérouler certaines réunions. Les agents le savaient parce qu'un ou plusieurs de leurs informateurs participaient à ces réunions. Si ce fait est avéré, si on a menti à certains juges fédéraux, alors la défense peut demander à ce que certains enregistrements, et même la totalité des bandes, ne figurent pas lors du procès.

Salemme et DeLuca prennent leur tâche au sérieux. Derrière la porte verte en acier de leurs cellules, assis sur le fin matelas de leurs lits superposés ou devant leur minuscule tablette métallique scellée dans le mur, ils se repassent les cassettes. Il y en a des centaines, et le travail de déchiffrage des conversations est épuisant.

Bobby DeLuca se concentre sur le lecteur de cassettes pendant de longues heures et, un jour, alors qu'il écoute l'enregistrement du *Hilton-Logan*, il détecte un bruit de fond. Il revient en arrière, réécoute le passage et parvient à déceler des voix, d'autres voix surimposées à celles des deux interlocuteurs visés. DeLuca appelle Salemme, et ils écoutent ensemble le passage en question. Salemme détecte également les voix parasites. Il ne peut s'agir que des agents du FBI qui effectuent la prise de son. Le mouchard espion qu'ils utilisent depuis une chambre contiguë est parvenu à enregistrer leurs propres voix ; on entend même un des agents murmurer à l'autre qu'ils auraient dû tomber sur « le Saint » qui aurait pu poser à l'un des voyous « une série de questions ».

Bingo !

DeLuca et Salemme appuient sur « Stop » et se hâtent de passer un coup de fil à Cardinale à Boston.

La mafia a souvent fait appel à Tony Cardinale au fil des années, et à 45 ans, il a l'art et la manière, l'amour-propre et l'énergie nécessaires pour engager n'importe quelle bataille avec le gouvernement. En 1995, à l'époque de l'inculpation de Salemme, Bulger, Flemmi et consorts, c'est l'avocat de la pègre le plus en vue de Boston. Il aime les cravates de soie Hermès, les bons cigares et le whisky. Cardinale est parfaitement à l'aise devant la cour. Il aime le combat, il se lève à tout bout de champ et semble toujours piaffer d'impatience derrière son pupitre. C'est ainsi que cet avocat-conseil conçoit la vie, lui qui a grandi dans le quartier de Hell's Kitchen à New York, fils d'un boxeur devenu restaurateur. Le père de Tony gérait, en compagnie de quatre de ses oncles, le restaurant *Delsomma* sur la 47e Rue, entre la 8e Avenue et Broadway, où se côtoient spectateurs des théâtres, fans du vieux Madison Square Garden et voyous du West Side. Son père joue également les entraîneurs autour des rings du quartier et Tony Cardinale, couvé par l'œil admiratif de papa, grandit en apprenant l'esquive, le direct du droit, le jeu de jambes, l'uppercut, le crochet du gauche. Au restaurant comme à la maison, un appartement au troisième étage d'un bloc sur la 46ᵉ Rue, proche d'une halle aux poissons, on parle boxe et combats. Deux de ses oncles habitent avec femmes et enfants de l'autre côté de la rue ; sa grand'mère et un autre oncle habitent au coin de la rue. Tony Cardinale vit avec les ados de la 46ᵉ Rue, une version non expurgée, moins glamour, des gangs urbains dépeints dans le film *West Side Story*. Ado, Cardinale porte un ensemble en jean typique des années 50, le tee-shirt blanc, les sneakers et le ceinturon de l'armée, qui peut occasionnellement se transformer en arme de défense, ou d'attaque.

Il mûrit en regardant les clients défiler devant la porte du restaurant familial, boxeurs, gangsters, flambeurs, hommes d'affaires, et c'est devant ce défilé de portraits qu'il songe à entamer une carrière d'avocat.

– Si mon père voyait entrer un type du genre docteur ou avocat, il avait l'air impressionné, raconte Cardinale. Il se montrait empressé, respectueux. Un jour, il s'est passé quelque chose en moi, quelque chose d'étrange devant le spectacle de mon père, parce qu'en voyant comment mon père se conduisait devant des avocats, j'ai dit : « Tu sais, papa, c'est ça que je veux faire plus tard », et il m'a répondu : « Mon Dieu, si tu réussis à faire ça, alors ça serait merveilleux, ça serait fantastique. »

Ayant décroché une bourse de football américain, Cardinale s'inscrit à l'université de Wilkes Collège en Pennsylvanie. Il souhaite rejoindre la faculté de droit de New York, mais celle-ci, comme l'université Fordham ou celle de Columbia, le refuse. Jeune marié, il se rend alors à Boston pour rejoindre la seule université qui l'ait accepté, la faculté de droit de Suffolk. Il n'a jamais plus quitté cette ville. Infatigable, il s'attaque à la révision des lois. Au cours de sa seconde année, il rejoint avec son collègue étudiant Kenneth Fishman, un avocat de la défense de renom, Lee Bailey. Cardinale et Fishman deviennent amis pour la vie. Bailey les surnomme « les jumeaux de la Poussière d'Or », parce qu'ils arrivent toujours ensemble à la même heure au bureau et partagent les bancs de la fac. Pour ce mentor, Fishman est « l'homme de loi » parce qu'il excelle dans l'analyse juridique ; Cardinale est « l'homme des faits » pour la passion qu'il met dans l'étude d'une affaire et sa capacité à déceler les défauts dans la cuirasse de son adversaire.

– Il ne manque certainement pas de confiance en ses propres capacités, dira de lui Bailey en parlant du jeune Cardinale. Il a des couilles surdimensionnées.

Cardinale passera cinq années dans le cabinet de Bailey ; il s'établit à son compte en 1980, revenant aux fondamentaux et bâtissant son expérience sur celle qu'il a engrangée chez son mentor. Il aime les tribunaux. Fin 1983, il prend en charge son premier client de la mafia, et non le moindre, Gennaro Angiulo. L'avocat choisi initialement par ce sinistre personnage est en ligne pour un poste de juge et s'est retiré de l'affaire ; Cardinale reçoit un coup de fil un soir, peu après Noël : « Ça vous dirait de défendre Jerry Angiulo ? » C'est une chance, et le jeune avocat accepte avec enthousiasme.

– On jouait en Ligue des Champions, vous vous rendez compte ? commentera-t-il. Moi j'aime les matchs serrés, vous savez. C'est l'athlète qui est en moi. Si c'est ce qui se fait de mieux en ville, alors je veux en être.

À 33 ans, Cardinale est l'avocat principal dans le plus grand procès contre le crime organisé qui se soit jamais tenu à Boston.

Cardinale revêt sa tenue de guerrier. Il attaque sans cesse les enregistrements dévastateurs du 98 Prince Street, mettant en cause leur qualité, leur exactitude, en vue de les voir retirer des pièces à conviction. Le procès dure 9 mois, mais malgré l'épuisement, Cardinale se lève et échange des joutes verbales avec les magistrats du gouvernement conduits par Jeremiah O'Sullivan.

Finalement, la Maison d'Angiulo tombe, mais Cardinale a tiré son épingle du jeu, même si ses cheveux sont désormais d'un beau gris argenté. En un seul procès, il s'est élevé au statut de meilleur avocat de la mafia. Durant les années 80, il défendra d'autres membres de la famille Angiulo, ainsi que Vinnie Ferrara ; il se rendra à New York pour représenter « Fat Tony » Salerno. Au début des années 90, il rejoint l'équipe des défenseurs de John Gotti, assurant la défense d'un des bras droits de Gotti, Frank « Frankie Locs » Locascio. Après l'inculpation de Cadillac Frank Salemme en 1995, c'est lui que choisit le mafieux. Flemmi, pour sa part, adopte un autre grand avocat, le copain de fac de Cardinale, Ken Fishman.

Cardinale est fou de joie en écoutant Salemme lui faire part de leur découverte à l'audition des cassettes. Son bureau ressemble à l'antre d'un fana de hi-tech, on y trouve des magnétophones, des consoles de son, et lorsqu'il écoute les cassettes, lui aussi repère les murmures surimposés aux voix découverts par Salemme et DeLuca. En les passant et repassant, il a la certitude qu'il possède désormais un argument légal imparable, de quoi décocher un bon direct au foie au gouvernement. Ses techniciens bidouillent les bandes et parviennent à rendre les murmures plus clairs. Les deux agents qui tiennent le micro espion ne cessent de se plaindre de la banalité de la conversation derrière le mur de la chambre où bavardent un voyou local, Kenny Guarino, et un mafieux en visite depuis Las Vegas, Natale Richichi. Un agent remarque qu'ils auraient mieux fait auparavant de demander au «Saint» «une liste des questions, merde… que Kenny lui aurait posées… ça nous aurait aidés à restreindre les catégories, non?»

C'était la preuve pour Cardinale que le FBI possédait au moins un, et peut-être deux, informateurs participant au rendez-vous avec l'envoyé de la mafia de Las Vegas. Cardinale en déduit que soit Kenny Guarino, soit «le Saint», un surnom d'Anthony St Laurent, soit les deux sont des indics du FBI. Et si l'un des deux est un indic, alors le FBI connaissait probablement à l'avance le lieu du rendez-vous au *Hilton*. En conséquence, le Bureau du FBI n'avait aucune base légale pour utiliser un micro espion et avait menti devant un juge fédéral pour obtenir l'autorisation de l'utiliser.

Cardinale prépare de nouvelles conclusions auprès du tribunal et, cassettes en main, demande au juge présidant au procès de racket, Mark Wolf, une nouvelle session pour évaluer un possible subterfuge de la part du FBI. Les documents relatifs à l'affaire sont placés sous scellés et les sessions des magistrats pour discuter des conclusions de l'avocat se déroulent à huis clos. Cardinale soutient que pour obtenir l'autorisation d'un autre juge d'utiliser un micro espion en 1991, des agents du FBI avaient présenté des déclarations sous serment affirmant qu'ils ignoraient où Richichi se rendait lorsqu'il venait à Boston pour le compte de la mafia. L'avocat exhorte le juge à écouter lui-même les cassettes pour entendre les voix surimposées :

– Le FBI en savait beaucoup plus sur les événements du 11 décembre 1991, mais désirait protéger ses sources.

Le Bureau de Boston du FBI, d'après Cardinale, est peut-être «impliqué dans des démarches illégales pour tenter de dissimuler les activités de leurs indics de haut vol».

Durant l'automne 96, le procès se poursuit et enchaîne les audiences à huis clos. Cardinale et une équipe de procureur menée par Fred Wyshak s'affrontent à coups d'arguments massues, chaque fois que Cardinale fait un pas en avant, il est repoussé par le gouvernement.

C'est durant ces joutes que Cardinale se donne un nouvel objectif encore plus ambitieux. Il se convainc que le subterfuge du FBI pour obtenir l'autorisation du micro espion au *Hilton* n'est pas un incident isolé. Il estime que, pendant des années, le FBI a contourné et violé toutes sortes de directives et de lois dans le seul but de protéger certains indics privilégiés. Plus particulièrement, il est persuadé que le Bureau de Boston protège à l'extrême un certain Whitey Bulger. L'avocat a lu les articles dans le *Boston Globe*, et il a également entendu ce que l'on racontait sur les trottoirs à propos des liens entre Bulger et le FBI. À son avis, si Bulger n'est pas derrière les barreaux, c'est que le FBI l'a beaucoup aidé à passer entre les mailles du filet.

Ces suppositions concernant Bulger n'ont pas encore été évoquées lors du procès. Mais Whitey figure parmi les accusés ; afin de mieux défendre son client, Salemme, Cardinale décide de s'attaquer à Bulger. Il va se servir des cassettes du *Hilton* comme d'un bélier pour abattre le mur du secret. En fait, c'est au FBI lui-même que va s'attaquer Cardinale.

« L'avocat de la défense cherche à rendre publique l'identité de diverses personnes qui auraient pu être des informateurs et/ou des espions en relation avec les investigations en cours et/ou les poursuites engagées dans le cadre de ce procès », ainsi commence la motion soumise par l'avocat le 27 mars 1997. Elle est présentée sous scellés, et les discussions devant le juge Wolf concernant le FBI et Bulger se poursuivent à huis clos. Cardinale affirme que tout ou partie des pièces à conviction présentées par le gouvernement sont entachées par les abus du FBI ; s'il veut aller au cœur du problème, le monde doit connaître le rôle joué par Bulger et les autres.

Dans sa motion, Cardinale cite Bulger et plusieurs autres personnes soupçonnées d'être des informateurs, tels que Guarino et St Laurent, mais il n'évoque pas le nom de Flemmi.

– Je n'étais pas très à l'aise, avouera Cardinale plus tard. Rappelez-vous, c'est la dernière chose à faire dans une situation comme celle-ci ; enfin, ce type est un accusé dans ce procès, et si vous pensez qu'il a été un indic presque toute sa vie, vous n'avez pas envie de le descendre si vous n'êtes pas prêt pour ça ; le type prend peur et se met à parler et il fait du tort à votre client. Je pensais que si l'on pointait le doigt vers Flemmi trop tôt et qu'il se mettait à table, il pourrait causer du tort non seulement à Salemme mais aussi à d'autres personnes. On allait droit à la catastrophe.

Si bien qu'à ce moment précis des débats, Cardinale ne dit rien, en partie par précaution, mais en partie aussi par courtoisie pour son collègue, Ken Fishman, qui défend Flemmi. De toute façon, à l'époque, la sagesse qui prévaut fait de Flemmi une personne fiable.

– Dans la rue, on ne parle que de Bulger, note Cardinale.

Les articles du *Globe* dix ans plus tôt concernent Bulger et le FBI, et ignorent Flemmi. C'est Bulger qui a échappé à son arrestation en 1995, pas Stevie.

– Il faut savoir que personne ne s'est jamais plaint de Flemmi. Même parmi les Italiens, vous verrez, ils vous diront toujours : «Écoutez, Bulger est capable de tout», mais ils estiment que Flemmi fait presque partie de la famille.

À chaque occasion, Fred Wyshak et les autres procureurs s'opposent à Cardinale. Ils ne mesurent pas vraiment toutes les horreurs qui figurent dans les dossiers du FBI, et ils désirent avant tout que le juge Wolf ne s'écarte pas du procès en cours. Wyshak va jusqu'à partager avec le juge, mais pas avec la défense, une déclaration sous serment «extrêmement confidentielle» signée Paul Coffey, chef du département Racket et Crime organisé au ministère de la Justice. Dans ce document, Coffey rapporte qu'en tant qu'informateurs Bulger et Flemmi n'ont jamais bénéficié d'une autorisation spécifique pour commettre des crimes et délits, et qu'on les avertissait régulièrement qu'ils «n'étaient pas autorisés à commettre des crimes et délits sans une autorisation spéciale.» Ironiquement, Wyshak est contraint de défendre le pacte de collaboration entre le FBI et Bulger pour bloquer les arguments de Cardinale. Le gouvernement, fait valoir Wyshak, n'a signé aucun pacte officiel ou secret avec Bulger ou Flemmi qui pourrait empêcher les accusés d'être jugés. Pour Wyshak, le juge se doit donc d'ignorer «les allégations péremptoires et vagues» de Cardinale. Bulger et ses prétendues relations avec le FBI ne doivent pas être pris en compte, ils nous détournent de notre objectif. Tout aussi crucial, la cour ne doit pas mettre le FBI dans la position dangereuse d'avoir à confirmer ou démentir en public le nom d'informateurs anonymes, dont la contribution est essentielle pour le travail de ses agents.

Mais Wolf ne suit pas la réquisition du procureur.

Au grand dam du gouvernement, le 14 avril 1997, le juge décide qu'il veut étudier de plus près les affirmations de Cardinale lors d'une nouvelle audience à huis clos deux jours plus tard. « La cour a pris en compte la motion du défenseur du prévenu visant à rendre public le nom des informateurs anonymes et à éliminer les pièces à conviction obtenues sous surveillance électronique dans cette affaire, écrit Wolf dans un court attendu de trois pages. Dans ce procès où les prévenus sont accusés entre autres d'avoir… mené des activités de racket, le fait qu'un coaccusé ait été durant la période incriminée un informateur anonyme du FBI signifierait, si le fait est avéré, une information disculpatoire que ses coaccusés ont le droit de connaître. » Wolf va jusqu'à ordonner au gouvernement de faire intervenir Paul Coffey, celui-ci étant prêt à parler des informateurs.

Entre les lignes de cette décision, Cardinale semble comprendre une allusion du juge : son enquête agressive ne doit pas s'arrêter à Bulger mais concerner également Flemmi.

– Il déclare que le gouvernement doit pouvoir répondre à des questions concernant « un » prévenu présent au procès, à savoir quel impact cela a-t-il si « un » prévenu est un informateur. La réalité des choses, si je comprends bien, c'est que le juge pointe vers un prévenu qui se trouve dans la salle d'audience, pas un coaccusé en cavale, en l'occurrence pas Bulger.

Le soir précédant l'audience à huis clos, l'avocat partage ses dernières conclusions avec ses collègues lors d'une réunion dans le bureau de Ken Fishman. On y retrouve John Mitchell, un avocat de New York qui s'est joint à Cardinale pour assurer la défense de Salemme et de DeLuca, ainsi que des avocats représentant John et James Martorano. Tous ont pris place autour de la table de conférence du bureau qui donne sur Long Wharf, dans un bâtiment ancien rénové, avec briques et poutres apparentes, adjacent au *New England Aquarium*. Cardinale n'a même pas le temps d'exposer la totalité de son propos, les autres avocats lui demandent de sortir sous les sifflets. Mitchell le regarde dans les yeux :

– Arrête de jouer au con.

Ken Fishman confectionne une boulette de papier qu'il jette sur son ancien partenaire. Personne n'a vraiment discuté de savoir s'il faut inclure Flemmi parmi les informateurs.

– Tout le monde estimait que ce type était différent de Bulger. Il s'était fait pincer et il croupissait derrière les barreaux, et il était inclus dans ceux qu'il fallait défendre : « tous pour un, un pour tous », précisera Cardinale. Moi, je ne partageais pas du tout cet avis.

Au cours de la réunion, Cardinale ne parvient même pas à savoir si Fishman et son client ont jamais évoqué la double vie secrète de Flemmi avec le FBI. Le fait est que Fishman avait été estomaqué d'entendre Cardinale avouer qu'il envisageait de s'en prendre à Flemmi.

— Il me semble que rien ne m'a plus choqué venant de Tony depuis au moins vingt ans, avouera Fishman. Les autres avocats insisteront sur le fait que Cardinale a mal compris le juge et qu'il est à côté de la plaque.

Mais Cardinale aimerait pourtant les préparer à la possibilité qu'il ait vu juste en fin de compte. Il leur affirme qu'il a déjà expliqué sa stratégie à ses clients, et les a préparés à ce risque si l'éventualité se présente : si Cardinale a raison, Flemmi pourrait bien faire volte-face et se retourner contre ses co-accusés. Pour ce qui est de son client, Frank Salemme, les risques sont limités.

— Frank avait été en prison pendant la majeure partie du règne de Bulger et Flemmi, si bien que Flemmi était peu susceptible de le compromettre.

Pour ce qui concerne les autres, ce n'est pas aussi évident.

Le lendemain matin, les avocats de la défense, leurs clients ainsi que les procureurs conduits par Wyshak et Paul Coffey du ministère de la Justice se réunissent à huis clos dans la salle d'audience numéro 5 du tribunal fédéral situé sur Post Office Square.

— Nous sommes ici assemblés conformément à ma réquisition du 14 avril qui figure dans les scellés, annonce le juge depuis son fauteuil, avant d'aller droit au but : Je précise que j'ai interdit l'accès du public dans cette salle parce que nous devons évoquer l'éventualité de révéler aux prévenus et au grand public l'identité d'informateurs anonymes.

Le juge reprend la motion de Cardinale et mentionne les noms qui y figurent : Bulger, Kenny Guarino, Anthony St Laurent et deux autres individus appartenant au milieu. Le juge marque un temps d'arrêt et lève les yeux vers l'assistance.

Puis, c'est la question que Cardinale attend avec impatience.

— Les prévenus désirent-ils connaître le statut d'autres individus qui pourraient être dans la même situation qu'eux, si ces personnes sont effectivement des informateurs anonymes ? Ou bien ne s'agit-il que de ces cinq personnes nommées ?

Long silence ; le voile recouvrant la terrible noirceur de la collaboration de Bulger et Flemmi avec le FBI est peut-être en train de se lever, les déchets toxiques qui la composent ont finalement rongé la paroi des conteneurs censés dissimuler le poison pour toujours.

– On était en train de vivre un moment étrange, historique, se souvient Cardinale. Le juge affichait une sorte de sourire. J'ai compris immédiatement que mon intuition avait été la bonne.

Cardinale se rapproche de ses clients, Salemme et DeLuca ; il sait que l'on ne peut pas revenir en arrière.

– Je leur ai dit : « Écoutez, il faut accepter la réalité, même si elle se retourne contre nous. Ce type peut parler. » Mais ils étaient prêts. « D'abord, Flemmi ne peut rien dire contre moi. Il faudrait qu'il mente, alors on y va. On est avec vous. »

Cardinale se retourne pour affronter la cour. La question du juge est dans toutes les têtes : « Ou bien ne s'agit-il que de ces cinq personnes nommées ? »

– Comme dit le proverbe, attaque Cardinale, quand le vin est tiré, il faut le boire, Monsieur le juge. S'il y a d'autres personnes incriminées, alors qu'il en soit fait selon votre bon vouloir.

– C'est vraiment ce que vous voulez ? s'enquiert le juge.

– Oui, Monsieur le juge.

Quelques minutes plus tard, suspension de séance : Wolf se rend à son bureau. Il demande à Paul Coffey, du ministère de la Justice, de l'y rejoindre. Durant cette brève interruption, le juge et le haut fonctionnaire discutent de ce rebondissement inédit du procès. Coffey déclare au juge que « notre relation », du moins celle du FBI, ne concerne pas seulement Bulger mais inclut également Flemmi. C'est le cœur du sujet, réplique le juge. Si le juge s'apprête à permettre à la défense d'évaluer si des pièces à conviction sont caduques en raison des liens entre Bulger et le FBI, alors Flemmi doit être impliqué. Sinon, la décision perd son sens. (Wolf confiera plus tard que les deux voyous étaient des « frères siamois en puissance ».) Wolf et Coffey admettent que sur le banc des accusés Flemmi ne semble pas avoir réalisé la portée de la nouvelle situation.

Le juge reprend sa place devant la cour où les avocats et les prévenus l'attendent patiemment. Wyshak et son équipe tentent de nouveau d'empêcher Wolf de poursuivre sur le sujet. Ils insistent : Cardinale a choisi la question des informateurs, faute d'arguments plus convaincants. Cardinale proteste. Wolf réclame une suspension des débats.

— À moins que le gouvernement s'y oppose, j'aimerais voir M. Fishman et M. Flemmi en privé dans le couloir, tranche le juge.

— Je viens d'apprendre une information qui ne vous est pas très favorable, confie Wolf à Flemmi dès qu'ils se font face. Je vous encourage à y réfléchir attentivement.

— Pas de problème, lâche Flemmi, décontracté. C'est la vie.

Le juge invite Fishman à quitter la pièce. Il explique à Flemmi qu'il aurait préféré que Fishman soit présent, mais qu'il ignore la nature des informations que Flemmi avait partagées avec son avocat concernant son passé. Par prudence, il préférait converser seul à seul avec lui.

— Écoutez bien ce que je vais vous dire, commence Wolf.

Le juge explique le sens de la motion de Cardinale concernant Flemmi ; l'avocat voudrait que le nom de certains informateurs du FBI soient rendus publics dans le but de supprimer certains éléments à charge contre Frank Salemme et les autres. Dans le cadre de ce processus, précise Wolf à Flemmi, il a pris connaissance de documents révélant que Bulger et Flemmi collaboraient avec le FBI. Wolf ajoute qu'il aimerait aller dans le sens de Cardinale et rendre public le nom des informateurs du FBI. En résumé, le juge va ordonner au FBI de révéler publiquement sa collaboration avec Bulger et Flemmi.

— Comment ressentez-vous la situation nouvelle que nous allons créer ? s'enquiert le juge à la fin de son explication. Ressentez-vous de la peur, ou autre chose ?

— Non. Je ne fais pas de souci pour ma sécurité, réplique Flemmi. En fait je m'en fous.

Mais dans sa tête, Flemmi cogite certainement, son monde est ébranlé par ce rebondissement. Depuis son arrestation début 1995, il n'a rien lâché sur sa collaboration secrète avec le FBI. Il a toujours considéré que son arrestation était une erreur, ou bien constituait une nécessité pour dissimuler ses liens avec le FBI ; le malentendu se résoudrait bientôt par l'intervention de Bulger et de leurs amis au sein du FBI.

— J'étais persuadé que James Bulger allait contacter les gens qui pourraient nous aider parce qu'on collaborait depuis si longtemps avec le FBI, avouera plus tard Flemmi.

Il attendait patiemment, en se souvenant que des années auparavant, dans les années 60, il avait fallu à Paul Rico et au FBI près de quatre ans pour annuler les chefs d'accusation de meurtre et d'attentat à la bombe lancés contre lui ; mais finalement, il avait pu rentrer du Canada…

Flemmi se rend compte d'autre chose : si Wyshak combat la volonté de Cardinale de révéler leur nom, ce n'est pas par amour de sa personne. Wyshak veut maintenir l'intégrité du procès et empêcher Cardinale de supprimer la moindre pièce à conviction. Maintenant, le juge lui apprend que le monde va découvrir qu'il collabore avec le FBI ; après tant d'années pendant lesquelles Bulger et lui ont collaboré avec le FBI, Flemmi se sent trahi. Il n'est pas le seul, d'ailleurs. Le bras droit de Bulger, Kevin Weeks, a servi de courroie de transmission entre Flemmi et Connolly et a rendu visite régulièrement à Flemmi en prison.

– D'après ce que m'a rapporté Kevin Weeks, John Connolly est extrêmement contrarié de savoir que Jim Bulger et moi avions des problèmes, dira Flemmi.

– Qu'en est-il de Ken Fishman, demande Wolf. Est-il au courant de tout cela ?

– Je vais le mettre au courant maintenant, répond Flemmi. Ça ne me pose pas de problème.

– Puis-je le faire entrer pour que vous lui parliez ?

– Mais je vous en prie !

Flemmi retrouve son dynamisme habituel, il félicite le juge, et le gratifie d'une tape amicale dans le dos.

– Votre Honneur, vous êtes pile au cœur de l'affaire. Aucun doute. Vous y êtes en plein. Si vous poussez un peu les choses, vous obtiendrez toute l'histoire.

Fishman entre dans la pièce et le juge résume le passé de Flemmi, expliquant qu'on lui a présenté des documents officiels certifiant que Flemmi collabore avec le FBI « depuis de très longues années ». Paul Coffey, du ministère de la Justice, intervient :

– Si la cour m'autorise, j'aimerais lui parler.

Coffey fait face à Flemmi et Fishman.

– Je voudrais saisir cette occasion pour m'asseoir avec vous et vous éclairer sur ce que l'on devrait faire maintenant.

– Génial, lance Fishman, sarcastique.

L'avocat tente de sauver les apparences. La révélation lui a fait l'effet d'un coup de poignard, il est meurtri et même si sa longue carrière lui a appris à cacher ses sentiments, il est incapable de faire face.

— Au bout de vingt-deux ans de carrière en tant qu'avocat criminel, on a une réaction viscérale, un dégoût inhérent pour une personne qui a choisi d'être un mouchard, confiera-t-il plus tard.

L'avocat comprend immédiatement où Coffey veut en venir : il va exploiter le choc des révélations et convaincre un Flemmi, rassuré de rejoindre le programme de protection des témoins, de témoigner contre les autres au profit du gouvernement.

Coffey explique sa stratégie, mais Flemmi refuse tout net.

— Si vous pensez que je vaux tant que ça, alors qu'est-ce que je fous ici ?

Fishman tente de rassembler quelques idées. Il veut discuter avec son client, il a besoin de temps pour adopter une nouvelle défense, pour retourner rapidement cette « information négative » en quelque chose de positif. Parce que le gouvernement, déduit déjà Fishman, a « autorisé » Bulger et Flemmi à commettre des crimes et des délits graves en contrepartie d'informations sur la pègre, les deux voyous ne peuvent aujourd'hui se retrouver accusés de crimes qu'on leur a permis de commettre.

C'est ce qu'on appellera plus tard une « défense d'informateurs » ; afin d'appuyer sa thèse, Flemmi se met à rédiger des déclarations sous serment décrivant sa vie avec le FBI, sans oublier les promesses faites selon lui par le FBI à Bulger et lui-même leur garantissant l'immunité.

Le 22 mai, après des mois de sessions à huis clos et de paperasse juridique en bonne et due forme, le juge Wolf accorde à Cardinale son vœu en faveur d'une audience ouverte avec comparution de témoins. Dans son jugement de 49 pages, Wolf explique que l'objectif de cette audience exploratoire serait de permettre à Cardinale et aux autres avocats de la défense de poser des questions à des agents et responsables du FBI à propos de leur collaboration avec Bulger et Flemmi, afin de décider s'il fallait retirer certains enregistrements et autres pièces à conviction. Dans ce but, le juge a décidé d'ordonner au ministère de la Justice de révéler publiquement si Bulger, Flemmi et les autres noms cités dans la motion initiale de Cardinale avaient bien effectivement « fourni secrètement des informations au gouvernement ».

Le gouvernement dispose d'autres options, note Wolf, s'il ne désire pas se plier à cette injonction. Il reconnaît par ailleurs que son jugement va à l'encontre «de l'intérêt généralement reconnu du gouvernement à préserver le plus possible l'anonymat de ses informateurs afin d'encourager la transmission d'informations de leur part.» Parfois, le gouvernement «choisit d'abandonner une affaire plutôt que de confirmer ou de démentir l'existence d'une collaboration avec un individu.» Néanmoins, conclut Wolf, si le gouvernement a l'intention de poursuivre en justice la mafia et le gang de Bulger, il devra partager ses secrets.

Wyshak exhorte le juge à réviser son jugement, mais Wolf refuse.

Malgré le jugement, l'équipe de procureurs n'a aucune intention de renoncer au procès. Impossible de reculer maintenant. Le ministère de la Justice décide donc d'innover et de faire ce qu'aucun responsable fédéral de Boston n'a jamais fait: le 3 juin 1997, plus de vingt ans après le rendez-vous initial entre John Connolly et Whitey Bulger, il confirme devant la cour que Bulger est depuis de nombreuses années un informateur du FBI.

C'est Paul Coffey qui prononce les mots magiques:

– Moi, Paul Coffey, déclare sous serment que conformément au jugement de ce tribunal daté du 22 mai 1997, je confirme que James Bulger est un informateur de la division de Boston du Bureau fédéral d'investigation (FBI).

Pour l'instant, notera Coffey, le gouvernement ne donne que le nom de Bulger, et il en vient à expliquer pourquoi, dans le cas de Bulger, la décision a été prise en rupture avec la directive stricte de protection de l'anonymat d'un informateur. Bulger, écrit-il, «est accusé de diriger une entreprise criminelle qui a commis au fil de nombreuses années des crimes extrêmement graves.» Ces crimes et délits à répétition s'inscrivent dans la période où Bulger collaborait avec le FBI. De plus, Bulger étant en fuite, tente aujourd'hui d'échapper à la responsabilité des nombreux crimes qui lui sont imputés. Ces facteurs contribuent à créer une «situation unique et rare», qui permet d'exposer Bulger afin qu'il puisse être appréhendé et placé derrière les barreaux. «Bulger a renoncé à tout espoir de rester un informateur anonyme.»

Le ministère de la Justice obéit au jugement de la cour en sachant pertinemment que sa décision permettra au juge Wolf de pénétrer en territoire interdit. Les dossiers secrets du FBI sur Bulger n'ont jamais été examinés par un organisme indépendant, tel qu'un tribunal fédéral. Aucun des procureurs, encore moins les avocats, ne connaissait l'étendue de la corruption, mais ils avaient tous l'intuition que l'ouverture des dossiers provoquerait un séisme dévastateur. Coffey n'avait pas dit autre chose au juge lorsque les deux hommes avaient examiné la requête de Cardinale concernant Bulger et Flemmi.

— Nous pensons qu'il y a là une véritable bombe à retardement.

Cette bombe, qui dort depuis des années dans des armoires blindées, ne va pas tarder à exploser.

Chapitre Vingt

Fin de partie

Il pleut sur Boston en cette matinée d'hiver, le 6 janvier 1998 ; l'expédition judiciaire dans les tréfonds des dossiers du FBI sur ses liens avec Bulger et Flemmi vient enfin de commencer.

– Nous sommes ici, annonce le juge avec solennité dans la salle d'audience numéro 5 du tribunal de district fédéral, pour entamer l'examen des motions visant à retirer certaines pièces à conviction provenant d'écoutes électroniques, ainsi que de la requête de M. Flemmi demandant leur retrait sur la base de promesses qui lui ont été faites.

Les magistrats, debout, se présentent : il y a là Fred Wyshak, Brian Kelly et Jamie Herbert pour le gouvernement ; Tony Cardinale, Ken Fishman, Martin Weinberg et Randolph Gioia pour la défense des quatre malfrats. Dans les travées de gauche, sous la surveillance attentive de policiers fédéraux, sont assis les accusés : d'abord, Frank Salemme, en complet croisé gris et cravate rouge ; puis Bobby DeLuca, Stevie Flemmi et, à la gauche de Flemmi, Johnny Martorano, l'exécuteur des basses œuvres. Un épais silence règne dans la salle d'audience. Personne, ni les gangsters présents, ni leurs avocats, ni le juge, ni les journalistes de radio et de télévision qui remplissent les travées vers l'arrière, ne se doute de la tempête à venir. Car jamais auparavant l'affaire des relations entre le FBI, Whitey Bulger et Stevie Flemmi n'a été scrutée par le public dans le cadre d'un procès fédéral ouvert à tous.

Voilà sept mois que le gouvernement s'est plié à l'injonction du juge en juin dernier, et a révélé la collaboration entre le FBI et Bulger. Mais depuis cet événement mémorable, semaines et mois ont passé ; le juge et les diverses parties se sont préparés en vue du procès, évaluant la portée des débats et les procédures à suivre. Le procès du racket remonte déjà à près de trois ans, il s'est finalement enlisé en phase préparatoire. Mais aujourd'hui toutes les parties en présence se sont rendu compte que rien n'avancera rapidement désormais : le juge se risque précautionneusement en terrain miné, nauséabond : les coulisses, les mécanismes du FBI de Boston.

Au cours des mois qui ont précédé l'ouverture du procès, le ministère de la Justice a fait passer aux avocats de la défense des centaines de pages de dossiers hier secrets du FBI, retraçant l'historique des liens FBI/Bulger/Flemmi. Cardinale, Fishman et les autres dévorent chaque page de ces documents inédits.

– On a commencé à réaliser qu'il existait tout un tas de nouvelles requêtes, se rapportant notamment aux errances gouvernementales, précise Cardinale. On s'est demandé : si Flemmi renseigne le FBI depuis tant d'années, comment cette inculpation pourrait-elle tenir ?

Pour sa part, Flemmi, qui a décidé qu'il n'a plus rien à perdre, continue de rédiger des déclarations sous serment décrivant sa double vie avec une profusion de détails juteux. Il décrit quelque chose, sur le plan juridique, qui ressemble à une approche amoureuse, donnant quelques exemples sélectionnés et révélateurs de la protection du FBI qui, affirme-t-il, constituent « le cœur de la défense d'un informateur ». Dans un de ces exemples, Flemmi soutient que John Morris lui a promis ainsi qu'à Bulger l'impunité pour tous les délits graves qu'ils pourraient commettre, sauf « en cas de meurtre » ; dans un autre, il explique que le FBI les renseignait régulièrement sur les investigations en cours, dont celle conduisant à d'éventuelles inculpations dans le cadre du procès sur le racket, une affaire dans laquelle il se bat pour obtenir l'annulation. Vers la fin de l'année, Fishman a mis au point sa stratégie de défense de Flemmi ; il soutient que Flemmi a été « autorisé », notamment par Morris et Connolly, à commettre un grand nombre de délits graves dont il est accusé aujourd'hui. Parce que le FBI a promis l'immunité à Flemmi, il ne peut être jugé pour ces délits.

Wyshak, pendant ce temps a délimité la riposte du gouvernement aux diverses révélations de Flemmi qui font désormais la une des quotidiens de la ville. Les activités des flics ripoux, Morris et Connolly, soutient Wyshak, ne doivent pas nous détourner du procès sur le racket ; les soi-disant promesses de protection qu'ils auraient pu donner à Bulger et Flemmi sont illégales et ne peuvent en aucune façon être assimilées à des « autorisations légales ». Wyshak écrit : « L'examen attentif des dossiers (des informateurs du FBI) par les parties en présence comme par la cour n'est pas parvenu à découvrir la moindre trace d'une preuve évidente que Bulger et Flemmi étaient autorisés à commettre les délits graves pour lesquels ils sont aujourd'hui traduits devant le tribunal. »

L'argument reste spécieux, les procureurs tentant de protéger les pièces à conviction à l'encontre des malfrats, mais en même temps de reconnaître l'infâme corruption de certains agents du FBI. Quelques mois plus tard, John Morris se voit garantir l'immunité en contrepartie d'un témoignage qui renforcerait le point de vue du gouvernement ; on attend de lui qu'il avoue quelques délits graves, ainsi que des écarts de la part du FBI, mais également qu'il témoigne que Bulger et Flemmi ne s'étaient jamais vu accorder une immunité officielle.

En cette matinée hivernale et humide, les deux stratégies sont évoquées dans les remarques préliminaires des parties en présence dès que le juge Wolf ouvre l'audience.

– Le point central est ici la promesse faite à mon client, Stephen Flemmi, par le FBI, attaque Fishman devant les magistrats. En contrepartie de sa coopération unique et particulière, il recevrait une protection et échapperait à toute inculpation.

Des inepties fumeuses, riposte Wyshak quand vient son tour de prendre la parole. Bulger et Flemmi n'ont jamais passé de pacte officiel garantissant qu'ils ne pourraient pas être poursuivis en justice pour leurs délits graves. Les avocats de la défense, assure Wyshak, veulent présenter de Flemmi l'image d'un agent débutant bénéficiant d'un droit de vie et de mort.

– Ça ne vous semble pas ridicule ? ironise Wyshak.

Mais, tout bien considéré, ce n'est pas si ridicule que cela.

Dans les mois qui suivront, Fishman et Cardinale ne réussiront certes pas à découvrir un document écrit justifiant une promesse officielle d'immunité, mais ils démontreront que le Bureau de Boston du FBI était un véritable musée des horreurs dès qu'il était question de Bulger et Flemmi : des agents choyaient des gangsters, complotaient avec eux et leur fournissaient une protection d'une manière qui, en pratique, correspondait à un véritable permis de tuer.

Dès le début, on assiste à des prises de bec entre Wyshak et Wolf ; la tension entre le procureur et le juge dégénère régulièrement en affrontements. Wyshak contredit Wolf sur la série de questions posées aux responsables gouvernementaux et sur la pile de dossiers du gouvernement qui vont être bientôt déclassifiés. Certes, Wyshak ne cherche pas à couvrir la corruption qui affecte le FBI puisqu'au même moment il supervise une investigation poussée sur Connolly et d'autres agents, mais il s'oppose à l'approche de Wolf ; celui-ci, d'après Wyshak, entame une enquête de justice qui semble sans limites ni contraintes.

– Mais pourquoi ne versez-vous pas tout le dossier à l'instruction ! s'emporte Wyshak en fixant le juge le surlendemain de l'ouverture des débats, le 8 janvier. Pourquoi ne pas verser la totalité du dossier ?

– Pourquoi ne vous asseyez-vous pas, M. Wyshak ? riposte Wolf.

Mais Wyshak ne se rassied pas, et se bat contre la mise sur la place publique d'un nouveau dossier du FBI.

– Asseyez-vous, interrompt le juge.

– Je ne vois pas le rapport.

– Asseyez-vous !

Wyshak ne s'assied toujours pas.

– Voulez-vous que je considère votre action comme outrage à magistrat ? Alors, asseyez-vous !

Les audiences se poursuivent durant de longs mois en 1998. Quarante-six témoins prêteront serment ; leurs témoignages couvrent 17 000 pages de transcriptions et 276 pièces à conviction, pour la plupart des documents internes interminables du FBI. Parmi les témoins sous serment, un ancien gouverneur du Massachusetts et procureur fédéral, William Weld ; une juge de la cour supérieure en exercice et ancienne protégée du procureur Jeremiah O'Sullivan, Diane Kottmyer ; les trois superviseurs du Bureau de Boston durant les années Bulger, Lawrence Sarhatt, James Greenleaf et James Ahearn ; et une cohorte d'agents du FBI ayant travaillé aux côtés de Connolly,

Nick Gianturco, Ed Quinn et John Newton. C'est la crème de la hiérarchie policière fédérale, avec quelques touches surréalistes durant les débats lorsque d'anciens agents du FBI, après avoir prêté serment, en sont réduits à imiter les tactiques généralement utilisées devant la cour par les gangsters chevronnés qu'ils sont censés pourchasser.

Le parrain de la Brigade contre le crime organisé du FBI, Dennis Condon, le superviseur aujourd'hui en retraite qui avait favorisé et mis en place la collaboration entre Connolly, Bulger et Flemmi au milieu des années 70, se présente dans le prétoire début mai, et élude les questions gênantes. Les avocats espéraient qu'il allait faire la lumière sur les premières années des rapports entre le FBI et Bulger, mais Condon confesse que sa mémoire est défaillante. La formule fera recette : « Je ne me souviens pas. » Même lorsqu'un avocat lui présente un document du FBI qu'il a lui-même rédigé, Condon hausse les épaules, affirme qu'il n'a aucun souvenir d'avoir écrit cela et qu'il ne peut donc pas élaborer. Cardinale et les autres avocats se regardent, incrédules, exaspérés.

Jeremiah O'Sullivan ne viendra même pas témoigner. Fin février, l'ancien procureur, aujourd'hui âgé de 56 ans, a une crise cardiaque ; on le transporte à hôpital mais il réagit mal aux médicaments. Comme il doit faire face à une rééducation prolongée, il évitera de répondre à des questions brûlantes : pourquoi a-t-il retiré Bulger et Flemmi de l'affaire des courses truquées en 1979 ? Pourquoi a-t-il déclaré publiquement et aux enquêteurs du gouvernement qu'il avait les mains propres parce qu'il ignorait totalement que Bulger et Flemmi faisaient partie des informateurs du FBI ? Les preuves du contraire étaient accablantes, et les avocats de la défense se promettaient de belles heures devant le témoin O'Sullivan. C'est raté.

Le procureur absent devient rapidement la cible de plaisanteries dans les couloirs du tribunal. Avocats et commentateurs n'hésitent pas à suggérer que sa crise cardiaque a permis à O'Sullivan de revendiquer une excuse que de nombreux mafiosi pratiquaient régulièrement : trop affaibli pour témoigner. En fait, du temps de sa fougue vers le milieu des années 80, O'Sullivan avait combattu bec et ongles contre le tueur à gages de la mafia Larry Zannino qui avait produit un certificat médical affirmant qu'il était trop souffrant pour se présenter devant la cour. Le procureur avait contraint le mafieux à témoigner, entouré d'infirmiers, au fond d'un fauteuil roulant, masque à oxygène sur le nez. On rit sous cape aujourd'hui, «O'Sullivan nous a fait un Zannino.» Bien que vers la fin du procès, O'Sullivan ait retrouvé la santé et repris ses consultations au sein de son cabinet juridique privé, un des plus anciens et prestigieux de Boston, *Choate Hall et Stewart*, l'homme qui pendant seize années avait combattu la mafia de Boston ne se présentera jamais devant la cour.

Theresa Stanley obtiendra l'immunité mais sera contrainte de témoigner sur les jours passés avec Whitey Bulger, et sur sa cavale à la suite de l'inculpation du malfrat en 1995. Cette femme de 57 ans, aux cheveux blancs et à la voix suave, se présente en corsage orange à fleurs et pantalon noir. Elle décrit sa liaison de trente ans avec Whitey. Presque tous les soirs, elle préparait le dîner pour Whitey dans la cuisine de son pavillon de South Boston, et il passait les vacances avec sa famille. Stanley évoque de mystérieux voyages en Europe. Elle se refuse à questionner Bulger à propos de ces déplacements perpétuels parce qu'elle craint qu'il ne s'emporte. Elle se souvient de leur cavalcade à travers le pays, de Long Island à la Nouvelle-Orléans où ils passeront le jour de l'an, de Graceland, la vaste demeure d'Elvis Presley, à Memphis puis dans le Grand Canyon. Bulger s'arrête souvent au bord de la route pour téléphoner depuis des cabines, mais elle ne lui a jamais demandé à qui ces appels étaient destinés. Stanley avoue enfin que Bulger l'a abandonnée pour Catherine Greig, une femme beaucoup plus jeune dont il est secrètement l'amant depuis vingt ans.

— Il menait une double vie quand on était ensemble, admet amèrement Theresa Stanley, et une double vie avec le FBI.

Les rapports du FBI déclassifiés devant la cour révèlent que Flemmi a mouchardé sur Salemme durant trois décennies. Dans un des rapports, Flemmi traite Salemme de «pauvre con». Salemme, en entendant ce passage, change de place et s'assure que DeLuca est entre lui et Flemmi. L'affection de Cadillac Frank pour Stevie s'est évaporée instantanément; en fait, il confiera à Cardinale qu'il a «envie de vomir chaque fois qu'il le voit». Les dossiers du FBI montrent à l'évidence que Bulger et Flemmi avaient transmis des informations sur Howie Winter et d'autres gangsters de Winter Hill, dont Johnny Martorano qui s'est également éloigné de Flemmi sur le banc des accusés. Durant toute la durée du procès, Flemmi essaie de faire bonne figure; il sait que la seule chance de s'en sortir libre est de maintenir contre vents et marées sa version : le FBI lui a fait la promesse qu'il ne serait jamais traduit en justice.

– Affronter la cour jour après jour avec un grand sourire, se souviendra Cardinale, c'était dingue ! Un jour, je venais de dire au juge ce que je pensais de Flemmi, que c'était une crapule, un assassin, une merde, et Flemmi me fait signe de venir le voir. J'ai tout de suite pensé qu'il allait me sortir un truc du genre : « Je t'interdis de parler de moi comme ça ! Ne recommence jamais ! » Il m'appelle et il me dit : « Nom de Dieu, quel beau boulot ! » Et moi, je disjoncte complètement ! Je n'arrive pas à y croire : je viens de lâcher que c'est lui qui a tué Halloran, vous savez, et qu'il a commis des trucs horribles, diaboliques, des meurtres, et je pense que j'ai été trop loin, qu'il va m'insulter, et il me dit : « Écoute, c'est génial ce que tu fais. »

Mais la débâcle que subit jour après jour le FBI culmine le 21 avril, quand John Morris s'avance vers le prétoire pour témoigner. Durant les mois qui ont précédé le procès, Morris a négocié son immunité avec les procureurs pour les délits graves qu'il a commis. Pendant les sessions privées devant des agents du FBI et des procureurs dans le cadre des négociations, il a pleuré. En s'approchant trop près de Bulger, il a ruiné sa carrière, il le sait parfaitement. Aujourd'hui, Morris entame en qualité de témoin huit journées éprouvantes devant la cour ; Morris est l'ombre de lui-même, il tente de se composer une allure d'évêque vieillissant tandis qu'il entame le récit dépassionné de sa descente aux enfers : de l'inspecteur au menteur puis au flic ripoux, avouant avoir accepté l'argent de Bulger et avoir entravé le cours de la justice en avertissant Bulger chaque fois qu'il était visé par les enquêteurs.

Évoquant les années 70, lorsque le pacte contre nature avait été scellé, Morris se souvient de cette époque où « on exerçait d'intenses pressions sur les agents pour qu'ils s'attachent des informateurs » pour combattre la mafia.

– On était constamment soumis à ces pressions, répète-t-il devant la cour.

Il raconte comment il avait uni ses forces avec Connolly pour faire de Bulger et Flemmi les stars du Bureau de Boston, les agents les plus utiles dans la guerre contre la mafia, même si ce choix les entraînait vers l'enfer. Morris regrette amèrement le jour où il a scellé son destin avec celui de Bulger et Flemmi et aussi avec celui de Connolly ; s'il a mis un terme à sa carrière à Boston, c'est par peur à la fois de Bulger et de Connolly, de Whitey parce qu'il le tenait grâce aux pots-de-vin de quelque 7 000 $ qu'il avait acceptés, et de Connolly à cause de son réseau d'alliés dans le monde de la politique, notamment Billy Bulger.

En dépit des efforts inlassables des avocats de la défense, Morris démentira toujours avoir promis l'immunité à Bulger et Flemmi. Certes, il admet avoir transmis des informations sur les diverses investigations, mais ça ne pouvait constituer une preuve d'une quelconque immunité. En sa qualité de superviseur, il ne possédait aucune autorité pour accorder l'immunité à des malfrats.

– L'immunité est un processus très précisément défini par des directives, il y a des documents qui s'y réfèrent, précise-t-il.

En l'occurrence, aucun n'évoque le nom de Bulger.

Vers la fin de son témoignage, Morris chancelle. À la suite d'une série de questions sur un incident résultant de ses liens douteux avec Bulger et qui aurait pu causer la mort d'un homme, un des avocats de la défense surprend la cour. Il se tourne vers Morris et élève le débat sur un plan plus personnel. Il veut savoir ce que Morris pensait vraiment pendant toutes ces années : la croisade du FBI contre la mafia justifiait-elle de s'allier avec le diable, Whitey Bulger ?

– Acceptez-vous le fait que votre conduite en tant qu'agent du FBI en relation avec M. Bulger et M. Flemmi était en accord avec ce principe, à savoir que la fin justifie les moyens ?

Pris de court, Morris se tasse visiblement et fait des efforts pour conserver une certaine dignité. Il soupire et jette un regard triste vers les avocats.

– Je n'en suis pas certain, articule-t-il d'une voix altérée.

Finalement, il ne restait plus à Morris qu'à reconnaître le rôle qu'il avait joué dans la dérive dramatique des événements. Les avocats de la défense l'exhortent à s'expliquer plus en détail sur sa compromission, et Morris réplique qu'il «a violé le code moral, son intégrité, le règlement et les directives.» John Connolly faisait-il partie de ce processus de compromission ?

– J'avais le sentiment qu'il y participait, répondra Morris, mais j'accepte l'entière responsabilité de mes actes.

Cette terrible confession fait la une des journaux; c'est à cette époque que Connolly décide de parler, non pas devant le tribunal mais aux journalistes. Depuis les coulisses du procès, l'inspecteur en retraite occupe toujours à 57 ans un poste de lobbyiste chez *Boston Edison* ; il décide d'exposer son point de vue : il réfute en bloc les témoignages donnés sous serment devant le juge Wolf. Chaque fois qu'un agent en retraite ou un responsable gouvernemental le mettra en cause, Connolly contre-attaquera en traitant le témoin de «menteur». Ainsi, par exemple, lorsque l'ancien superviseur du FBI Robert Fitzpatrick témoignera que des agents se plaignaient que Connolly dévalise leurs dossiers pour savoir ce qu'ils avaient sur Bulger, Connolly écume de rage :

– Totalement ridicule !

En colère, il déclare aux journalistes que tout le témoignage de Fitzpatrick n'est qu'un «tissu de mensonges éhontés».

La liste des «menteurs» ne cesse de s'allonger, pourtant Connolly garde le meilleur pour Morris, celui qu'il commence à appeler partout «l'agent le plus corrompu de l'histoire du FBI». À la fin de chaque journée du témoignage de son ancien collègue, Connolly condamnera sans pitié l'ex-superviseur. Morris n'a rencontré Connolly, Bulger et Flemmi ensemble qu'une dizaine de fois au fil des années, alors que Connolly a rencontré les malfrats des centaines de fois, mais Connolly est catégorique : moi, je suis un inspecteur modèle du FBI, je n'ai jamais violé une seule directive. Ce que Morris a à se reprocher, selon Connolly, «il l'a fait tout seul.»

Il évoque les difficultés de son métier, difficultés qu'il a si bien maîtrisées au cours de sa carrière. Gérer des informateurs, «ça ressemble à un cirque, pour que le cirque fonctionne, il faut un gars qui entre dans la cage et affronte les lions et les tigres.»

– C'est ce que j'ai fait. Rien à voir avec Morris, assis tranquillement à son bureau, suçant son crayon. Moi mon boulot, c'était de me colleter avec les lions et les tigres. Et je ne vous mens pas, comme le fait Morris.

Dans les dernières heures du témoignage de Morris, Connolly fera même une brève apparition devant la cour. Assisté d'un célèbre avocat de la défense, Robert Popeo, Connolly débarque fièrement devant l'assistance, en costume chic, il écarte la foule des journalistes et des caméras en clamant qu'il veut laver son honneur. C'est lui le héros, pas le coupable, alors pourquoi cette bande de procureurs, Wyshak en tête, tente-t-elle de le démolir ? On a fait de lui le bouc émissaire du gouvernement, une victime de la furie aveugle des procureurs, alors qu'en vérité, il n'est qu'un inspecteur du FBI couvert de médailles, et qui a la conscience tranquille.

– Les preuves sont pourtant évidentes, non ? lance Connolly pour défendre sa collaboration avec Bulger. Vous pouvez constater comme moi que la mafia de Nouvelle-Angleterre est décimée !

Devant le juge Wolf et la cour, le 30 avril, l'avocat Robert Popeo explique que si Connolly ne bénéficie pas d'une immunité contre d'éventuelles poursuites, comme c'est le cas de Morris, il ne permettra pas à son client de témoigner. Il ne permettra pas que Connolly soit « pris de court » alors que le gouvernement a rendu public le fait que Connolly fait l'objet d'une enquête. Connolly fait alors valoir le 5ᵉ Amendement et la présomption d'innocence, sort de la salle d'audience et reprend sa tirade contre Morris, qui attend dans le prétoire pour mettre un point final à son témoignage.

– Il n'a pas osé me regarder en face ! exulte Connolly. Il a fait comme si je n'étais pas là !

Connolly poursuivra son cirque médiatique durant tout l'été selon la même technique : l'ex-agent offusqué publie des démentis incendiaires chaque fois qu'un témoin le met en cause. Il contestera toutes les déclarations de l'ancien superviseur Jim Ring, particulièrement lorsque ce dernier fait part de l'inquiétude qui l'avait saisi devant la décision « stupide » de Connolly de dîner en compagnie de Bulger et Flemmi. Mais Connolly n'est pas le seul à protester. Billy Bulger, qui a pris sa retraite de la vie politique et occupe désormais la présidence de l'université du Massachusetts, proteste aussi énergiquement que Connolly lorsque, devant la cour, Ring évoque l'arrivée intempestive de Billy Bulger dans une réunion.

– Jamais je n'ai rencontré cet homme, s'offusque Billy Bulger. L'événement ne s'est jamais passé, mais l'objectif de démentir l'existence de telles choses est de créer une situation où les gens se disent : il a quand même dû se passer quelque chose d'inquiétant.

Au milieu de l'été, le représentant de l'État du Massachusetts, Martin Meehan, annonce le projet d'organiser une audience du Congrès américain sur les liens qu'à entretenus de longue date le FBI avec Bulger, précisant que les révélations qui ont secoué le tribunal fédéral de Boston soulevaient de graves inquiétudes sur « l'établissement, la poursuite et la surveillance de relations entre agents et informateurs ». Mais à l'instar de nombreuses préoccupations nationales durant la fin de l'année 1998, l'enquête est éclipsée par la procédure de destitution à l'encontre du président Clinton.

Dans la foulée, les audiences du juge Wolf sont transférées de l'immeuble de Post Office Square, où se déroulent les procès depuis soixante-cinq ans, dans un nouveau lieu, un bâtiment de 220 millions de dollars qui domine Boston Harbour dans le quartier de Fan Pier, à South Boston.

Les audiences sont suspendues en juillet pour les vacances, mais lors de la reprise du procès début août, un des personnages clés est absent. Sur le banc des accusés, Frank Salemme est assis à côté de Bobby DeLuca, et à côté de DeLuca on trouve Stevie Flemmi. Mais pas de Johnny Martorano. Il en a trop entendu. Prostré durant le défilé des témoins, agents, policiers et responsables qui déballent les détails du pacte avec Bulger. Il a entendu comment le FBI protégeait Bulger et Flemmi durant l'affaire des courses truquées en 1979 tandis que le reste de la bande, dont lui-même, étaient inculpés. Il a appris qu'après avoir fui en cavale pendant plus de dix ans en Floride pour éviter d'être arrêté, le FBI l'avait débusqué parce que Bulger et Flemmi avaient donné son adresse aux agents. Écœuré, Martorano avait accepté de collaborer avec certains procureurs contre Bulger et Flemmi. On l'avait extrait secrètement de sa cellule dans le bloc H-3 du centre pénitentiaire spécial de Plymouth le jeudi 20 juillet 1998, et transféré dans un lieu tenu secret pour un débriefing. Martorano commence par le récit des meurtres qu'il a commis en compagnie de Bulger et de Flemmi, meurtres restés non élucidés. Cette défection ébranle Flemmi.

Néanmoins, même à l'issue de longs mois où l'on a assisté aux témoignages du FBI, aux gesticulations de Connolly et au revirement de Martorano, ce n'est que lorsque Stevie Flemmi s'avance vers le prétoire que le procès atteint son point culminant. Il a le dos au mur, il s'est entêté dans la «défense de l'informateur», et a tenté de convaincre le juge Wolf que le gouvernement avait promis qu'il ne serait jamais inquiété pénalement. La tâche s'avère difficile pour l'accusé qui s'apprête à témoigner ; au début du procès, Flemmi et Fishman voulaient que celui-ci s'étende en détail sur le pacte avec le FBI tout en évitant de reconnaître quelque délit grave qui ait été commis, à part bien sûr ceux qui selon lui avaient reçu l'approbation du FBI.

Flemmi porte tout au long des audiences du procès un survêtement en synthétique noir et blanc. Mais le jour où il vient témoigner, le 20 août 1998, le patron du milieu porte des lunettes et arbore chemise blanche et cravate marron ainsi qu'un veston de sport à chevrons.

– M. Flemmi, on vous entendrait mieux si vous pouviez relever un peu le micro, conseille le juge quelques minutes après que Flemmi pris la parole.

Flemmi ajuste le micro devant lui.

– Ça va comme ça, Monsieur le juge ?

– Pouvez-vous rapprocher légèrement votre siège ?

Ken Fishman, qui gère Flemmi au plus près, aborde les questions avec celle qui préoccupe le plus la défense : ce fameux dîner chez John Morris au printemps 1985, dîner durant lequel, selon Flemmi, Morris avait promis que les gangsters pouvaient commettre tous les délits graves qu'ils voulaient, « à l'exception des crimes de sang ». Fishman passe en revue avec Flemmi l'historique du travail qu'en compagnie de Bulger il a accompli avec Paul Rico, John Connolly, John Morris et Jim Ring. Pendant ce récit, à l'incitation de Fishman, Flemmi va insister sur la promesse de protection du FBI, un des piliers du pacte dès le premier jour.

– C'était un de nos thèmes récurrents : jusqu'où s'étend votre protection ? On a toujours insisté là-dessus, et ils ont toujours répondu oui, on vous protégera, vous ne risquez pas d'être poursuivi par la justice, affirmera Flemmi dès les premières minutes de son premier jour dans le prétoire. On y revenait toujours. On ne s'impliquerait pas si on n'était pas protégés. C'était logique. Je n'étais pas particulièrement fier de coopérer, alors je voulais des garanties. Et là-dessus, je sais que M. Bulger pensait comme moi.

Parfois, Flemmi se laisse aller du côté patriotisme, main sur le cœur.

– Je crois que j'ai rendu service au gouvernement américain en servant d'informateur, lancera-t-il à Fred Wyshak lorsque viendra le tour du procureur de l'interroger. Bulger et moi, on a aidé le FBI à détruire la Cosa Nostra ; tout ce que j'ai fait, je croyais le faire dans l'intérêt du gouvernement américain.

Le procureur du gouvernement grimace.

– Vous pensez vraiment que c'était dans l'intérêt du gouvernement des États-Unis de contrôler le marché de la drogue à South Boston ? demande Wyshak. Vous le pensez vraiment, M. Flemmi ?

– J'invoque le 5e Amendement là-dessus.

Wyshak a du mal à supporter Flemmi. Les deux hommes vont s'affronter pendant des heures sur le « service rendu au public » par Flemmi en sa qualité d'informateur.

C'était un peu trop facile pour vous, » remarque Wyshak sévèrement, pour rabaisser les velléités patriotes de Flemmi. Vous pouviez commettre tous les délits et crimes que vous vouliez, empocher l'argent et imaginer que vous n'auriez jamais à en répondre devant les tribunaux ?

FLEMMI : Vous oubliez quelque chose, M. Wyshak. C'est que la Cosa Nostra a été détruite. C'était leur principal objectif [celui du FBI]. Ils appréciaient totalement ce qu'on faisait. Nous, on a rempli notre contrat.

WYSHAK : Estimez-vous, M. Flemmi, que c'est vous et M. Bulger tous seuls qui avez anéanti le Cosa Nostra ?

FLEMMI : Je vais vous avouer un truc, M. Wyshak, on a fait un sacré boulot.

WYSHAK : Vous le pensez vraiment ?

FLEMMI : Oui, je le pense. Le FBI en est persuadé aussi.

WYSHAK : Et pendant que le FBI faisait le boulot, M. Bulger et vous-même semiez la terreur dans toute la ville, vous êtes d'accord ?

FLEMMI : J'invoquerai le 5e Amendement là-dessus.

WYSHAK : Et c'était vraiment votre objectif à cette époque, de vous assurer le contrôle des activités criminelles sur Boston ? Est-ce que je me trompe, M. Flemmi ?

FLEMMI : On travaillait en partenariat, le FBI et moi. Si on a bénéficié de leur aide, ou de leur approbation ? C'est sûr, on en a bien profité.

Il y a même des fois où Flemmi se prend les pieds dans le tapis, surtout lorsqu'on lui demande s'il considère les tuyaux qu'il a reçus des agents du FBI comme des actions légales ou illégales. Ces tuyaux, assure-t-il, ne font que prouver la protection dont ils bénéficiaient de la part du FBI. Mais pourquoi le juge Wolf estimerait-il important le fait que ces fuites étaient illégales ? Plus d'une fois, Flemmi hésite sur la position à adopter. À un moment, Wyshak pousse Flemmi à s'expliquer au sujet des divers services accordés par Connolly à Bulger et Flemmi : des informations sur les écoutes éventuelles au rejet pur et simple des plaintes à l'encontre des deux malfrats, comme dans l'affaire d'extorsion contre Stephen et Julie Rakes. Le procureur demande subitement :

— Vous étiez conscient du fait que M. Connolly violait la loi en entretenant des relations avec vous, n'est-ce pas ?

FLEMMI : Bien sûr.

WYSHAK : Dites-moi, vous connaissez Stephen Rakes, Stippo ?

FLEMMI : J'invoquerai le 5e Amendement là-dessus.

WYSHAK : Vous nous l'avez déjà dit.

FLEMMI : Mes excuses, M. Wyshak. Je voulais éclaircir quelque chose, vous m'avez demandé si je savais qu'il violait la loi. En ce qui me concerne, tout ce qu'il faisait était légal, euh illégal, excusez-moi, je veux dire légal.

WYSHAK : Maintenant, vous nous dites que vous n'étiez pas conscient du fait qu'il violait la loi ?

FLEMMI : Non. Je dis que tout ce que je pense qu'il a fait… je crois qu'il… c'était cohérent avec son travail. Il nous protégeait.

WYSHAK : Vous pensiez que c'était cohérent avec son travail de violer la loi, oui ou non ?

FLEMMI : Quoi qu'il ait fait, c'était légal.

WYSHAK : C'était légal de vous avertir des investigations en cours ?

FLEMMI : Absolument.

La plupart du temps, Flemmi se montre bienveillant vis-à-vis de John Connolly, mais il exprime sa déception sur plusieurs points : Connolly ne l'a pas tiré de ce mauvais pas dès son arrestation, et il n'a pas non plus accepté de témoigner au cours du procès pour prendre la défense du pacte qui les liait.

FLEMMI : Il devrait être ici pour témoigner en notre faveur.

WYSHAK : Si je comprends bien, il a fait preuve de lâcheté ?

FLEMMI : Visiblement. Il n'est pas là. Moi je trouve qu'il devrait y être.

WYSHAK : Alors, vous pensez qu'il vous a également trahi ?

FLEMMI : Je pense qu'il nous a laissés tomber.

WYSHAK : Parce que si vous dites la vérité, il aurait dû frapper à la porte du procureur des États-Unis dès le premier jour, c'est bien cela M. Flemmi ?

FLEMMI : Il aurait dû le faire.

WYSHAK : Il aurait dû frapper à ma porte et me dire : « Hé, Fred, tu fais erreur, ce type bénéficie d'une immunité. »

L'ironie pratiquement constante du procureur mise à part au cours des dix jours de témoignage de Flemmi, il ressort de la carrière du gangster couvrant la collusion trouble avec le FBI, que la promesse de l'agence d'une protection est synonyme d'absolution universelle et à perpétuité. Flemmi s'imaginait « qu'il bénéficierait de cette protection pour tous ses crimes et délits, passés, présents et futurs. » Il n'existe aucun document écrit pour codifier le pacte ? Qu'à cela ne tienne :

– On avait tous donné notre parole d'honneur, commentera Flemmi à propos du pacte secret que Bulger et lui-même avaient passé avec Connolly, Morris et d'autres agents. On s'est serré la main. Pour moi, c'est un pacte.

Le moment le plus dramatique intervient lorsqu'on demande à Flemmi s'il avait reçu un tuyau lui conseillant de prendre la fuite juste avant son inculpation en 1995. Sourire narquois de l'intéressé.

– Vous aimeriez bien le savoir, je suppose.

En dépit de la masse de preuves qui désignent John Connolly, Flemmi tente de convaincre le juge que le coupable d'entrave à la justice c'est John Morris, c'est lui qui a averti de l'inculpation lancée par le grand jury. Flemmi espère que ce piètre scénario persuadera John Connolly de venir témoigner et, par la même occasion, de confirmer sa version de la promesse d'immunité. Mais la déclaration du malfrat se heurte à un mur d'incrédulité. C'est Frank Salemme, son co-accusé, qui s'offusque le plus. Jusqu'à maintenant, malgré leur proximité sur le banc et en prison, Salemme a réussi à garder ses distances avec Flemmi durant la semaine que celui-ci a passée dans le prétoire. Salemme ne bronche même pas lorsque Flemmi dément avoir donné au FBI l'adresse de Salemme à New York où il avait été appréhendé en 1972.

Mais la fable sur Morris est la goutte d'eau qui fait déborder le vase. Salemme y voit non seulement une farce mais aussi une menace à la fameuse défense d'immunité qui pourrait bénéficier à tous les accusés, pas seulement à Flemmi. Il a l'impression que Flemmi joue la carte de Connolly afin que celui-ci vienne le protéger. Il en a assez entendu. Au cours d'une suspension d'audience, une altercation éclate dans la cellule attenante au tribunal. Il bondit sur Flemmi, plus petit que lui, le soulève à bout de bras et hurle :

– Sale petite merde ! Tu as foutu ma vie en l'air et maintenant tu détruis ceux qui t'entourent ! Crapule ! Je vais te buter ! »

Bobby DeLuca tente d'intervenir pour séparer les anciens frères d'armes. Salemme se retire subitement ; jamais plus il n'adressera la parole à Flemmi.

Les audiences paraissent s'essouffler à l'issue du témoignage de Flemmi. Plusieurs témoins figurent encore sur la liste des cités à comparaître, des agents du FBI dont des experts témoignant sur les directives de l'agence relatives à la gestion des informateurs. Debbie Noseworthy, qui s'appelle désormais Debbie Morris, fait une brève apparition pour corroborer la version de John Morris : oui, c'est bien John Connolly qui lui a remis 1 000 $, l'argent de Bulger, pour acheter un billet d'avion. Mais les témoins suivants paraissent bien pâles, comparés au spectacle offert par un patron de la pègre de la stature de Flemmi devant un tribunal fédéral. En octobre, les témoins qui se sont succédé depuis des mois sont tous passés, et tout le monde a eu l'opportunité de s'exprimer.

Tous sauf un : John Connolly.

Estimant que le juge Wolf avait terminé, il se lance dans une nouvelle cavalcade médiatique pour redorer sa réputation, bien malmenée depuis quelques mois. Certes, il a donné quelques interviews à des journalistes au fil des audiences, mais il veut se réserver le dernier mot. On l'entend à la radio, on le voit à la télévision, dans les pages des magazines qu'il a choisis soigneusement. Chaque interview, chaque article est accordé à des personnes qui le soutiennent, si bien qu'il apparaît absolument convaincant. Le 27 octobre, à la une du magazine *Boston Tab*, s'étale un grand titre : « Connolly parle ». On y admire un portrait de Connolly, dans un costume bien coupé, lunettes de soleil, devant le 98 Prince Street, l'ancien repaire de la mafia de Boston. Le message est clair : c'est l'inspecteur qui a anéanti la mafia. « Je suis fier de ce que j'ai fait », proclame un autre titre en caractères gras. Mais aucune interview n'est plus servile que celle accordée par Connolly sur la radio WRKO-AM l'après-midi du 24 octobre 1998. Le journaliste, Andy Moes, annonce d'emblée que Connolly est un ami de longue date, « un fils prestigieux de South Boston » et « un homme que je tiens pour honorable et honnête ». Moes entame alors un hymne à la gloire de son ami.

MOES : Grand Dieu, mais qu'est-ce qui se passe ? La dernière fois qu'on a cité votre nom, c'était pour parler de John Connolly le Héros. Quand on parle de vous, c'est comme du « Prince de la Ville ». Tous les superviseurs, tout ceux qui vous connaissent au FBI vous encensent et parlent de votre intelligence supérieure, de votre talent incroyable, de votre professionnalisme. John Connolly a réussi ce qui paraissait impossible. Il est parvenu à infiltrer puis à briser l'emprise de la Cosa Nostra à Boston, ce dont le Bureau est extrêmement fier. Et ce dont il se targue à vos dépens. Voilà ce que j'avais toujours entendu sur John Connolly. Et puis subitement, j'entends des chuchotements, des rumeurs dans certains cercles, on murmure : « C'est un voyou, vous savez. Il s'est mal conduit. » Vous n'en n'avez pas assez d'entendre cela ? Cela ne vous rend pas malade d'entendre les gens vous traiter de la sorte ?

CONNOLLY : Ça finit par devenir lassant.

En politicien chevronné, Connolly désire imposer certains « points de vue » qu'il veut mettre en avant à chaque occasion : il n'a jamais commis de délits dans sa gestion de Bulger et Flemmi ; les deux malfrats ne sont pas des patrons du crime à Boston, mais un «gang de deux individus» qui ont aidé le FBI à débarrasser la ville d'une organisation criminelle internationale ; les deux gangsters avaient l'autorisation du FBI de commettre certains délits, paris illégaux et prêts usuraires, tant qu'ils fournissaient des informations ; John Morris était «un être malfaisant» ; et enfin, les procureurs Wyshak, Kelly et Herbert n'avaient pas autorité pour inculper les informateurs du FBI en 1995. Pour Connolly, ces procureurs avaient agi comme des «lâches» : ils avaient violé la promesse du FBI, et surtout la promesse de Connolly, de ne pas poursuivre Bulger et Connolly.

– Jamais je n'aurais engagé ma parole d'honneur avec quelqu'un si j'avais pu penser que le gouvernement la trahirait un jour, martèle Connolly à Moes, insistant bien sur chaque mot. Ils ont trahi leur parole, grince-t-il. Honte à ces hommes, honte à ces procureurs. Ils n'avaient aucun droit de trahir *ma* parole !

À cette époque, Connolly est devenu l'archétype de la personnalité connue des années 90, une décennie de plus en plus obsédée par le style et la célébrité. Comme si, Connolly se proclamant haut et fort le héros de l'histoire, ce qu'il faisait avec ténacité et sans vergogne, l'histoire devenait vraie tout à coup. Oubliez pour cela l'avalanche de preuves produites devant le juge Wolf, les heures de témoignages accablants. La majeure partie du temps, Connolly impose sa vision des événements dans tous les médias. Un seul petit accroc sur cette route pavée de bonnes intentions, très court, sous la forme d'une question posée par Peter Meade de WBZ-AM, qui interrompt le discours de Connolly. Il s'étonne d'entendre un ancien agent du FBI approuver la violence.

MEADE : La violence ne constitue-t-elle pas une partie intégrante des prêts usuraires ?

CONNOLLY : Euh, eh bien… Non, pas vraiment. Les prêts usuraires ? Ah oui, enfin, vous savez, la violence fait clairement partie des prêts usuraires. Euh. Si quelqu'un est un mauvais payeur, il faut le frapper. Mais, euh, en ce qui concerne ces deux-là et les autres, le marché était clair : pas de violence. Pas de meurtres. Pas de violence.

Durant ces passages dans les médias, Connolly marque des points en matière de relations publiques. Il hausse même le ton à propos des audiences devant le juge Wolf. Durant une grande partie de l'année, sa position avait été claire : il mourait d'envie de témoigner, mais il ne pouvait le faire sans une immunité, pas tant que des procureurs enquêtaient sur lui. Maintenant que le procès touche à sa fin, Connolly affirme qu'il se fiche complètement d'une quelconque immunité, il n'en veut pas parce qu'il n'en n'a pas besoin. « Je n'ai pas besoin d'immunité pour des actes de corruption, clame-t-il dans le *Boston Tab*. Je n'ai commis aucun acte de corruption. Je refuserai l'immunité pour cette simple raison : je n'en n'ai pas besoin. »

— Ils peuvent se la coller quelque part, conclut-il.

Mais cet écart de langage va s'avérer une erreur.

Les avocats de la défense et les procureurs demandent subitement au juge Wolf de faire comparaître de nouveau Connolly devant la cour puisqu'il ne désire plus réclamer une immunité. C'est une des rares fois où Cardinale et Wyshak sont d'accord.

— Il est temps de mettre M. Connolly sur le grill sur cette question, déclare Cardinale au juge.

Le collègue de Wyshak, Jamie Herbert, note que durant ses prestations devant les médias, Connolly « a menti sur ce qui se passe dans cette salle d'audience et en dehors de cette salle d'audience. »

Les magistrats ont donc relevé le coup de bluff de Connolly et le lendemain d'Halloween, le 30 octobre, John Connolly pénètre dans la salle du tribunal fédéral, flanqué de son avocat, Robert Popeo. L'athlétique ex-inspecteur s'assied dans le prétoire. Il porte un costume sombre taillé sur mesure, une cravate jaune très chic et une pochette blanche dans sa poche de poitrine. On dirait qu'il sort de chez le coiffeur.

Tony Cardinale lance une attaque en règle.

— M. Connolly, en 1982, avez-vous remis de l'argent en espèces à une secrétaire du FBI nommée Debbie Noseworthy, désormais Debbie Morris ?

Cardinale avait envie de provoquer Connolly.

— J'espérais que son arrogance prendrait le dessus, racontera-t-il plus tard.

Il voulait voir Connolly sortir de ses gonds et balbutier un démenti formel : non, il n'a pas remis l'argent de Bulger à Morris !

— Alors, brusquement le couperet serait tombé : une inculpation pour faux témoignage, poursuit Cardinale. Ça m'aurait fait plaisir après le mal qu'il avait causé à mon client et à tant d'autres personnes sous son costume de défenseur de l'ordre et de la loi.

Les deux hommes se regardent dans le blanc des yeux, tandis que les échos de la question de l'avocat résonnent dans la salle d'audience. Puis Connolly remue sur son siège et sort un petit carton de la poche de son veston. Il le montre à l'avocat du bout de l'index et du majeur de la main droite.

– Sur les conseils de mon avocat, je refuse respectueusement de répondre et invoque mes droits dans le cadre de la Constitution des États-Unis de ne pas témoigner contre moi-même.

CARDINALE : Le 30 avril 1998, comme l'indique la cour, M. Connolly, vous vous êtes présenté devant la cour et avez refusé de répondre aux questions en invoquant le 5e Amendement, est-ce correct ?

CONNOLLY : Absolument correct.

CARDINALE : Depuis cette date, vous avez été interviewé par un certain nombre de journalistes de divers médias… n'est-ce pas ?

CONNOLLY : Sur les conseils de mon avocat, je répète…

Sans se laisser démonter, Cardinale enchaîne les questions : Avez-vous personnellement commis un délit criminel quelconque en rapport avec une promesse faite à M. Bulger et M. Flemmi ? Avez-vous jamais remis à M. Morris vers Noël un carton de bouteilles de vin contenant 1 000 $ en espèces ? Avez-vous averti M. Bulger et M. Flemmi d'enquêtes qui pourraient être en cours à leur encontre ? Avez-vous connu un individu appelé Brian Halloran ?

À chaque fois, Connolly invoque le 5e Amendement.

Puis vient le tour du procureur Jamie Herbert.

HERBERT : Bonjour, M. Connolly.

CONNOLLY : Bonjour.

HERBERT : M. Connolly, vous connaissez le sens de l'expression «pots-de-vin» ?

CONNOLLY : J'invoque mes droits selon le 5e Amendement.

HERBERT : M. Connolly, vous avez donné au moins trois versions différentes de ce soi-disant pacte que vous auriez passé avec M. Bulger et M. Flemmi, est-ce correct ?

CONNOLLY : J'invoque mes droits selon le 5e Amendement.

HERBERT : M. Connolly, au cours de toutes ces années au sein du FBI et travaillant avec M. Bulger et M. Flemmi, n'avez-vous jamais, ne serait-ce qu'une fois, rédigé sur papier ce soi-disant pacte dans un dossier du FBI ?

CONNOLLY : J'invoque mes droits selon le 5e Amendement.

En l'espace de vingt minutes, Connolly invoque le recours au 5ᵉ Amendement trente fois sur des questions posées par Cardinale et Herbert. Le juge mettra fin à cet exercice futile, estimant que Connolly n'avait pas changé d'avis ni décidé de témoigner sans immunité. Robert Popeo confiera au juge que son client invoque le 5ᵉ Amendement sur son initiative, particulièrement « à la lumière des audiences de deux grands jurys séparés qui, selon certains procureurs, visent M. Connolly ». Même si son client s'exprime librement en dehors de la salle d'audience et clame son innocence, c'est son droit dans le cadre du 1ᵉʳ Amendement, il n'invoque pas ses droits selon le 5ᵉ Amendement et ne témoigne pas contre lui-même.

— À chaque question posée au témoin, précise Popeo, je lui ai conseillé d'invoquer son privilège dans le cadre de Constitution des États-Unis.

Les juges remercient Connolly.

— M. Connolly, vous êtes libre de quitter le tribunal.

Quelques minutes plus tard, Connolly émerge du tribunal sur Fan Pier ; il est immédiatement assailli par des journalistes, des photographes et des caméras et leur fait un résumé vindicatif des débats. Il s'en prend aux procureurs Wyshak, Herbert et Kelly, qui ont « démoli sa personnalité », qui ne songent qu'à faire de lui un bouc émissaire. Mais cette attaque renouvelée ne parvient pas à effacer l'image étonnante d'un John Connolly peu brillant, se réfugiant derrière son petit carton du 5ᵉ Amendement dont il annonçait depuis des semaines ne plus avoir besoin.

Arrive le temps de l'attente. Dans les chambres du juge, aidé de ses assistants, Wolf entame la rédaction de son jugement, étudiant les témoignages, les pièces à conviction et les diverses lois applicables en la matière. Les mois passent, et début 1999, le procès est sorti des préoccupations de la plupart des Américains. De temps en temps, et dans d'autres contextes, il revient dans l'actualité. L'ancien procureur fédéral et ex-gouverneur Bill Weld participe en 1998 à une émission de radio pour faire la promotion de son premier roman et tombe sur un journaliste qui veut aborder le sujet des relations entre Bulger et le FBI. Christopher Lydon de l'émission « The Connection » sur WBUR n'arrive pas à croire que Weld n'en ait pas fait plus pour s'attaquer au scandale Bulger.

— Pourquoi ne vous êtes-vous pas fâché ? attaque Lydon. Est-ce que votre ami Bulger était au courant ? Lui avez-vous posé la question ?

Weld, habituellement prolixe, se tait. Puis il répond qu'il n'en a rien fait, sur un ton légèrement agacé. Lydon poursuit sous forme de monologue. Plutôt que de riposter, Weld multiplie les secondes de silence à l'antenne. Lydon s'attache particulièrement au récent suicide de Billy Johnson, le policier qui avait plus ou moins rudoyé Whitey Bulger à l'aéroport de Logan à propos d'une grosse somme d'argent dissimulée par le malfrat. Johnson était persuadé que cet esclandre lui avait coûté sa carrière.

– Il s'est suicidé! affirme Lydon. Un pauvre type poussé à bout à l'issue d'une vie qu'il avait crue honorable, au service de la défense de ses concitoyens. Est-ce qu'il n'est pas là le scandale? lancera Lydon.

L'échange tendu s'apaise et les deux hommes en reviennent au roman que vient de publier Weld. Néanmoins, la répugnance de Weld à évoquer les sujets qui fâchent reflète et symbolise la volonté de toute la génération de Weld, parmi les responsables policiers de Boston, d'éviter de donner un coup de pied dans la fourmilière Bulger.

En 1999, vers la fin de l'été, la rumeur circule que Wolf, à l'issue de dix mois de rumination et de rédaction, s'apprête à mettre un point final à son jugement. Début août, le directeur du FBI, Louis Freeh, arrive à Boston et tient immédiatement une conférence de presse: il reconnaît publiquement que le FBI «a commis des erreurs d'une grande portée» durant la vingtaine d'années de collaboration entre le Bureau de Boston et Bulger et Flemmi. Cette reconnaissance est interprétée comme une tentative du FBI, toujours pointilleux sur son image, de dévier l'impact des conclusions du tribunal.

– Beaucoup d'erreurs peuvent nous être imputées, admet Freeh.

Il s'engage à ce que les agents corrompus du Bureau de Boston soient traduits devant les tribunaux.

Deux semaines plus tard, le FBI annonce que Whitey Bulger, toujours en cavale, vient d'être finalement ajouté à la liste des dix personnes les plus recherchées dans le pays, plus de quatre ans après sa fuite suite à son inculpation. Une décision qui aura quelque peu tardé pour certains. Dans les rues de Boston, on s'était habitué à l'idée que le FBI ne désirait pas tant que ça remettre la main sur son ancien indic.

Bulger figure désormais aux côtés de fugitifs notoires, tels qu'Eric Rudolph, soupçonné d'avoir commis des attentats à la bombe contre des cliniques d'avortement, ou Oussama ben Laden, le Saoudien soupçonné de terrorisme.

Il se distingue dans cette liste par le fait qu'il est le premier informateur du FBI à y figurer sur les 458 fugitifs qui en avaient eu l'honneur depuis sa création en 1950. Son visage va désormais paraître dans tous les bureaux de poste et les bâtiments fédéraux du pays, sur le site Internet du FBI et même dans une bande dessinée de *Dick Tracy* où il figure sur une affiche des dix personnes les plus recherchées par le FBI.

Trois hommes célèbres du bloc H-3 attendent également avec impatience, du fond de leur cellule, les conclusions du juge Wolf : Frank Salemme, Bobby DeLuca et Stevie Flemmi. Ils placent tous leurs espoirs dans l'idée que le juge refuse de prendre en compte des pièces à conviction tellement suspectes et abandonne les chefs d'accusation de racket à leur encontre. Ils souhaitent également que le juge estime que la FBI avait bien promis l'immunité à Flemmi et Bulger, et que le gouvernement, n'étant plus en mesure de violer cette immunité, ne pouvait les traduire en justice.

Depuis leur arrestation en 1995, les trois gangsters sont incarcérés dans la prison de Plymouth, un centre de détention moderne, ouvert en 1994, à une soixantaine de kilomètres de Boston. Les bâtiments ont été construits sur une ancienne décharge publique située dans un espace isolé de la ville au passé historique. Le centre pénitentiaire est également situé à proximité de l'autoroute N°3, qui relie Boston à Cape Cod ; depuis sa cellule, Flemmi entend les vrombissements de la liberté dans le lointain, celles des véhicules qui transportent Bostoniens et vacanciers sur un trajet que Bulger et lui-même empruntaient souvent pour profiter de quelques heures de détente à Cape Cod.

Le bloc de détention héberge 140 prisonniers dans 70 cellules. Il s'agit d'un grand bâtiment rectangulaire construit sur le modèle d'une « mini-prison » indépendante, à l'intérieur de laquelle les prisonniers passent pratiquement toute la journée. Les repas arrivent de l'extérieur depuis la cuisine de la prison centrale et les détenus mangent dans le réfectoire du bloc. Le bloc est équipé de ses propres douches, de ses postes de télévision et de ses cabines de téléphone payantes. Il y est interdit de fumer. Il existe une minuscule zone à l'extérieur, « l'aire de récréation », située à l'extrémité du bloc ; il s'agit en fait d'une grande cage, mais les détenus peuvent s'aérer et prendre un peu d'exercice. Sous un des escaliers, on trouve une barre fixe, pompeusement baptisée « le gym », tandis que le minuscule chariot de livres contre un des murs constitue «la bibliothèque». Deux étages de cellules, rez-de-chaussée et mezzanine, s'alignent de chaque côté du couloir principal.

Salemme et DeLuca sont logés dans deux cellules voisines à une extrémité d'une des mezzanines, près de l'accès à «l'aire de récréation». Flemmi occupe seul une cellule.

Au fil des mois, Salemme s'avère un détenu modèle et un leader du bloc. Les gardiens lui font confiance et lui confèrent le rôle de responsable, un poste occupé précédemment, ironie du sort, par Howie Winter, jusqu'à son transfert dans un autre centre de détention. Frank est donc le serveur de ces messieurs : trois fois par jour, tandis que ses codétenus sont sous clé, il installe le couvert au réfectoire, met de la glace dans les carafes de jus de fruit, nettoie les tables et dispose les chaises. Aucun autre boulot ne demande plus de responsabilité dans le bloc, ni le balayage de l'aire de récréation, ni le vidage des poubelles, le nettoyage des douches ou le lessivage des sols. Les gardiens exigent une propreté impeccable, comme dans un hôpital, et Frank s'acquitte de sa tâche à la perfection. On est loin de la vie d'un gangster de haut vol, mais le boulot aide à passer le temps et lui occupe l'esprit.

DeLuca se sent un peu moins motivé. Il balaye la mezzanine. Mais à l'instar de Salemme, il veut surtout s'occuper et rester en forme. Il fait des pompes afin de maintenir sa musculature. Tous deux surveillent ce qu'ils mangent, surtout Salemme, qui évite hydrates de carbones, graisses et sucre et préfère salades et fruits. Salemme est aussi un lecteur assidu : magazines consacrés aux bateaux, Tom Clancy, Dean Koontz.

Quant à Flemmi, c'est une autre histoire. Durant les audiences du tribunal, au fur et à mesure que l'étendue de son pacte avec le FBI éclatait au grand jour, Flemmi est repoussé de plus en plus en marge de la vie carcérale. Les détenus le maintiennent en état d'isolement. Il est ostracisé comme tous les mouchards, la lie du monde de la pègre. Salemme ne lui adresse plus la parole, ne le regarde même plus. Flemmi se rapproche parfois de DeLuca, mais les tête-à-tête sont brefs et plutôt froids.

L'isolement résultant de son nouveau statut de mouchard est certes pénible en soi, mais Flemmi se renferme un peu plus sur lui-même le jour où Johnny Martorano est transféré pour entamer sa collaboration avec les procureurs. Les gardiens ne vont surtout pas regretter l'exécuteur. Martorano leur glaçait le sang avec sa dégaine de méchant, arpentant sa cellule l'air de dire : «Cassez-vous, je suis John Martorano, je tue et j'aime ça.» Mais pour Stevie Flemmi, son départ est un crève-cœur. Il signifie que Martorano va l'impliquer ainsi que Bulger dans des affaires de meurtres, notamment celui de Roger Wheeler en 1981. Il signifie également que même si l'avocat de Flemmi réussit à convaincre le juge Wolf d'abandonner les chefs d'accusation de racket, les procureurs reviendront à la charge avec une inculpation de meurtre.

Début septembre, tandis que l'on attend les conclusions du juge Wolf, coup de théâtre : Martorano et le gouvernement se sont entendus sur une réduction de peine concernant le témoignage de Johnny. En contrepartie d'une peine entre douze ans et demi et quinze ans de prison, Martorano accepte de plaider coupable de vingt meurtres échelonnés sur trois décennies et trois États, dont l'assassinat de Roger Wheeler commis selon lui sur ordre de Bulger et Flemmi.

– Les individus qu'il a cités ont bénéficié de la protection du FBI pendant de longues années tout en commettant des crimes odieux, commentera David Wheeler, le fils du directeur de *Jai Alai* assassiné, qui approuve le pacte avec l'exécuteur.

Flemmi se retire dans sa cellule. Dans le bloc H-3, on évite l'ancien patron du milieu de Boston, il passe le plus clair de son temps prostré sur son petit lit de fer.

– Il est posé là, remarque un gardien, comme mon sac de golf au fond du placard.

Il n'a pas de petit boulot, il n'a personne à qui parler.

– Il est au bord de la dépression, peut-être même de la folie, note un officier de la prison.

Flemmi ne sort pratiquement jamais dans l'aire de récréation prendre l'air ou le soleil. On arrive presque à la veille du verdict dans le procès sur le crime organisé le plus retentissant de l'histoire de Boston, et le visage de Flemmi est devenu crayeux, presque transparent. Il a pris la couleur des murs de béton, remarque un gardien, c'est «un fantôme, blanc comme un pop-corn».

Tony Cardinale, l'avocat qui a ouvert la boîte de Pandore au fond de laquelle on devait découvrir le pacte secret entre le FBI, Bulger et Flemmi, commence la journée où doivent être annoncées les conclusions du juge par une petite heure de mise en forme au gym du Boston Athletic Club. Il passe prendre son associé John Mitchell venu de New York et qui réside à l'hôtel, puis ils rejoignent le tribunal où un assistant leur remet un carton contenant sept exemplaires des conclusions. Cardinale organise immédiatement l'envoi d'un exemplaire à destination de Frank Salemme dans la prison de Plymouth. Ensuite seulement, bien calés dans le bureau de Cardinale, en bras de chemise devant des gobelets de café et des sachets de beignets, les deux avocats entreprennent la lecture de l'épais document.

Howie Carr, éditorialiste du *Boston Herald*, écrira plus tard que Mark Wolf avait dû se prendre pour l'Edward Gibbon du crime organisé de Nouvelle-Angleterre en intitulant son rapport : *Grandeur et décadence de l'Empire Bulger*. Il comptait 661 pages ! Cardinale et Mitchell apprécient la manière dont s'ouvrent les conclusions du juge, reprenant une citation de Lord Acton. « En 1861, commence Wolf, Lord Acton note que "toute chose secrète finit par dégénérer, même l'administration de la justice". » Et le juge d'ajouter : « Cette affaire démontre à quel point il avait raison. »

Oubliant les beignets sur la table basse, les avocats dévorent le document page après page. La partie proprement légale, à savoir l'impact immédiat sur le statut du procès sur le racket, ne sont pas claires. Par exemple, le juge refuse de conclure que la protection accordée par le FBI à Bulger et Flemmi, illégale pour la plupart, pouvait être assimilée à une immunité contre toute poursuite. Mais il décide qu'une certaine partie des pièces à conviction issues de la surveillance électronique était rendue caduque en raison des promesses faites par le FBI à Bulger et Flemmi et ne pouvait être utilisée contre eux. Il va donc abandonner ces pièces à conviction et peut-être d'autres. Le procès de racket ne tient donc plus qu'à un fil. Mais afin de parvenir à une décision finale sur le sort des pièces à conviction, le juge décide d'un supplément d'information, sous la forme de nouvelles audiences à huis clos. « Essentiellement, conclut Wolf, les éléments pour décider de l'admissibilité de la requête de Flemmi en faveur de l'abandon des pièces à conviction ne sont pas réunis. En conséquence, le tribunal procédera à de nouvelles audiences pour décider de l'admissibilité de la requête et déterminer quelles pièces à conviction seront conservées. » Ce qui signifie que le procès n'est pas terminé.

Mises à part ces constatations juridiques, le rapport contient les conclusions véritablement explosives des faits constatés par le juge sur les rapports entre le FBI et Bulger et Flemmi. Plus de la moitié du rapport, soit 368 pages, est consacrée aux constatations fondées sur les faits des dérives du pacte secret entre l'agence fédérale et les deux malfrats, constatations résultant des témoignages sous serment et de l'examen de la montagne de dossiers et de documents issus du FBI.

Le juge reconnaît en préambule que Bulger et Flemmi étaient «des informateurs anonymes très utiles et estimés» du FBI, puis enchaîne sur la description détaillée de la corruption, des violations et des dérives qui ont marqué la collaboration pratiquement depuis le premier jour, il y a plus de trente ans. Les tuyaux, depuis ceux concernant le garage de Lancaster Street aux mouchards sur la voiture de Bulger, l'opération de la DEA, jusqu'aux écoutes sur Baharoian, tout est là, ainsi que la longue liste des informations reçues par les malfrats sur les voyous qui leur voulaient du mal. «Dans le cadre de leurs initiatives pour protéger Bulger et Flemmi, Morris et Connolly leur avaient communiqué le nom de plus d'une dizaine d'individus, soit d'autres informateurs du FBI, soit des sources d'autres agences policières.» Le juge cite le tuyau sur Brian Halloran et le fait que, quelques semaines après avoir parlé au FBI, «Halloran avait été tué.»

Le juge Wolf conclut que dans le but de protéger Bulger et Flemmi, les agents truquaient régulièrement les dossiers et rapports internes du FBI, à la fois pour valoriser leur contribution et minimiser l'étendue de leurs activités criminelles. Les dossiers du FBI contenaient «des irrégularités répétées en ce qui concerne la préparation, la gestion et la production pour ce procès de documents dommageables pour Bulger et Flemmi». En dépit des dénégations de Connolly, Wolf établit que l'agent traitant a bien transmis un pot-de-vin à Morris. «Morris a demandé et reçu par le biais de Connolly une somme de 1 000 $ de Bulger et Flemmi.»

Le juge statue également sur les menus détails de cette saga sordide. Contrairement aux commentaires publics de Billy Bulger, le juge établit qu'il était brièvement présent lors du fameux repas: «William Bulger, qui occupait le poste de président du Sénat du Massachusetts et habitait à côté des Flemmi, est venu un court instant tandis que Ring et Connolly étaient à table.»

– Seigneur! s'écrie Cardinale.

John Mitchell et lui vont lire chacun leur tour les paragraphes les plus juteux des conclusions, une sorte de duel ponctué d'exclamations diverses.

Wolf identifie en tout 18 superviseurs et agents du FBI coupables d'avoir enfreint soit la loi soit les directives du FBI et du ministère de la Justice. Parmi les adeptes les plus assidus de ce jeu dangereux se trouvent Paul Rico,

John Connolly et John Morris, mais on rencontre également le nom de Jim Greenleaf, Jim Ring, Ed Quinn, Bob Fitzpatrick, Larry Potts, Jim Ahearn, Ed Clark et Bruce Ellavsky et, parmi les agents, Nick Gianturco, Tom Daly, Mike Buckley, John Newton, Rod Kennedy, James Blackburn et James Lavin.

– Connolly est foutu ! lance Cardinale, secouant la tête.

Il marque une pause avant d'attaquer le paragraphe des conclusions de Wolf où celui-ci tente de répondre à la question centrale : comment Whitey a-t-il pu s'échapper au début de l'année 1995 ? Flemmi a assuré sous serment que le tuyau provenait de Morris, mais le juge estime que si Flemmi a généralement dit la vérité durant son témoignage, il n'a pas toujours fait preuve de «franchise» et «attribue parfois des informations reçues de John Connolly à d'autres agents du FBI, de toute évidence pour tenter de protéger Connolly.» Malgré les dénégations en public de Connolly, Wolf établit que c'est bien lui le coupable.

«Le tribunal conclut qu'au début de janvier 1995, Connolly est toujours proche de Flemmi et particulièrement de Bulger; il suit les progrès des investigations du grand jury, en partie grâce à ses contacts au sein du FBI, et maintient des relations constantes avec Bulger et Flemmi pour les mettre au courant des initiatives des enquêteurs. C'est lui qui est à l'origine du tuyau passé à Bulger.»

Finalement, en dépit des démentis publics de Jeremiah O'Sullivan et malgré ses déclarations à des enquêteurs fédéraux en 1997, le juge établit qu'O'Sullivan savait que Bulger et Flemmi renseignaient le FBI depuis 1979.

Les conclusions du juge exposent l'accoutumance dangereuse du Bureau de Boston à l'égard de Bulger, et le tableau qu'il en dresse est particulièrement choquant. Par pure coïncidence, ce document majeur est publié douze jours seulement après un événement marquant dans la vie de Bulger : Whitey fête ses 70 ans le 3 septembre 1999. Mais le brûlot de 661 pages lancé par le juge Wolf n'est pas le genre de cadeau qu'il aurait pu espérer recevoir. James «Whitey» Bulger jouissait peut-être encore de sa liberté, mais c'était bien une des seules choses dont il pouvait se réjouir.

«Un juge éreinte le FBI à propos du Pacte avec Bulger et Flemmi, peut-on lire à la une du *Boston Globe* le lendemain. Le juge : Au cœur du FBI, on a violé toutes les règles.»

Les grands titres résument le sentiment général, et Whitey Bulger a dû les lire lui-même, quelque part au fil de sa cavale, sur un chemin défoncé de la campagne américaine, une blonde décolorée sur le siège passager, faux papiers dans la boîte à gants et liasses de billets de 100 $ disséminés dans des coffres de banque aux quatre coins du pays.

Épilogue

« Bonjour à tous. Tellement de questions d'auditeurs à poser à John Connolly, et si peu de temps. Tout d'abord, il me semble qu'il existe un grand nombre de personnes prêtes à témoigner que Whitey et Stevie contrôlaient la totalité du trafic de cocaïne et de marijuana dans South Boston. Honte à vous... pour n'avoir pas voulu les coincer pour ça. »
Jack de South Boston, Radio WBZ-AM, 27 octobre 1998

« Je voudrais dire quelque chose à John Connolly ; je trouve que vous avez beaucoup de courage pour vous présenter devant le procureur fédéral dans ce procès. Ça fait plaisir de savoir qu'il existe au moins un agent du FBI qui respecte ses promesses. »
Christine De South Boston, Radio WBZ-AM, 27 octobre 1998

Comme il fallait s'y attendre, John Connolly n'est pas satisfait des conclusions du juge Mark Wolf publiées le 15 septembre 1999. Connolly avait pourtant complimenté le juge quelque temps auparavant, comme s'il cherchait à s'attirer ses faveurs. Au cours d'un débat radiodiffusé, Connolly avait évoqué le juge : « C'est un magistrat qui, à mon avis, recherche la vérité. »

Mais au terme des conclusions qui le placent au centre de pratiquement toutes les dérives du FBI, Connolly change de ton. L'ancien agent est particulièrement irrité de voir que Wolf le désigne comme celui qui a prévenu les malfrats en 1995 de leur inculpation imminente dans les affaires de racket.

«Je n'ai pas averti Bulger, Flemmi ou quiconque en ce concerne les inculpations par le grand jury en 1995, affirme-t-il dans un communiqué publié le soir de l'annonce des conclusions du juge Wolf. Le juge s'est livré à des conjectures irresponsables sur une affaire relevant de mon intégrité.»

Pour le reste, Connolly reste fidèle à son image : il lance des attaques personnelles contre celui qui a osé l'attaquer. «Le juge fédéral, affirme Connolly, se livre à des représailles à cause d'un ancien rapport que j'avais rédigé sur un informateur » ; ce rapport faisait état des rumeurs selon lesquelles Wolf avait fait fuiter des informations qui étaient venues aux oreilles de la mafia, alors que Wolf occupait les fonctions de procureur fédéral au début des années 80. (Ce rapport, exhumé lors du procès de 1998, avait été discrédité.) Les conclusions du juge Wolf se résument donc pour Connolly à une revanche pure et simple.

En dépit des conclusions de Wolf, Connolly continue de clamer son innocence, en se montrant néanmoins plus sélectif que durant sa cavalcade médiatique de 1998. Au cours de l'automne 1999, il est l'invité vedette de l'interview de «Dateline-NBC», et fait son numéro habituel, se vantant de sa réussite sans faille.

Mais Connolly a d'autres soucis à se faire, mis à part le rapport du juge Wolf. Depuis plus d'un an, plusieurs anciens agents, dont lui-même et Paul Rico, font l'objet d'une enquête d'un grand jury sur la corruption au sein du FBI. Trois jours avant Noël, John Connolly est arrêté. Plusieurs agents du FBI font irruption chez lui à Lynnfield, un quartier au nord de la ville, en début d'après-midi. Connolly est resté chez lui, victime de la grippe. Il est menotté puis conduit au tribunal fédéral de Boston. Il comparaît devant un juge dans la soirée, vêtu non plus de son costume dernier cri mais d'un sweatshirt gris et d'un jean noir, sneakers aux pieds, cheveux en bataille. La route a été longue, finalement, pour en arriver là. Il y a très longtemps, John Connolly a prêté serment qu'il respecterait et ferait respecter la loi. Le temps est venu de rendre des comptes.

Connolly, Bulger et Flemmi doivent répondre de plusieurs chefs d'inculpation : racket, complot pour racket, complot pour entrave à la justice et entrave à la justice. L'attendu de 17 pages du gouvernement précise que Connolly est accusé d'avoir servi d'intermédiaire dans le versement de 7000 $ de pots-de-vin, de fausses déclarations récurrentes dans le but de dissimuler des délits et crimes de Bulger, et d'avoir fuité illégalement vers Bulger et

Flemmi des informations secrètes à propos d'enquêtes de grands jurys et d'écoutes électroniques. Parmi ces fuites, Connolly est accusé précisément d'avoir averti Whitey qu'il allait être inculpé en 1995, permettant ainsi à ce dernier d'entamer sa longue cavale.

Devant la cour, Connolly plaide non coupable ; il est libéré contre une caution de 200 000 $. Les procureurs ont mentionné que l'enquête était toujours en cours, et la presse précisera que l'objectif des enquêteurs était désormais de définir le rôle qu'auraient pu jouer les agents du FBI dans le meurtre des individus, dont Brian Halloran et John McIntyre, qui constituaient une menace à l'hégémonie de Bulger et Flemmi. Au début de l'enquête, la procureure générale Janet Reno s'était adressée à la communauté des forces de l'ordre extérieure à Boston, celles de la ville étant jugées trop repliées sur elles-mêmes. Pour diriger les opérations anti-corruption, elle choisit le procureur fédéral du Connecticut, John Durham. Durham réunit une équipe d'enquêteurs venus de tout le pays et commence à démêler les fils pour tenter de comprendre les mécanismes de la dérive.

La procureure Janet Reno ordonne également une révision exhaustive des directives sur la gestion des informateurs criminels, et la nouvelle version est mise en vigueur au moment où l'administration Clinton quitte la présidence début 2001. Les directives ont été renforcées à la lumière des défaillances du Bureau de Boston ; elles prévoient entre autres de contraindre le FBI à partager les informations sur ses informateurs avec des procureurs fédéraux. Sont proscrits les attitudes trop familières et les échanges de cadeaux qui caractérisaient les relations entre le FBI de Boston et Bulger. Selon un procureur, ces nouvelles directives, mises en place dans tous les États et couvrant une quarantaine de pages, constituaient « la conséquence la plus significative et la plus durable » de l'enquête fédérale du FBI sur le secret qui entourait jusqu'ici les relations avec ses informateurs.

Pendant ce temps, un certain nombre d'événements durant l'automne 1999 vont contribuer à l'écroulement du règne de Bulger.

Le procès public de John Martorano fait l'effet d'une bombe fin septembre : Martorano s'avance devant le tribunal et admet avec la plus grande décontraction avoir tué dix personnes en qualité d'exécuteur des basses œuvres du gang de Bulger. Dans le cadre du marché signé avec les magistrats, en contrepartie de sa confession et de son témoignage contre Bulger, Flemmi et les agents du FBI, les procureurs recommandent une peine de quinze ans d'emprisonnement. Le marché lui-même est controversé ; certains sont effarés d'une peine aussi légère infligée à un tueur de sang-froid. Le procureur américain Donald Stern admet qu'il est parfois «déplaisant» de passer un tel marché avec des assassins notoires, mais qu'il serait encore plus déplaisant de ne pas en passer, l'objectif étant d'obtenir des pièces à conviction contre des chefs de gangs tels que Bulger et Flemmi. Martorano impliquera Bulger dans trois des meurtres et Flemmi dans une demi-douzaine.

Puis, début décembre, Cadillac Frank Salemme est libéré sous caution. Il plaide coupable des chefs d'accusation de racket et de s'être associé avec le gang de Bulger en vue de contrôler la pègre de Boston. En contrepartie, les procureurs acceptent de ne pas retenir les chefs d'accusation de meurtre à son encontre. Le marché n'impose pas à Salemme de témoigner, mais Salemme se présente spontanément devant le grand jury Connolly pour témoigner contre l'ancien agent. Wyshak et Cardinale signent une soumission conjointe recommandant une peine de dix à treize ans pour le voyou. Cela garantirait à Salemme une remise en liberté dans un peu plus de six ans, puisqu'il a déjà passé cinq ans derrière les barreaux depuis son arrestation en 1995. Le juge Wolf accepte le marché le 23 février 2000.

— Il est fatigué de se battre.

Cardinale commentera plus tard, en ajoutant que son client voulait s'éloigner de Flemmi.

— Frank n'a aucune envie de passer une minute de plus près de Flemmi, encore moins deux ans.

L'avocat de Flemmi, Ken Fishman, essaie de faire bonne figure :

— En ce qui nous concerne, nous sommes satisfaits d'avoir le tribunal pour nous tout seuls.

Bulger, toujours en cavale, perd de plus en plus rapidement son emprise sur la ville après l'inculpation de deux de ses plus proches bras droits. «Les deux Kevin», Kevin Weeks, maintenant âgé de 43 ans et Kevin O'Neil, 51 ans, répondent des chefs d'accusation de racket et d'actes de violence à l'encontre de distributeurs de drogue et de bookmakers depuis plus de vingt ans. L'inculpation les vise ainsi que Bulger et Flemmi dans l'affaire du magasin de vins et spiritueux du couple Rakes et l'extorsion de fonds visant Raymond Slinger. O'Neil est accusé d'avoir été le gérant de longue date du *Triple O*, qu'un journaliste baptisera le «Baquet Sanglant». Kevin Weeks est accusé d'avoir exécuté les ordres de Bulger dans l'organisation des activités criminelles du gang, Bulger ayant trouvé le moyen de communiquer par le biais de cartes de visites que recevait Weeks dans les commerces ou au domicile d'amis communs.

Au début, Kevin Weeks se présente avec l'allant et la gouaille qu'il a toujours affichés en tant qu'adepte dévoué de Bulger. C'est un personnage connu et apprécié, il a même fait une apparition en smoking lors d'une soirée des Oscars en 1998 célébrant la nomination d'un film de Gus Van Sand tourné à Southie, *Will Hunting*, à la *L Street Tavern*. À ses côtés lors de cette soirée, le 18 novembre, l'avocat Tom Finnerty, un vieil ami de Billy Bulger et ancien associé. Weeks plaide non coupable et, en sortant du tribunal, il se tourne vers le journaliste Howie Carr du *Boston Herald* :

– Sois clément, Howie, Sois gentil…

Quelques jours plus tard, Kevin Weeks est méconnaissable. Jamais auparavant il n'avait dû affronter des chefs d'accusation aussi graves : racket, extorsion de fonds, prêts usuraires, trafic de drogue, et peut-être même meurtre. Finnerty n'est plus là, remplacé par un nouvel avocat. Puis la rumeur s'enfle : Weeks s'est mis à table.

Le matin du 14 janvier 2000, la ville se réveille en apprenant que la police d'État a passé une des nuits les plus froides de l'hiver à déterrer les cadavres de deux hommes et d'une femme jetés dans une fosse creusée à la hâte à Dorchester. Kevin Weeks, qui cherche désormais à passer un marché en vue d'une réduction de peine mais doit d'abord pour cela faire preuve de sa bonne foi, a indiqué la position de la fosse dans le vallon en face d'une salle des fêtes très fréquentée, pas très éloignée du Southeast Expressway. Dès l'aube, les équipes de reporters de la télévision et les journalistes se rendent sur les lieux où ont été retrouvés les corps. L'endroit était autrefois marécageux, et parfaitement situé sur le chemin que Bulger et Flemmi empruntaient souvent entre Southie et Quincy.

Grâce à l'identification judiciaire des dents du premier corps, on découvre qu'il s'agit de John McIntyre. Le parking sur lequel on avait découvert le fourgon abandonné et son portefeuille le jour de sa disparition en 1984 se trouve à un peu plus d'un kilomètre de la fosse. On ne parvient pas à identifier les deux autres corps, mais on pense qu'il s'agit de Deborah Hussey, disparue depuis l'automne 1984, et d'Arthur «Bucky» Barrett, le perceur de coffre-fort disparu en 1983. Pour les familles des victimes, cette découverte est une sorte de soulagement. Pour les enquêteurs, le fait que Weeks ait pris le parti de trahir Bulger est un coup de poignard au cœur du gang. Les négociations secrètes se poursuivent à propos du marché offert à Weeks, tandis que dans les rues le fils adoptif de Bulger y gagne un surnom pour souligner le temps qu'il lui avait fallu pour retourner sa veste : «*Two Weeks*» («*Deux Semaines*»). Le garde du corps se présente devant le juge le 20 juillet 2000 et reconnaît sa participation dans cinq meurtres ainsi que dans la presque totalité des activités de l'empire criminel de Bulger depuis qu'il l'avait rejoint, encore adolescent.

– J'ai participé à tous les coups, avouera-t-il.

Weeks accepte de témoigner en contrepartie d'une peine de prison entre cinq et quinze ans. Dès qu'il se met à parler, les révélations sur Bulger vont se multiplier.

À la fin de l'été, les baigneurs de la plage de Tenean à Dorchester sont intrigués par l'arrivée d'une petite équipe d'enquêteurs : il y a des policiers d'État, des agents de la Brigade fédérale contre les stupéfiants, des agents du fisc. Armés de pelles, ils se mettent au travail et fouillent les fourrés qui surplombent la plage. Les enquêteurs dressent une tente dans une section entourée de rubans jaunes et annoncent au bout de quelques heures qu'ils ont retrouvé des restes humains. Ces restes anciens sont ceux de Paul «Paulie» McGonagle, le gangster de Southie et rival de Bulger au sein de la pègre qui avait disparu lors de la guerre des gangs vingt-six ans auparavant. Le lieu de sa découverte se trouve à moins de deux kilomètres du vallon où l'on avait retrouvé les premiers corps.

Les fouilles se poursuivent et au bout de quelques jours, les enquêteurs se déplacent vers un nouveau site, cette fois-ci sur les bords de la rivière Neponset à Quincy, moins d'une centaine de mètres de l'appartement de Louisburgh Square que partageaient Whitey Bulger et Catherine Greig. Les recherches sont plus difficiles.

– Nous allons prendre notre temps pour les fouilles, assure au bout de quelques jours le commandant Thomas Foley, de la police d'État, un des responsable des recherches.

Trois jours plus tard, ils tombent sur le cadavre de Tommy King, le gangster de Southie qui avait infligé une correction à Bulger dans un bar avant de disparaître en novembre 1975, quelques semaines seulement après la poignée de main entre Bulger et Connolly qui avait scellé leur pacte secret. Les enquêteurs annoncent qu'ils espèrent retrouver le corps de Debra Davis, la superbe blonde qui avait disparu peu après avoir annoncé qu'elle rompait avec Flemmi. Les policiers estiment que Flemmi avait attiré Debra chez sa mère à South Boston, juste en face de la maison de Billy Bulger, où Whitey l'avait étranglée. Stevie et Whitey avaient ensuite traîné le corps jusqu'à leur voiture avant de l'enterrer dans les marécages le long de la Neponset.

La famille de Debra Davis garde une lueur d'espoir, mais les recherches sont interrompues au bout de deux semaines.

– Nous avons retourné tous les abords de la rivière, mais nous n'avons rien trouvé, avoue Foley.

Un aveu dévastateur pour les proches, mais ils affichent cependant leur reconnaissance :

– Nous sommes déçus, évidemment, mais vous savez, ils ne peuvent pas creuser indéfiniment, déclare un des frères de Debra le jour où la pelleteuse quitte les lieux.

Quelques semaines plus tard, les enquêteurs qui n'ont pas renoncé, reviennent pour une dernière tentative ; ils fouillent dans une zone inondable pendant les grandes marées qu'ils n'ont pas encore explorée. Peu après, les policiers annoncent au grand soulagement de la famille qu'ils ont découvert les restes de Debra Davis.

C'est Kevin Weeks qui a guidé l'enquête. Six corps de personnes portées disparues depuis parfois plus de vingt ans ont maintenant été retrouvés. Les accusations contre Bulger et sa soif de sang culminent le 28 septembre : il est accusé avec Flemmi de participation dans les meurtres de vingt et une personnes, dont onze commis durant le pacte secret qui les unissait au FBI. Ces nouvelles inculpations fédérales couvrent une liste qui comprend les noms et les dates de l'assassinat de ces personnes, parmi lesquelles figurent Hussey et Davis, les ex-petites amies de Flemmi, le propriétaire du *World Jai Alai* Roger Wheeler, et les deux informateurs qui s'étaient retournés contre Bulger, Brian Halloran et John McIntyre. Les procureurs Fred Wyshak et Brian Kelly détaillent également le règne de terreur imposé par Bulger, l'étendue de son réseau de drogue et son arsenal d'armement. Ils annoncent que tous les biens de Bulger seront saisis, dont le *South Boston Liquor Mart*, le *Triple O*, et plus de 10 millions de dollars en espèces. Mais ce sont les vingt et un meurtres qui feront les gros titres de journaux dans tout le pays.

Bulger, Flemmi et leurs associés sont désormais les voyous les plus sanglants de l'histoire de Boston.

– Toutes les couches successives de mythe, de peur, de toute forme de protection se sont évanouies ; il reste un noyau dur profondément perturbant et effrayant de passages à tabac, de trafic de drogue, de corruption et d'assassinats, commentera le procureur des États-Unis Stern durant une conférence de presse où se bousculent les journalistes au tribunal fédéral de Boston. À la lumière de ce que nous savons aujourd'hui, il est évident qu'utiliser ces types comme informateurs était une abominable erreur.

Oubliez le mythe du «bon mauvais garçon».

– Bulger, ajoute Stern, était un tueur en série.

Début 2000, John Morris s'est installé en Floride après avoir perdu son emploi dans une compagnie d'assurances du Tennessee. Il revient parfois en avion à Boston pour témoigner devant le grand jury en cours. Jeremiah O'Sullivan et Jim Ring sont toujours employés par la firme d'avocats de Boston, *Choate Hall and Stewart*. Bill Bulger continue de présider l'université du Massachusetts. Bien que sa nomination par le gouverneur Weld de l'époque ait fait l'objet de controverses, Bulger a gagné haut la main ses galons de patron de l'université d'État. C'est même sur son campus universitaire qu'est organisé, le 3 octobre 2000, le premier débat présidentiel entre le candidat démocrate Al Gore et le républicain George Bush. Les journalistes de tout le pays pouvaient en fait apercevoir depuis le campus les enquêteurs et les pelleteuses, de l'autre côté du Dorchester Harbour, fouillant les marécages à la recherche des victimes de Whitey Bulger. Cette bizarre collision d'événements ne passe pas inaperçue ; dans un bref article du *New York Times* sur le débat des candidats présidents, on peut lire ce titre : «En toile de fond du débat : Où sont passés les corps ?»

Le Bureau de Boston du FBI est l'objet de l'enquête la plus exhaustive de l'histoire de l'agence gouvernementale. Tous ses agents, en exercice ou à la retraite, sont sur la défensive et anxieux ; à qui le tour, se demandent-ils… Paul Rico ? Dennis Condon ? Tous deux sont sur le gril dans le cadre de l'enquête du grand jury dirigée par le procureur Durham. Rico sera finalement accusé d'avoir aidé Bulger et Flemmi à préparer le meurtre de Roger Wheeler du *World Jai Alai* en 1981, mais il décède en 2004 avant son procès. Condon, totalement discrédité mais jamais inculpé officiellement, décède en 2009. Plusieurs autres agents du Bureau de Boston du FBI, Mike Buckley et Nick Gianturco par exemple, sont impliqués mais ne seront jamais inquiétés. Le grand copain de John Connolly, John Newton, apprend qu'il va être licencié ; on l'accuse d'avoir menti pour protéger Connolly durant les audiences du tribunal en 1998 devant le juge Wolf. Par la voix de son avocat, Newton jure de se battre contre la décision. À l'automne 2000, l'autre Kevin, Kevin O'Neil, décide de rejoindre Weeks et l'exécuteur John Martorano et de collaborer avec les enquêteurs. Accusé d'être le « banquier » du gang de Bulger, O'Neil plaide coupable. Il reconnaît vingt-six chefs d'accusation d'extorsion et de blanchiment d'argent. Il accepte de renoncer aux intérêts qu'il détient dans le magasin d'alcool et de vendre le *Triple O*, puis de céder 25% du produit de la vente au gouvernement. Les procureurs précisent qu'ils réclameront un maximum de cinq ans de prison pour O'Neil, peut-être moins si O'Neil accepte de livrer « une aide substantielle ».

Les procureurs fédéraux envisagent d'ajouter O'Neil aux nombreux témoins appelés au procès de corruption qui s'annonce contre Connolly. On aimerait en particulier qu'O'Neil fournisse son témoignage sur les fuites sur l'inculpation de 1995 dans laquelle on soupçonne Connolly d'avoir tenté de prévenir Bulger à temps pour lui permettre de s'enfuir. O'Neil, c'est une très mauvaise nouvelle pour Connolly.

Les problèmes de celui-ci s'aggravent lorsqu'une nouvelle inculpation est lancée contre lui le 11 octobre 2000. Il est désormais inculpé d'avoir transmis des informations à Bulger et Flemmi ayant conduit aux meurtres de trois témoins importants contre le gang : Brian Halloran, John Callahan et un troisième informateur, Richard Castucci.

« Du sang sur les mains, » annonce en pleine page le *Boston Herald*. Connolly est également accusé d'avoir reçu des pots-de-vin de la part de Bulger, sous la forme d'une bague en diamant en 1976 et d'extorsion de fonds pour le rôle qu'il a joué dans la mainmise par Bulger sur le magasin de Julie et Stephen Rakes à Southie. Il sera également inculpé d'entrave à la justice durant les audiences Wolf en 1998, accusé d'avoir comploté avec Flemmi en vue de mentir sous serment en affirmant que c'était Morris et non Connolly qui avait fuité l'information sur l'inculpation de 1995.

– Je suis innocent de ces chefs d'inculpation scandaleux lancés contre moi dans ce procès, avait lancé Connolly en sortant du tribunal à la suite de la lecture de l'acte d'accusation une semaine plus tard. Je demande à tous les citoyens épris de justice d'éviter de se faire une opinion avant d'entendre mes arguments et mes preuves.

Connolly est libéré sous caution. Flanqué de son avocat et d'un conseiller en communication, il refuse de répondre aux questions et s'engouffre dans une Lincoln Town Car noire qui démarre sur les chapeaux de roue.

«Celui qui gérait des criminels en est devenu un lui-même», notera le procureur des États-Unis Stern dans sa déclaration solennelle résumant la position du gouvernement au cours de sa propre conférence de presse. En fait, cette nouvelle inculpation de Connolly oblige le grand public à reconsidérer totalement l'image qu'il avait du scandale du FBI et de Bulger. John Connolly est désormais un gangster si l'on en croit l'accusation, c'est ce qui ressort de la procédure si l'on fait abstraction du jargon juridique. L'agent ne s'est jamais conduit comme un véritable agent ; Bulger avait réussi il y a longtemps à planter l'un des siens au cœur du FBI.

Le jury fédéral approuve cette vision des choses. À l'issue d'un procès de deux semaines à Boston en mai 2002, Connolly est reconnu coupable de racket et d'entrave à la justice. Quatre mois plus tard, l'agent ripoux est condamné devant une salle d'audience bourrée à craquer de journalistes et de spectateurs à une peine de dix ans derrière les barreaux. Connolly s'attendait à une certaine clémence, il tombe des nues lors du verdict. Il lance un baiser à son épouse tandis que les gardiens l'entraînent hors de la salle d'audience. C'est fini pour lui.

Depuis sa prison, Connolly voit s'accumuler les problèmes avec la justice. Il est nommé, en compagnie d'autres agents, ainsi que le FBI, dans une succession de plaintes civiles qui cherchent des compensations du gouvernement découlant des activités criminelles qu'il a poursuivies avec Bulger. Les plaignants sont principalement des membres des familles Halloran, Donahue, Castucci, McIntyre, Davis, Hussey et Litif, dont les pères, frères et sœurs ont été soit des victimes soit ont été abattues durant le règne de terreur des indics du FBI. En septembre, le jour du verdict à l'encontre de Connolly, ce sont plus de dix procédures fédérales, demandant près de 2 milliards de dollars de compensation, intentées contre le FBI.

Pendant ce temps, Stevie Flemmi continue de broyer du noir, livré à lui-même d'abord au Bloc H-3 du centre pénitentiaire de Plymouth, puis au Bloc 9 de la prison de haute sécurité de Walpole. Tandis que le monde s'écroule autour de lui, il s'acharne à trouver un angle de défense, mais il s'enfonce un peu plus chaque jour.

En novembre 2000, un lieutenant de la police d'État à la retraite, Richard Schneiderhan, est inculpé d'avoir fourni illégalement des informations à Flemmi et à Weeks à propos des tentatives des enquêteurs d'établir une surveillance électronique sur certains téléphones à South Boston, dont celui de Billy Bulger, en vue de mettre la main sur Whitey. Il s'avère que Flemmi a vu grandir Schneiderhan, que Schneiderhan a des membres de sa famille employés dans la compagnie du téléphone, et que Flemmi a demandé à Weeks de contacter Schneiderhan. Mais dès que Weeks se met à table, le plan s'effondre, entraînant la fin des liens de corruption entre Schneiderhan et Flemmi, qui remontaient à de longues années. À l'issue de huit jours de procès, Schneiderhan est condamné à 18 mois de prison en 2003.

Le frère de Flemmi, Michael, qui a fait toute sa carrière au sein de la police de Boston, est arrêté à son tour ; il est accusé d'avoir débarrassé un arsenal de plus de soixante-dix armes, dont des mitraillettes et des Uzis, de l'abri de jardin chez sa mère à South Boston, deux jours avant que les inspecteurs ne se présentent à son domicile munis d'un mandat de perquisition. L'officier de police, tombé en disgrâce, a été condamné à dix ans derrière les barreaux après avoir été reconnu coupable en 2002 de faux témoignage, d'entrave à la justice et de possession de silencieux, de carabines à canon scié et de mitraillettes.

Stevie Flemmi joue au chat et à la souris, mais ses tentatives de justification paraissent souvent carrément ridicules. C'est comme s'il en était resté au bon vieux temps des années 80, coincé dans cet espace-temps des années de gloire, où il n'avait qu'à rouler quelqu'un pour faire la nique à la police. Après tout, c'est ce que Whitey et lui avaient fait tant de fois durant tant d'années.

– La dernière collection GQ, tendance Walpole ! plaisante Flemmi face aux journalistes qui se bousculent au tribunal à propos de sa tenue, tirant sur le col de son blouson réglementaire en jean, qu'il porte sur un tee-shirt rouge et un pantalon de la même couleur.

En dépit de ses efforts pour soigner sa mise, l'ancien chef de gang a l'air décati, il n'est même pas rasé. Ceux qui le croisent quotidiennement dans l'enceinte de la prison affirment que, depuis plusieurs mois, le patron du milieu souffre de tics : à l'œil, au bras. Il remue sans cesse, et tout le monde s'en est aperçu.

– C'est le diable qui le ronge de l'intérieur, confie Salemme à ses codétenus.

La réalité finit par l'atteindre. Il y a ces nouvelles inculpations, la liste de plus en plus longue des anciens acolytes qui se mettent à table, les liens familiaux qui se rompent, le brouillard s'estompe peu à peu dans la tête de Flemmi. L'année qui suit la chute de son frère, accusé de l'avoir aidé, Stevie et ses avocats signent un pacte avec les procureurs. Dans le cadre de celui-ci, Flemmi reconnaît le meurtre de dix personnes et échappe ainsi à la peine de mort. Il est condamné à la prison à perpétuité. On exige également qu'il collabore pleinement avec les enquêteurs et qu'il témoigne plus tard si nécessaire. La première occasion intervient en juin 2006 ; Flemmi a 72 ans et paraît comme témoin lors du procès intenté pour le décès criminel de John McIntyre par la famille de celui-ci, réclamant au gouvernement fédéral 50 millions de dollars de dommages et intérêts. C'est la totale. Flemmi témoigne sur un meurtre commis en compagnie de Bulger parce que leur copain du FBI, John Connolly, les avait avertis que McIntyre collaborait avec des inspecteurs. Mais ces révélations terribles sur les mécanismes du triumvirat formé par Whitey, lui-même et Connolly, lors du procès civil McIntyre, n'est qu'un commencement.

Flemmi témoignera de nouveau, et tous les journaux du pays feront leurs gros titres sur le procès de Miami, en Floride, à l'automne 2008. Sur le banc des prévenus, il joue les chefs de bande entouré d'un chapelet de malfrats, tous anciens membres du gang de Bulger, qui s'apprêtent à témoigner. La cible des témoignages n'est autre que l'ancienne étoile du Bureau de Boston du FBI, John Connolly, dont les avatars judiciaires ne se sont pas arrêtés avec son procès fédéral en 2002 où il a été reconnu coupable de racket.

En 2008, plus personne ne doute que Connolly est un vrai gangster. Le fait est bel et bien établi depuis les audiences Wolf, renforcé par les procès civils et lors de son propre procès au tribunal fédéral de Boston. Connolly, l'enfant de South Boston devenu flic du FBI, puis protecteur des âmes damnées de la ville, Whitey Bulger et Stevie Flemmi !

Mais Connolly meurtrier ? Connolly avait-il averti en 1982 Whitey et Flemmi que l'homme d'affaires John Callahan de Boston racontait des horreurs sur eux ? Un tuyau juteux en provenance du FBI avait-il conduit à l'exécution de Callahan ? C'est la conviction des procureurs du gouvernement en tout cas, et le 15 septembre 2008, les gardiens sortent Connolly de sa cellule d'isolement pour le conduire au tribunal du comté de Dade où il entend les arguments de l'accusation.

Ce procès pour meurtre se déroule à Miami parce que c'est là que Callahan a été exécuté. C'est Fred Wyshak qui ouvre le ban pour le gouvernement ; durant une heure et demie, il dresse un portrait effarant de trente années de règne de la pègre à Boston. Connolly écoute sans broncher mais avec attention, assis sur le banc de la défense. Il porte un blazer noir et un pantalon marron foncé, ses cheveux sont apprêtés. Il a l'air plus en forme que sur les photos où il paraissait en survêtement orange réglementaire de prisonnier. Il prend des notes de temps en temps.

Malgré l'ambiance de la Floride, le procès pour meurtre reste une affaire bostonienne. La victime est un enfant de Boston et Connolly reste le gamin de Southie. Le défilé des témoins comprend des inspecteurs qui pourchassent Bulger, l'ancien superviseur ripoux du FBI John Morris, et même Theresa Stanley. Un frisson parcourt le public chaque fois que l'on entend les gangsters de Bulger, Johnny Martorano, Stevie Flemmi et Kevin Weeks. Lorsqu'il témoigne sur le meurtre de Callahan, Martorano fournit quelques détails sur ses exploits : il décrit en détail les vingt meurtres dont il est l'auteur. Flemmi évoque ensuite la liste de ses assassinats avant d'accuser Connolly. Il témoigne que du temps où celui-ci était agent du FBI, il avait empoché 235 000 $ de pots-de-vin, fait capoter des enquêtes criminelles et donné des informations qui avaient entraîné l'exécution de plusieurs individus, dont Callahan. Il affirme qu'à un moment où on partageait l'argent du trafic de drogue, Connolly avait plaisanté : « Hé, les gars, moi aussi je fais partie du gang ! »

Connolly ne témoignera pas. Durant plus de dix ans, il s'est répandu dans les médias mais, lors de ses procès, il refuse de témoigner sous serment, pas plus lors des audiences Wolf que lors de son procès pour meurtre. Les témoins vont se succéder pendant sept semaines, il faudra treize heures de délibérations pour que le jury de Miami parvienne à un verdict : Connolly est reconnu coupable de meurtre au second degré pour avoir conspiré avec

Bulger et Flemmi en vue de tuer Callahan, le comptable de 45 ans et homme d'affaires de la ville de Boston. Il est condamné à quarante ans de prison, une peine qui équivaut à la perpétuité puisqu'il a 68 ans à l'époque de cette condamnation. Ses avocats ont décidé avec lui de faire appel, mais il est trop tard pour redonner un semblant de lustre à son image.

La ville, pendant ce temps, tente d'évaluer les dégâts et continue de se poser la question : comment en est-on arrivé là ? Était-ce à cause de ces deux copains des cités, Connolly et Bulger, dont la loyauté l'un envers l'autre était plus forte que tout ? Était-ce la faute d'un gouvernement trop négligent ? Ou bien parce que tout homme est capable du pire ? Sans doute tout cela à la fois. Le mal incalculable qu'avait causé Bulger avait été ressenti par tous les habitants non seulement de Southie mais de Boston tout entière. Certains estimaient même que la corruption qui s'était immiscée au cœur de Southie et du FBI avait également gagné l'ensemble des institutions, le siège de la législature de l'État, les agences de police et la vie de tous les citoyens.

L'écrivain James Carroll, lauréat du National Book Award, le premier prix littéraire américain, et éditorialiste au *Boston Globe*, compare ce phénomène à une sorte de « cécité morale » lorsqu'il est question des frères Bulger dans un article paru fin 1999.

Durant de nombreuses années, la classe politique du Massachusetts a délibérément fermé les yeux sur les extravagances sauvages de James Bulger, et la répétition de cette attitude s'est transformée durablement en cécité morale. L'expression de cette tolérance explicite envers James Bulger a contaminé non seulement les forces de l'ordre mais le gouvernement lui-même, provoquant le cynisme parmi nos concitoyens, répandant la peur et transformant en complice tout le secteur public de Boston.

De toute évidence, tout ceci doit être relié au rôle qu'a tenu le frère de James Bulger, William Bulger, l'ancien président du Sénat de notre État. Personne ne peut l'accuser des crimes de James Bulger, personne ne peut reprocher à William Bulger d'exprimer son amour fraternel, en dépit de tout. Mais l'ancien président du Sénat a fait bien plus que cela. C'est parce qu'il a fermé les yeux sur les exploits malfaisants de James Bulger que tout le monde a cru bon de faire de même.

– Dans le discours toujours plein d'esprit de William Bulger, poursuit Carroll, James Bulger passe pour un joyeux drille.

Carroll donne un exemple ; le jour de la fête annuelle de la Saint Patrick, des petits déjeuners sont toujours organisés par Billy Bulger. En 1995, deux mois seulement après que Whitey a pris la fuite après avoir été averti par le FBI qu'il allait être inculpé, le gouverneur Weld de l'époque pousse une chansonnette qu'il vient de composer, une fois que sont assemblés tous les dignitaires, dont les Sénateurs du Massachusetts et le maire de la ville. La petite chanson de Weld, sur un air entraînant bien connu des Américains, celui de «Charlie on the MTA», précise Carroll, évoque encore le malfrat.

«Reviendra-t-il parmi nous ? chante Weld.

Non, il ne reviendra jamais, on ne le reverra jamais par ici. La police de Kendall Square Station vient de m'appeler. On l'a vu avec Charlie dans le métro de New York ! »

La foule adore, mais on imagine la tête de celui qui lui a fourni le tuyau.

Par cet exemple, on mesure avec Weld l'étendue de la corruption. Après tout, William Weld a servi en tant que procureur fédéral, il est au courant des crimes de James Bulger. Un clin d'œil de sa part permet à n'importe quel agent du FBI, même le plus corrompu, de se détendre, et autorise tous les autres à faire taire leurs scrupules et abonder dans le sens du pacte secret.

Que James Bulger soit toujours en cavale est une source d'embarras pour le FBI. Cet individu présente un danger pour tous les citoyens américains. La manière dont son destin s'est retrouvé mêlé à celui de son frère, et la manière dont ils ont profité l'un de l'autre pour progresser dans leurs carrières respectives, tout ceci constitue une tache indélébile dans l'histoire de notre pays.

Démêler les liens au sein de la famille Bulger s'avérera extrêmement complexe, on tire un fil par-ci, par-là ; pourtant de nouvelles informations filtrent de temps en temps au fil des années. Pour la première fois, les deux frères Bulger plus jeunes que Whitey commencent à payer le prix, en termes de réputation, de vie professionnelle, et en ce qui concerne l'un d'eux, de liberté, de leur indéfectible loyauté envers le pire d'entre eux, gangster et assassin.

Les deux frères ont eu des contacts avec Whitey durant sa cavale. Le cadet, John «Jackie» Bulger, lui a parlé au téléphone en août 1996 et a même tenté de lui fournir une fausse identité. Kevin Weeks est passé au domicile de Jackie Bulger et a pris des photos d'identité de Jackie affublé d'une fausse moustache. Weeks remettra ces photos en main propre à Whitey à Chicago. Mais lorsque

Jackie Bulger est assigné à comparaître devant un grand jury fédéral deux ans plus tard, il ment. Il témoigne qu'il n'a eu aucun contact avec son frère aîné et qu'il ignore s'il est toujours en vie. Jackie Bulger, lors d'un témoignage devant un autre grand jury, évitera de révéler qu'une des nombreuses caches d'argent de Whitey se trouve dans un coffre à Clearwater, en Floride, et qu'il en a payé la location six mois auparavant.

Dès que Weeks se décide à collaborer, Jackie ne peut plus échapper à son destin. En novembre 2001, peu après avoir pris sa retraite de greffier au tribunal des mineurs de Boston, il se retrouve menotté devant le tribunal fédéral, inculpé de faux témoignage et d'entrave à la justice. Il tente de résister, mais finira par craquer, reconnaissant avoir menti devant deux grands jurys. En septembre 2003, il est condamné à six mois d'emprisonnement.

Bill Bulger ne commet pas la même erreur. Il avait conversé au téléphone avec Whitey avant Jackie, en janvier 1995. C'était deux semaines après que Whitey avait pris la fuite pour échapper à son inculpation fédérale, et quelques semaines seulement avant le petit déjeuner annuel de la Saint-Patrick où le sujet de Whitey avait été évoqué en plaisantant.

Mais lorsque Bill Bulger est assigné à comparaître devant un grand jury en avril 2001, il reconnaît avoir parlé avec son frère. On lui demande pourquoi il n'a pas contacté les autorités puisque Whitey était en cavale pour échapper à la justice. Bill Bulger témoigne qu'il n'a pas exhorté son frère à se rendre parce qu'il estimait que ce n'était pas dans l'intérêt de celui-ci de le faire.

Ce contact avoué par Bill Bulger restera secret dans le cadre des procédures du grand jury fédéral, et il continue de présider l'université du Massachusetts. Mais des extraits de son témoignage finiront par être publiés dans le *Boston Globe*. En juin 2003, Bill Bulger témoigne, sous couvert d'immunité, devant une commission du Congrès sur les liens entre le FBI et son frère. On reprochera ensuite à Bulger, visiblement mal à l'aise et déstabilisé, d'avoir déclaré ne pas se souvenir de certains événements et d'avoir hésité sur de nombreux points. Le gouverneur du Massachusetts, Mitt Romney, exige la démission de Bill Bulger. Cédant aux pressions de plus en plus insistantes, Bulger annonce en juillet sa décision de prendre sa retraite. Plusieurs jours après avoir officiellement renoncé à son poste, le 4 septembre, il prend place en compagnie d'autres membres de la famille dans la salle d'audience du tribunal fédéral pour entendre le verdict de Jackie Bulger, un signe touchant de solidarité familiale.

— Il existe un lien évident entre solidarité familiale et corruption du système de la justice criminelle, remarquera le procureur des États-Unis Michael Sullivan ce jour-là devant les journalistes, alors qu'un des Bulger venait d'être condamné pour avoir tenté de protéger Whitey.

Quant à Whitey, il échappe toujours à tous ses poursuivants. Depuis son inculpation en 1995, on l'a repéré à New York, en Louisiane, dans le Wyoming, au Mississipi et même dans le quartier de sa jeunesse, Southie. Il figure sur la liste des «10 personnes les plus recherchées» par le FBI et l'on voit sa photo à la télévision toutes les semaines dans l'émission du même nom. Mais le FBI a beau déployer tous ses efforts pour persuader les Américains qu'il est très difficile de mettre la main sur lui, l'impression générale, c'est que le FBI n'en n'a pas vraiment envie. Chaque année, un nouveau superviseur du FBI arrive en ville pour prendre les rênes du Bureau de Boston et de ses 265 agents, et chaque fois il clame la même chose : «Mon mandat sera un échec si nous ne remettons pas la main sur Bulger.» Peu de gens s'avouent convaincus. La récompense pour la capture de Bulger passera même de 250 000 à 2 millions de dollars. En 2010, le bureau de la police fédérale du ministère de la Justice rejoint le FBI et lance ses shérifs dans la chasse à l'homme pour débusquer Whitey.

La Nouvelle-Orléans ? Dublin ? Southie ?

Fin 1999, personne n'ignore plus rien des détails écœurants des liens entre Whitey Bulger et le FBI. Ils remplissent près de 17 000 pages de témoignages sous serment, ils figurent dans les 661 pages de conclusions du juge Mark Wolf, et dans les plus récentes et renversantes inculpations. Mais nulle part dans cette avalanche de documents et de témoignages peut-on trouver la réponse à la question qui hante une ville nuit et jour :

Où se cache Whitey ?

Il faudra attendre juin 2011 pour que le mystère soit enfin résolu. Le 20 juin, le FBI lance une campagne de spots publicitaires sur le cas de Bulger, comme il le fait tous les ans dans l'espoir de susciter des témoignages. Cette fois-ci, on change de cible : au lieu d'évoquer Whitey, on concentre la publicité sur sa compagne, Catherine Greig. Les spots de 30 secondes à la télévision sont diffusés dans la journée, regardés par des femmes au foyer dans 14 villes des États-Unis. Tous les médias reprennent cette campagne du FBI sur Whitey et soulignent le nouvel angle sur Catherine Greig.

Et le miracle se produit. Une Islandaise, Anna Bjornsdottir, regarde sur CNN le dernier spot du FBI. Ancienne Miss Islande, Anna a participé en 1974 au concours de Miss Univers, et elle reconnaît instantanément Catherine Greig qu'elle a rencontrée à Santa Monica en Californie, où elle passe une partie de l'année avec son mari. Les deux femmes se sont croisées sur le trottoir devant les appartements Princess Eugenia sur la Troisième Avenue où Catherine vient tous les jours nourrir un gros chat de gouttière abandonné baptisé Tiger. Elles adorent toutes les deux les chats ; Bjornsdottir a même écrit un livre en Islande sur un chat abandonné qu'elle avait recueilli. Les deux femmes se prennent d'amitié.

Dès le lendemain, le mardi 21 juin, Bjornsdottir prévient le Bureau du FBI de Los Angeles, et en fin d'après-midi, le mercredi 22 juin, le FBI, les shérifs du ministère de la Justice et la police de Los Angeles apprennent que Whitey et Catherine vivent depuis des années au vu et au su de tout le monde à Santa Monica, un vieux couple sympathique connu aujourd'hui sous les noms de Charlie et Carol Gasko. Les policiers cernent l'immeuble Princess Eugenia où le couple coule des jours tranquilles depuis 1998, et mettent au point le piège qui fera sortir Whitey de sa tanière. Le gérant des appartements téléphone à Whitey, appartement 303, pour lui signaler qu'un individu vient de forcer la porte de sa cave au niveau des garages. Lorsque Whitey descend vers 5h45 de l'après-midi pour vérifier ce qu'il pense être un problème mineur, il s'aperçoit immédiatement que la situation est infiniment plus grave. Des policiers surgissent de l'ombre.

Whitey est cerné. Il n'offre aucune résistance. En quelques minutes, le criminel légendaire, âgé aujourd'hui de 81 ans et qui compte plus de seize années de cavale, est placé en état d'arrestation et menotté. Le véritable responsable de la chute du patron suprême des voyous de Boston s'appelle Tiger, c'est un gros chat de gouttière abandonné.

Quelques jours plus tard, Whitey est de retour à Boston. La nouvelle de l'arrestation de Bulger et de Catherine Greig s'étale à la une de nombreux journaux du monde entier, sur Internet, à la télévision. Lors de la fouille de l'appartement, la police va découvrir plusieurs caches, des trous creusés dans les murs, dans lesquelles Whitey dissimulait des armes et des liasses de billets pour un total de plus de 800 000 $. À la une du *New York Times* sur plusieurs colonnes, une photo d'identité judiciaire de Whitey datant de 1973 ; il avait alors 23 ans, il venait d'être arrêté pour des vols dans des camions. À l'exception de son calme, de son regard froid, de ses lèvres pincées, le jeune Bulger n'a plus rien de commun avec le vieillard chauve à la barbe blanche qu'ont pu photographier les reporters peu après son arrestation et qui a paru dans toute la presse.

On se pose bien quelques questions sur son état physique et son acuité mentale lorsque Bulger paraît dans une salle d'audience remplie à craquer. Sa famille l'attend, son frère Bill, assis au deuxième rang, sourit à son grand frère. Whitey lui fait un signe de tête et murmure un « Salut ». Dans l'assistance, il y a les survivants, et les familles de ceux qu'il a froidement exécutés.

— Peu importe ce que lui ressent, c'est un grand jour pour ma famille, avoue Shawn Donahue dont le père Michael a été tué en compagnie de Brian Halloran en 1982, deux meurtres dont devra répondre Whitey.

Shawn est venue avec sa mère, veuve, et ses frères Tommy et Michael.

— J'ai hâte de le voir pourrir au fond d'une cellule, le plus longtemps possible, déclare-t-elle à la meute des journalistes.

La juge Marianne Bowler lit à Bulger la cinquantaine de chefs d'accusation retenus contre lui dans le cadre de deux inculpations pour racket, où figurent 19 meurtres. Whitey n'oublie pas la petite touche d'humour : il annonce à la juge qu'il pourra se payer un avocat dès que le gouvernement lui rendra l'argent saisi chez lui.

Il y a aussi deux personnes qui attendent avec impatience que Whitey Bulger, après le coup de théâtre incroyable de son retour à Boston, comparaisse devant le tribunal ; ce sont deux procureurs fédéraux qui étaient à l'origine des poursuites engagées contre le gangster insaisissable plus de vingt ans auparavant : Fred Wyshak et Brian Kelly. Au début des investigations, ni l'un ni l'autre n'imaginaient les obstacles à venir, la profondeur de la corruption au sein du FBI et le temps que l'on mettrait à se saisir de Bulger. Aujourd'hui, il est assis face à eux. Devant la cour, ce jour-là, Whitey ne prononce pas une parole. Mais dans les mois à venir, Wyshak et Kelly auront beaucoup à dire au fur et à mesure qu'avancera le procès fédéral pour racket contre Bulger. Mais ils savent désormais que jamais plus, jamais, Whitey Bulger ne goûtera au plaisir de la vie en homme libre.

Remerciements

Le *Boston Globe* nous a accordé un congé sans solde pour nous permettre d'écrire ce livre, *Messe Noire : Whitey Bulger et le FBI, Un pacte avec le diable*, et nous tenons à remercier un certain nombre d'éditeurs du *Globe*, de rédacteurs en chef et de collègues qui nous ont aidés et soutenus au fil des mois.

Les éditeurs William Taylor et Ben Taylor et les rédacteurs en chef Tom Winship, Jack Driscoll et Matt Storin nous ont prêté la main pour couvrir l'histoire des liens entre Bulger et le FBI, un travail qui remonte aujourd'hui à plus de dix ans. Kevin Cullen nous a accompagnés dès le premier jour en 1988, et nous avons collaboré ensuite sur un certain nombre d'articles sur Bulger et le FBI. Nous avons beaucoup apprécié sa collaboration. Christine Chinlund a joué un grand rôle dans notre série d'articles en 1988, qui révélaient le fait que Whitey Bulger était un informateur du FBI. La documentaliste Mary Beth Knox nous a également grandement facilité le travail dès le début de ce projet.

Nous tenons à remercier Mitch Zuckoff, qui a travaillé à nos côtés en 1998 sur une série d'articles du *Globe* qui approfondissaient les liens entre Bulger et le FBI, et qui nous a soutenus durant tout le processus d'élaboration de ce livre en 1999. Il a su trouver le temps de nous écouter alors que nous développions le plan et les thèmes de cet ouvrage, et surtout, il a relu les esquisses de chaque chapitre au fur et à mesure de l'écriture. Chaque fois, il a su trouver les mots justes.

Ben Bradlee, le rédacteur adjoint du *Globe* en charge des projets, a supervisé notre série d'articles sur Bulger et Flemmi publiés par le *Globe* en 1988. En fait, il s'avère que deux membres de la famille Bradlee ont eu leur mot à dire sur ce projet, sur deux fronts : d'abord au *Boston Globe* puis au sein de notre maison d'édition. PublicAffairs a été créé par Peter Osnos en hommage à Benjamin Bradley et à deux autres personnalités marquantes de l'édition et du journalisme aux États-Unis, Robert Bernstein, qui a longtemps dirigé Random House et fondé Human Rights Watch, et le journaliste I. F. Stone. Stone avait d'ailleurs beaucoup à dire à propos du FBI. Au cours d'un séminaire d'universitaires réunis à l'université de Princeton en 1971, qui forme la base de son livre *Enquête sur le FBI*, Stone lance une mise en garde : le FBI est fondamentalement obsédé par l'image qu'il donne de lui-même, une obsession qui le pousse à résister à tout examen trop poussé. Le FBI, note-t-il, « pratique le lavage de cerveau et la glorification de soi, ce qui le rend difficile à contrôler. » La véritable tâche de cette agence, ajoute-t-il lors d'un débat, « c'est d'enquêter sur la criminalité, et non d'endoctriner les citoyens. »

Nous aimerions remercier ici Brant Houston de l'Association des journalistes et éditeurs d'investigation (IRE) ainsi que Peg Lotito de la Fondation pour le journalisme d'investigation (FIJ). Le FIJ nous a soutenus grâce à une subvention de recherche qui s'est avérée essentielle dans notre travail de rédaction.

Mary Velasquez a relu les premiers chapitres de ce livre au fur et à mesure de leur élaboration, et nous a fourni l'énergie nécessaire pour mener ce projet à bien. Sa relecture finale nous a été précieuse pour parfaire l'ensemble de ce livre. Son aide s'est manifestée dans tous les domaines et nous apparaît aujourd'hui indispensable.

Il faut citer ici un certain nombre de collègues au sein du *Boston Globe*. Al Larkin nous a soutenus tout au long du projet. Steve Kurkjian et Tim Leland sont les amis qui ont lancé le journalisme d'investigation au sein du journal. Tom Mulvoy et Mike Larkin figurent également parmi nos amis, des journalistes dont la compétence a été précieuse dans l'élaboration de ce projet Nous avons apprécié le travail de journalisme effectué sur la personnalité de Bulger par Shelley Murphy, Bill Doherty et Patricia Nealon. Matt Carroll, Bob Yeager et Sean Mullin nous ont fourni des conseils éclairés quant à la gestion de nos bases de données et de l'informatique. Merci à John Tlumacki pour son extraordinaire dextérité à prendre des clichés de Bulger.

David Butler nous a fourni un superbe plan de la ville de Boston. Stan Grossfeld nous a conseillé pour le choix de la couverture de ce livre. David Warsh a trouvé pour nous la clé, pourtant bien cachée, du bureau des rédacteurs du *Boston Globe*. L'éditorialiste David Nyhan nous a toujours soutenus et régalés de son humour. Joan Anderson nous a fourni l'ambiance musicale. Linda Hunt nous a aidés à naviguer dans le labyrinthe des bureaux au sein du journal ; merci à Barbara McDonough et à ses collègues au standard du *Globe* pour nous avoir permis de communiquer.

La documentaliste Lisa Tuite a fait un formidable travail pour organiser la multitude d'articles du *Globe* et du *Herald* qui remontaient parfois à plusieurs décennies. Merci à tous ses collègues des archives du journal pour avoir si bien géré ces sources : Wanda Joseph-Rollins, Jimmy Cawley, Richard Pennington, Kathleen Hennrikus, Donna Ritchie, Bill Boles, Betty Grillo, Charlie Smiley, Marc Shechtman, Christine Quarembo et Rosemarie McDonald. Pardon à ceux ou celles que nous aurions pu oublier dans cette liste.

Un certain nombre de personnes, des amis et des conseillers, nous ont encouragés dans ce vaste projet, récemment ou depuis son lancement : feu Richard O'Neill, qui aimait parler du livre avec son fils, feu George Higgins, Harry Goldgar, feu Bill Alfred, John L'Heureux, Dominick Dunne, Howard O'Brien, Phil Bennett, Larry Tye, Wil Haygood, Jack Thomas, Maureen Dezell, Brian Mooney, Nick King, Bruce Butterfield, Jon Albano de Bingham Dana & Gould, Jonathan Tisch, Dave Holahan, Kyn Tolson, Mark Melady, Joel Lang, Donna DiNovelli, Dennie Williams, Andy Kreig, Tom Condon, Lincoln Millstein, Irene Driscoll, John et Kellie Lehr et John et Nancy Lehr.

Bernadette Rossi Lehr, aujourd'hui disparue, appréciait l'écriture et nous a toujours conseillé la patience durant l'élaboration du projet.

Un certain nombre de journalistes ont suivi de près la progression de notre travail, chacun à sa manière : Christopher Lydon, d'abord dans son émission sur la chaîne de télévision WGBH-TV et aujourd'hui dans son émission de radio « The Connection » sur WBUR-FM et les radios affiliées ; Howie Carr, Peter Gelzinis, Ralph Ranalli et Jonathan Wells du *Boston Herald* ; Edmund Mahony du *Hartford Courant*. Ils ont tous contribué à la compréhension par les citoyens des relations spéciales entre le Bureau de Boston du FBI et les Bulger.

Nous tenons à remercier Esmond Harmsworth, Lane Zachary et Todd Shuster de l'agence littéraire Zachary Shuster, qui ont offert de nous représenter et de nous soutenir ardemment. Remercions ici avec chaleur notre responsable de la rédaction et notre éditeur chez PublicAffairs, Geoff Shandler et Peter Osnos, qui nous ont si bien accueillis. Shandler a un œil infaillible, merci pour sa compétence. Gene Taft, le responsable de la publicité de PublicAffairs, originaire de Boston, a été le premier à lire notre série d'articles publiée en 1998 dans le *Globe*, et l'a fait lire à ses collègues en suggérant que nous en fassions un livre.

Sans le juge du tribunal de district fédéral Mark Wolf, nous n'aurions pas eu accès à la masse de documents qui ont permis de donner vie à Bulger et à son histoire avec le Bureau de Boston du FBI. C'est au juge Wolf que l'on doit d'avoir déclassifié de nombreux documents du FBI qui auraient dû rester à tout jamais cachés aux yeux des citoyens américains. De plus, de nombreuses personnes qui refusent toujours d'être interrogées sur cette histoire ont été contraintes de parler par assignation à comparaître. Au fil du temps, nous avions déjà collecté de nombreux dossiers, documents et interviews de notre propre initiative, mais les témoignages sous serment et les dossiers du FBI ont été cruciaux pour fournir à l'histoire profondeur et vérité dramatique. Il faut ici célébrer le travail inlassable des avocats et procureurs impliqués dans le procès devant le juge Wolf. Depuis dix ans, ils n'ont de cesse de se battre pour faire éclater la vérité : le procureur fédéral Donald Stern et ses adjoints Fred Wyshak, Brian Kelly et James Herbert ; les avocats Anthony Cardinale, Kenneth Fishman, Martin Weinberg, Randolph Gioia, Kimberly Homan et John Mitchell.

Finalement, nous tenons à saluer et remercier certains des policiers d'État, des policiers de Boston et des agents fédéraux anti-drogue, la plupart retraités aujourd'hui, qui à l'époque ont simplement tenté de faire leur travail sans savoir que les règles du jeu avaient été établies par le Bureau de Boston du FBI. Nous avons certainement oublié quelques personnes et nous en sommes désolés, mais nous tenons à citer Robert Long, Rick Fraelick, Jack O'Malley, Charles Henderson, John O'Donovan, Joe Saccardo, Thomas Duffy, John Tutungian et Tom Foley de la police d'État du Massachusetts ; Jim Carr, Frank Dewan et Ken Beers du Département de la police de Boston ; Richard Bergeron et Dave Rowell, aujourd'hui disparu, de la police de Quincy ; Mike Huff de la police de Tulsa ; Al Reilly, Steve Boeri et Daniel Doherty de la DEA.

À propos des auteurs

Dick Lehr enseigne le journalisme à l'université de Boston. Journaliste pendant plus de vingt ans au *Boston Globe*, il a été sur la liste des candidats au Prix Pulitzer pour ses articles d'investigation ; il est lauréat de nombreux prix régionaux et nationaux en matière de journalisme. Son ouvrage le plus récent, *The Fence : A Police Cover-up along Boston's Racial Divide*, a été sélectionné par les Écrivains policiers des États-Unis pour le Prix Edgar 2010 du meilleur livre policier documentaire. Dick Lehr a également publié avec Mitchell Zuckoff *Judgment Ridge : The True Story of the Darmouth Murders*, qui figurait aussi sur la liste du Prix Edgar. Il a été journaliste en résidence à l'Institut Schuster pour le journalisme d'investigation à l'université de Brandeis, et occupe un poste de chargé de cours de journalisme à l'université de Stanford. Il réside à Belmont, Massachusetts avec son épouse Karin et leurs quatre enfants.

Gerard O'Neill a occupé le poste de rédacteur en chef de l'équipe phare de journalistes du *Boston Globe* durant vingt-cinq ans. Originaire de Boston, il a débuté comme reporter auprès de la Chambre des représentants de l'État du Massachusetts et de la municipalité de Boston, avant d'embrasser la carrière de journaliste d'investigation. Gerard O'Neill a été finaliste puis a remporté le Prix Pulitzer, ainsi que de nombreuses récompenses régionales et nationales pour ses travaux. Son ouvrage le plus récent est un livre d'histoire politique,

Rogues and Redeemers: When Politics was King in Irish Boston, publié le jour de la Saint Patrick en 2012. O'Neill vit à Back Bay, Boston, avec son épouse Janet et leurs deux enfants.

Ensemble, Lehr et O'Neill ont écrit *The Underboss: The Rise and Fall of a mafia Family*. Publié initialement en 2000, *Black Mass* (*Messe Noire*) a figuré sur la liste des bestsellers du *New York Times* et du *Boston Globe* pendant 48 semaines. Le livre a remporté le Prix Edgar en 2000.